D0261051

# De sterren & ik

*Van Jemma Forte zijn verschenen*:

De diva & ik ◈

De sterren & ik ◈

◈ Ook als e-book verkrijgbaar

Jemma Forte

# De sterren & ik

SIJTHOFF

Uitgeverij Sijthoff en drukkerij Bariet vinden het belangrijk om op milieuvriendelijke en verantwoorde wijze met natuurlijke bronnen om te gaan.


Oorspronkelijke titel: *From London with Love*
Vertaling: Maya Denneman
Omslagontwerp: Annemarie van Pruyssen
Omslagfotografie: Getty Images

ISBN 978 90 218 0580 1
NUR 343
ISBN e-book 978 90 218 0581 8

www.boekenwereld.com
www.uitgeverijsijthoff.nl
www.watleesjij.nu

Voor Lily en Freddie

# Proloog

Twee ouders, dat hebben we allemaal met elkaar gemeen. Op het moment van de conceptie dan, want daarna is niks meer gegarandeerd. Hoewel de meeste babymakers gelukkig graag in de buurt blijven om voor hun nakomelingen te zorgen en van ze te genieten; de opvoeding gaat nu eenmaal niet vanzelf.

Ouderschap, een club waarvan je gemakkelijk lid wordt (mits je vruchtbaar bent), en toch is het zo'n privilege om erbij te mogen horen. De club die geen geld terug geeft, geen proefritjes toestaat en geen enkele garantie biedt, maar ons verleidt met de belofte van onmetelijk geluk en voldoening. En waar, om die reden, altijd een wachtlijst voor zal zijn.

Op een dag in 1984 wisten filmsterren Edward Granger en Angelica Dupree het nog niet, maar ze stonden op het punt van de wachtlijst af te komen en volwaardig lid te worden. Het zou niet lang meer duren...

Het beroemde stel was in Londen voor de grootse première van Edwards meest recente uitstapje als James Bond, en met nog maar twee weken te gaan tot hun uitgerekende datum hadden ze de wereld aan hun voeten (niet dat Angelica die van haar in de afgelopen maanden nog had gezien). Ze waren in gelijke mate opgewonden en zenuwachtig voor de geboorte van hun eerste kind, hoewel Angelica er ook wel naar uitkeek om het uitpersen achter de rug te hebben. Het stel ging ervan uit dat het daarna een makkie zou worden. Waarom zou dat niet zo zijn? Ze waren rijk, supermooi en immens succesvol in alles wat ze deden. De timing was niet helemaal perfect, maar miljoenen mensen zorgden elke dag voor baby's, dus hoe zwaar kon het zijn?

'Gaat het, lieverd?' vroeg Edward aan Angelica. 'Zit die kruk wel lekker?'

'Het gaat wel, alleen moe. Kunnen we zo gaan?'

'Natuurlijk,' antwoordde hij en hij legde een beschermende hand op haar uitpuilende buik.

Op dat moment kwam Jill Cunningham, zijn agent, schuchter naar hen toegelopen en ze verbrak de betovering. 'De critici vinden je geweldig,' slijmde ze met veel genoegen. 'Morgen rond deze tijd tekenen we een nieuwe deal voor twee films.'

'Fantastisch,' antwoordde Edward vriendelijk. Hij wilde net vragen wat ze wilde drinken toen een uitgelaten ogende vrouw in hun blikveld verscheen.

Overmand door opwinding stormde ze tussen de andere feestgangers door. 'Je bent het echt!' gilde ze, en ze sloeg haar hand voor haar mond. 'James Bond in levenden lijve en... lieve hemel! Sorry, maar ik zag je eerst niet. Angelica Dupree! Je bent nóg mooier dan op de foto's en... in verwachting!' kakelde ze, alsof dat niet van kilometers afstand te zien was.

'Aangenaam kennis te maken,' zei Edward galant, terwijl hij van zijn kruk gleed om zijn fan te begroeten. 'En hoe mag jij heten?'

'Anita,' zei ze gemaakt schuchter. 'Of moet ik zeggen: "Fletcher, Anita Fletcher"?'

Edward gooide zijn hoofd in zijn nek en lachte alsof dat het origineelste was wat hij ooit had gehoord. Angelica glimlachte in zichzelf.

'Vertel, Anita Fletcher, wat vond je van de film?' vroeg Edward vervolgens.

'Geweldig, echt geweldig. Mijn zus, die hier ook is... ergens... en ik zijn enorme Bond-fans. We hebben een wedstrijd gewonnen waardoor we hier vanavond heen mochten en hebben ontzettend genoten. De slechterik was super en de bondgirl ook... hoewel natuurlijk niet zo goed als jij in de vorige,' zei ze er snel achteraan tegen Angelica.

'Doe niet zo gek,' suste Angelica, ondanks het feit dat ze een gevoelige snaar raakte. Deze zwangerschap had, nu ze aan het begin van een schitterende carrière stond, niet bepaald in de planning gezeten. 'Bond hoort steeds een ander meisje te hebben en bovendien zou ik nu toch niet in mijn bikini passen... hoewel ik er hopelijk wel op tijd weer in kan voor de volgende.'

Jill Cunningham had nu dolgraag een opmerking willen maken, maar ze hield zich in. Als Edwards agent had ze het altijd vreselijk gevonden hoe ambitieus zijn jonge vrouw was en ze zou willen dat ze ophield met wedijveren.

Anita Fletcher staarde dommig terug. Ze wist niet goed waar ze moest kijken. Angelica's zijden positiejurk was zeer laag uitgesneden en liet haar ongelooflijke boezem en perfecte decolleté goed uitkomen. 'Prachtige buik,' zei ze uiteindelijk. 'Wat denk je dat het wordt? Behalve een baby, dan...'

'Ik heb geen idee,' onderbrak Angelica haar gebabbel.

'Echt niet? Tjee, toen ik zwanger was van mijn Paul wist ik meteen dat het een jongen was. Om te beginnen schopte hij aan één stuk door.'

'Oké,' antwoordde Angelica vaagjes.

'En hoe zou je hem hebben genoemd als het een meisje was?' vroeg Edward beleefd.

'Lorraine.'

De glimlach verdween van Angelica's gezicht. '*Mon dieu*,' jammerde ze in haar moedertaal.

'Zo erg is Lorraine toch niet?' vroeg Edward.

'Nee!' gilde een beschaamde Angelica. 'Ik heb een ongelukje gehad, kijk.'

Edward volgde haar blik naar beneden. Op de pistachegroene zijde van haar jurk was een enorme natte vlek verschenen. 'Angie, lieverd,' zei hij met glinsterende blauwe ogen, 'dat is geen urine.

Ik denk dat je vliezen zijn gebroken, we krijgen een baby.'

Angelica staarde hem even niet-begrijpend aan en hapte toen naar lucht, en Edward Granger zou zich dat moment nog jaren blijven herinneren. Want het was het moment waarop zijn leven voorgoed veranderde. Het moment dat zowel een vreugdevol begin als een verdrietig einde inluidde, en de laatste keer in lange tijd dat Edward iets zeker wist.

# Zesentwintig jaar en drie maanden later (om precies te zijn)

# 1

Jessica Granger zat op haar werk aan haar bureau en probeerde erachter te komen wat er in godsnaam aan de hand was. Ze werkte nu bijna een maand als receptioniste bij een van de meest prestigieuze kunstgalerieën van Los Angeles, en hoewel het opnemen van de telefoon niet het meest stimulerende baantje was, vond ze het leuk. Het was iets om 's morgens haar bed voor uit te komen en gaf een gevoel van normaliteit aan haar in andere opzichten zeer abnormale leven.

De grote witte ruimte op slechts een paar straten van Rodeo Drive was een magneet voor rijke bewoners en toeristen. Jessica's bureau stond precies in het midden langs de achtermuur. De sfeer in de galerie met airco was somber, rustig en stil, en als in een bibliotheek of kerk spraken bezoekers op zachte, eerbiedige toon. Al zou Jessica het hun in het geval van de huidige expositie niet kwalijk hebben genomen als ze luid gillend het gebouw uit waren gerend.

Aan de muren hing het werk van een hippe, nieuwe Duitse kunstenaar. De tentoonstelling bestond uit acht enorme doeken bezaaid met fluorescerende vlekken, met felle spetters verf in de primaire kleuren en gouden en zilveren spikkels erop. Ontevreden met de kakofonie van kleur die hij had gecreëerd had de kunstenaar, om een reden die Jessica totaal ontging, ook buffelmest op de afgeronde werken gesmeerd. Dus zoals je zou verwachten roken ze zeer onaangenaam. Om precies te zijn stonken ze naar stront.

Nu ze de afgelopen weken met de schilderijen had moeten leven, was Jessica ze gaan haten. Ze werkten op haar zenuwen, bezorgden haar hoofdpijn en beledigden haar zintuigen. Voorbijgangers deinsden vol afschuw terug wanneer ze de volle laag kregen en toen haar collega's ze weerzinwekkend noemden, was Jessica het volledig met hen eens. Maar wat wist zij ervan? Christopher, hun baas, vond kennelijk dat ze goed genoeg waren om de muren te sieren, en naar nu bleek was hij niet de enige.

'Verbazingwekkend, hè?' zei *financial controller* Nick, een van de personeelsleden die zich rondom Jessica's bureau hadden verzameld om verwonderd naar de rode stippen te staren die nu naast elk doek prijkten.

'Ongelooflijk,' was Jessica het hartgrondig met hem eens. Ze keek ondertussen alert de ruimte rond omdat ze half verwachtte dat Ashton Kutcher achter een pilaar vandaan tevoorschijn zou springen en roepen: *'You've been Punk'd!'*

Op dat moment arriveerde Christopher. 'Goeiemorgen allemaal. En goeiemorgen Jessica, alles goed?' informeerde hij, terwijl hij triomfantelijk binnenschreed.

'Eh... ja hoor, bedankt meneer Starkey,' antwoordde Jessica, verbaasd dat hij haar apart had aangesproken.

'Kijk,' zei hij theatraal, 'verkocht, verkocht, verkocht.'

'Hartstikke gefeliciteerd,' zei Kate. Het Hoofd Verkoop was enorm opgelucht dat ze eindelijk haar reputatie niet meer hoefde te riskeren door te doen alsof ze de doeken mooi vond. 'Wie heeft ze eigenlijk gekocht? Was het één koper?'

'Yep,' antwoordde Christopher en hij grijnsde zelfvoldaan. Zijn blik ging opnieuw naar Jessica. Ze bloosde, geschrokken dat iemand hem misschien verteld had wat zij over de schilderijen had gezegd.

'Is het soms Stevie Wonder?' lachte Kate, overtuigd dat nu ze eindelijk van de schilderijen af waren een grapje wel was toegestaan.

Een paar mensen proestten het uit. Helaas hoorde Christopher daar niet bij. 'Nou, godzijdank deelt niet iedereen jouw opvatting over wat wel of niet grootse kunst is, Kate,' snauwde hij, waarna hij richting de kantoren achterin stormde en een pijnlijke stilte achterliet. Een voor een schuifelde iedereen weer naar zijn plek, maar Kate beende achter Christopher aan met een ruziezoekende blik in haar ogen.

Een paar minuten later was ze alweer terug en hing in de buurt van Jessica's bureau rond. 'Weet je, ik kon wel eens ongelijk hebben gehad over die schilderijen,' zei ze weifelachtig. 'Ze zijn eigenlijk best goed als je bedenkt hoeveel werk erin is gaan zitten.'

Jessica keek op van de mailinglist die ze aan het updaten was en stopte haar blonde haar achter haar oren. 'Eh... ja, kan zijn.' Persoonlijk was ze teleurgesteld in Kates gebrek aan ruggengraat. Dat één gestoord individu had besloten de schilderijen te kopen, betekende nog niet dat er iets was veranderd. Ze deden nog steeds pijn aan je ogen.

Maar goed, Christophers stemming was omgeslagen naar vriendelijk en vreugdevol, en toen hij even later weer verscheen, bood hij zelfs aan om langs Starbucks te gaan en koffie voor Jessica te halen. Aan de ene kant was ze verrukt dat haar harde werk en drang om in de smaak te vallen eindelijk werden onderkend, aan de andere kant was het verontrustend. En toen hij ook nog schaterlachte om iets wat ze zei alsof dat het grappigste was wat hij ooit had gehoord, bekroop haar een ongemakkelijk gevoel. Zodra hij weer weg was belde Jessica haar beste vriendin, Dulcie.

'Met mij,' fluisterde ze in de headset. 'Ik heb een hele vreemde dag, dus zeg me alsjeblieft dat ik niet gek aan het worden ben door de dingen die ik denk.'

'Vertel zo maar, want ik ben erg blij dat je belt,' was het antwoord. 'Ik heb net weer een afspraak voor het jurken passen gemaakt, dus zet 20 juli maar in je agenda en, oh god, je zult niet geloven wie Kevin wil uitnodigen...'

Vijf minuten later had Jessica er spijt van dat ze had gebeld.

Haar vriendin was volledig in de ban van haar bruiloft, ze kreeg er geen woord tussen en er kwam een ander telefoontje binnen dat ze moest opnemen.

'Dulcie...'

'... maar goed, het is zo'n opluchting van de stoelen, ik wist wel dat je het wat zou vinden en de volgende keer dat ik de locatie ga bekijken, moet je echt meegaan want–'

'Dulcie...'

'Dan kunnen we samen beslissen–'

'DULCIE!'

'Wat?'

'Ik moet ophangen.'

Een paar minuten later verscheen Rob, de technicus van de galerie, compleet met ladder.

'Goeiemorgen, Jess,' zei hij. 'Christopher wilde je even laten weten dat de schilderijen voor de volgende expositie zijn aangekomen en hij zei dat je vooral een kijkje moest gaan nemen in de *viewing room*.'

'Oké,' zei Jessica, die niet zo goed wist wat ze daaruit moest opmaken. 'Wat aardig van hem.'

'Tja,' zei Rob.

Jessica keek bedachtzaam toe hoe hij de ladder opklom die hij onder een van de lichtbalken had gepositioneerd. 'Dus nog maar een paar weken te gaan en dan hoeven we er niet meer tegenaan te kijken, hè?' zei ze samenzweerderig.

Vanaf zijn torenhoge positie keek Rob haar aan met een verdwaasde blik. 'Je bedoelt omdat we ze dan ergens anders zullen zien?' zei hij en hij knipoogde erbij.

Jessica's nekharen gingen onmiddellijk overeind staan. 'Wie heeft de schilderijen gekocht?' vroeg ze impulsief.

'Dat weet ik niet,' zei Rob snel. Te snel. Hij loog.

Jessica dacht vlug na en veranderde van tactiek. Ze had een afschuwelijk voorgevoel, waar ze zo snel mogelijk vanaf moest. 'Het geeft niet,' fluisterde ze luid. Ze blufte: 'Ik weet het.'

'Echt?' antwoordde hij, terwijl hij zich net iets te hard op zijn lichtpeer concentreerde.

'Jah,' zei Jessica met een blasé stem die het feit verloochende dat haar hart met de seconde sneller klopte.

'Van wie?' vroeg Rob en hij klom weer naar beneden.

'Oh, je weet wel,' zei Jessica alsof hij dat zou moeten weten.

'Want Christopher zei dat we niets moesten zeggen,' zei hij, een beetje in de war. 'Ik denk dat hij dacht dat jij niet wilde dat wij wisten wie... je weet wel... maar ik moet toegeven,' zei hij gepijnigd, 'dat sinds ik het weet ik me wel rot voel. Ik wil dat je weet dat toen ik ze laatst wanproducten noemde, ik maar een grapje maakte.'

Jessica's hart zakte in haar buik. 'Oh, dat,' zei ze zwakjes. 'Maak je er niet druk om. Natuurlijk weet ik dat hij... mijn–' Ze stopte, nog even hopende dat ze het fout had. Misschien was ze paranoide en zat ze er totaal naast?

'... vader?' opperde Rob aarzelend.

'Mijn vader...' Ze zat er dus niet naast.

'O... ké,' zei Rob, opeens bang dat hij iets had gezegd wat hij niet had mogen zeggen. 'Maar goed, ik moet nu gaan, maar Jess...'

'Wat?'

'Trek je niets aan van wat de anderen denken, goed? Uiteindelijk is kunst volkomen subjectief,' voegde hij er aardig aan toe.

Jessica knikte vaag en forceerde een glimlachje. Ze wist niet waar ze moest beginnen dus probeerde ze het niet eens. Maar terwijl ze Rob gedag wuifde, vermoedde ze dat dat voorgoed was, want hoe kon ze nu nog in de galerie blijven werken? Ze bleef een tijdje vertwijfeld zitten met een volkomen vernederd en meer dan een beetje onnozel gevoel. Het zoveelste baantje naar de haaien, van haar afgenomen. Ze was toe aan lunchpauze; om ontslag te nemen en te bedenken wat ze in godsnaam aan haar bemoeial van een vader moest doen, hoewel niet per se in die volgorde.

# 2

Jessica zat gepikeerd op een soepstengel te knabbelen toen haar telefoon trilde.

'Dulcie,' mompelde ze, 'ik kan nu niet praten. Ik zit in Spago op Shawn te wachten.'

'Dat geeft toch niet,' zei Dulcie, 'iedereen zit daar altijd te bellen. Wat wilde je me vanmorgen vertellen?'

Jessica keek om zich heen in het restaurant in Beverly Hills. 'Nou...'

'Oh, wacht even Jess, voor je het me vertelt, heb ik je hulp nodig om te bedenken welke tijdschriften ik zal benaderen voor de bruiloft. Want die zullen wel geïnteresseerd zijn, toch?'

Uit het niets vocht Jessica ineens tegen de overweldigende neiging om te gaan schreeuwen. *HET INTERESSEERT NIEMAND IETS! Zelfs ik, je beste vriendin, spies me nog liever aan een roestig zwaard dan dat ik nog íéts over je bruiloft moet zien of aanhoren, want hoe verbazingwekkend het ook mag klinken, ik heb andere dingen aan mijn hoofd. En trouwens, wie ben jij en wat heb je met mijn vriendin gedaan?* Deze vloedstroom aan opgekropte gevoelens overviel Jessica. Tot aan dat moment had ze zich niet gerealiseerd hoezeer Dulcies eeuwige bruiloftspraat haar dwarszat. Toch koos ze voor een minder controversieel antwoord.

'Vast wel, Dulcie, vast wel.'

'Ja, ik denk het ook. Ik bedoel, voor Kev en mij samen zullen er heel wat beroemde mensen komen en...'

Er zat maar één ding op. Jessica kapte haar af, waarna ze haar hoofd vermoeid op tafel legde, wat eigenlijk best wel fijn was totdat haar telefoon piepte met een sms. Ze draaide haar hoofd opzij en bracht haar hand naar de telefoon.

*Binnenkort borrelen bij wijze van prevrijgezellenfeest. Goed idee?*

Jessica bedacht dat het nota bene nog twaalf maanden duurde tot de bruiloft volgend jaar mei en dat er maar een beperkt aantal keren was dat je enthousiast 'Jaaaa!' kon roepen. Er ontrolde zich een stille schreeuw in haar binnenste terwijl ze rechtop ging zitten om te antwoorden.

*Jaaaa!*

Nu was ze afhankelijk van Shawn voor hulp bij het bepalen wat ze moest doen, iets wat haar niet echt veel hoop gaf. Helemaal als je bedacht dat hij er nog niet eens was. Erg irritant, nu ze erover nadacht.

Met het gevoel dat haar door elkaar gehusselde hoofd wel toe was aan een pauze, reikte Jessica opzij om een afgedankt exemplaar van de *Los Angeles Times* van een aangrenzend tafeltje te pakken. Ze bladerde erdoorheen en bleef uiteindelijk hangen bij een artikel op pagina zeven over Britse tradities en cultuur, en welke aspecten daarvan de Amerikanen wel of niet bevielen. De geschiedenis, de koninklijke familie, veel van de popmuziek en kunst- en tv-cultuur werden allemaal gewaardeerd. Toen het stuk inging op waar de mensen in de VS niet zo weg van waren, kwam de slechte tandheelkunde aan bod en de Engelse keuken, alle gebruikelijke dingen met nog wat eigenaardige voorbeelden, zoals de soms grappige spelling waarin veel te veel klinkers werden gebruikt en de kledingsmaak van Simon Cowell.

Jessica moest glimlachen. Ze was in Engeland geboren, had er zelfs de eerste zeven jaar van haar leven gewoond, dus ze voelde een sterke band met het land. Ze was trots op het feit dat ze een Engelse vader en een Franse moeder had en haar Europese afkomst had leeftijdsgenootjes altijd zeer gefascineerd. Maar eigenlijk waren haar herinneringen aan de tijd dat ze daar had gewoond tegenwoordig behoorlijk vaag, hoewel ze nooit zou vergeten dat ze op Parkhurst had gezeten.

Parkhurst was een van Engelands meest prestigieuze en traditionele meisjesscholen, gevestigd in een adembenemende, landelijke omgeving. Als verwarde vijfjarige had het misschien een tijdje geduurd voordat ze zich er thuis voelde, maar daarna was het net geweest alsof ze in een boek van Enid Blyton woonde. Totdat Edwards tijd als James Bond erop zat, natuurlijk, en Hollywood lonkte en verhuizen naar de VS onvermijdelijk werd.

Jessica liet haar blik even door het restaurant gaan om te zien of Shawn al was gearriveerd. Terwijl ze dat deed, herinnerde ze zich voor het eerst in lange tijd weer hoe ontwrichtend het jaren geleden had gevoeld om Engeland te verlaten en dat het in die tijd haar thuis was geweest. Een vreemde gedachte aangezien ze zich nu een door en door Californische meid voelde en zo ontzettend gewend was aan haar zonovergoten leventje.

Ze was gedurende de jaren natuurlijk nog vaak in Engeland geweest, maar teruggaan als toerist had toch anders gevoeld. Als Edward een film moest promoten of gewoon aan een dosis thuis toe was, ging ze meestal met hem mee en ze had zich vaak afgevraagd hoe het zou zijn om op een dag in haar eentje naar Groot-Brittannië terug te keren. Het land door de ogen van een onafhankelijke volwassene te zien in plaats van die van een kind was altijd iets geweest wat ze een keer zou willen doen. Ze had natuurlijk een dubbele nationaliteit, dus als het zover zou komen zou het makkelijk te regelen zijn en...

Op dat moment ervoer Jessica een vreemde vlaag van opwinding en ze staarde met hernieuwde interesse naar de begeleidende foto's van Buckingham Palace, fish-and-chips, Cat Deeley en rode dubbeldeksbussen. Een warme vloedgolf van nostalgie spoelde over haar heen toen ze terugdacht aan een bijzonder leuk tripje naar Londen, waar ze veel tijd had doorgebracht met haar tante Pam, Edwards zus. Misschien wás het wel tijd voor een flink lange vakantie, soort van? Even weg en haar Britse wortels herontdekken zou fantastisch zijn en zou haar misschien aan hoognodige antwoorden en ideeën helpen. Want wat hield haar eigenlijk in L.A.? Behalve haar vrienden, haar vriendje en haar eigen stomme tegenzin om ooit ergens helemaal voor te gaan omdat het waarschijnlijk toch niets werd.

Vijf minuten later zag ze buiten eindelijk Shawn aankomen, schijnbaar onbekommerd over het feit dat hij irritant laat was. Hoewel Jessica hem al snel minder zelfvoldaan zag kijken toen hij nonchalant naar binnen wilde drentelen maar werd tegengehouden door de brede arm van een niet-geïmponeerde portier die hem de toegang ontzegde. Met een ongewoon gevoel van onverschilligheid keek Jessica toe hoe hij een tijdje bralde en protesteerde. Toen moest hij haar naam hebben genoemd want het gedrag van de portier veranderde totaal en Shawn werd vlug binnengeleid. Ze zuchtte en voelde geen enkele blijdschap hem te zien.

'Hé, schatje,' zei hij met overdreven luide stem terwijl hij naar hun tafeltje paradeerde. 'Kijk jou nou met de *L.A. Times*. Heb je er een nummer van *In Style* onder verstopt of zo?'

Wat wilde hij daar precies mee zeggen? 'Als je het wilt weten, ik las net een artikel over Engeland en dat heeft me op een idee gebracht,' antwoordde ze in een poging zichzelf op te fleuren, maar tegelijkertijd verafschuwde ze hoe Shawns blik door het restaurant gleed, druk op zoek naar beroemde gezichten. Ver hoefde hij niet te zoeken.

'En wat mag dat dan zijn?' vroeg Shawn, die in de verste verte niet geïnteresseerd leek, maar haar tenminste het genoegen schonk zijn oogbollen terug naar haar te draaien. Je kon niet ontkennen dat het een knappe vent was, maar vandaag beviel het Jessica maar niets hoe gekunsteld alles aan hem eruitzag. Zijn T-shirt was zo... gestreken. Zijn donkere, lange haar glad achterovergekamd in een vrij griezelig paardenstaartje en zijn nagels zagen er verdacht veel uit alsof hij een manicurebehandeling had ondergaan. Ze wist zeker dat hij lang niet zo verzorgd was geweest toen ze hem voor het eerst ontmoette, maar oké, dat was dan ook op het strand. Ze opende haar mond om te antwoorden maar sloot hem weer toen ze de kelner aan zag komen lopen.

'Goedemiddag juffrouw Granger,' zei hij, alsof hij een oude bekende begroette. 'Als je mij toestaat, je ziet er vandaag verbluffend uit, je lijkt ontzettend op je vader.'

Jessica bloosde. Ze was een knappe meid, maar lang niet zo buitengewoon aantrekkelijk als haar beide ouders en ze vreesde constant de onvermijdelijke vergelijkingen.

'Nu we het toch over hem hebben, hoe gaat het met hem? Ik heb hem hier al een poos niet gezien.'

Jessica mompelde: 'Oh... prima hoor. Druk, zoals altijd. Maar bedankt,' waarbij ze wegliet hoe superirritant haar vader was.

'Doe hem alsjeblieft de groeten van me,' zei de kelner. Hij pakte Jessica's servet van tafel en legde het met een zwierig gebaar op haar schoot. 'Wat kan ik voor je betekenen?'

'Wíj zijn er nog niet uit,' zei Shawn bits om duidelijk te maken dat zijn tere ego het niet op prijs stelde te worden genegeerd.

Jessica wachtte een tel. Shawn werkte haar nu al weken op haar zenuwen. De charme die hij in het begin had bezeten leek totaal te zijn verdampt. 'Nou, ík heb een eeuwigheid zitten wachten,' zei ze uiteindelijk, 'en ik ben uitgehongerd. Dus de caesarsalade met kip graag. Met extra ansjovis. En wat water met ijs lijkt me heerlijk, dank je.'

'Jezus, wat heb jij vandaag? Sinds wanneer is twintig minuten wachten zo'n *big deal?*' vroeg Shawn prikkelbaar. 'Oké, doe mij hetzelfde, maar met light dressing en zonder ansjovis. Hou niet van die vieze vissies,' zei hij vol trots over zijn hilarische alliteratie. 'Een vissenadem is niet echt opwindend.'

Jessica prentte zich in haar ansjovis tot het kleinste stukje toe op te eten en dan zo veel mogelijk in zijn gezicht te ademen. De kelner schreef alles op en liep weg.

'Maar wat is er aan de hand, liefie?' vroeg Shawn, die haar frons verkeerd interpreteerde. 'Waarom was het zo dringend dat we samen zouden lunchen?'

Jessica speelde kort met de gedachte het gebeurde voor zichzelf te houden, maar de behoefte het met iemand te delen was te groot. 'Oh, Shawn,' begon ze, 'ik heb een verschrikkelijke ochtend gehad en om een lang verhaal kort te maken: ik heb ontslag genomen.'

'Waarom? Vond je er niks meer aan?'

'Nee, dat is het niet,' zei Jessica ongeduldig. 'Ik ben weggegaan omdat ik erachter kwam dat...' Ze slikte toen tot haar doordrong hoe gekwetst ze zich voelde. Ze knipperde en keek even naar het plafond. Ze moest bij het begin beginnen. 'Weet je nog dat ik vertelde dat Christopher altijd zo humeurig was? Nou, vandaag was hij in opperbeste stemming omdat de expositie was verkocht en hij deed ineens heel aardig tegen me–' Shawn helde met stoel en al naar achteren en trok een wenkbrauw op, Jessica probeerde zich er niet aan te ergeren terwijl ze verderging – 'wat maar weer bewijst hoe naïef ik moet zijn, want Rob liet zich ontvallen dat degene die de héle expositie heeft gekocht – en je weet over welke ik het heb? De schilderijen waarvan jij zei dat ze eruitzien als kots van een buitenaards wezen? Die met die stront erop. Maar goed, de mysterieuze koper die de hele boel heeft opgekocht was... mijn vader.' Jessica keek naar haar handen. 'Iedereen in de galerie weet het, dus ze denken allemaal dat ik er iets mee te maken heb, wat op heel veel niveaus verschrikkelijk is. Maar ik denk dat ik het meest geschokt ben over het feit dat hij wéér iets achter mijn rug om heeft gedaan, hoewel ik hem met klem heb gevraagd zich er niet mee te bemoeien.' Nu ze was uitgepraat, wachtte ze op medeleven.

'Cool,' zei Shawn en hij knikte en grijnsde enthousiast. Daarna betrok zijn gezicht. 'Ah, kom op Jess, doe niet zo. Wat maakt het nou uit dat je vader wil helpen? Je zou juist trots moeten zijn op je connecties. Hoewel ik, in jouw plaats, helemaal niet meer zou werken en lekker even zou bijkomen.'

'Bijkomen van wat?' vroeg Jessica zacht. Ze was verbijsterd, verbouwereerd en zwaar gefrustreerd. Waarom snapte hij het nou niet? Ze gaf het op, kwaad op zichzelf dat ze meer van Shawn had verwacht. Het had geen zin hem iets uit te leggen; hij was gewoon te dom om het te begrijpen. Op dat moment besefte Jessica dat dit waarschijnlijk niet iets geweldigs was om van je eigen vriendje te denken. Ze schraapte haar keel. 'Laten we het maar vergeten, goed? Ik heb het er wel met mijn vader over,' zei ze, ineens verlangend om van onderwerp te veranderen.

'Hé, je bent niet echt redelijk bezig, Jess... oh, wacht even, ik wil bier,' zei Shawn en hij knipte daadwerkelijk met zijn vingers naar een langslopende kelner.

Op dat moment leken de vele aanmerkingen die Jessica op haar 'vriendje' had bij elkaar te komen. Ze besefte nu dat ze Shawn niet alleen irritant vond maar ook van hem walgde, wat minder zei over de grilligheid van Jessica's karakter en meer over hoe oppervlakkig hun relatie toch al was geweest. Want wat was een geweldig lijf tenslotte zonder een daarbij passende persoonlijkheid?

De kelner draaide zich langzaam om en schonk Jessica een glimlach voordat hij Shawn zo dreigend mogelijk gezien de kelner/klant-relatie aanstaarde.

'Kan ik u helpen?' informeerde hij ijzig.

'Kweenie. Kan je dat?' grinnikte Shawn. 'Ik wil een bier. En zorg dat-ie goed koud is.'

Het is over, dacht Jessica berustend en ze voelde niet veel behalve lichte opluchting.

Shawn vervolgde: 'Luister, als we het over je vader hebben ga je steeds raar lopen doen, maar hoe kun je verwachten dat ik er iets zinnigs over zeg als ik hem niet heb ontmoet? We zijn nu drie maanden samen en we hebben nog niet eens een afspraak gemaakt om je ouders te ontmoeten.' Terwijl Shawn zijn stoel weer op vier poten zette, trok hij een gezicht dat verdacht veel op pruilen leek. 'Het lijkt wel alsof je je voor me schaamt of zo.'

Daar kon hij wel eens gelijk in hebben.

'Waarom wil je trouwens zo graag mijn ouders ontmoeten?' vroeg ze vermoeid ook al wist ze het antwoord al. 'De meeste mannen zouden blij zijn dat ze de familie van hun vriendin niet hoeven te ontmoeten. Ik heb je al gezegd hoe druk mijn vader het heeft en je weet dat ik mijn moeder zelf amper zie.'

Shawn spande zich in om met een rationeel argument te komen maar die taak was te groot voor hem dus gaf hij het op en pakte een soepstengel, waar hij vervolgens op knaagde als een verontwaardigde eekhoorn. Jessica staarde in het niets. Niet alleen was ze woedend op zichzelf dat ze deze relatie zover had laten komen, ze was er ook helemaal klaar mee dat haar hele leven leek te worden bepaald door één ding: ze was de dochter van Edward Granger en Angelica Dupree, beter bekend als James Bond en Heavenly Melons, de meest sexy bondgirl aller tijden.

Ineens herinnerde ze zich weer wat ze net had overwogen. 'Ik zei toch dat ik een idee had, wil je weten wat het is?' vroeg ze haar somber kijkende, aanstaande ex op een toon die hem bijna uitdaagde om nee te zeggen. Ze wilde alleen maar dat iemand, wie dan ook, voor één keer ook maar een beetje geïnteresseerd was in wat zij te zeggen had.

'Vertel maar,' zei Shawn edelmoedig.

'Oké,' zei Jessica zacht, en ze vocht tegen de tranen die ineens over haar gezicht dreigden te glijden. 'Nou, ik bedacht dat, omdat alles hier op een ramp uitloopt, het misschien tijd is voor een trip. Ik zat aan Engeland te denken. Londen, om precies te zijn.'

Shawn staarde haar lang aan en even dacht Jessica nog dat hij misschien op het punt stond oprechte interesse te tonen. 'Cool, ik ga mee. Je moeder zat nu toch in Europa? Dan kunnen we meteen bij haar langs.'

En daar was-ie dan: de beroemde laatste druppel.

'Shawn,' zei Jessica rustig, terwijl ze haar servet van haar schoot pakte en opstond, 'dat was geen uitnodiging. Het is uit. Sorry, maar ik kan niet meer omgaan met iemand die me alleen maar leuk vindt vanwege mijn ouders.'

En daarmee vertrok ze, hoewel niet zo soepel als ze gewild had.

'Pardon,' zei een man in pak die opsprong van zijn stoel en daarmee haar vlucht uit het restaurant belemmerde. 'Jij bent toch de dochter van Edward Granger? Ik hoop dat je het niet erg vindt dat ik je aanspreek, maar je vader en ik kennen elkaar al heel lang. Ik ben Billy, Billy Jackson, en ik heb hier een script waar ik hem graag naar zou willen laten kijken. De rol van Steven is met hem in gedachte geschreven en ik wilde het naar zijn agent sturen, maar als jij het rechtstreeks aan hem kan geven zou dat fantastisch zijn en–' Hij stopte omdat hij Jessica's afschuw over de situatie compleet verkeerd inschatte.

'Oh, het spijt me meis, dat is onbeleefd van me. Jij bent ook actrice? Want er zit vast wel een rolletje voor jou bij. Als je dit aan Edward geeft, kunnen we er zelfs eentje in schrijven speciaal voor–'

Jessica schudde verwoed het hoofd. 'Ik ben geen actrice.'

'Niet?' vroeg Billy Jackson. 'Wat ben je dan? Wat doe je?'

In elkaar krimpend vanbinnen haalde Jessica haar schouders op. Iedereen staarde naar haar. 'Ik weet het niet,' mompelde ze, waarna ze het script greep en zo snel ze kon het restaurant ontvluchtte. Daarmee liet ze Billy Jackson achter, krabbend op zijn kale kop; de andere gasten met iets om over te praten en Shawn met de rekening.

Terwijl ze op de stoep wachtte tot haar auto werd voorgereden, nam Jessica Granger een besluit. Het was tijd om L.A. te verlaten, ergens heen te gaan waar ze zichzelf kon zijn en erachter kon komen hoe dat in godsnaam was. Op die manier zou ze, de volgende keer dat iemand vroeg wat ze precies 'deed', misschien iets weten te zeggen.

# 3

Aan de andere kant van de grote plas, zat de Londense Mike Connor in een kamer, zich er terdege van bewust dat zijn hele team op hem zat te wachten in een andere kamer. De *executive producer* van *The Bradley Mackintosh Show* van de BBC hechtte aan punctualiteit voor de wekelijkse vergadering, maar hield er vervolgens van om iedereen te laten wachten, eventjes maar, om ze eraan te herinneren dat hij een ongelooflijk druk man was.

Hij nam een slokje van zijn *latte*. Vergeleken met thuis was het kantoor een luxueuze oase van rust en hij vermoedde dat het nog wel een tijdje zo zou blijven aanvoelen. Godzijdank was hij geen Scandinaviër, mijmerde hij, want hij meende ergens te hebben gelezen dat Zweedse mannen een vol jaar vaderschapsverlof mochten opnemen, wat de journalist als iets positiefs beschouwde. Wat Mike betrof was twee weken zijn peuterdochter Grace entertainen terwijl Diane, zijn huilebalk van een zogende vrouw, het voeden van de jongste aanwinst onder de knie probeerde te krijgen, meer dan genoeg geweest. Niet dat hij niet van ze hield. Natuurlijk wel. Hij was zelfs dol op ze. Maar de laatste tijd kon hij niets goed doen volgens Diane. Dus leek het makkelijker om weg te blijven. Vandaar dat hij vanmorgen, ook al hoefde hij pas om tien uur te beginnen met werken, voor negen uur een compleet denkbeeldige vergadering had verzonnen. Iets wat hij in de toekomst vaker zou doen. Gedurende dat eerste stille uur voordat de rest binnendruppelde had hij naar *Sky News* gekeken en de krant van voor naar achter gelezen. Hemels.

Hij moest wel oppassen. Zijn vrouw zou er ernstige aanstoot aan nemen als ze erachter kwam dat hij opzettelijk probeerde onder de ochtendchaos, beter bekend als het gezinsleven, uit te komen.

Nu hij toch even tijd had, besloot Mike iedereen van het team te mailen om te zeggen dat de productievergadering van volgende week voor alleen deze ene keer zou moeten worden afgelast omdat er iets vreselijk dringends tussendoor was gekomen. Een agent had hem uitgenodigd voor een lunch en hij was van plan het er lekker van te nemen. Hij had absoluut geen zin zich terug te moeten haasten.

Mike drukte op 'verzenden' en scrolde daarna turend door de rest van zijn mails. Zijn ogen voelden zanderig door slaapgebrek. Afgelopen nacht had hij baby Ava nog horen schreeuwen vanuit de logeerkamer waar hij naar was uitgeweken. Misschien zou hij straks even zijn telefoontjes laten tegenhouden, de deur op slot doen en zijn hoofd op het bureau leggen voor een powernap van twintig minuten. Niet dat hij dat tegen Diane zou zeggen. Hij zou niet durven, uit angst neergestoken te worden. Zijn vrouw was op dit moment zo onbezonnen van uitputting dat alleen maar het noemen van iemand die wél slaap kreeg al genoeg was om haar een jaloerse tirade te laten afsteken, en hoewel hij begreep en zich ervan bewust was dat het niet makkelijk voor haar was, had Diane geen stressvolle baan, zoals hij.

Toch was zijn recente 'verlof' een behoorlijk goede geheugensteun geweest dat door haar keuze om thuis te blijven, Diane niet bepaald een luizenleventje had. Dat ze niet de hele dag koffie zat te drinken en televisie keek, zoals hij zich soms voorstelde. Als hij zelfs volkomen eerlijk was, wist hij niet hoe ze het dag in, dag uit volhield.

Hij richtte zijn aandacht weer op zijn inbox precies op het moment dat er een bericht binnenkwam. Het was van David Bridlington, afdelingshoofd Amusement, die toevallig ook zijn schoonvader was. (Op veel manieren een tweesnijdend zwaard en iets waar Mike ongelooflijk paranoïde over was.) Tijdens het lezen werd hij overvallen door zorgen. De voldoening die hij net had gevoeld werd abrupt vervangen door een onwelkome scheut stress. Die verdomde kijkcijfers waren de vloek van zijn leven en deze week waren ze lager uitgevallen dan verwacht. Hij wilde net op het volgende mailtje klikken toen hij schrok van een klop op de deur.

'Binnen,' riep hij dwingend.

Kerry, een pittige tante die het boeken van de beroemdheden voor haar rekening nam, stak haar hoofd om de deur. 'Hoi Mike,' zei ze, 'het is al twee uur geweest, voor het geval je het niet doorhad.'

Met de deur open kon Mike horen dat het personeel onrustig begon te worden, maar hij vond het maar niks dat iemand van zijn team hem zei wat hij moest doen.

'Ja, dank je Kerry, ik ben me zeer bewust van de tijd maar soms zijn er gewoon dingen die ik onmiddellijk moet afhandelen. Tenzij je het risico wilt lopen dat we deze week niet worden uitgezonden?' zei hij, zonder ook maar haar kant op te kijken en zijn ogen strak op het scherm gericht alsof wat hij aan het lezen was iets uiterst belangrijks was. In werkelijkheid las hij vluchtig een herinnering door van M&S dat er vanaf donderdag twintig procent korting op de Autograph-collectie gold.

Kerry had genoeg gehoord en sloot de deur. Mike bleef achter om ten eerste te bedenken of hij een trui met V-hals of met een ronde hals zou kopen en ten tweede hoe hij de twijfels van zijn baas over de show van vorige week moest wegnemen.

Ineens had hij een beetje medelijden met zichzelf. Zijn leven zou meer passie en opwinding moeten hebben dan nu het geval was. De sterke, sexy carrièrevrouw met wie hij was getrouwd was verdwenen en vervangen door iemand die veel weg had van een oermens dat leek te zijn vergeten hoe ze haar benen moest scheren of moest pijpen. En nu zou hij in plaats van straks een uiltje te knappen zich waarschijnlijk de rest van de dag druk maken over het vooruitzicht David te woord te moeten staan, die altijd wel iets aan te merken had. Mike wist dat hij zich gedwongen voelde zijn enorme salaris te rechtvaardigen, wat prima was, maar David was zich er toch van bewust dat hij en Diane net een baby hadden gekregen en dat het op het moment thuis redelijk zwaar was? Dus 'opa' kon zich toch ook wel een tijdje koest houden?

Maar goed, er was nu geen tijd om daarbij te blijven stilstaan. Het was tijd voor de vergadering ook al wist hij dat de meerderheid van het team wrok koesterde over het feit dat ze hun werk neer moesten leggen om te luisteren hoe hij zijn gal spuwde. Hij wist het omdat hij ze zoiets had horen zeggen, maar het kon hem niets schelen. De vergadering zou vaste prik blijven (tenzij hij een lunch had), of er nu iets belangrijks te melden was of niet, zodat hij iedereen eraan kon herinneren wie hier nu precies de baas was. Dus als het ze niet beviel, konden ze de pot op. Deze venijnige uitbarsting bracht hem in beweging. Hij sprong uit zijn stoel en begon de spullen die hij voor de vergadering nodig had bij elkaar te zoeken. Het was zeven minuten over twee, tijd om in actie te komen.

# 4

Edward Granger liet zijn script op de grond vallen, leunde achterover op zijn ligstoel en liet de krachtige stralen van de middagzon een paar lome tellen vol op zijn gezicht schijnen. Hij zou pas over een paar maanden gaan draaien, dus er was nog genoeg tijd om zijn tekst te leren. Hij ademde diep in en genoot van de scherpe zoutgeur van de Stille Oceaan die het ergste van de extreme hitte wegnam en de lucht verfriste, wat het zo'n beetje de gezondste teug lucht maakte die je in Californië kon krijgen.

Vanaf zijn plek had hij perfect zicht op zijn indrukwekkende woning in koloniale stijl, de weidse verzorgde tuin, het enorme, zogenaamd eindeloze zwembad en het deel van het strand dat uitsluitend van hem was; een van de gewildste stukken onroerend goed van Malibu. Maar ondanks het feit dat hij nu al langer dan een kwart eeuw succesvol was, bleef hij zich verbazen over zijn roem en rijkdom, een bijproduct van jaren van streven naar zijn grote doorbraak. Toen hij eindelijk de rol van 007 kreeg, dacht men dat hij plotseling beroemd was geworden, wat hij vrij ironisch vond. Er was niets plotseling aan de kroegen waarin hij had gewerkt, de jaren dat hij in de bouw had gezwoegd of hoe lang het had geduurd zijn familie ervan te overtuigen dat het niet 'aanstellerig' was als je acteur wilde worden.

Hij liet een zachte boer en verschoof de band van zijn korte kaki zeilbroek iets van zijn uitgezette buik. Hij had een heerlijke lunch achter de kiezen, maar had wel veel meer gegeten dan zijn aanbevolen calorie-inname, met zelfs nog een of twee glazen Merlot om het mee weg te spoelen. Edward waagde zich zelden buiten zijn streng gevolgde culinaire piste en voelde zich wel wat schuldig. Hij had niet zo heel veel tijd meer om weer in vorm te komen voor zijn volgende film. Aan de andere kant, wanneer je je niet zo nu en dan te buiten mocht gaan terwijl je de vijfenzestig naderde, waar was je dan mee bezig? Het gebulder van de oceaan voor hem was intens kalmerend, net als de warme zon die zijn botten verwarmde, en al gauw voelde hij zich heerlijk indommelen.

'Schat,' riep een stem en rukte hem terug naar het hier en nu. Misschien zou ze het snappen als hij haar negeerde, dacht hij weemoedig, hoewel hij heel goed wist dat dat er niet in zat.

'Schat, doe de parasol omhoog. Je weet dat het niet goed is om met je gezicht in de directe zon te zitten en ik durf te wedden dat je je niet hebt ingesmeerd,' vermaande zijn vrouw Betsey hem die over het gazon naar hem toe hobbelde en zo het moment verpestte.

Hij zuchtte vanbinnen.

'Luister je wel naar me?' vroeg ze, en ze boog zich over hem heen waarbij haar gebronsde, goed gevulde boezem, in een van haar vele sportbeha's gehesen, felroze deze keer, in zijn directe gezichtslijn kwam.

'Ik kan moeilijk anders,' antwoordde Edward, maar met genoeg affectie in zijn toon zodat ze wist dat hij niet boos was. Betsey ging met haar hand door Edwards dikke zilvergrijze haardos met nog een spoortje blond erin. Toen pakte ze de zonnebrand, spoot wat in haar hand en smeerde het dik op zijn gezicht. Waarschijnlijk een geval van te weinig en te laat aangezien hij al bruin en verweerd was van jaren van buiten filmen. De lijntjes rond zijn doordringende blauwe ogen verrieden het ook. Niet dat ze nou echt iets afdeden aan zijn knappe uiterlijk; een groot en vreselijk oneerlijk voordeel van het man-zijn. Edward knipperde omdat Betsey het voor elkaar had gekregen zonnebrandcrème in zijn rechteroog te smeren en nu prikte het. Zich niet bewust van het ongemak van haar man, ging Betsey met gespreide benen op hem zitten totdat ze precies op zijn kruis zat. Hij kreunde, maar slechts van ongemak.

'Het is dag vijftien. Mijn eitjes zijn rijp en klaar voor be-vruchting,' zei ze poeslief, zich niet bewust van het feit dat zodra ze over 'eitjes' begon elke kans om hem op te winden was verkeken. 'Toe lieverd,' hield ze vol en haar bazige manier van doen deed Edward niet voor de eerste keer aan Miss Piggy denken. 'Gaan we vrijen?'

Met het oog dat niet troebel was en als de neten prikte, bekeek Edward het decolleté van zijn tweede vrouw en rouwde in stilte om de borsten die het ooit geweest waren. Ze had eerder een prachtig stel middelgrote, natuurlijke borsten gehad waar hij alleen maar naar hoefde te kijken om het bloed naar het juiste gebied te voelen stromen. Maar Betsey had per se onder het mes gewild en dolblij met het resultaat ging ze ervan uit dat Edward dat ook was, hoewel in werkelijkheid haar nieuwe aanwinsten totaal niet aantrekkelijk waren. Hij keek er nu naar en deed zijn best verlangen op te roepen, maar zonder succes. Het waren perfect ronde bollen, getransformeerd van borsten naar tieten, en ze daagden hem niet meer uit om zich ertegenaan te vleien.

'Nou?' vroeg Betsey.

Edward slikte. 'Misschien straks, liefste? Even gaan liggen klinkt heerlijk, maar ik heb mijn eten nog niet verteerd... en ik moet mijn tekst nog leren,' voegde hij er snel aan toe.

Betseys wantrouwige blik sprak boekdelen en Edward wist zelf wel dat hij als een man van middelbare leeftijd had geklonken, maar betreurde het een beetje dat dit tegen hem werd gebruikt terwijl de middelbare leeftijd allang aan hem voorbij was gegaan. Hij zuchtte weer, zich maar al te bewust dat Betsey zich afvroeg hoe een viriele man seks kon afslaan die hem op een presenteerblad werd aangeboden door een aantrekkelijke vrouw half zo oud als hij. Hij herkende de al te bekende teleurstelling en frustratie in haar groene ogen. Toen zag hij de huishoudster vanuit het huis over het gazon naar hen toe komen.

'Ah, Consuela,' riep hij dankbaar, en hij kieperde Betsey zowat van zijn schoot en op het gras. 'Je kunt gedachten lezen. Jill komt straks met mijn contract, is het goed als ze blijft eten?'

'Geen probleem, meneer G. Ik kwam net kijken of u koffie wilde,' antwoordde ze. Een pruilerig kijkende Betsey stampte in tegenovergestelde richting langs haar heen. Haar strakke, met lycra bedekte achterste kwam bijna omhoog van verontwaardiging. Ze mompelde luid tegen zichzelf: 'Zijn eten nog niet verteerd... ik zal hem eens iets geven om te verteren...'

Edward wisselde een lankmoedige blik met zijn trouwe dienstmeid die grinnikte en haar ogen ten hemel sloeg.

'Koffie zou heerlijk zijn. Ik kom het zo wel halen,' zei Edward. Consuela liep terug naar het huis.

Weer alleen, ging Edward rechtop zitten en klungelde met de parasol. Zijn eerdere goede humeur was verdwenen, want hij wist dat hij het gebrek aan interesse in wat ooit zijn favoriete tijdverdrijf was niet in de schoenen van Betseys boezem kon schuiven.

Zijn legendarische libido was nu al een poosje tanende, maar als het eerder als een oude dronkaard had lopen wankelen, was het nu eindelijk helemaal knock-out gegaan toen Betsey uit het niets de grootste ommezwaai had gemaakt wat betrof hun oorspronkelijke gedeelde beslissing om geen kinderen te nemen. Ze had haar meningsverandering zes maanden geleden aangekondigd, zo terloops alsof ze het over het aanschaffen van een nieuwe lipstick had, en het was als een enorme schok gekomen. Waarom zou ze in godsnaam bezwangerd willen worden met zijn stokoude sperma?

Sinds die tijd was Betsey geobsedeerd geraakt. Er ging geen dag voorbij dat Edward niet wist welke dag van haar cyclus het was, wat haar temperatuur was en of haar afscheiding er wel of niet uitzag als eiwit, wat hij allemaal verbijsterend en lichtelijk weerzinwekkend vond. Ondertussen leek ze vastberaden zijn protest te negeren alsof zijn woorden slechts gezoem in haar oor waren. Soms voelde hij zich als een vlieg die opgesloten zat in een ruimte en herhaaldelijk tegen de ruit botste.

Geïrriteerd greep Edward zijn leesbril van het tafeltje naast zich, pakte zijn script weer op en vond de volgende scène. De dialoog was vreselijk banaal, wat hem nog gedeprimeerder maakte; helemaal toen hij zich realiseerde dat dit de zoveelste scène was waarin van hem verwacht werd dat hij zijn shirt uittrok.

'Papa!'

Edward hield zijn hand boven zijn ogen tegen de zon en zag zijn geliefde dochter om het huis heen naar hem toe komen. Dat was tenminste een meer dan welkome onderbreking. Zijn hart bonsde van liefde zoals altijd wanneer hij haar zag. Vandaag droeg ze een spijkerrokje met een effen wit shirt en platte, met steentjes versierde sandaaltjes. Een zilveren armband om haar pols was haar enige sieraad. Ze zag er goddelijk uit.

'Hai pap,' hijgde Jessica, die de rest van de afstand over het gazon had gerend, zo wanhopig was ze om af te koelen in het zwembad. Ze was haar rok en schoenen al aan het uittrekken, tot ze alleen nog maar in haar shirtje en ondergoed stond. 'Je vindt het toch niet erg? Het is zo warm, ik heb geen zin om mijn badpak te gaan halen.'

'Stoor je niet aan mij,' zei hij beleefd met zijn typisch Engelse stem. 'Je bent wel vroeg thuis, niet? Ik dacht dat je vandaag in de galerie werkte.'

Maar Jessica was al in het zwembad geplonsd. Kleine luchtbelletjes verschenen aan het oppervlak terwijl ze een baantje onder water zwom en toen ze aan de andere kant boven water kwam, zwiepte ze het haar uit haar gezicht en blies het water uit haar neus voordat ze antwoordde: 'Daar hád ik nu moeten zijn en daarom moet ik ook met je praten. Waar is Betsey?'

'Aan het sporten,' antwoordde Edward met een blik op het huis waar hij haar door de glazen deuren zich in allerlei onmogelijke yogastandjes zag wringen.

Jessica kwam weer boven van de bodem van het zwembad en hapte naar lucht. 'Ze sport de laatste tijd wel erg veel, hè?' vroeg ze voordat ze naar de zijkant zwom, zich omhooghees en eruit klom.

'Mm-hm,' mompelde Edward vaagjes terwijl hij naar zijn vaalroze overhemd keek waar zich een plasje zweet midden op zijn borst had gevormd. Het was waar; hoe seksueel gefrustreerder Betsey raakte, hoe meer ze sportte. Jammer dat hij niemand in kon huren om in haar behoeften te voorzien, dacht hij medelijdend, en een grimmige glimlach verspreidde zich over zijn knappe gelaat vanwege alleen al het overwegen van zo'n belachelijk idee.

Jessica pakte een van de vele zachte witte handdoeken van een stapel op een tafel bij het zwembad en droogde haar benen af die, net als die van haar vader, onder de sproeten zaten. Met haar fijne blonde haar was Jessica qua uiterlijk lijnrecht het tegenovergestelde van haar exotische moeder. Ze was echt een dochter van haar vader. Ze had zijn lichte huid, zijn blauwe ogen geërfd en had zijn trekken op haar gezicht, hoewel die niet zo moeiteloos op hun plaats vielen als de zijne. Wat knap stond bij een man, was iets gewoner bij een meisje en Jessica had ook zijn stevige bouw, hoewel ze haar figuur in vorm hield door voldoende te sporten.

'Waar wilde je over praten, dan?'

Jessica trok een van de ligstoelen erbij. Het kussen werd drijfnat toen ze erop neerplofte. Ze fronste, op zoek naar de juiste woorden. 'Pap, ik ben erachter gekomen dat jij de "mysterieuze" koper bent die de hele expositie heeft opgekocht,' zei ze rustig, en pas op dat moment vertoonde haar gezicht het verraad dat ze voelde.

Edwards mond viel open. En toen hij besefte dat hij was gesnapt, wilde hij het uitleggen. Jessica kapte hem af. 'Niet doen. Ik weet dat je dat soort dingen alleen maar doet omdat je van me houdt, maar je zult nooit begrijpen hoe stom ik me voelde omdat iedereen in de galerie het wist behalve ik.'

Edward baalde ervan dat hij zich rood aan voelde lopen. Verdomme. Hoe was ze daar in hemelsnaam achter gekomen?

'Ik heb je vanaf het begin gezegd dat ik niet wilde dat ze wisten wie ik was en dat ik het eens een keer alleen wilde rooien, dus waarom heb je het gedaan?' vroeg zijn dochter met brekende stem.

'Omdat je het zo verschrikkelijk vond?' opperde Edward nogal zwak. 'Je zei dat je baas echt chagrijnig was, dus ik dacht ik help even.'

'Maar ik vond het helemaal niet verschrikkelijk,' zei Jessica gefrustreerd. 'Ik was in verrukking. Ik kon niet geloven dat iemand chagrijnig tegen míj deed, want dat overkomt me nooit en als je het echt wilt weten, vond ik het geweldig dat ik de kans kreeg iemand voor me te winnen door gewoon hard te werken.'

Edward slikte. Hij had Jessica nog nooit zo geïrriteerd gezien.

'En bovendien,' zei ze, terwijl ze het water uit haar shirt wrong, 'laat jij het klinken alsof ik om je hulp vroeg, terwijl dat niet zo was. Ik vertelde je gewoon hoe mijn dag was geweest, wat ik dus blijkbaar niet meer kan doen voor het geval je je er weer mee gaat bemoeien.'

'Die verrekte James Bond moest je zoals altijd weer te hulp snellen, hè?' grapte Edward.

'Precies,' zei Jessica. Ze klonk eerder verdrietig dan boos. 'En zo gaat het al zo'n beetje mijn hele leven. Ik heb erover nagedacht onderweg hiernaartoe, over alle keren dat jij je erin hebt gemengd om mij te "redden". Weet je nog toen we hier net woonden en ik maar moeilijk vriendinnetjes kreeg op mijn nieuwe basisschool?'

'J-j-j-ja,' antwoordde Edward nerveus, en hij probeerde zich te herinneren welk ouderlijk misdrijf hij al die jaren geleden gepleegd kon hebben.

'In plaats van me de tijd te geven vriendinnetjes te maken, stond je erop de hele klas voor een kerstpartijtje bij ons thuis uit te nodigen en gaf je ik weet niet hoeveel geld uit om er een Winter Wonderland van te maken. Ineens had ik meer vriendinnen dan me lief was, en dus was wat jou betrof het probleem opgelost. Maar de meesten waren geen echte vriendinnen, ze wilden gewoon nog een keer mee naar huis. En op de middelbare school,' raasde Jessica voort, zonder Edward de kans te geven zich te verdedigen, 'moet ik hebben opgenoemd dat ik er een beetje van baalde dat ik het cheerleaderteam niet had gehaald, want wat gebeurde er toen?'

Edward haalde schaapachtig zijn schouders op.

'Precies: jij doneerde een smak geld aan de school voor sportbenodigdheden, vloog naar huis van waar je op dat moment dan ook aan het draaien was, verscheen in je Aston Martin op school en flirtte als een gek met mijn leraressen. En toen, surprise surprise, mocht ik ineens bij het team. Maar dat is het hem nu juist,' zei Jessica, die zich realiseerde dat nu de sluizen eenmaal waren geopend, ze niet in staat was te voorkomen dat jaren van ellende en schaamte naar buiten stroomden. 'Hoewel het hartstikke lief en gul is dat je al die dingen doet, geven ze me geen enkele ruimte iets zelf te doen, zoals andere mensen dat wél moeten. Mijn leven is geen film, pap, en zonder vreselijk ondankbaar te klinken, ben ik bang dat jij het enige bent waar ik echt van gered moet of wil worden.'

Edward kromp ineen.

'Oké, dat meende ik niet,' zei Jessica, die onmiddellijk spijt had van haar harde woorden. 'Maar je bent wel de gênantste ouder ooit.'

'Echt?' vroeg Edward onzeker.

'Echt,' antwoordde Jessica resoluut. 'Ik ben anders dan Dulcie of Paris of Nicole. Ik hou niet van de schijnwerpers en om eerlijk te zijn zou ik het heerlijk vinden voor één keer een gesprek, of een baan wat dat betreft, te hebben zonder dat die stomme James Bond er áltijd bij komt kijken.'

'Oké,' zei Edward. Hij voelde zich dwaas en verre van de gehaaide held uit zijn films. 'Nou, ik begrijp dat je je zo voelt.'

'Ik ben niet gelukkig,' zei Jessica voorzichtig en plotseling wilde Edward niet dat ze ter zake kwam.

'Niet gelukkig?' zei hij opgewekt terwijl hij een gebaar maakte naar hun luxueuze omgeving, naar de azuurblauwe zee en de kan ijsthee die voor hen stond en er gewoon om vroeg ingeschonken te worden, maar Jessica denderde voort.

'Dat is allemaal wat jij hebt bereikt,' zei Jessica. Ze keek Edward recht in de ogen aan. 'Ik heb nooit iets zelf hoeven doen, pap. Het wordt tijd dat ik dat wel doe want hoe kom ik er anders ooit achter wat ik met mijn leven wil, of wat ik daadwerkelijk kán? Ik heb nu gewoon geen echt doel en telkens wanneer ik iets probeer, is dat tot stand gekomen doordat je mijn vader bent, of als dat niet zo is, bemoei je je er evengoed mee en wordt het een beetje... zinloos.'

Edward bestudeerde het serieuze gezicht van zijn dochter en zijn hart deed zeer van liefde. Jessica was zo'n lieve meid, altijd al geweest ondanks haar nogal onconventionele opvoeding. Maar ja, hoe graag hij haar ook de rest van zijn leven dichtbij zich wilde houden en voor haar wilde zorgen, dat was blijkbaar niet meer wat zij wilde.

Zijn volgende stap overwoog hij zeer zorgvuldig. 'Dat benefiet vorige maand?' begon hij kalm en zijn zware stem verhulde hoe verontrust hij zich voelde. 'Jen Peterson zei dat je een buitengewoon organisatorisch talent hebt en dat ze zonder jou nooit zoveel geld zouden hebben ingezameld of zoveel mensen erbij hadden kunnen betrekken.'

Jessica's reactie hierop was een blik die Edward niet kon ontcijferen. Tot zijn wanhoop vulden haar ogen zich vervolgens met tranen. 'Pap, snap je het dan niet? De enige reden dat ik van enige waarde was voor die commissie was om wie ik ben. Als ik niet de dochter van filmster Edward Granger was, betwijfel ik of je rijke vrienden zo vrijgevig zouden zijn geweest. Bovendien kan ik moeilijk aannemen wat Jen Peterson zegt, die probeert je al twintig jaar in haar bed te krijgen.'

'Echt?' antwoordde Edward gevleid voordat hij zich realiseerde dat dat nu even niet belangrijk was. 'Oké, misschien niet het beste voorbeeld,' zei hij, 'en ik moet toegeven dat ik die schilderijen nooit had moeten kopen. Ik had erop moeten vertrouwen dat je zelf wel met die vreselijke man om kon gaan...'

Jessica schudde geërgerd het hoofd. 'Alleen maar omdat hij zich niet uitsloofde om aardig tegen me te doen betekent dat nog niet dat hij "vreselijk" is. Het is gewoon een man wiens huidige tentoonstelling niet liep en die daardoor gestrest was.'

'Ik zou ook gestrest zijn als ik die hoop stront aan de man moest zien te brengen,' merkte Edward droogjes op.

Jessica liet een wanhopig glimlachje zien. 'Eh, het feit dat je de schilderijen verschrikkelijk vindt, bezorgt me nou niet echt een beter gevoel over de hele situatie. Luister, ik weet dat ik me in het verleden heb laten verwennen, maar misschien kwam dat doordat... nou ja, dat ik mama maar weinig zag... ik weet het niet...' Zittend in de schaduw van de parasol in haar natte ondergoed en shirt begon ze het koud te krijgen. Ze stond op, het haar tegen haar gezicht geplakt, en ging in de zon staan. Het was tijd om het te vertellen.

'Ik wil naar Engeland... in mijn eentje en niet voor een vakantie. Niemand weet daar wie ik ben, dus ik kan me net zo goed bij hen scharen aangezien ik het zelf ook niet weet. En ik wil daar onder een andere naam leven. Zo kan ik proberen een normale baan te vinden en te zien of ik iets op eigen kracht kan bereiken. Ik moet dit doen en zonder financiële hulp van jou. Ik neem een paar duizend dollar mee om het even mee uit te zingen, meer niet.'

In een poging weer de overhand te krijgen, stond Edward met zijn volle een meter negentig op van de ligstoel. 'Lieverd, ik begrijp wat je bedoelt en misschien wordt het ook wel tijd voor wat meer onafhankelijkheid, maar laten we nou niet doordraven. Engeland is uitgesloten,' voegde hij er met een zenuwachtig lachje aan toe terwijl hij zijn handen op haar schouders legde.

Jessica wrong zich los, mateloos geïrriteerd. 'Je luistert niet. Ik vráág niet of ik mag gaan, ik zég dat ik ga.' En daarmee rende ze het huis in.

Edward liet zich vermoeid op zijn ligstoel zakken. Alle vrouwen in dit huis waren gek geworden. Was een beetje rust dan te veel gevraagd? Met tegenzin kwam hij overeind om achter Jessica aan te gaan en terwijl hij dat deed, vervloekte hij zijn eerste vrouw. Meer uit gewoonte dan iets anders. Als Angelica hem al die tijd geleden niet had verlaten, hoefde hij nu niet zoals altijd alles in zijn eentje op te knappen. Toen bedacht hij iets. Had Jill niet gezegd dat Angelica het grootste gedeelte van de zomer in Engeland zou zijn? Ineens voelde Edward lichte paniek en versnelde zijn pas. Stak er soms meer achter deze reis?

# 5

Paul Fletcher, belangrijkste komedieschrijver voor *The Bradley Mackintosh Show* van de BBC, wandelde de overvolle productieruimte in. Hij keek rond op zoek naar zijn beste vriend Luke en de meiden Kerry, Natasha, Isy en Vanessa. Ze zaten in een hoek achterin, dus om bij ze te kunnen komen had hij geen andere keuze dan zich een weg door de hele ruimte te banen, over de rest van het team en hun tassen heen.

'Sorry, pardon, bedankt... sorry... Adem in, Kerry,' beval hij toen Kerry nog de enige was die tussen hem en een stukje lege vloerruimte in stond.

'Allemachtig,' zei ze, naar adem happend toen Paul zich langs haar enorme boezem wrong, waardoor ze allebei tegen de muur bekneld raakten. 'Stoor je vooral niet aan mij.'

'Geef maar toe dat je ervan geniet,' grapte Luke. 'Meer dan dat ben je in geen tijden aangeraakt, of wel?'

'Heeft Paul even mazzel,' kwam de opmerking van Natasha, een knappe blondine die ooit iets met Paul had gehad.

'Maak je geen zorgen, Kezza, ik heb een condoom om dus je bent niet zwanger,' zei Paul ongegeneerd.

Natasha, Isy en Vanessa giechelden.

'Nee,' zei Kerry berouwvol, 'zwanger is één ding dat ik zeker niet ben; met hoe mijn liefdesleven ervoor staat, zou het me niet verbazen als ik dichtgegroeid was.'

'Dichtgegroeid?' vroeg de donkerharige Isy bezorgd. De assistent-onderzoeker zat op de grond bij Kerry's voeten en droeg meer accessoires dan Mr T, waaronder zelfs een vreemde, schipper-achtige hoed die haar nog goed stond ook, een prestatie op zich. 'Dat kan toch niet echt gebeuren?'

'Jezus,' zei Paul goedig. 'Nee Isy, dat kan niet echt. Nou, waar blijft die penis van een Mike? Volgens mij is hij nog later dan anders.'

'Ik heb hem al een seintje gegeven,' antwoordde Kerry, die de voorkant van haar krullende donkere haar aan het vlechten was en er scheel van keek, 'maar hij was druk bezig achter zijn computer.'

'Oh, dat was ik vergeten: Mike is een druk man,' zei Paul met een stalen gezicht. 'Hij was waarschijnlijk een fraaie sportbroek aan het bestellen, zijn neusharen aan het ordenen of met zijn vrienden aan het afspreken om op insectenjacht te gaan komend weekend.'

'Je hebt echt iets tegen hem, hè?' vroeg Vanessa, haar sterke Liverpoolse accent even onmiskenbaar als altijd. 'Wat heeft hij je ooit misdaan?'

'Me dood verveeld. Me laten wachten terwijl ik teksten had kunnen schrijven. Me er minstens vijftig keer aan herinnerd dat hij aan de universiteit heeft gestudeerd en ik niet. Slecht presteren in zijn werk maar er nooit voor tot de orde zijn geroepen omdat hij met de dochter van de baas is getrouwd,' vuurde Paul in rap tempo af.

'Je bent gemeen,' zei Natasha plagerig. 'Mike is wel oké en niet verschrikkelijk om tegenaan te kijken.'

Paul wierp een zo nonchalant mogelijke blik op Natasha en probeerde af te leiden of deze opmerking speciaal aan hem was gericht. Afgelopen winter hadden ze een paar maanden iets met elkaar gehad totdat Natasha hem wreed dumpte, zonder waarschuwing en per sms (wat nog het pijnlijkst was geweest). Paul was er (hoewel hij nog eerder dood zou gaan dan het toe te geven) een tijdje behoorlijk van ondersteboven geweest.

Nu waren Natasha's hartvormige gezicht en grote groene ogen de onschuld zelve en hoewel Paul wist dat hij jaloers zou overkomen als hij iets zei, voelde hij zich toch gedwongen dat te doen. 'Nou, ik begrijp echt niet wat jullie dames in Mike zien. Sinds hij terug is van vaderschapsverlof zit hij me echt ontzettend op de nek. Ik heb nog nooit zoveel zinloze scriptveranderingen gezien en eerlijk gezegd kan ik niet wachten tot hij op vakantie oprot zodat we weer even van hem zijn verlost. De lul.'

Niemand van de groep lette erg op wat hij zei. Zoals zij het zagen, had Mike in Pauls ogen nog nooit iets goed kunnen doen en je hoefde geen genie te zijn om te bedenken waarom. Paul vond Natasha leuk, Natasha vond Mike leuk, Mike vond zichzelf leuk.

'Wie had zeven minuten?' vroeg Luke ineens.

'Ik,' bulderde de onmiskenbare, in gin geweekte stem van productieassistent Penny vanaf de andere kant van het kantoor. 'En wie zeven en een half?'

Robbie van de make-up bestudeerde het vel papier dat hij omklemde terwijl hij over de benen en tassen van mensen heen ijsbeerde. 'Oooh, dat ben ik! Oké, kom op Mike, je kan het.'

'Nou, als jullie wisten wat Mike thuis moet verduren zouden jullie wel wat begripvoller zijn,' zei Kerry somber, terwijl ze een potje nagellak uit haar tas viste en het flink schudde. 'Echt, zijn vrouw zit altijd op hem te vitten. Volgens mij belt ze zelfs bijna dagelijks om na te gaan of hij niet in de kroeg zit en laatst–'

Maar ze kon haar zin niet afmaken, want op dat moment kwam Mike zelf eindelijk binnen. Twintig hoofden draaiden zich onmiddellijk naar de klok op de muur die acht over twee aangaf. Robbie hield op met ijsberen, keek van de klok naar zijn aantekeningen en toen weer op naar de zee van verwachtingsvolle gezichten. Zonder geluid en zodat iedereen het kon zien, zei hij: 'Hassan, gefeliciteerd.' Hassan zette een hoge borst op van blijdschap, maar de rest keek verveeld. Het leek wel of de productieboekhouder de weddenschap altíjd won.

'Hallo, jongens,' zei Mike en hij probeerde zo druk mogelijk te klinken. 'Sorry dat ik laat ben. Het is zo'n verdomde gekkenhuis geweest deze week dat ik op een gegeven moment dacht dat ik niet zou kunnen komen. Maar het is me toch gelukt, dus aan de slag.'

Paul rolde zo heftig met zijn ogen dat Isy er hardop om moest giechelen.

'Goed, eerste punt op de agenda,' begon Mike, 'morgen heb ik een afspraak met David Bridlington om over de kijkcijfers te praten. Dus Kerry, herinner me even wie we voor volgende week geboekt hebben, wil je?'

'O-ké,' antwoordde ze zwaarmoedig terwijl ze in haar aantekeningen bladerde. Het onderwerp kijkcijfers voorspelde voor haar nooit veel goeds. 'Goed, deze week hebben we Jamie Oliver...'

'Super,' zei Mike.

'Jane McDonald.'

'Mwah,' zei Mike.

'En Juliette Binoche. Maar de week erna wil nog niet zo vlotten. Hopelijk heb ik Michael Sheen maar de andere gasten die ik geboekt had hebben zich teruggetrokken.'

'Nou, dat is niet zo best,' zei Mike, die woedend oogde. 'Ik hoop dat je een noodplan hebt.'

Kerry vroeg zich af waarom ze Mike net in godsnaam had verdedigd. Opstandig trotseerde ze zijn blik. Hij had de mouwen van zijn gekreukte witte overhemd opgerold om gebronsde onderarmen te onthullen en met één knoopje te veel open kon ze goed zien dat zijn borstkas bruin en glad moest zijn, met de suggestie van haar. Ze zou waarschijnlijk op hem vallen als hij niet a. getrouwd was en b. in geen miljoen jaar in haar geïnteresseerd zou zijn. Toch werd zijn aantrekkelijkheid ietwat afgezwakt door zijn suffe kledingstijl en zijn voortanden die de ongelukkige neiging hadden op zijn onderlip te rusten als hij in gedachten was of kwaad. Zoals nu.

'Mijn "noodplan" is de beste gasten boeken die ik kan krijgen,' antwoordde ze. 'Ik heb overal mijn voelsprieten uitgezet, dus ik hoop dat–'

'Dus je wilt me vertellen dat ik David ervan moet overtuigen dat de kijkcijfers geen probleem zullen zijn terwijl we over veertien dagen tijd niemand bevestigd hebben,' stelde Mike vast.

'Schoonpapa zal het vast wel begrijpen,' mompelde Paul tegen

Luke, wat hem een frons van Mike opleverde omdat hij wist dat ze het over hem hadden.

'Nou, ja, maar alleen vanwege onverwachte afzeggingen. Het is niet makkelijk week in, week uit mensen te vinden, dat weet je toch,' zei Kerry. Haar werk voelde soms als een ondankbare taak. 'Ik heb dan misschien de beste contacten in het wereldje, maar daarmee heb ik nog geen toverstaf. Bovendien doe ik alle boekingen zelf, wat praktisch ongehoord is bij een show van dit kaliber.'

'Zooooo,' kraaide Luke.

'Kop dicht, Luke,' snauwde Kerry.

'Oké, oké,' zei Mike. 'Luister, ik volg je, Kerry, maar evengoed móéten we elke week grote namen hebben anders zijn we ten dode opgeschreven. Dus als je echt vindt dat je hulp nodig hebt om dat voor elkaar te krijgen, nou, dan moesten we maar eens praten en bespreken of je een assistent kunt krijgen. Al kan ik je nu al vertellen dat er niet veel budget voor zal zijn.'

'Dat is er absoluut niet,' mengde Hassan zich erin. 'Er zijn op het moment grotere prioriteiten die betaald moeten worden.'

Iets in Kerry knapte. Ze werkte zich nu al anderhalf jaar uit de naad voor deze show en toen de kijkcijfers huizenhoog waren en de gasten geweldig, leek niemand haar te bedanken of te complimenteren. Maar als het niet zo goed ging, kreeg zij er altijd van langs en daar had ze genoeg van. Tot haar schrik besefte ze dat ze op het punt stond in tranen uit te barsten. Geen fijn gevoel als je op je werk bent, dus ze greep haar tas en rende de vergadering uit. Het team keek haar met open mond na.

'Ik zei het alleen maar,' zei Hassan ter verdediging en haalde zijn schouders op.

'Hm, dat is toch niets voor haar?' vroeg Mike, die zijn kans schoon zag. 'Misschien is het de tijd van de maand?' opperde hij en pauzeerde daarna even om iedereen de kans te geven hard te lachen om zijn hilarische grap. 'Je weet wel, de rode vlag hangt uit.'

Maar hij werd onthaald op een angstaanjagende stilte en langzaam zakte de grijns van Mikes gezicht toen hij zich realiseerde dat er niemand lachte. Misschien was dit niet zo'n goeie grap geweest.

'Zal ik achter haar aan gaan?' stelde Isy voor.

'Eh, ja graag, Isabel, als je wilt,' zei Mike en hij schraapte zijn keel. 'Goed... we gaan verder.'

Op het damestoilet troostte Isy een betraande Kerry.

'Gaat het, schatje?'

'Ja, hoor,' antwoordde Kerry. Ze had het gevoel dat de huilbui haar goed had gedaan. 'En als Mike echt een assistent voor me wil regelen, hou ik hem aan zijn woord ook. Ik vraag al een jaar om een assistent.'

'Ja,' mijmerde Isy, die afwezig haar gespleten haarpunten bestudeerde. 'Hé, toen je wegliep, maakte Mike een grapje over dat je ongesteld zou zijn. Lekker ongepast, hè?'

'Seksistische eikel,' snufte Kerry.

'Ja hè,' zei Isy verbolgen. 'Had hij gelijk?'

'Eh... dat lijkt me duidelijk. We gaan. Ik moet Hassan zoeken en als ik hem eenmaal heb gedwongen niet zo'n vrekkige klootzak te zijn, zég ik tegen Mike dat ik een assistent néém, of hij het nu leuk vindt of niet.'

# 6

In gedachten verzonken sjokte Edward Granger zijn staatsietrap op. Aangekomen op de overloop bleef hij even stilstaan. Plotseling, gewoon voor de gein, drukte hij zich tegen de muur en met één arm naar de zijkant en in de andere een denkbeeldig wapen, controleerde hij de ruime overloop. Aan het einde van de gang stond de deur naar zijn luxe slaapkamer open en verleidde hem om alles te vergeten en een dutje te doen. Maar dat zou Betsey waarschijnlijk als een uitnodiging zien om hem te bespringen. Zuchtend liet hij zijn wapen zakken. Goed, hij moest maar gewoon doen wat hij altijd had gedaan als tactvolle ouderschapsvaardigheden vereist waren: incasseren en afwachten.

Hij klopte zachtjes op Jessica's deur, maar ze had muziek op staan dus klopte hij nog een keer, nu harder. 'Jess, mag ik binnenkomen? Ik weet dat ik soms een beetje bazig kan zijn, maar alleen omdat ik om je geef. En lieverd, het spijt me ontzettend van die schilderijen. Het leek op dat moment een goed idee, maar ik zat fout en... het spijt me.'

Jessica opende de deur. Ze had een katoenen zomerjurkje aangetrokken en een handdoek als een tulband om haar hoofd gewikkeld. Ze schonk hem een lichtelijk trillend, bemoedigend glimlachje. 'Oké,' mompelde ze. 'Nou, voor het geval je eraan zat te denken je grapje te doen dat je de deur dreigt in te trappen, kom maar liever gewoon binnen.'

'Toen je klein was vond je dat altijd geweldig,' zei Edward. Hij volgde haar de kamer in en zag dat ze wat van haar spullen bij elkaar had gezocht en zelfs een koffer tevoorschijn had gehaald. Eén eigenaardig moment realiseerde hij zich dat het engste aan Jessica's vertrek zou zijn dat hij dan alleen achter zou blijven met Betsey. Toen hij zich op het kleine witte bankje aan het voeteneind van haar bed liet zakken, grijnsde Jessica. 'Wat?' vroeg Edward, blij haar te zien lachen.

'Niets, dat nummer,' zei ze en ze wees naar haar iPod waarna ze de handdoek van haar hoofd haalde en haar haar ermee droog begon te wrijven. 'Dat zijn de Pet Shop Boys met "What Have I Done to Deserve This?"'

'Ha ha ha,' antwoordde Edward ironisch.

Een aangename maar gewichtige stilte volgde, waarin ze allebei probeerden te bedenken wat ze wilden zeggen. Uiteindelijk was het Jessica die als eerste de juiste woorden vond. Ze gooide haar vochtige handdoek op het bed en stak van wal. 'Pap, ik weet dat ik in mijn handen mag knijpen en je bent de geweldigste vader die iemand zich kan wensen. Dat weet je toch wel?'

Edward knikte en probeerde niet emotioneel te worden.

'Maar ik ben nu zesentwintig, dus ik moet mijn vleugels een beetje uitslaan. Toen jij zesentwintig was, woonde je al niet meer thuis en had je twee baantjes terwijl je probeerde door te breken. En tegen de tijd dat mam zesentwintig was, had ze al Heavenly Melons gespeeld, was ze getrouwd, had mij gekregen en stond op het punt een scheiding aan te vragen. En hier ben ik dan, en tot nu toe is mijn gebrek aan prestaties vrij zielig.'

'Dat is wat overdreven,' bracht Edward ertegenin. 'De meeste mensen hebben op hun zesentwintigste echt nog niet alles voor elkaar en je kunt je moeders geval nou niet bepaald als lichtend voorbeeld van succes nemen. Gaat ze trouwens nog steeds met die harige idioot van een Graydon Matthews?'

'Niet dat dit er iets mee te maken heeft, maar: ja. Maar goed, waar het wél om gaat,' zei ze gefrustreerd, 'is dat, of het nu goed of slecht was, mam dingen dééd, terwijl ik in tegenstelling tot de meeste mensen niks hoef te doen. Ik bevind me in de onmetelijk bevoorrechte positie waarin ik ermee weg zou komen als ik een compleet leeghoofd werd dat niks anders deed dan shoppen en feesten, maar dat is niet wie ik wil zijn.'

Edward probeerde diplomatiek te blijven. 'Neem maar van mij aan dat ploeteren vreselijk overschat wordt.'

'Dat zal vast zo zijn, maar heb ik niet het recht daar zelf achter te komen?'

Hierop had Edward echt geen antwoord, dus veranderde hij van tactiek. 'Heeft dit iets met Dulcie te maken? Vincent zei dat ze het erg druk heeft met de voorbereidingen voor de bruiloft en het viel me op dat ik haar hier nog maar weinig zie.'

Jessica liet zich op het bed ploffen. 'Dit heeft niets met Dulcie te maken...' zei ze, maar ze zweeg vervolgens net lang genoeg om Edward te laten vermoeden dat dit niet helemaal waar was. 'Echt niet,' hield ze vol. 'Toegegeven, Dulcie is een beetje... doorgedraaid met dat bruiloftsgedoe en soms vraag ik me wel af waarom ze zo halsoverkop moet trouwen, maar dat ik weg wil heeft niets met haar te maken.'

Jessica's beste vriendin, Dulcie Malone, was de dochter van de beroemde muziekproducent Vincent Malone, het eenentwintigste-eeuwse antwoord op Barry White maar dan slanker, die toevallig ook Edwards beste en oudste vriend was. Omdat ze samen waren opgegroeid waren de meiden zo goed als zussen en toch gingen ze met bepaalde dingen heel verschillend om. Het hebben van een beroemde vader was daar één van. Dit contrast in houding was enige tijd terug voor het eerst naar boven gekomen toen hun gevraagd werd in een realityserie te spelen getiteld *Daddy's Girls*. Jessica had ronduit geweigerd er ook maar over na te denken, waar Dulcie diep verontwaardigd over was geweest omdat ze het als een gemiste kans zag. Sinds die tijd, wat geen van beiden hardop had uitgesproken uit angst dat het dan echt werd, voelden meningsverschillen die ooit kleine hordes hadden geleken ineens onoverkomelijk.

Nadat Edward het bedachtzame gezicht van zijn dochter had bestudeerd, stond hij op van de bank en ging naast haar op het bed zitten. 'Oké,' zei hij. 'Ten eerste moet je begrijpen, Jess, dat dit idee om naar Engeland te gaan me nogal overvalt. Dus als mijn eerste reactie niet was waar je op hoopte, bied ik mijn verontschuldigingen aan, hoewel je moet beseffen dat ik er nog aan moet wennen.'

Jessica haalde haar schouders op, maar stond toe dat Edward zijn arm om haar heen sloeg en vlijde zich tegen hem aan.

'Ten tweede wil ik alleen maar dat jij gelukkig bent, dus als dit verlangen om naar Engeland te gaan iets blijvends is, dan moet dat maar. Hoewel ik wel meer over je plannen zou willen weten.

Waar ben je van plan te verblijven, bijvoorbeeld? Want als ik een voorstel mag doen: waarom logeer je niet bij tante Pamela totdat je iets anders hebt? Ik kan haar nu bellen voordat ze in bed ligt. Even bij haar polsen. Ik weet dat ze het super zou vinden als je kwam en het werd sowieso hoog tijd dat jullie elkaar weer zagen.'

Jessica kon een glimlach niet bedwingen. Ze was dol op tante Pam, die ze gedurende al die jaren gemist had; Pamela was bang om te vliegen dus wat haar betrof was er geen slaappil sterk genoeg om haar ooit naar de VS te krijgen. Maar toch, bij haar logeren was niet de oplossing.

'Ik denk het niet, pap. Hoe leuk logeren bij Pam ook klinkt, ik wil niet voor de makkelijke weg kiezen. Ik meende het toen ik zei dat ik het op de juiste manier wilde doen, dus doe ik wat gewone mensen zouden doen.'

'En dat is?' vroeg Edward, worstelend met een visioen van zijn dochter in een armetierig eenkamerflatje of een jeugdherberg.

'In een hotel verblijven. Ik reserveer wel in het Dorchester. Maar niet het penthouse, wel een gewone kamer,' zei ze resoluut en ze liep naar de andere kant van haar slaapkamer om het volgende nummer op haar iPod over te slaan.

'Eh, oké,' antwoordde Edward vaagjes. 'Nou, dat lijkt me wel redelijk "gewoon"... ik bedoel, als dat echt is wat je wilt?'

'Ja.'

'Oké,' zei Edward die hard zijn best moest doen om niet te lachen. Hij hoopte maar dat ze wel van plan was haar creditcard mee te nemen. 'Wanneer ben je van plan om te gaan?'

'Snel. Morgen misschien?'

'Morgen?' sputterde Edward. 'Ben jij gek! Jezus Jess, sinds wanneer ben jij ineens zo ondernemend?'

Jessica wist het niet, maar na maanden en maanden van malaise voelde het zo opwindend om een plan te hebben dat ze het gewoon zo snel mogelijk wilde doorzetten. Ze haalde haar schouders op en probeerde een grijns te onderdrukken.

'Jemig, en je vriendinnen dan? Wil je geen afscheid nemen?' ging Edward verder, terwijl hij met zijn handen door zijn haar ging en zijn nek masseerde, iets wat hij altijd deed wanneer hij gespannen was. 'Ik weet dat het de laatste tijd niet zo goed botert tussen jullie, maar vooral Dulcie zou erg van streek zijn als je er zomaar tussenuit kneep.'

'Oké, oké. Dulcie wilde toch binnenkort wat gaan drinken als voorproefje op haar vrijgezellenfeest, dus daar kan ik wel voor blijven,' zei Jessica en ze probeerde niet te giechelen. Haar vader leek flink geschrokken, wat bewees dat hij haar plan serieus nam, wat betekende dat het echt zou gaan gebeuren en het allemaal ineens heel echt en opwindend maakte.

'En mijn verjaardag dan?'

'Die is pas in september, over vier maanden, dus daar kom ik natuurlijk voor over. Maar er is nog wel iets,' ging Jessica verder, met een zweempje verzet in haar stem, terwijl ze zich voorbereidde om over iets delicaats te praten.

'Wat dan?'

'Volgens mij is mam binnenkort in Londen.'

'Oké,' antwoordde Edward rustig.

'En ik weet dat ik haar nog niet zo lang geleden heb gezien, maar misschien is het wel een goed idee haar voor de verandering eens op neutraal terrein te ontmoeten.'

'Ga je er daarom heen?'

'Nee,' antwoordde Jessica meteen. 'Helemaal niet. Ik besefte het net pas toen ik haar schema bekeek. Maar aangezien ze er toch is, dacht ik – als jij het goed vindt natuurlijk – dat ik best eens met haar af kon spreken. Maar als je liever hebt dat ik het niet doe... want het maakt me niet zoveel uit, hoor.'

Edward slikte. Toezien hoe zijn dochter worstelde toestemming te vragen haar eigen moeder te zien maakte hem zo intens verdrietig dat het was alsof de zon achter een wolk verdween. 'Lieverd, je kunt met je moeder afspreken wanneer je wilt. Je bent een volwassen vrouw. Dat hoef je toch niet aan mij te vragen?'

'Maar ik wil dat jij het oké vindt,' mompelde Jessica, verscheurd als altijd.

'Natuurlijk. Meer dan oké zelfs, ik vind het geweldig,' voegde hij er voor de goede orde aan toe, hoewel het voelde alsof zijn keel werd dichtgeknepen.

'Echt?' vroeg Jessica wantrouwig.

'Absoluut,' antwoordde Edward en hij vroeg zich af hoe het ooit zover had kunnen komen.

'Oké,' zei Jessica, ze probeerde blasé te klinken. 'Nou, misschien doe ik dat dan wel.'

Op dat moment stak Betsey haar hoofd om de deur.

'Hoi,' zei ze en ze schonk Jessica een snel, nep glimlachje voordat ze zich tot Edward richtte. 'Liefje, kan ik je even spreken... in onze slaapkamer?'

Terwijl ze dit zei, trok ze een wenkbrauw op en wenkte hem met een lange roze klauw.

Ah bah, dacht Jessica en probeerde niet te kotsen. Ze wist dondersgoed wat haar stiefmoeder van plan was. Ondanks dat ze de afgelopen zesentwintig jaar naar een broertje of zusje had verlangd, wist ze niet of ze klaar was voor het gebroed van Betsey, vooral omdat ze van een kilometer afstand kon zien dat haar vader er geen zin in had. Maar het waren haar zaken niet en ze wilde zich niet met zijn privéleven bemoeien. Nog een goeie reden om weg te gaan.

'Ik kom er zo aan, Betsey,' antwoordde Edward geïrriteerd, waardoor zijn vrouw kwaad wegstoof en uit frustratie de deur achter zich dichtsloeg. Edward leek voor Jessica's ogen leeg te lopen en zag er ineens beteuterd en nogal oud uit. Ze gaf hem een knuffel. Wat zou ze hem vreselijk gaan missen.

Terwijl Edward de knuffel beantwoordde, schraapte hij zijn keel. 'Maar als je in Engeland niet Jessica Granger wilt zijn, welke naam ga je dan gebruiken?'

Jessica grijnsde. Als de dochter van een eersteklas filmster had ze de kunst der discretie al jong geleerd. 'Ik zat eraan te denken jouw echte naam te gebruiken. Ontmoet Bender, Jessica Bender,' zei ze voortvarend.

'Oké,' mijmerde Edward. 'Dan moet ik je wel waarschuwen, want Bender is niet de makkelijkste naam voor in Engeland. Het heeft daar iets andere connotaties.'

Maar Jessica luisterde niet. Ze had het te druk met door haar slaapkamer huppelen en bovendien maakte het haar niet uit welke naam ze zou gebruiken, zolang het maar geen Granger was.

# 7

Eén trans-Atlantische vlucht en een aantal dagen later, opende Jessica eerst het ene met slaap gevulde oog en daarna het andere. Omdat ze uit een diepe slaap ontwaakte, was ze suf en wist niet zo goed waar ze was, totdat alles langzaam op zijn plek viel en begon door te dringen. Ze was natuurlijk in haar kamer in het Dorchester in Engeland.

Ze rekte zich uit. Wat een heerlijk hotel was dit toch. Misschien niet zo 'rock and roll' als zoiets als het Sanderson of het Mayfair, maar het was typisch Engels en ongegeneerd luxueus. Het op art deco geïnspireerde interieur riep de sfeer op van de glamour van de jaren twintig van de vorige eeuw. Nooit eerder verbleef ze in een van de gewone kamers, die minder groot waren dan de suites die ze gewend was. Er was amper genoeg kastruimte om al haar bagage kwijt te kunnen maar het bed was ongelooflijk comfortabel en het uitzicht op Hyde Park geweldig. Het enige wat haar minder comfortabel maakte waren de twijfel en het schuldgevoel die haar bleven overvallen. Zodra ze hier was aangekomen was het haar opgevallen dat de meerderheid van de gasten óf veel ouder waren dan zij óf overduidelijk rijk en/of op zakenreis, wat haar zich had doen afvragen of hier logeren nou eigenlijk wel zo 'gewoon' was.

Ze dacht terug aan wat voor nieuwigheid het vliegen van toeristenklasse was geweest, iets wat ze per se wilde doen om te demonstreren hoe serieus ze was over het schuwen van haar bevoorrechte levensstijl. Toen de landing werd ingezet, had ze uit het raampje gestaard naar de onverwachte grijze, met regen gevulde deken van wolken die boven Heathrow hing. Van die mistroostige dreiging kregen de andere passagiers de neiging zodra ze waren geland het eerste vliegtuig terug te nemen, maar Jessica was overspoeld met onverholen enthousiasme en het gevoel dat ze absoluut goed deed aan dit avontuur. Ze had niet alleen behoefte aan een adempauze van haar vader, maar ook van Los Angeles. L.A. was een keiharde stad, alles was erop gespitst het te 'maken', dus als je niet wist welke ladder je wilde beklimmen, laat staan een voet op de eerste sport had, was het een moeilijke stad om je te bevinden. Maar in Londen zou niemand behalve zijzelf de touwtjes in handen hebben en kon ze het juk van haar identiteit afwerpen. Ze had toen al het gevoel dat de jaren van schuldbeladen bevoorrechting die aan haar kleefden als kalkaanslag, begon af te brokkelen. Hoewel ze wel moest toegeven dat ze de beenruimte had gemist...

Het was jammer dat ze Dulcie niet persoonlijk had kunnen vertellen dat ze wegging. Ze had het meerdere keren geprobeerd maar was er niet in geslaagd er ook maar één niet aan trouwen gerelateerd woord tussen te krijgen, zelfs niet tijdens hun borrel bij wijze van voorvrijgezellenfeest. Hun band was absoluut verslechterd en hoewel ze het vreselijk vond, had Jessica geen idee wat ze eraan kon doen, behalve Dulcie aan een stoel vast te binden en haar tot luisteren te dwingen. En dat was niet iets waar ze haar toevlucht toe wilde nemen. Nee, Dulcie moest er zelf maar achter komen. De volgende keer dat ze Jessica belde om haar te vervelen zou ze een buitenlandse kiestoon horen.

Wat ze in de tussentijd in de eerste plaats nodig had was een baan. Londen bleek een grotere uitdaging dan ze verwacht had. Ze had zich ijverig toegelegd op het zoeken naar werk, maar tot nu toe hadden honderden telefoontjes en e-mails naar uitzend- en rekruteringsbureaus niets opgeleverd en ze vroeg zich af of dat aan haar spervuur-aanpak kon liggen. Toch was ze vastbesloten het niet op te geven, dus vandaag gingen Pam (als morele steun) en zij de straat op om zo een baan te zoeken. Maar eerst ontbijten. Ze haalde één arm onder de dekens vandaan en pakte de telefoon. 'Roomservice alsjeblieft. Hoi, mag ik een omelet, koffie, het bord fruit en een sinaasappelsap? Voor kamernummer... oh, dat weet je al. Oké, bedankt.'

Drie kwartier later verliet Jessica haar kamer en liep naar de liften, klaar om de wereld tegemoet te treden en vol vertrouwen dat ze er in haar zwarte broekpak toonbaar, netjes en bovenal inzetbaar uitzag. Punctueel als altijd wachtte Pam haar op in de lobby. Jessica glimlachte toen ze doelbewust naar haar toe schreed.

'Goeiemorgen lieverd, je ziet er mooi uit.'

Jessica grijnsde en nam haar bij de arm. 'Jij ook. Ontzettend bedankt dat je met me mee wil.'

'Ooh, met plezier, lekker dier.'

De maand mei liep ten einde en toen ze uit het hotel de warme zonneschijn in stapten, voelde Jessica zich, niet voor het eerst, dankbaar voor Pams gezelschap. Haar tante was zo warm en lief als Jessica zich herinnerde en bezorgde haar een geruststellend thuisgevoel in een vreemde stad. Vanaf het moment dat ze op het vliegveld was aangekomen was het Jessica zelfs opgevallen dat daar haar meeste genen vandaan moesten komen. Hun gelijkenis was iets waar ze eerder te jong voor was geweest om te waarderen, maar nu kwam het bijna als een opluchting, alsof een mysterie was opgelost.

Pamela was wat je zou beschrijven als een knappe vrouw. Bijgestaan door een garderobe van goede kwaliteit, straalde ze een nette soort glamour uit en vandaag droeg ze een lila mantelpak, marineblauwe schoenen van Russell & Bromley en een bijpassende handtas. Haar nagels waren in de voor haar kenmerkende lichtroze tint gelakt en haar zilvergrijze, geföhnde haar zat onberispelijk als altijd. Het glinsterde toen ze Park Lane op stapten. De combinatie van een man die zijn zaken netjes had achtergelaten toen hij stierf en een welgestelde en vrijgevige broer, betekende dat Pam zich nooit te zeer zorgen hoefde te maken over geld. Maar goed ook, want toen Bernard overleed was ze te intens verdrietig geweest om veel meer te doen dan louter functioneren.

'Oké, waar gaan we heen?' vroeg Pam, terwijl de portier zijn arm opstak om een taxi aan te houden. 'Wat staat er als eerste op de planning?'

'Laat maar, bedankt,' zei Jessica tegen de portier. 'Vandaag doen we het op de Londense manier en gaan we lopen,' voegde ze eraan toe. Ze voelde zich vol goede moed en positief. 'We blijven gewoon lopen, totdat we iets zien wat ons aanstaat.'

'Doen we,' zei Pam pragmatisch. 'Een prima plan. Iets wat ons aanstaat.'

Maar twee uur later, toen Jessica moe, ontmoedigd en gedesillusioneerd uit de zoveelste winkel kwam lopen, was haar enthousiasme sterk afgenomen. Pam, die buiten op de stoep stond te wachten, trok vragend een wenkbrauw op. 'En?'

Jessica schudde alleen maar het hoofd.

'Oké,' zei Pam en ze wees naar een café. 'Daarheen.'

'Kunnen we die niet overslaan? Ze zoeken vast niemand en ik kan wel een pauze gebruiken.'

'En ik kan wel een latte gebruiken en een lekker groot stuk gebak,' pufte haar tante.

'Oh,' antwoordde Jessica en ze liep neerslachtig achter haar aan.

Met een opkikkerende kop koffie voor hun neus hielden ze beraad.

'Ik denk niet dat doelloos over straat lopen de beste manier is om een baan te vinden, lieverd,' zei Pam. 'Misschien heb je meer aan een echte strategie.'

'Het was denk ik wel naïef van me,' gaf Jessica toe, 'maar ik had niet gedacht dat mensen zo afwijzend zouden reageren. Die man van dat eethuis was vreselijk, en ik maar denken dat iedereen in Londen zo vriendelijk was. En die meiden in die kledingwinkel deden ook nog eens hatelijk over mijn naam.'

'Ja, dat zat erin,' lachte Pam. 'Waarom je jezelf hebt opgezadeld met een naam die homo betekent zal ik nooit begrijpen. Ik was zo blij dat ik er vanaf was toen ik met Bernard trouwde. Bernard Anderson, dacht ik, wat een perfecte naam. En dat was het ook, totdat die verrekte serie *Baywatch* kwam en de naam Pamela Anderson een hele nieuwe betekenis kreeg.'

Ondanks haar stemming kon Jessica het niet laten te grijnzen. Pam keek bedachtzaam naar haar nichtje.

'De banenmarkt valt op het moment niet mee, schat, dus kijk er niet raar van op dat je nog niks hebt gevonden. Zonder de hulp van je vader zal het een stuk moeilijker voor je worden, maar denk aan de vrijheid die je nu hebt om erachter te komen wat je echt wilt doen.'

'Maar dat is het hem nou juist,' zei Jessica wanhopig. 'Dáárom moest ik weg uit L.A., juist omdat ik niet wéét wat ik wil. Ik hoopte een beetje dat het hier anders zou zijn.'

'En dat is het ook,' zei Pam overtuigend, 'maar je moet het lot een handje helpen. Bernard zei altijd: "je krijgt van het leven wat je erin stopt." Dus geef het niet op, Jess. Als je volhoudt, duikt er uiteindelijk wel iets op. En ondertussen is het heerlijk dat je er bent. Echt waar.'

Jessica slaagde erin te glimlachen. Ze wist dat haar tante dat meende, dus deed ze tenminste nog iets goed. 'Ik wou dat ik Bernard had gekend. Hij klinkt als een geweldige man.'

'Dat was hij,' antwoordde Pam alleen maar.

Er volgde een stilte en de twee vrouwen waren aan hun eigen gedachten overgeleverd terwijl Pam op haar gebak aanviel.

'Dat papa elke vijf minuten belt om te vragen of ik al iets heb, helpt ook niet echt,' zei Jessica uiteindelijk.

'Nee, hè,' was Pam het roerend met haar eens terwijl ze de suiker van haar mond depte met haar servet. 'Hij belt mij elke dag om te vragen of alles goed met jou is, meestal net tijdens *Come Dine With Me*. Ik begrijp echt waarom je daar weg moest; de ene ouder bemoeit zich veel te veel terwijl de ander zich juist te weinig met je bemoeit.'

Jessica kromp ineen van deze steek onder water naar haar moeder en haar gedachten maakten overuren terwijl ze overwoog of ze wel of niet tegen Pam zou zeggen dat ze de volgende dag een afspraak met het onderwerp van haar minachting had. Waarschijnlijk beter om het niet te vermelden. Aan Pams gezichtsuitdrukking te zien zou het haar alleen maar buikpijn bezorgen.

# 8

De volgende ochtend liep Jessica naar de grootse eetzaal van het hotel waar elke dag het ontbijt werd geserveerd hoewel dit de eerste keer zou worden dat ze het niet op haar kamer gebruikte. Angelica zou om halftien arriveren en Jessica keek automatisch rond naar de andere gasten. Hoeveel van hen zouden reageren als hun moeder binnenkwam? Hoeveel zouden achter hun hand fluisteren? Hoeveel zouden brutaal of geïnteresseerd genoeg zijn om haar aan het tafeltje te benaderen? Vragen die ze al haar hele leven stelde.

'Goedemorgen, mevrouw Bender. Tafel voor één?' vroeg de hoofdkelner.

'Eh, nee, mijn eh... er komt zo nog iemand.'

'Prima,' antwoordde hij, 'dan wilt u misschien die tafel daar, naast...' Zijn stem stierf weg omdat hij werd afgeleid door een enorme commotie in de lobby.

Jessica volgde zijn blik. 'Daar zul je mijn gast hebben,' zei ze. Ze kon zich al helemaal voorstellen dat de paparazzi Angelica hadden zien arriveren en zo'n grote opschudding hadden veroorzaakt dat die zelfs het hotel binnendrong. Waarom kon ontbijt nooit gewoon ontbijt zijn?

'Excuses mevrouw,' ging de kelner verder, 'ik weet niet wat daar aan de hand is, maar als die tafel goed is dan zal ik–'

Weer kon hij zijn zin niet afmaken, want op dat moment verscheen een groepje personeel in de deuropening dat een enorme ophef maakte over degene die ze in hun midden hadden. Uiteindelijk werden de personeelsleden een voor een weggestuurd door de persoon waar ze omheen hingen en leken ze langzaamaan weg te smelten tot alleen de oorzaak van de commotie nog overbleef. Tegen die tijd deed iedereen in de eetzaal zijn best om te zien wat er aan de hand was. Het was me de binnenkomst wel en zoals altijd kon Jessica het de mensen niet verwijten dat ze staarden.

Met haar achtenveertig jaar was Angelica Dupree nog steeds buitengewoon mooi. Haar lange haar hing op haar rug, nog steeds bruin en glanzend, elegant gehighlight met kopertinten om het onvermijdelijke grijs te bedekken (haarverf was een van Angelica's weinige concessies aan het voorkomen van het verouderingsproces). Ondanks de enorme druk had ze nooit iets laten doen. Haar prachtige gezicht was ook nog nooit door naalden aangeraakt, wat uiteindelijk alleen maar in haar voordeel werkte. Het was in elk geval een stuk expressiever, en dat zou er wel eens de oorzaak van kunnen zijn dat haar acteerwerk de laatste tijd zo goed werd ontvangen. Nu ze geestdriftig op zoek naar haar dochter de eetzaal binnenschreed, oogverblindend als altijd en onberispelijk gekleed in een witte zijden bloes, een rok van het zachtste karamelkleurige suède en crèmekleurige Jimmy Choo-laarzen, voelde Jessica een vreemde combinatie van trots, verdriet en iets wat op ontzag leek.

'Jessica,' zei Angelica met een zucht toen ze haar eindelijk onbeholpen in een hoek zag staan, half verstopt achter een palmboom in een Chinese vaas. 'Wat fijn om je te zien,' zei ze en ze haastte zich een tikje onbehaaglijk door de eetzaal. Zelfs de gasten, die toch heel wat gewend waren, gaapten haar aan. De mannen genoten van deze onverwachte waarneming van Heavenly Melons, de vrouwen waren op zoek naar tekenen van ouderdom waar ze zich later om konden verkneukelen.

'Vind ik ook, mam,' antwoordde Jessica, die zich in een spijkerbroek en een eenvoudig katoenen shirt slonzig voelde naast haar. Angelica kuste haar teder op beide wangen. Ze wilde dolgraag gaan zitten en niet langer aangestaard worden dan nodig was, dus ze was blij dat ze snel naar een tafeltje werden geleid.

'Graydon Matthews eet ook mee,' lichtte Angelica de kelner in met haar stem met Frans accent. 'Dus houd een extra plaats gedekt, alstublieft. Zo, hoe is het met je, Jessica? Ik wil alles weten. Wat heb je allemaal uitgespookt?'

Jessica probeerde haar gekwetste gevoelens in te houden. Ze had haar moeder in geen tijden gezien en toch had ze haar afschuwelijke vriend meegebracht?

'Wat is er?' vroeg Angelica. Ze had het gezicht van haar dochter zien betrekken met een gemelijke uitdrukking.

'Niks. Waar is Graydon trouwens? Zijn jullie niet samen gekomen?'

'Hij moest naar het toilet. Je vindt het toch niet erg dat hij er is? Toen ik zei dat ik met jou had afgesproken wilde hij je dolgraag zien.'

'Oké,' zei Jessica, hoewel ze er geen woord van geloofde en vermoedde dat hij Angelica gewoon in de gaten wilde houden. Jessica had altijd de indruk dat Graydon de baas speelde over haar moeder, op een passief-agressieve manier waar ze moeilijk haar vinger op kon leggen.

'Misschien had ik hem niet mee moeten nemen?' ging Angelica verder, haar Franse accent geprononceerder dan ooit. 'Het spijt me als je ervan baalt, Jessica, maar ik zou het gewoon geweldig vinden als jullie elkaar beter leerden kennen.'

'Waarom?' vroeg Jessica een beetje rebels.

'Waarom denk je?' antwoordde Angelica luchtig. 'Luister, ik weet dat je je niet wilt hechten voor het geval het niets wordt, maar ik denk dat het deze keer echt goed zit. Ik hoop het tenminste. De meeste mensen vinden Graydon een behoorlijk goede partij, wist je dat? Hij is een harde werker en zorgt echt goed voor me. Het is een goeie vent.'

'O ja?' antwoordde haar dochter, zich ervan bewust hoe graag haar moeder haar goedkeuring wilde, maar nog niet overtuigd. Gebruikmakend van Graydons afwezigheid kon ze het niet laten eraan toe te voegen: 'Want ik zie je nooit lol maken met hem.'

'Nou, ik heb me al eens dwars door een relatie gelachen en kijk eens hoe dat is afgelopen,' grapte Angelica bitter. 'Sorry,' voegde ze er gematigder aan toe. 'Luister, ik weet dat Graydon niet zo grappig is als je vader, maar hij heeft andere pluspunten die waarschijnlijk belangrijker zijn.'

Zoals het talent om haren uit elke opening te laten groeien en toch kalend te zijn, dacht Jessica.

'Hij is erg betrouwbaar.'

'Oké,' zei Jessica.

'Maar goed, genoeg daarover, ik wil weten hoe het met jou gaat,' zei Angelica, die dolgraag ruzie wilde vermijden. 'Hoe lang denk je dat je hier blijft? Ik moet toegeven dat ik het een beetje jammer vond dat ik van Jill over je plannen om naar Engeland te komen moest horen.'

'Eh, is dat niet een beetje hypocriet? Je hebt een eeuwigheid in Marokko gezeten,' wierp Jessica tegen. Angelica had de afgelopen maanden voor een Franse low budget-film in Marokko gedraaid en zelfs voor haar doen was het een slechte periode geweest qua contact.

'Ja, maar je had mijn nummer, dus je had kunnen bellen. Ik nam alleen aan dat je dat niet deed vanwege...'

'Vanwege wat?'

Haar moeder zuchtte. Zoals altijd stond haar dochter op moreel hogere grond. Angelica had niet het recht ook maar iets over haar aan te nemen of van haar te verwachten. Dat recht had ze jaren geleden verspeeld. 'Het spijt me. Zullen we overnieuw beginnen? Vertel me eens waarom je hebt besloten hierheen te gaan.'

'Oké,' antwoordde Jessica gestrest. 'Nou, ik denk dat ik in eerste instantie gewoon weg moest uit L.A. Een tijdje op eigen benen staan, als je begrijpt wat ik bedoel.'

'Natuurlijk,' knikte Angelica.

'En Dulcie gaat trouwen en ze is zo met haar bruiloft bezig...'

'Nou, het is ook een grote dag voor haar, *non?*'

'Ja, maar je zou je kunnen afvragen waarom ze het doorzet terwijl ze hem pas een jaar kent.'

'Misschien omdat ze van hem houdt?' opperde Angelica.

'Vast wel, op dit moment,' bracht Jessica daartegenin, 'maar betekent dat dat ze zich halsoverkop in een instituut moet storten dat vanaf het begin gedoemd is te mislukken?'

'Niet voor iedereen.'

Jessica staarde gefrustreerd naar haar moeder. Hoe kon een vrouw die niet eens meer met de vader van haar kind sprak en die met iemand omging die haar duidelijk niet respecteerde, denken dat ze in de positie was om advies te geven. 'Maar goed,' zei ze, van onderwerp veranderend, 'daar heeft het niets mee te maken. Ik vond dat ik hierheen moest om een tijdje een gewoon leven te leiden.'

Angelica kon het niet helpen; compleet reflexmatig liet ze haar blik over hun luxueuze omgeving gaan.

'Wat?' vroeg Jessica, geïrriteerd door haar moeders reactie. 'Ik heb geen suite genomen of zo, en ik heb zelfs korting gekregen en alles.'

'Ik zei niets,' suste Angelica, 'rustig maar.'

Jessica zweeg. Ze wist dat ze zich verschrikkelijk gedroeg. Ondanks de Londense setting leek het erop dat deze ontmoeting net als alle andere zou worden. Echt waar, niemand kon haar zo goed in een dwarse tiener laten veranderen als haar moeder. 'Ik weet dat dit een chic hotel is, maar ik doe mijn best. Pamela en ik zijn gisteren zelfs de straat op gegaan om een baan te zoeken. Niet dat dat is gelukt.'

'Pamela? Bedoel je je tante Pamela? Edwards zus?'

'Ja, we hebben wat tijd samen doorgebracht. Ze is erg lief.'

Angelica probeerde enthousiast te kijken terwijl ze instemmend knikte, hoewel ze zelf jaren geleden een heel andere kant van haar schoonzus had leren kennen. In die tijd had Pam haar, met de rest, als de slechterik gezien en haar dat laten weten ook.

Jessica kneep haar ogen tot spleetjes. 'Wat? Wat heb je tegen Pam?'

'Niks,' antwoordde Angelica vlug.

'Er is iets. Ik zie het,' hield Jessica vol.

'Er is niks... echt, het is allemaal zo lang geleden,' zei Angelica. 'Maar je hebt gelijk, het is een aardige vrouw dus fijn dat je haar beter leert kennen. Ik weet nog dat zij en Bernard heel graag kinderen wilden. Heeft ze die nog gekregen?'

Jessica schudde het hoofd.

'Wat jammer. Ze was vast een goede moeder geweest.'

Deze opmerking leek tussen hen in in de lucht te blijven hangen.

'Ik gebruik hier zelfs een andere naam,' zei Jessica in een manhaftige poging mogelijk ongemak te verjagen. 'Ik wil het serieus helemaal alleen doen.'

‘Ik ben erg trots op je, Jessica, echt waar. En welke naam gebruik je dan?’

‘Bender.’

‘Oh,’ zei Angelica verbaasd. De echte naam van haar ex-man voor het eerst in jaren weer te horen was een kleine schok. Ze hadden erg hun best gedaan die naam te begraven, dus leek het vreselijk ironisch dat Jessica hem nieuw leven had ingeblazen.

De kelner kwam bij hun tafel staan. ‘Kan ik uw bestelling opnemen dames, of wacht u liever op meneer Matthews?’

‘We kunnen nu wel vast bestellen. Ik wil graag twee gepocheerde eieren,’ zei Angelica, ‘en volkorentoast met boter en zwarte thee. Jessica?’

‘Een omelet alstublieft, en wat kruidenthee.’

De kelner schreef de bestelling op.

‘Waar blijft Graydon trouwens?’ vroeg Jessica opeens. ‘Hij blijft lang weg.’

Angelica oogde lichtelijk beschaamd en leek liever niet te willen antwoorden tot de kelner buiten gehoorsafstand was. ‘Hij komt zo,’ mompelde ze.

‘Maar je zei toch dat hij naar het toilet was? Hij neemt wel de tijd, zeg.’

Angelica zuchtte licht gespannen. ‘Hou er nou maar over op, Jessica.’

‘Hoezo?’ vroeg ze volkomen onschuldig.

Angelica klakte afkeurend met haar tong en wachtte toen even om zich ervan te verzekeren dat niemand het kon horen, voordat ze antwoordde: ‘Kom op Jess, ik heb je toch over Graydons kleine *problème* verteld?’

‘Eh... nee,’ zei Jessica, die niet zeker wist of ze het wel wilde weten.

‘Echt niet? Heb ik je niets verteld over zijn wc-... perikelen?’

‘Perikelen?’ vroeg Jessica niet-begrijpend.

Angelica keek Jessica recht in de ogen aan alsof ze wilde inschatten hoeveel ze zou onthullen, waarna ze zich over tafel boog. 'Ik ben eigenlijk ten einde raad. Graydon heeft een "probleem" met op openbare plekken "gaan".'

'Oké dan,' zei Jessica, hopende dat ze het daarbij zou laten, maar nu ze eenmaal was begonnen had Angelica geen haast het onderwerp links te laten liggen.

'Ik ben volkomen serieus. Hij heeft het al van kinds af aan. En als hij zich wel in staat voelt te gaan, heeft hij bepaalde rituelen, snap je? Hij moet helemaal naakt zijn. Het is behoorlijk bizar.'

'Sorry?'

'Hij moet al zijn kleren uittrekken, zelfs zijn horloge afdoen, voordat hij kan... presteren, wat zolang hij thuis is geen probleem is, maar als we uit zijn kan het wel eens lastig zijn.'

Jessica was ontzet en vroeg zich even af of ze het over hetzelfde hadden. 'Meen je dat? Probeer je me nou te vertellen dat Graydon al zijn kleren uit moet trekken om te kunnen schijten?'

'Ssst,' wapperde Angelica. 'Doe niet zo, Jessica. Het is een vreselijke aandoening. Zijn therapeut zegt dat het een letterlijke anale fixatie is.'

Jessica's gezicht vertrok in een combinatie van vermaak en afschuw.

'Als je onvolwassen gaat zitten doen kunnen we het er beter niet over hebben,' zei Angelica vol spijt dat ze erover was begonnen. 'Laten we het ergens anders over hebben. Hoe is het met je vader?' vroeg ze, waarbij haar toon zo onmerkbaar veranderde dat het buiten Jessica niemand zou zijn opgevallen.

'Goed,' antwoordde Jessica, die nog steeds haar lachen moest inhouden.

'Doet hij nog iets met zijn verjaardag?'

'Een feest.' Als ze met een van haar ouders over de ander sprak, had Jessica geleerd dat het het beste was de details tot een minimum te beperken. Een eenlettergrepige kunst die ze door de jaren heen had geperfectioneerd.

'Oh, wat leuk,' antwoordde Angelica niet overtuigend. In werkelijkheid keek ze alsof ze hoopte dat het in het water zou vallen. Daarna: 'Ik heb je echt gemist, Jessica...'

Jessica probeerde 'ik jou ook' te zeggen, maar het leek alsof haar tong plotseling aan haar verhemelte zat vastgelijmd. 'Nou, je weet nu waar ik ben,' merkte ze flauw op.

'En ik wilde je niet beledigen met- ah, kijk, daar is Graydon.'

Jessica keek om en, ja hoor, daar was hij, zo opgeblazen en gemaakt macho als altijd. Graydon Matthews was een invloedrijk zakenman uit New York die elk jaar de marathon liep, drie keer per week squashte en elke dag met een koude douche begon. Ondanks deze en andere macho-activiteiten, was hij ook een pietluttige man die niet tegen rotzooi kon of kon verdragen dat iemand, of iets, er minder dan volmaakt uitzag. Soms kwam hij daardoor een beetje 'nichterig' of gemaakt over, een imago dat hij absoluut niet wilde uitstralen. Behalve tijdens het sporten, droeg Graydon altijd een pak met speciaal vervaardigde schoenen met ingebouwde verhogers erin verstopt. Graydon Matthews' lengte deed onder voor zijn ego, en de dag waarop hij zich realiseerde dat hij nooit langer dan een meter vijfenzeventig zou worden was de naarste dag uit zijn leven en overtrof zelfs de dood van zijn vader wat betrof het pure verdriet dat hij had gevoeld. Zijn favoriete acteur was Tom Cruise.

Ondanks dit alles dwong zijn potige, harige en tegelijkertijd gladde nabijheid een zeker respect af bij de mensen om hem heen, hoewel Jessica nu ze wist dat hij het afgelopen halfuur had lopen flippen op het toilet, naakt terwijl hij trachtte te poepen, hem waarschijnlijk nooit meer in hetzelfde licht zou zien.

'Dames,' zei Graydon poeslief en hij kuste Angelica op de wang waarna hij met zijn hand door Jessica's haar ging. Jessica zag dat al zijn vingers vlak onder de knokkels een eigen toefje zwart haar bezaten. Ze hoopte maar dat hij zijn handen gewassen had.

'Leuk je te zien, Jessica. Alles goed?'

'Ja hoor, dank je,' antwoordde ze automatisch. 'En met jou?'

'Niet slecht, moet ik zeggen. Wel heel blij dat je moeder niet meer in Marokko hoeft te draaien. Het was daar veel te heet voor me en ik was niet zo dol op het eten.'

'Kan ik me voorstellen,' zei Jessica. 'Je moest zeker oppassen dat je darmen er niet door van streek raakten?'

'Ah,' zei Angelica snel, 'daar is het ontbijt, super. Ik ben uitgehongerd.'

'Alweer eieren, lieverd?' vroeg Graydon toen de kelner de borden neerzette. 'Je bestelt nooit eens iets anders. Terwijl ze zo slecht zijn voor je cholesterol en echte dikmakers. Je weet vast hoe het is, Jessica. Als dame moet je op je figuur letten, vooral als je zo'n mooi figuurtje hebt, hè schat?' zei hij en zijn hand verdween onder tafel om god mocht weten wat bij Angelica te doen.

'Tja,' zei Jessica zwakjes.

'Nou, hopelijk kunnen de mensen bij mijn nieuwe film een keer verder kijken dan mijn figuur,' merkte Angelica ietwat prikkelbaar op.

'Oh, natuurlijk,' zei Graydon. 'Maak je niet dik,' zei hij terwijl hij samenzweerderig naar Jessica knipoogde, wat het tegenovergestelde effect bereikte van wat zijn bedoeling was en haar de neiging gaf hem een klap te verkopen.

'Oh!' riep Angelica plotseling uit. 'Helemaal vergeten, Jessica. Ik heb een cadeautje voor je. Ik kreeg dit laatst toegestuurd maar ik denk niet dat ik erheen kan want ik ga over een paar dagen naar L.A.. Ik heb net gehoord dat de studio wat kleine shots over wil doen en–'

'Dat heb je me niet verteld,' jammerde een verbouwereerd kijkende Graydon. 'Wanneer?'

'Binnenkort, maar het is maar voor even,' legde Angelica uit.

'Maar dan kan ik niet mee,' protesteerde hij. 'Je weet toch dat er een grote deal aan zit te komen en ik in New York moet zijn om die te sluiten?'

'Ja, en dat geeft niet,' zei Angelica ongeduldig. 'Maar goed–'

'Maar ik wil je steunen,' hield hij vol.

Jessica zweeg.

'Dat doe je ook,' zei Angelica en ze glimlachte geruststellend naar Graydon terwijl ze zich duidelijk op Jessica wilde focussen, 'maar als je niet mee kunt, dan *c'est la vie*. Ik overleef het wel, ik ben al een grote meid...'

'Nou, ik vind gewoon dat ik er voor je moet zijn, lieveling. Ten eerste staat dat smoelwerk van die regisseur me niet aan en ten tweede–'

'Misschien kunnen jullie dit later bespreken?' hoorde Jessica zichzelf kalm voorstellen, 'want ik heb mijn moeder heel lang niet gezien.'

'Och hemel, natuurlijk,' zei Graydon, gegriefd. 'Wat ben ik ook een lomperik.'

'Maar goed,' zei Angelica, die vernederd leek door de gang van zaken. 'Dit is voor jou,' zei ze en ze haalde een dikke crèmekleurige kaart uit haar *clutch* en gaf hem aan Jessica.

Jessica keek er weinig enthousiast naar. Ze wilde niet onbeschoft doen, maar hoe oud ze ook werd, de partners van haar ouders net zo leuk vinden als zij deden, was een onmogelijke taak. Je familie kon je dan misschien niet uitkiezen, maar de gekken aan wie je verwant was hadden tenminste nog dezelfde genen. Sinds haar ouders uit elkaar waren (alsof dat al niet erg genoeg was), hadden willekeurige vreemden zich sporadisch bij de familie gevoegd. In zo'n mate dat ze soms het gevoel had dat ze in de loterij meespeelde, alleen dan wel een waarvoor ze geen lot had gekocht. Gedurende de jaren vermaakten haar vader en zij zich helemaal prima en dan ineens, boem, ontmoette hij weer iemand. En voor ze het wist werd van haar verwacht dat ze de maaltijd gebruikte met, op vakantie ging met, of (waarschijnlijk het meest stressvolle scenario) kerstmis of Thanksgiving vierde met iemand die ze amper kende. De zeldzame keren dat ze iemand wel mocht, was het het toch niet waard omdat de relatie zo weer voorbij zou zijn. Vandaar dat ze niet eens meer de moeite nam. Het enige wat ze nu over de partners van haar ouders wist, was het onaangename idee dat ze seks met haar vader of moeder hadden. Jessica huiverde.

Ze dacht vaak dat het op de een of andere manier zou helpen als ze wist hoe haar ouders samen waren geweest. Als ze zich kon herinneren dat ze elkaar het leven zuur maakten, wat ongetwijfeld het geval was geweest, zou het misschien makkelijker zijn in te zien waarom hun nieuwe partners beter bij hen pasten. Maar ze had genoeg oude filmpjes gezien van Edward en Angelica samen en daarin leken ze hartstochtelijk verliefd en gelukkig. Aan de andere kant gold dat voor zoveel beroemde stellen die, zo wist ze, achter de voordeur de pest aan elkaar hadden.

Eindelijk registreerde ze wat haar moeder haar zojuist had gegeven. Het was een uitnodiging voor een privéwinkelsessie bij Jimmy Choo. Hoewel in dit geval 'winkelen' een eufemisme was voor 'neem alles wat je wilt gratis mee'.

'Bedankt,' zei ze halfslachtig.

'Ik dacht dat je er dolblij mee zou zijn,' zei Angelica. 'Het huidige seizoen is geweldig, een van hun beste tot nu toe, maar omdat ik niet kan heb ik gebeld en gezegd dat ze jou kunnen verwachten.'

'Doe je niet een beetje ondankbaar?' mengde Graydon zich er totaal onnodig in.

'Ik ben héél erg dankbaar, dank je wel,' zei Jessica prikkelbaar. Híj zou dankbaar moeten zijn dat ze hem niet had gevraagd of hij lekker gepoept had. 'Ik heb er nu al zin in...' Ze viel stil. Er was zojuist iemand de eetzaal binnen komen lopen en als ze niet beter wist zou ze zweren dat het haar tante Pam was. O jee, het wás Pam.

'Jessica,' riep de oudere vrouw toen ze haar zag. 'Joehoe, ik ben het! Ze zeiden dat je hier was. Ik ben hierheen gesneld in een taxi want ik heb goed nieuws...' Toen ze de tafel had bereikt was het haar beurt om stil te vallen.

‘Oh,’ zei Pam en ze keek geschokt toen eindelijk tot haar doordrong wie er aan tafel zat. De vrouw die ze in geen drieëntwintig jaar had gezien. De vrouw die het hart van haar broer had gebroken en haar kind in de steek had gelaten. De vrouw die ze nooit had vergeven.

‘Ik wist niet dat jíj hier zou zijn,’ zei ze stijfjes en er verschenen twee rode vlekken op haar wangen.

‘Hallo, Pamela,’ zei Angelica zacht. Er trok schaamte over haar gezicht en nog iets anders, iets wat moeilijker te ontcijferen viel.

‘Jessica,’ zei Pam, Angelica compleet negerend, ‘ik laat jullie alleen. Bel me later maar als je tijd hebt.’

‘Dat lijkt me niet nodig,’ zei Graydon, die opstond en zijn stoel naar achteren schoof. ‘Kom op, Angelica. Jessica heeft duidelijk belangrijke dingen te bespreken en wij moeten er toch vandoor. Ik heb zo die vergadering.’

‘Maar ik zou liever nog even blijven. Ik heb Jessica in geen–’

Op dat moment keek Graydon Angelica doordringend aan en Jessica bedacht dat hij al de hele tijd op een excuus had zitten wachten om weg te kunnen. Haar moeder krabbelde meteen terug. ‘Je hebt gelijk. Oké, nou, we spreken elkaar snel, schat.’

Jessica kon niet geloven hoe snel haar moeder de benen nam. Ze deed haar mond open om te protesteren maar voordat ze ook maar de tijd had gehad een zin te formuleren, had Angelica haar al op beide wangen gezoend, haar spullen gepakt en was ’m gesmeerd. Graydon hield tijdens dit alles haar elleboog zo stevig vast dat het Jessica een ongemakkelijk gevoel gaf. Hij leidde haar moeder zo snel naar buiten dat ze niet eens zagen dat er iemand achter hen aan drentelde, duidelijk uit op een handtekening.

Toen ze uit het zicht verdwenen, stond Pams gezicht op onweer. Jessica slikte en knipperde eens flink.

‘Het spijt me,’ zei Pam ernstig. ‘Als ik had geweten dat zij hier was, was ik nooit gekomen. Ik weet dat je je moeder in geen tijden hebt gezien en nu heb ik het verpest.’

'Het geeft niet,' zei Jessica overdreven opgewekt.

'Jawel,' zei Pam hoofdschuddend. 'Echt waar, elke keer als het moeilijk wordt, gaat ze er gewoon vandoor, hè? Ze kiest voor de makkelijke weg en smeert 'm. En wie was die gorilla?'

Jessica gaf geen antwoord. Ze staarde in het niets en probeerde het gevoel dat ze in de steek gelaten was te negeren. Pams hart brak van medeleven en spijt. 'Sorry lieverd, dat was onbeschoft. Zullen we haar maar vergeten? Ik kwam tenslotte met goed nieuws.'

'O ja?' vroeg Jessica en ze probeerde haar automatische reactie op deze hele ervaring van zich af te schudden; namelijk onmiddellijk een therapeut zoeken en meerdere sessies boeken. 'Wat dan?'

'Nou,' zei Pam en ze liet zich op de stoel zakken waar Angelica op had gezeten. 'Ik heb mijn vriendin Jean gisteravond gesproken en het kan zijn dat ik terloops heb laten vallen dat jij werk zocht. Hoe dan ook, ze belde vanmorgen en het schijnt dat haar vriendin een nichtje heeft dat een assistent zoekt. Ze heet Kerry, geloof ik, en ze werkt bij *The Bradley Mackintosh Show*. En ik heb haar nummer gekregen,' zei Pam opgewonden, 'dus je kunt haar bellen en proberen een sollicitatiegesprek te regelen.'

Jessica liet de gedachte aan die kans een paar seconden voor haar neus bungelen voordat ze hem greep. 'Bedoel je die show waar we laatst naar hebben zitten kijken? Die waar Vincent een keer op is geweest?'

'Ja, die,' zei Pam enthousiast. 'Het betaalt natuurlijk verschrikkelijk slecht en misschien vind je het wel helemaal niks om met al die mediatypes te werken...'

'Oh.'

'Maar het is een baan, een echte baan, en als je een sollicitatiegesprek kunt regelen is-ie vast voor jou.'

Haar enthousiasme was aanstekelijk en Jessica voelde de hoop en opwinding zachtjes in haar buik borrelen en zich daarna door haar hele lijf verspreiden als een injectie met positiviteit. Ze zou deze kans niet laten verpesten door de teleurstelling over haar moeder.

'Jeetje, ontzettend bedankt, Pam,' zei ze toen het nieuws doordrong. En toen, zonder er ook maar over na te denken, stond Jessica op en liep om de tafel heen. Toen ze Pam bereikte, pakte ze haar beet en trok haar naar zich toe voor een stevige omhelzing die haar tante nogal overviel. Tegenwoordig was ze nog het intiemst met haar vriendin Jean, maar knuffelen en zo was niet iets wat ze vaak deden.

'Ik hou van je,' zei Jessica tegen de boezem van haar tante en ze ademde de geur van Guerlain in.

'Ik ook van jou,' zei Pam, diep geroerd. 'En nu bellen.'

# 9

De volgende dag zat Jessica in de metro, gewapend met een stratenboek en de nieuwe Oyster card die haar tante haar had aangeraden. Ze voelde zich trots. Als haar moeder haar nu eens zou zien, dacht ze, in haar eentje onderweg naar White City, helemaal vanaf metrostation Green Park de route uit weten te stippelen zonder het aan iemand te vragen. Het voelde als een echte prestatie hoewel ze de gewoonlijke steek van pijn moest negeren die ze voelde als ze aan Angelica dacht. Ze verjoeg haar moeder uit haar gedachten en dacht aan haar vader, emotioneel gezien een veel makkelijker referentiepunt. Hij zou ook trots zijn. In L.A. had ze nooit van het openbaar vervoer gebruikgemaakt, dus om de een of andere reden voelde dit dubbel indrukwekkend en voor het eerst in haar leven ervoer ze een echt gevoel van onafhankelijkheid.

Terwijl de wagon door de tunnel rolde, besloot Jessica dat de metro de beste plek was om mensen te kijken. In L.A. durfde alleen de onderste laag van de bevolking – bendeleden, mensen met levende kippen onder de arm en illegale immigranten – op de bus te stappen. Maar hier leek een totale dwarsdoorsnede van de samenleving per openbaar vervoer de stad te doorkruisen, wat zeer bevrijdend was, net als het feit dat er blijkbaar geen vaste regels waren over hoe je je diende te kleden. In L.A. droegen haar vriendinnen allemaal variaties op hetzelfde fantasieloze thema: overdag een joggingbroek, spijkerbroek, Ugg-laarzen, gympen of slippers en 's avonds een tandje opgevoerd maar nog steeds met als doel eruit te zien alsof ze niet hun best deden terwijl ze in werkelijkheid alleen al die week minstens drie uur aan uiterlijke verzorging hadden besteed.

Nog voordat ze er klaar voor was dat er een einde aan haar reis kwam, gleed de trein White City al binnen. Daar was ze dan. En zodra ze het station uitliep, was hét daar dan: de BBC.

Jessica slikte. Voor de televisie werken was misschien niet haar hartenwens, maar als het de enige baan was die ze nu kon krijgen, was het zo'n slechte start nog niet. De BCC was wereldberoemd en toen ze de enorme afmetingen van het ronde gebouw in zich opnam, voelde ze haar hart sneller slaan dan goed voor haar was. Zenuwachtig stak ze de weg over, ze dacht er nog net op tijd aan eerst naar rechts te kijken. Ze ging het gebouw binnen door de glazen draaideuren die naar een enorme receptie leidden en stapte op een van de balies af.

'Kan ik u helpen?' vroeg een vrouw in werkuniform.

'Ja, graag. Ik heb om elf uur een sollicitatiegesprek met Kerry Taylor van *The Bradley Mackintosh Show*.'

'En uw naam is?'

'Jessica Gr– Bender.'

'Grebender?'

'Bender.'

De vrouw wierp haar een blik toe die je alleen maar als wantrouwig zou kunnen omschrijven en pakte de telefoon. 'Hallo, ik heb hier ene mevrouw Bender bij de receptie voor Kerry. Neem plaats,' zei ze vervolgens zonder nog op te kijken.

'Bedankt,' zei Jessica en ze liep naar de zwarte leren stoelen in het midden van de ruimte en pakte een exemplaar van *Ariel*, de bedrijfskrant van de BBC.

Het was een en al bedrijvigheid in de receptieruimte en toen ze zich realiseerde dat *Ariel* totaal niet interessant voor haar was en dat zelfs als dat wel zo was geweest ze door de zenuwen niet had kunnen lezen, keek Jessica in plaats daarvan naar al het komen en gaan. Even maakte ze zich zorgen dat ze te netjes gekleed was. Ze droeg platte pumps met een strakke, donkere spijker-capribroek en een blauw-wit gestreept T-shirt, dus niks extreems. Toch zag ze er vergeleken bij de met hun passen naar de beveiligers zwaaiende en binnenschrijdende mensen tiptop uit.

Op dat moment verscheen een vrouw in haar gezichtsveld die haar maat duidelijk geen criterium liet zijn voor de kleding die ze besloot te dragen.

'Ben jij Jessica?' vroeg ze.

'Ja,' antwoordde Jessica, die opsprong en enthousiast haar hand op en neer pompte.

'Aangenaam,' zei de vrouw minder enthousiast en wrikte haar hand los. 'Ik ben Kerry. Ga je mee?'

'Natuurlijk,' zei Jessica gretig. 'Erg leuk je te ontmoeten. Ik was zo blij dat je zei dat ik mocht komen. Je hebt vast al veel mensen gesproken, hè?'

'Eh... ja,' antwoordde Kerry. Ze wist dat de vrouw gewoon een praatje maakte, maar ze had inderdaad heel veel mensen gesproken die ochtend, dus ze wilde niet méér praten dan absoluut noodzakelijk was.

Met gierende zenuwen liep Jessica achter Kerry aan door de doolhof van gangen door het gebouw totdat ze een serie liften bereikten. Alsof ze haar afwijzing van Jessica's eerdere poging een gesprek aan te knopen wilde goedmaken, begon Kerry ineens te praten.

'Je zei over de telefoon dat je niet veel ervaring in tv-werk hebt?'

'Dat klopt,' antwoordde ze oprecht, 'maar dat zal denk ik voor de meeste mensen gelden die het zich kunnen veroorloven voor zo weinig te werken?'

'Eh, ja, daar heb je gelijk in,' zei Kerry, een beetje van de wijs gebracht door deze rake opmerking. Maar eerlijk is eerlijk, Jessica zat er niet gek ver naast. Een goed deel van de mensen die ze tot nu toe had gesproken waren pasafgestudeerden met namen als Hugo en Fenella, allemaal met ouders die blijkbaar rijk genoeg waren om hen te ondersteunen terwijl ze voor een hongerloontje begonnen.

'Toch,' ging Kerry verder, 'vraag ik me af wat je er, zonder ervaring, toe heeft gezet te solliciteren. Je wilt toch geen presentatrice worden?'

'Hemel, nee,' zei Jessica met nadruk. 'Ik kan zelfs niks ergers bedenken.'

Kerry knikte. Nou, dat pleitte dan voor haar. De vorige kandidate, een vreselijk jolig meisje genaamd Bonnie, had haar demofilmpje meegebracht. Kerry hield niet van jolig en ze was niet van plan iemand een dienst te bewijzen die de baan als één grote auditie zou beschouwen. Ze had Bonnie vrij snel de deur gewezen.

'Om eerlijk te zijn,' zei Jessica, omdat ze dolgraag de stilte wilde vullen die weer was neergedaald, 'heb ik er nooit echt van gedroomd bij de tv te werken, maar het lijkt me wel heel leuk om op een kantoor te werken.'

Kerry keek verrast en totaal niet onder de indruk. 'Weet je hoeveel mensen voor deze baan zouden willen solliciteren?' vroeg ze haar. 'Of wél een idee hebben wat een geweldige kans dit is? Dat ik geen wannabe voor me wil hebben werken, betekent nog niet dat ik niet iemand wil die affiniteit met het wereldje heeft.'

'Oh, ja, natuurlijk,' zei Jessica blozend toen de lift eindelijk arriveerde. Ze stapten in. 'Ik weet ook eigenlijk niet waarom ik dat zei. Wat ik denk ik bedoelde was dat ik de uitdaging om organisatietalent te ontplooien en me nuttig te maken met plezier zou aangaan.'

Kerry werd overweldigd door irritatie. Ze had in de afgelopen veertien dagen duizenden cv's gereduceerd tot wat ze dacht dat een veelbelovende stapel zou zijn. Maar tot nu toe had ze een ellendige ochtend lang met mafkezen zitten praten die allemaal om de een of andere reden wel totaal ongeschikt waren. Te serieus, te ambitieus, te onervaren, te verlegen of te irritant. En nu deed deze Amerikaanse griet (die iemand kende die haar tante kende of zoiets) alsof ze zo cool was dat ze niet warm of koud werd van de mensen die ze zou ontmoeten als ze de baan kreeg. Dat was weer wat te ver doorgeschoten naar de andere kant.

Onderweg naar boven vroeg Kerry zich af wat ze moest doen. Moest ze deze vreemde Amerikaanse komediant zeggen op te rotten en haar tijd niet te verdoen? Aan de andere kant kon ze ook niet veel meer tijd besteden aan het zoeken naar kandidaten. Vanwege het schamele budget dat ze had gekregen, had ze nou niet bepaald keuze uit honderden geweldige, ervaren mensen die elkaar verdrongen om geen geld te verdienen. Misschien moest ze door de zure appel heen bijten en het gesprek met deze meid aangaan. De twee keken elkaar ontmoedigd aan, zich beide afvragend wat hun volgende zet zou zijn.

'Oké,' zei Kerry toen de deuren opengingen. 'Hier zijn we dan, dus we kunnen nu net zo goed dat gesprek houden, hoewel je op zijn minst kan doen alsof je lichtelijk geïnteresseerd bent in tv, anders kunnen we het maar beter meteen voor gezien houden. Ik moet zeggen dat het mij persoonlijk om het even is.'

Jessica slikte.

'Serieus,' zei Kerry, die nu op stoom kwam. 'Ik weet dat het slecht betaalt, maar we hebben het wel over een van onze paradepaardjes van het lichte entertainment, dus als het je geen reet kan schelen, zeg dat dan, want om eerlijk te zeggen sta ik op het randje om je te vertellen dat je de pot op kunt.'

Wow. Nog nooit van haar leven had iemand zo tegen Jessica gesproken. Bizar genoeg genoot ze er een beetje van. Misschien was ze het werknemersequivalent van een masochist?

'Ik ben geïnteresseerd,' zei ze rustig. 'Echt waar.'

'Kom op dan,' zei Kerry. 'Maar geen geouwehoer meer, goed?'

En daarmee gingen ze linksaf de gang in, Jessica gedwee in Kerry's kielzog. Al gauw kwamen ze bij een deur met daarop: THE BRADLEY MACKINTOSH SHOW.

'We zijn er,' zei Kerry hartelijk voordat ze de deur openduwde die een vrij doorsnee uitziend kantoor onthulde met heel veel mensen die druk bezig leken te zijn achter hun computer of in gesprek met elkaar.

'We gaan wel naar Mikes kantoor. Hij is er niet, dus dan worden we niet gestoord,' zei Kerry.

Toen Jessica haar achternaging, vroeg ze zich af wat ze zich op de hals had gehaald en hoe mensen zonder connecties in hemelsnaam een sollicitatiegesprek doorstonden zonder in tranen uit te barsten.

Ondertussen stond Paul Fletcher net op het punt de laatste versie van het script van die week naar Bradley Mackintosh te sturen. Dat deed hij elke dinsdag en de gedachte daarachter was dat 's lands favoriete interviewer zich de hele woensdag kon inlezen in zijn teksten zodat hij ze op tijd kende voor de opnames van donderdag. In werkelijkheid was Bradley zo'n oude rot in het vak dat hij ervaring genoeg had om het in de make-up voor het eerst door te nemen terwijl er ondertussen beige foundation op zijn gezicht werd gesmeerd en haar uit een bus op zijn kale plek werd gespoten. Ja, dat bestaat. Paul drukte op 'verzenden' en wreef met zijn handen in zijn ogen. Tijd voor een kop thee.

Hij rolde met zijn stoel op wieltjes van zijn bureau weg precies op het moment dat Kerry het kantoor binnenliep. Achter haar aan kwam een aantrekkelijke blonde griet in een gestreept nautisch uitziend shirtje en een strakke spijkerbroek. Ze zag er onmogelijk gezond uit. Ja gezond, besloot Paul. Haar huid... straalde... en haar ledematen zagen er gespierd uit en ondanks het feit dat haar kont redelijke afmetingen had zag het ernaar uit dat die niet zou blubberen als je erin kneep. Paul grijnsde. Het was altijd interessant als er nieuw bloed op kantoor kwam. Hij rolde verder richting de ketel om water op te zetten voor de thee, maar tegen de tijd dat hij terugkwam waren Kerry en de jonge vrouw Mikes kamer in gegaan en kon hij niet meer loeren.

In Mikes kamer had Kerry haar notitieblok en pen tevoorschijn gehaald en ze was er helemaal klaar voor.

'Dus, wat is je naam voluit?'

'Jessica... Bender.'

'Ooh, Bender. Wat een pech,' zei Kerry meelevend. Toch was medeleven weer eens wat anders dan een sarcastische opmerking of uitgelachen worden.

'Oké Jessica, wat vind je van het programma?'

Jessica slikte. 'Ik vind het geweldig. Ik heb het laatst een keer gezien en het was erg leuk.'

Kerry zuchtte. 'Ik wil niet zeuren, maar je kunt niet naar een sollicitatiegesprek komen zonder een mening over de show waarvoor je wilt werken. Heb je geen aantekeningen?'

'Nou nee, maar die had ik wel gehad als ik eerder had geweten dat ik op gesprek mocht komen. Toen ik het programma zag, heb ik er niet zo bij stilgestaan omdat ik bij mijn tante was en we zaten te eten en–'

'Fijn,' zei Kerry sarcastisch, 'hopelijk was het lekker.'

'Ik dacht dat ik moest helpen met het boeken van de gasten,' zei Jessica. Ze begon een beetje genoeg te krijgen van de manier waarop Kerry tegen haar sprak. Het leek wel alsof ze niet wilde dat het gesprek goed verliep.

'Ja, en?'

'Dus mijn mening over de show is dan niet echt van belang, toch?'

Kerry keek verbaasd op van deze redenering, maar raakte er niet per se door van de wijs. Ze hield wel van klare taal, zo leek het.

'Kerry, ik zal eerlijk zijn,' ging Jessica verder. 'Ik ben pas net in Engeland en–'

'Je meent het.'

'Dus ik ken het programma nog niet zo goed. Maar dat gezegd hebbende, snap ik wel dat het populair is en dat het een voorrecht zou zijn om eraan mee te mogen werken. Ik had er zelfs in de Verenigde Staten al van gehoord. Volgens mij is Vincent Malone een keer te gast geweest, klopt dat?'

Kerry knikte, lichtelijk verdwaasd.

Jessica wist nog dat Vincent haar erover verteld had. Ze leek zich te kunnen herinneren dat de presentator erom bekend stond oneerbiedig te zijn tegen zijn gasten en dat je hem of goed of helemaal niks vond. 'Dat hoorde ik... in de media. Maar goed, ik wil het echt heel graag, ik leer snel en wat de wereld van de beroemdheden aangaat heb ik wel wat ervaring... 'k heb er met een aantal gewerkt... in Amerika.'

'Waar?'

'Ik heb stage gelopen bij... Fox Films,' improviseerde Jessica, hoewel haar antwoord zelfs in haar eigen oren als een vraag klonk.

Kerry keek de jonge vrouw tegenover zich aan. 'Om eerlijk te zijn, Jessica, zoek ik iemand die de show goed kent en met geweldige ideeën voor toekomstige gasten op de proppen kan komen. Die persoon moet ook in staat zijn me te helpen de gasten daadwerkelijk te boeken, wat weer betekent dat het iemand moet zijn die met machtige impresario's en publiciteitsagenten overweg kan. Met andere woorden: iemand die zich er goed bij voelt om met mensen te onderhandelen die met liefde hun eigen grootmoeder nog zouden verhandelen als dat hun meer geld opleverde, en ik weet gewoon niet of jij–'

Jessica dacht snel na en onderbrak haar. 'Agenten als Dolores Rainer? Jill Cunningham? Max Steadman?' noemde Jessica een paar van Hollywoods grootste agenten op. Ze kende ze allemaal persoonlijk, het waren namelijk die van haar moeder, haar vader en Vincent.

Kerry stond even met haar mond vol tanden maar herpakte zich snel. 'Zo, je hebt tenminste de moeite genomen om íéts van research te doen, ook al mik je nu een beetje hoog. Ik probeer wel elke week één internationale topgast te boeken, al is het soms gewoon niet mogelijk. Hoewel we komende week een supershow hebben, vooral als je bedenkt dat de zomer eraan komt en het dan altijd moeilijker is om goeie gasten te krijgen. We hebben presentator Jeff Bates, Kate Templeton, wat natuurlijk helemaal geweldig is, en Alan Carr.'

Jessica knikte enthousiast ook al had ze maar van een van de drie gehoord. Kate Templeton was op het moment enorm populair, het lievelingetje van het Amerikaanse bioscooppubliek die Jennifer Aniston het nakijken gaf. Edward had een cameo-rolletje in een van haar films gespeeld en had haar erg gemogen. Ze was dus blijkbaar een schat, maar haar manager stond erom bekend een dolle waakhond te zijn.

'Klinkt super en een show als deze is natuurlijk maar zo goed als zijn gasten, dus volgens mij heb jij niet de makkelijkste baan.'

Kerry was gevleid. Dat was wat ze diep vanbinnen altijd dacht, maar het was evengoed heerlijk het eens uit de mond van een ander te horen.

'Heb je een dvd die ik kan bekijken?' vroeg Jessica toen ze het apparaat in een hoek zag staan. 'Want als je echt mijn mening wilt weten, voor wat die waard is, kan ik je die laten horen.'

'Eh, ja,' antwoordde Kerry, die zich nogal op het verkeerde been gezet voelde door Jessica's plotselinge ommezwaai van irritant en naïef naar scherpzinnig en assertief. 'Ik kan er wel een laten zien van een paar weken geleden. Eentje waar ik vrij trots op ben. Michael Sheen was onze belangrijkste gast, samen met Dawn French – van *French and Saunders...? The Vicar of Dibley?*' probeerde ze nog toen ze Jessica's wezenloze blik zag. 'Laat maar. Goed, veel plezier, en terwijl je kijkt zoek ik iemand die ons een kop thee kan brengen.'

'Oh, ik hoef niet, bedankt,' antwoordde Jessica. 'Ik ben niet zo'n theedrinker.'

Stomme Amerikanen, dacht Kerry, maar terwijl ze Jessica met de tv achterliet, glimlachte ze bij zichzelf. Dat ze met die agentennamen op de proppen kwam, zeg!

Een kwartier later kwam Kerry terug naar Mikes kamer met een kop thee en Paul en Luke in haar kielzog. Ze hadden net zo lang op haar ingepraat tot ze de mogelijke nieuwe aanwinst van het team mochten ontmoeten.

'Hoe staat het ervoor?' vroeg Kerry terwijl ze de deur van Mikes kamer met haar schouder openduwde om niet te morsen met haar thee. 'Dit zijn Paul en Luke.'

'Hoi,' riep Jessica vrolijk, 'leuk om jullie te ontmoeten.'

'Van hetzelfde,' zei Luke. 'Volgens Kerry is de naam Bender... Jessica Bender,' zei hij schalks, hoewel hij wilde dat hij dat niet had gedaan toen Jessica zich razendsnel omdraaide en keek alsof ze een spook had gezien.

'Alles oké?' vroeg Paul verbijsterd.

'Jawel,' zei Jessica. Ze bloosde en zag er een ogenblik verward uit.

'Wat denk je?' vroeg Kerry. Ze gebaarde naar het scherm.

'Oh, ja,' riep Jessica uit, nog van haar stuk gebracht door Lukes woorden. 'Eh nou, die vrouw, Dawn French, was hilarisch. Echt briljant hoe ze Bradley Mackintosh voor schut zette door hem een klap op zijn *fanny* te geven.'

'Op zijn wat?' vroeg Paul, die een grijns niet kon verhullen.

'Zijn fanny,' herhaalde Jessica. 'Het was super,' ging ze aarzelend verder, 'erg grappig.'

'Je had het vóór de montage moeten zien, dan had je pas echt gelachen,' onderbrak Kerry haar droogjes, waarmee ze het geluid van Luke probeerde te overstemmen die het zowat in zijn broek deed van het lachen.

'O ja?' vroeg Jessica met een nerveuze blik op Luke.

'Ja,' zei Paul vol ongeloof voordat hij zich tot Luke wendde en er zacht zodat alleen hij het kon horen aan toevoegde: 'Mallerd.'

'Shit man, ik hoop echt dat jij de baan krijgt,' snoof Luke. 'Dat wordt lachen.'

Kerry klakte afkeurend met haar tong en keek beide mannen zo vuil mogelijk aan. Ze besloot dat Jessica een kans verdiende. Haar ogenschijnlijke gebrek aan cynisme en haar openheid spraken haar aan. Het was verfrissend, en lief. Bovendien: als iedereen met zoveel enthousiasme op de show reageerde, zou het leven een stuk makkelijker zijn.

'Nou, ik ben blij dat je het leuk vond,' zei ze.

'Absoluut. Het is een goed programma.'

'En voor de goede orde, fanny betekent in Engeland niet kont.'

'Oh...'

'Je bent Amerikaanse,' merkte Paul op.

'Eigenlijk half Brits en half Frans, maar ik ben naar de VS verhuisd toen ik zeven was,' antwoordde Jessica verlegen terwijl ze zich afvroeg wat fanny hier dan wél betekende.

'Ah, vandaar.'

Nu keek Jessica van Paul naar Kerry, haar ogen groot en vragend.

'Daar hebben ze wel vaker last van OUE's,' zei Paul.

'OU-watteh?'

'Openlijke Uitingen van Enthousiasme.'

Toen ze Jessica's onzekere gezichtsuitdrukking zag, besloot Kerry dat het tijd was zich erin te mengen.

'Oké, jullie bedankt, maar ik wil nu graag even alleen met Jessica praten, dus tot later,' zei ze bars terwijl ze hen half de deur uitwerkte. Luke was als eerste buiten en riep meteen tegen het hele kantoor: 'Wie mag ik op zijn fanny slaan?'

'Let maar niet op hen,' zei Kerry terwijl ze de deur achter ze dichtdeed. 'Het zijn net twee kleuters als ze samen zijn, wat dus vaak is. Ze delen een appartement,' voegde ze er bij wijze van verklaring aan toe. 'Je zult het nu wel niet geloven, maar Paul wordt als een van de meest getalenteerde schrijvers van de BBC beschouwd. Maar goed, ik wil nog graag wat gegevens van je hebben want eerlijk gezegd, als je met agenten als Jill Cunningham kan omgaan, ben je je gewicht in goud waard. Wat meer zal zijn dan je loonzakje, ben ik bang.'

'Oh, oké...'

'Dus wat ik probeer te zeggen is dat je wat mij betreft de baan hebt en maandag kunt beginnen, als je wilt. Om eerlijk te zijn ben jij de enige van de mensen die ik tot nu toe heb gesproken van wie ik denk dat ze de baan aankan en die iemand is met wie ik hoop op te kunnen schieten.'

'O jee,' antwoordde Jessica, het duizelde haar hoe snel alles plotseling ging. Wat een vreemde dag. Aan de ene kant was ze er vrij zeker van dat ze zojuist was vernederd door die gozer Paul en zijn vriend Luke. Maar aan de andere kant had iemand die niet wist, en er geen zier om gaf, wie ze was, haar zojuist een baan aangeboden. Weliswaar een zeer slecht betalende baan waarbij ze aan een show moest meewerken die om beroemde mensen draaide, een van de dingen waar ze juist bij vandaan probeerde te komen, maar toch. Een baan. In Engeland. Bij de BBC. Al had ze geen idee of ze ertegen opgewassen was. Plotseling voelde ze zich totaal uitgeput en nogal overweldigd.

'Zie je het zitten?'

'Oh ja, alsjeblieft, graag, dank je,' antwoordde Jessica terwijl ze zwakjes glimlachte en met haar middelvingers onder haar ogen wreef om de ravage die haar make-up zou kunnen hebben veroorzaakt weg te vegen. Ze sprak de waarheid. Ze zag het helemaal zitten. Daar was ze zeker van. Waar ze zich meer zorgen om maakte was of ze háár zouden zien zitten. Dat was nog maar de vraag, en als ze zich op de afgelopen tien minuten moest baseren, vermoedde ze dat ze daar snel genoeg achter zou komen.

## 10

Die avond keerde Jessica terug op haar kamer na een lange workout in de fitnessruimte van het hotel. Het was zo'n veelbewogen en opwindende dag geweest dat ze even had moeten hardlopen om het uit haar systeem te krijgen. Ze glimlachte. Pams opgetogen gegil galmde nog na in haar oren van toen ze gebeld had om haar tante te vertellen dat ze de baan had. Ze was zo'n schat en Jessica zou serieus nadenken over haar meest recente aanbod om bij haar in Hampstead te komen wonen. Ze had verwacht dat haar salaris laag zou zijn, maar toen Kerry haar het precieze bedrag meedeelde dat ze uitbetaald zou krijgen als haar assistent, waren bepaalde waarheden eindelijk tot haar doorgedrongen. Ze zou in een week minder verdienen dan ze op het moment per nacht voor het hotel betaalde.

Jessica zette de tv aan. Nu er niets meer over was van de adrenaline waarop ze de hele dag had geteerd was ze doodop en meer dan een beetje bevreesd voor wat haar maandag te wachten stond. Alle twijfels die bij de BBC voor het eerst de kop op hadden gestoken over wat ze zich op de hals had gehaald kwamen weer bovendrijven. Hoe zou ze 'm dit flikken? Ze had nog nooit van haar leven een baan als deze gehad en de mensen leken haar verrekte eng. Voor het eerst van haar leven zou ze niet het pantser van haar identiteit dragen en ze was er pas bij het sollicitatiegesprek achter gekomen hoezeer dat haar doorgaans beschermde. Niemand wilde haar vader ooit dwarszitten, dus zaten ze haar nooit dwars.

Ze staarde naar het scherm. De Engelse soap *EastEnders*. Ze had er sinds haar aankomst al een paar keer een stukje van gezien en was gefascineerd. Het tempo van de serie lag vrij laag en alles en iedereen leek een grijze, bruine of vaalgroene tint te hebben en toch werkte die combinatie op een vreemde manier rustgevend. Bovendien was kijken naar zulke gewoon uitziende mensen die alledaagse dingen deden bijna onwerkelijker dan de bizarre personages en plots die je altijd in de kleurrijke Amerikaanse soaps zag.

Tien minuten later had Jessica besloten dat *EastEnders* haar zenuwen niet kon verjagen. Een paar van de recalcitrante vrouwelijke personages deden haar zelfs aan Kerry denken, dus zette ze de tv uit en pakte haar telefoon om haar vader te bellen. Ze wilde zijn stem horen en het zou leuk zijn hem te vertellen dat ze een baan had gevonden. Niet dat ze zou zeggen aan welk programma ze werkte of waar het was, anders zou ze sneller dan ze 'oude, bemoeizieke zak' kon zeggen een promotie en een loonsverhoging hebben.

'Hoi pap, met mij...'

Een halfuur later in Malibu, legde Edward de hoorn op de haak en voelde zich beter dan hij zich in tijden had gevoeld. Het was heerlijk geweest zo lang met Jessica te kletsen en hij vermoedde dat haar baan wel eens haar ticket naar huis zou kunnen zijn. Hij wist hoe het leven van een eenvoudige assistent in de tv-wereld eruitzag. Het was keihard werken en met een beetje geluk zou ze al snel doorhebben hoe goed ze het thuis had en terugkomen. Hij hoopte het maar, want hij miste haar enorm.

Maar hij zette zijn gedachten aan Jessica even opzij en rekte zich uit voordat hij de trap oprende om zich klaar te maken voor zijn grote dag. Het zou fijn zijn vandaag weer eens Edward Granger de filmster te zijn. Dat was alweer een tijdje geleden. Opgewekt schreed hij de slaapkamer in, waar Betsey uitdagend op het bed lag in een zwart negligé en verder vrij weinig. Zijn gezicht betrok.

'Hoi liefie,' zei ze poeslief, 'pak me dan, als je kan.'

Zijn eerste reactie was met de smoes te komen dat hij niet genoeg tijd had, maar toen hij er even over na had gedacht leek een vrijpartij toch niet zo heel verschrikkelijk. Wat zou het? Ze zag er vrij geil uit in dat zwarte ding dat ze aanhad en ze zou hem erna tenminste een tijdje niet meer zo op zijn nek zitten.

Maar een paar minuten later was zijn nek niet het enige lichaamsdeel waar hij haar vanaf wilde hebben. Ondertussen deed Betsey erg haar best zich in het moment te verliezen. Om eerlijk te zijn was ze enorm dankbaar dat het überhaupt gebeurde nadat ze dagenlang bij Edward had gezeurd om seks, al was ze teleurgesteld dat het enige wat haar lichtelijk opwond haar eigen tieten waren die ze in de spiegel op en neer kon zien schudden. Ze werd overvallen door een ernstige bezorgdheid om haar huwelijk, maar drukte die snel de kop in. Vrijen bracht stellen dichter bij elkaar, en baby's dichtbij. Dat was algemeen bekend.

'Oh ja,' hijgde ze. 'Oh ja, oh ja, oh ja.' Ze smeet haar hoofd wat heen en weer in een poging op iemand te lijken die in de ban van de lust verkeerde en hoopte dat ze zich daardoor echt zo zou gaan voelen. Even opende ze één oog om te zien wat Edward aan het doen was. Ze maakten kortstondig oogcontact, wat het moment een beetje verpestte en haar er alleen maar aan herinnerde hoe ver ze van elkaar af stonden. Wanhopig sloot ze haar oog gauw weer, want ze had genoeg gezien om te weten dat Edwards gezichtsuitdrukking er niet een van verlangen was. Zijn gezicht stond hetzelfde als wanneer hij zijn sokken aantrok of zijn neusharen trimde.

Betsey verhoogde de inzet. 'Oh god, oh god, oh god,' schreeuwde ze, terwijl ze haar man zo krachtig en vastberaden bereed als een cowboy een bokkend paard. Met haar hoofd heen en weer zwiepend, opende ze nogmaals een oog om te spieken. Verdomme, nu was zijn gezichtsuitdrukking nog minder een van verrukte passie en meer een van alarm, schrik, ontzetting. Hoe sneller ze hier een einde aan zou breien, hoe blijer ze allebei klaarblijkelijk zouden zijn.

Anderhalve minuut later stond Edward spiernaakt aan het voeteneind van het bed naar zijn pakken te kijken die voorbijgleden in zijn op afstand bestuurbare hightech-kledingkast.

'Eh, hoe vond je het, schat? Was het... lekker? Ben je... je weet wel?'

Betsey, die het niet kon uitstaan als Edward quasipreuts ging lopen doen, trok de lakens tot onder haar oksels op en dacht even na voordat ze antwoordde. 'Nee, maar dat maakt niet uit. Ik ben gewoon blij dat we het eindelijk gedaan hebben. Ik begon al te denken dat je seks helemaal vermeed.'

'Doe niet zo raar,' zei Edward niet heel overtuigend. Met een beetje geluk zaten zijn echtelijke plichten er voor deze maand weer op, dacht hij hoopvol.

Hij pakte een van de mooiste pakken van Savile Row van het rek en draaide zich om naar Betsey, wie het opviel dat zijn ballen een fractie van een seconde later meedraaiden. Ze wendde haar blik af en richtte zich in plaats daarvan op zijn gezicht, terwijl Edward het pak voor zich hield zodat zij het kon keuren. 'Wat denk je? Deze, of zal ik gewoon mijn blazer aantrekken met een beige pantalon?'

Wat Betsey dacht was dat ze niet kon geloven dat ze getrouwd was met een man die volkomen serieus de woorden 'blazer' en 'beige pantalon' uit zijn strot kon krijgen. Ze hoopte ook van ganser harte dat wat hij ook zou uitkiezen, hij het snel aan zou trekken, want het felle zonlicht dat door het raam scheen was vrij meedogenloos. Die dingen dwongen haar na te denken over het feit dat hoewel haar man nog steeds knap was, hij absoluut over zijn hoogtepunt heen was en er minder uit begon te zien als een tournedos en meer op soepvlees begon te lijken.

'Ik denk dat een pak beter is, lieverd. Dat past veel meer bij je dan een blazer en pantalon. Laat dat maar aan Roger Moore over,' zei ze venijnig.

'Jij bent de expert,' zei Edward en hij klonk opgewekter dan hij zich voelde. Hij drukte weer op een knop, waardoor het bovenste rek begon te draaien zodat hij een overhemd kon kiezen uit de honderden die hij bezat.

Betsey zuchtte en rolde op haar zij. Het werd waarschijnlijk ook wel tijd dat zij opstond om zich te verkleden. Het was een belangrijke dag en hoewel haar huwelijk misschien niet alles was wat ze ervan had gehoopt, was het belangrijk dat ze zich realiseerde hoe blij ze mocht zijn dat ze met haar eigen filmster was getrouwd. Niemand minder dan James Bond. Vandaag kreeg haar man een gouden ster op Hollywoods *Walk of Fame* en ze zou aan zijn zijde staan en de rol van de mooie, liefhebbende echtgenote spelen. Ze stapte uit bed en liep naar de stoel waar ze de outfit al klaar had gelegd die ze speciaal voor deze avond had gekocht.

Vijf minuten later bekeek Betsey zichzelf in de spiegel. Ze had haar kleding met veel zorg uitgekozen maar was achteraf gezien toch niet zo'n Chanel-vrouw. Ze zag er minstens vijf jaar ouder uit dan ze was, hoewel ze dat misschien onbewust wel had nagestreefd. Ze was zich de laatste tijd vreselijk bewust van de zevenentwintig jaar leeftijdsverschil tussen haar en haar man.

Edward kwam naast haar staan en sloeg een arm om haar middel. 'Je ziet er prachtig uit,' zei hij. En dat zei hij niet alleen maar; zijn jonge vrouw zag er een stuk eleganter uit dan anders. Chanel stond haar goed.

Geroerd door het duidelijk oprechte compliment van haar man draaide Betsey zich naar hem toe om hem te omhelzen. Niet om hem te betasten of wellustig naar hem te graaien, maar gewoon om te knuffelen, en even voelde alles goed tussen hen. Er daalde een rust neer en op dat moment voelde het stel zich meer verbonden dan in lange tijd het geval was geweest. Edward vond het fijn. Misschien zou hij haar zelfs kunnen vergeven voor die Roger Moore-grap. Toen ze elkaar loslieten, glimlachte Edward naar zijn vrouw en op een manier die zijn hordes vrouwelijke fans in zwijm zou hebben laten vallen, bood hij haar zijn arm aan. 'Zullen we?'

'Ja,' zei ze zacht terwijl ze zijn arm vastpakte. Maar ze moest het moment natuurlijk weer finaal verpesten door eraan toe te voegen: 'Het is maar goed dat ik geen onderbroek aan heb, anders voelde ik me net Barbara Bush in deze plunje.'

Edward zuchtte vermoeid en terwijl Betsey de trap afliep, stopte hij om zichzelf nog een laatste keer in de spiegel te bekijken. 'Met Roger Moores stijl is helemaal niets mis,' mompelde hij in zichzelf en trok zijn manchetknopen recht. 'Een van de stijlvolste mannen die ik ooit heb ontmoet, mag ik wel zeggen.'

## 11

Jessica's eerste dag als Kerry's assistent brak aan als een heldere en zonnige, stralende dag in juni. Dat wist ze zeker omdat ze bij het aanbreken van de dag al in Hyde Park aan het hardlopen was. In L.A. was er natuurlijk niets ongewoons aan dit soort actief gedrag op de vroege ochtend, maar toen Jessica later op de dag terloops tegen Kerry opmerkte dat ze zo'n heerlijk rondje had hardgelopen, kon ze aan de reactie van haar baas aflezen dat ze net zo goed had kunnen zeggen dat ze een stel lekkere moorden had gepleegd.

'Oké,' zei Kerry, die haar aankeek alsof ze haar gevoelens had gekwetst. 'Nou, ieder zijn meug.'

Vandaag droeg Kerry een zwarte driekwart legging met een nogal vormeloze, wijde tuniek eroverheen en een loszittende riem rustte op haar heupen. Haar haar zat door de war en ze had een grote houten armband om haar pols.

'Goed, ik zal je laten zien waar je zit. Je zit naast mij en daarnaast– Ah, daar is Natasha, onze researcher. Natas, dit is Jessica, mijn nieuwe assistent.'

'Hoi,' zei Jessica verlegen.

'Hallo,' zei Natasha terwijl ze haar tas op haar bureau zette en haar spijkerjasje uittrok. Ze bekeek Jessica kritisch met haar oog voor mode maar er viel niet veel op aan te merken. Jessica's korte kaki rok, ballerina's en T-shirt met lange mouw waren misschien saai maar ze riekten naar goede kwaliteit. Natasha trok een wenkbrauw op toen ze zich afvroeg wat haar mannelijke collega's van deze nieuwe griet zouden vinden. Ze was mooi, maar niet zo mooi als zij, dus dat was oké. 'Leuke rok. Waar heb je die vandaan?'

'Eh, dat weet ik niet meer,' antwoordde Jessica, die dondersgoed wist dat Angelica hem voor haar in Parijs had gekocht bij Comme des Garçons. 'Gap denk ik,' bluftte ze, hoewel ze niet zo goed wist waarom ze erover loog.

'Oké, ik zal je aan Mike voorstellen,' onderbrak Kerry hen, waarmee ze Jessica redde van een verdere kledingkeuring door haar door het kantoor naar de kamer te leiden waar ze het sollicitatiegesprek hadden gehouden. Ze klopte hard op de deur.

'Binnen.'

'Mike,' zei Kerry toen ze haar hoofd om de deur stak, 'heb je even? Ik wil iemand aan je voorstellen.' Ze schoof Jessica naar binnen. 'Dit is mijn nieuwe assistent, Jessica Bender.'

'Wat ben je toch een trut,' riep Mike uit, tot zowel Kerry's als Jessica's verbazing.

'Sorry?' zei Kerry vragend.

'Je hoeft iemand niet meteen op haar eerste dag voor lul te zetten,' zei Mike van achter zijn bureau. Jessica vond het meteen een knappe man ondanks het feit dat ze geen idee had waar hij het over had.

Kerry wel.

'Nee, Mike,' zei ze en ze schudde verwoed het hoofd. In een poging hem op zijn fout te wijzen, maakte ze haar ogen groot. 'Ze heet echt Bender.'

Een fractie van een seconde verstijfde Mike. Daarna zei hij gauw: 'Natuurlijk, natuurlijk.' Maar de rode vlekken op zijn beide wangen verrieden hem. 'Dat wist ik wel, ik wilde alleen maar zeggen, eh... dat je aardig moest zijn, zoals je soms niet... bent. Hoe dan ook, Jessica, welkom bij het team.'

'Bedankt,' zei ze, lichtelijk geschokt door hoe alles tot nu toe verliep. 'Ik ben erg blij met deze kans en ik vond de show van laatst erg goed met Michael Sheen. Wat een geweldige gast.'

'Hij was goed, hè?' zei Mike terwijl hij Jessica zichtbaar in zich opnam. 'Waar kom je ongeveer vandaan in de VS?' vroeg hij, tevreden dat Kerry's nieuwe assistent zo aantrekkelijk was. Ze was geen echte schoonheid, maar ze had iets. Bovendien kon je zien dat ze goed voor zichzelf zorgde. Mooie gespierde benen.

'L.A.,' antwoordde ze aarzelend. Hoe minder ze over thuis sprak, hoe beter.

'Ook heel mooi. Kan me niet voorstellen dat je daar weg wil. Welk deel van L.A.? Ik ben er een beetje bekend,' zei Mike en hij leunde achterover in zijn stoel terwijl hij lui op een ballpoint kauwde.

'Eh, Santa Monica,' antwoordde ze blozend van oor tot oor. Liegen ging haar niet echt gemakkelijk af, maar de waarheid zou alleen nog maar meer vragen oproepen. Als hij L.A. echt een beetje kende zou hij weten dat alleen de heel rijken, of de heel rijk en beroemden, huizen aan het strand in Malibu bezaten.

'Nu je hier toch bent, Kerry,' zei Mike met de verstrooide houding van iemand die veel aan zijn hoofd heeft, 'heb je van Will

Smiths mensen al wat gehoord over augustus?'

'Ja,' antwoordde Kerry, 'ze hebben bevestigd en tenzij er iets onvoorziens gebeurt, gaat het door. Ik heb natuurlijk moeten garanderen dat Bradley het over de film gaat hebben en dat we een clip laten zien.'

'Cool. *The Pentagon*. De effecten zijn echt ongelooflijk,' zei Jessica enthousiast. Het was gek om zo ver van huis iets bekends te horen. Will Smith was een vriend van haar vader en ze had al heel wat van *The Pentagon* gezien omdat Vincent twee nummers voor de soundtrack had geschreven. Kerry wierp haar een perplexe blik toe en Jessica besefte ineens dat ze misschien te veel had gezegd, maar Mike leek niets te hebben gemerkt.

'Top. Dat wordt een geweldige show en met de supergasten van deze week, komen we er weer helemaal bovenop.' Bij het einde van zijn zin ging Mikes mond open voor een enorme geeuw. 'Mijn excuses.'

'Houdt de baby je nog steeds wakker?' informeerde Kerry.

Mike knikte.

'Oh wauw, heb je een kind?' vroeg Jessica geboeid.

'Hm-mm, twee zelfs. Grace is ruim drie jaar oud en Ava is nu een week of zeven. Slopende tijd, maar toch – het gaat zijn gangetje, je kent het wel.'

Jessica kende het helemaal niet, maar het leek haar wel vreselijk leuk om een kleine baby in je leven te hebben.

'Nou, hopelijk kun je lekker bijkomen tijdens je vakantie,' zei Kerry.

Mike moest zichzelf dwingen niet ongelovig te snuiven. Hij had een donkerbruin vermoeden dat zijn vakantie verre van rustgevend zou worden en had al bijna spijt dat hij geboekt had, maar het enige wat hij hardop zei was: 'Ik hoop het. Als het hier maar niet in het honderd loopt zonder mij.'

'Natuurlijk niet,' zei Kerry en ze gebaarde naar Jessica dat het tijd was om de baas weer met rust te laten.

'Oh, wacht even,' zei Mike afwezig omdat hij zijn aandacht alweer op zijn inbox had gevestigd. 'Denk je dat ik erg brutaal ben als ik een van de koeriers vraag onze tuin een paar keer water te geven tijdens onze afwezigheid? Diane, mijn vrouw, denkt dat het warme weer nog wel even aanhoudt.'

'Ik weet het niet, hoor' zei Kerry naar waarheid. Persoonlijk vond ze dat je wel lef moest hebben om de arme koeriers die het met zo'n karig loon moesten stellen hun kostbare tijd op te laten geven voor je tuin.

'Je zal wel gelijk hebben,' zei Mike snel. Hij kon aan Kerry zien dat ze het afkeurde. 'Ik kijk wel of ik een van de buren kan vragen.'

'Is je sprinklersysteem stuk?' vroeg Jessica ontwapenend oprecht.

'Eh... dat hebben we niet,' antwoordde Mike met een verbijsterde blik.

'Echt?' vroeg Jessica, die hierin een ongelofelijke kans zag haar nieuwe bazen te laten zien hoe graag ze de handen uit de mouwen wilde steken. 'Ik wil het wel doen,' bood ze aan, en Mike en Kerry keken haar allebei vragend aan terwijl ze zich afvroegen of ze hen voor de gek hield. Toen ze besefte dat ze het meende, schudde Kerry haar hoofd zo krachtig mogelijk zonder dat Mike het kon zien.

'Oh, maar ik zou het echt niet erg vinden, hoor Kerry,' zei ze, haar totaal verkeerd interpreterend. 'Het zou een eer zijn.'

Kerry kreunde. Waar was ze in godsnaam mee bezig?

'Echt?' vroeg Mike. 'Nou, dat is echt heel aardig van je. Waar woon je? Wij in Chiswick.'

'Oké, nou, ik in eh...'

Terwijl Mike en Kerry op een antwoord wachtten, raakte Jessica in paniek. Waar moest ze zeggen dat ze woonde? Natuurlijk niet het Dorchester. Ze probeerde zich te herinneren waar Pam ook alweer woonde, maar ze kon er niet opkomen. Ze koos pardoes voor het eerste wat in haar opkwam.

'Ik in Walford.'

'Walford?' herhaalde Mike. 'Volgens mij weet ik niet waar dat is, al klinkt het bekend.'

Kerry (enorme *EastEnders*-fan) keek heel dubieus terwijl Jessica bad dat Mike niet de link met de soap zou leggen. Waarom had ze in hemelsnaam Walford gezegd? Ze wist niet eens of dat echt bestond.

'Maar goed,' zei ze nu snel, 'Chiswick kan nooit ver zijn, dus ik doe het graag. Ik zou het echt niet erg vinden. Ik heb niet veel te doen in de weekenden en ik vind het heerlijk om met de metro te reizen, dus–'

'Nu loop je echt te dollen, toch?' onderbrak Kerry haar openhartig als altijd omdat ze dat gewoon wilde weten.

Jessica knipperde verward. 'Eh, nee.'

Kerry schudde weer het hoofd. Hoe kon iemand die bij zijn volle verstand was het leuk vinden om met de metro te gaan? En hoe... vreemd om bij je baas te slijmen en hem tegelijkertijd in de maling te nemen, en dat allemaal op je eerste dag.

'Oké, nou, ik zal het met Diane overleggen en ontzettend bedankt, Jessica. Ik stel het aanbod zeer op prijs,' zei Mike, vergezeld van zijn oogverblindendste grijns. Jessica zette een hoge borst op van genoegen en voelde zich enorm zelfvoldaan omdat ze zich op dag één al geliefd maakte bij haar baas door hulpvaardig en ijverig over te komen, zoals een normale meid die niet vies was van hard werken en zich graag ergens in vastbeet, iets waardoor ze vast ook bij Kerry in een goed blaadje zou komen. Maar toen ze zijn kamer uit waren, wierp Kerry haar een vreemde blik toe.

'Wat?' vroeg Jessica geschrokken. 'Heb ik iets fout gedaan?'

'Niet fout, alleen... je vindt de metro toch niet echt leuk?'

'Jawel,' verzekerde Jessica haar, 'ik vind het geweldig. Ideaal om mensen te kijken.'

'O-ké,' zei Kerry op een toon waardoor bij Jessica de moed in de schoenen zakte. 'En waarom zei je in godsnaam dat je in Walford woonde? Ik geef toe dat het grappig was, maar niet te mans doen op je eerste dag, oké?'

'Oké,' zei Jessica, wederom geschokt dat er zo tegen haar werd gepraat. 'Ik zal het niet meer doen, ik wilde echt niet–'

'Maak je geen zorgen,' zei Kerry. 'Zoals ik al eerder zei, ieder zijn meug, maar we moesten nou maar eens aan het werk gaan als je dat goed vindt. Ik wil de shows van de komende maanden met je doornemen, wie ik wel en niet geboekt en bevestigd heb op dit moment. Daarna zal ik je mijn lijst met contacten laten zien en kunnen we wat ideeën doorspreken. Goed?'

'Goed,' antwoordde Jessica, vastbesloten niets meer te zeggen waaraan Kerry zich zou kunnen ergeren.

'Dus je hebt Mike ontmoet?' vroeg Natasha nonchalant toen ze weer bij hun werkplek aankwamen. Ze was druk aan het typen.

'Ja, het lijkt me een ontzettend leuke man,' zei Jessica.

Natasha stopte met typen en keek op, haar blik bleef zweven tussen Jessica en Kerry. 'Bedoel je leuk als in een leukerdje?' vroeg ze, het toonbeeld van onschuld.

'Oh god, nee,' zei Jessica blozend. 'Ik bedoel leuk als in leuk. Als in, het lijkt me een leuk persoon.'

'Wie is een leuk persoon?' vroeg Paul, die net voorbijkwam. Kerry voelde hoe haar bilspieren zich aanspanden.

'Mike,' antwoordde Jessica, 'ik mag zelfs zijn planten water geven als hij op vakantie is.'

Kerry kromp vanbinnen ineen en overwoog kortstondig of ze haar hand voor Jessica's mond moest houden. Positiviteit viel nooit goed in dit kantoor. In plaats daarvan waren de drie '-smes' aan de orde van de dag: pessimisme, cynisme en sarcasme.

Paul bleef plotseling stilstaan en als bij toverslag verschenen Luke en regisseur Julian omdat ze hadden geroken dat er in deze hoek van het kantoor iets interessanters dan werk gaande was.

'Moet je horen,' zei Paul met een stem die droop van minachting. 'Jullie raden nooit wat Mike gedaan heeft. Hij is zo aardig,

Jessica – zo heet je toch? – mag van hem zijn tuin water geven als hij veertien dagen oprot op vakantie en ons in de stront laat zakken. Is dat niet prijzenswaardig van hem?'

Luke gooide zijn hoofd in zijn nek en lachte. 'Serieus?' vroeg hij aan Jessica. 'Heeft hij je nu al zover dat je zijn planten water geeft? Ik hoop maar dat je iets extra's ontvangt voor je moeite.'

'Kappen nou,' zei Kerry.

'Oh, nee hoor,' zei Jessica, die verkeerd concludeerde dat ze allemaal dachten dat ze er extra voor betaald kreeg, waardoor ze zouden kunnen denken dat ze onoprecht of een geldwolf was en zo wilde ze absoluut niet overkomen. 'Ik zei net tegen Kerry dat ik het alleen maar aanbood omdat ik het echt heel graag doe en ik vind reizen met de metro geweldig, dus...'

'Ja, nou ja, je gebruikt vast een denkbeeldig station dat veel beter is dan de stations die ik gewend ben,' zei Kerry.

'Wat?' vroeg Paul, duidelijk geïntrigeerd.

'Ze zei tegen Mike dat ze in Walford woont,' antwoordde Kerry droog.

Paul lachte. 'Van *EastEnders*? Waarom deed je dat?'

'Weet ik niet,' gaf Jessica toe. 'Het kwam gewoon in me op en–'

'Waar woon je dan echt?'

Deze keer kwam de wijk waar Pam woonde gelukkig wel bovendrijven. 'Hampstead,' zei ze en ze klonk overdreven trots terwijl ze eigenlijk alleen maar opgelucht was.

'Logisch,' antwoordde Paul. Hij had kunnen weten dat ze in een van de chicste buurten van Londen woonde, maar dan hoefde ze er nog niet zo zelfvoldaan bij te klinken.

'Hoe bedoel je?' vroeg Jessica, die er al serieus over nadacht de baan eraan te geven. Ze had half de neiging weg te lopen en niet te stoppen voor ze bij Heathrow was.

'Helemaal niks,' zei Paul, niet gemeen maar vermoeid. 'Jezus, ik weet niet of ik dit Amerikaanse gebabbel wel aankan op de maandagochtend. Op dag één heb je je al voor buitenschoolse activiteiten opgegeven bij Mike. Straks ga je nog lopen cheerleaden ook. We hebben een "M", we hebben een "I", enzovoorts.'

Jessica's gezicht betrok. Ze kauwde op haar lip terwijl de opgelatenheid die ze voelde plaatsmaakte voor verontwaardiging. Wat was dit voor engerd? Hoe durfde hij haar te bekritiseren alleen maar omdat ze Amerikaans was? En sinds wanneer was het oké om op Amerikanen af te geven? Als hij het over een ander ras zou hebben, zou het racisme zijn.

'Ik dacht dat Engelsen altijd beleefd waren,' zei ze zacht met een ijzig randje aan haar stem dat Paul niet leek te horen.

'Pas maar op dat je de andere Mike-fans in dit kantoor niet jaloers maakt,' voegde een man aan wie Jessica nog niet was voorgesteld er grappend aan toe. Het leek alsof hij maar met een half oor luisterde omdat hij intussen door de berichten op zijn BlackBerry scrolde. 'Ik ben trouwens Julian, de regisseur. Oh god, je kan zelfs bij Mikes onderbroekenla als hij weg is. Ik wed dat hij een slippenman is.'

'Oh jee, eh – ik doe het echt niet omdat ik fan van hem ben of zo,' hakkelde Jessica.

Paul stond op van zijn bureau en zorgde dat zijn hele publiek het goed kon zien toen hij als een cowboy naar Natasha paradeerde. 'U bent dan misschien geen fan, mevrouw Bender, maar iemand anders in dit kantoor wel,' zei hij met een belachelijke stem vol insinuatie.

Natasha, die volop genoot van het hele tafereel, barstte in lachen uit. 'Heb je er last van, Paul?' vroeg ze en ze knipperde daarbij koket met haar ogen. 'Vind je het vervelend dat onze nieuwe aanwinst ook op Mike valt?' vervolgde ze, omdat ze wist dat dit haar ex woest zou maken.

Jessica stond als aan de grond genageld en voelde zich vreselijk beschaamd. Ze snapte niet hoe haar poging hardwerkend over te komen zo verkeerd opgevat kon worden. Ze voelde de verschillende onderstromen om zich heen kolken en had nog geen idee hoe hierin te navigeren.

Pauls gezicht verwrong zich tot een frons.

'Oh, hou toch op jullie,' zei Kerry. 'Laat Jessica eens met rust. Het is tenslotte haar eerste dag en jullie hebben haar nog niet eens fatsoenlijk begroet.'

'Ik wel,' piepte Natasha verbolgen. 'Toch, Jess?'

Jessica knikte wild, al op haar hoede voor deze mooie blondine die een ingewikkelde maar niet al te geheime agenda leek te hebben.

'Je hebt gelijk, Kezza,' zei Paul en de frons verdween van zijn interessante gezicht. Jessica kon maar niet beslissen of hij ongelooflijk knap of ongelooflijk afstotelijk was. Hij had zeer donker haar waarvan een lange lok sporadisch voor zijn groenblauwe ogen viel. Hij had een gemiddelde lengte en een typisch Engelse huid; bleek en licht verbrand. Maar hij had iets charismatisch, dat wat op papier doorsnee kon klinken, in levenden lijve tot iets veel beters verhief. Hij had ook een slank maar sterk uitziend lichaam.

'Wat onbeleefd van ons,' zei hij terwijl hij formeel zijn hand naar Jessica uitstak. 'Welkom bij *The Bradley Mackintosh Show*. Ontzettend fijn je bij het team te hebben, ook al verkeer je al in de ban van meneer Mike Connors. We gaan straks met z'n allen wat drinken, waarom kom je niet mee en dan brengen we je helemaal op de hoogte? En kunnen we wat van die gretigheid om te behagen uit je slaan.'

'Eh, misschien,' antwoordde Jessica, die niet zo goed wist hoe ze moest reageren maar opgelucht was dat Paul, duidelijk een belangrijke schakel in het kantoor, had besloten toch nog aardig tegen haar te zijn. Ze was ervan overtuigd dat als het zo doorging, ze na het werk niets anders meer wilde dan naar bed, dus ze wilde zich niet vastleggen. 'Ik zie wel, maar ik ben niet zo'n drinker, hoor.'

Paul rolde met zijn ogen en voordat hij weer weg wandelde, haalde hij zijn schouders op naar Kerry alsof hij wilde zeggen: ik heb het geprobeerd, maar wat doe je eraan?

Jessica zuchtte. Ze moest nog veel leren en als ze wilde overleven op dit kantoor kon ze daar maar beter snel mee beginnen. Tot nu toe hadden haar twee korte confrontaties met Paul haar kriebels in de buik bezorgd, en niet op een goeie manier. Dat waarschuwde haar wel om bij hem en zijn scherpe tong uit de buurt te blijven. Hij had blijkbaar een afkeer van dwazen, iets wat ze vanwege de culturele verschillen tussen haar en haar collega's vast leek. Daar kon ze wel mee omgaan, maar als hij haar ooit weer plaagde om het feit dat ze Amerikaan was, móést ze er wel wat van zeggen. Hij mocht Kerry duidelijk graag dus misschien was hij wel oké. Misschien kon hij gewoon heel goed de klootzak uithangen.

'Ga je straks ook naar Sue's borrel?' vroeg Luke terloops aan niemand in het bijzonder.

'Wie, ik?' vroeg Kerry. Luke knikte, maar haalde tegelijkertijd zijn schouders op.

'Natuurlijk, hoezo?'

'Vroeg het me gewoon af,' antwoordde Luke. 'Ik dacht dat je misschien weer een van je internetdates had of zo.'

Kerry wierp hem een vernietigende blik toe. 'Waag het niet daar weer over te beginnen. En als dat zo was, dan zou ik jou toch niet nog meer reden geven me voor schut te zetten? Dat laat ik wel aan mijn nieuwe assistent over, als je het niet erg vindt.'

Jessica keek geschrokken op.

'Geintje,' zei Kerry vlug. 'Maar goed, als je het echt wilt weten, ik hou het even voor gezien met die onzin. Ik heb besloten dat de ware liefde mij maar moet vinden.'

Ze knipoogde naar Jessica terwijl ze dit zei om aan te geven dat ze misschien niet helemaal de waarheid sprak en Jessica giechelde. Luke knikte en liep weg. Het leek alsof hij het antwoord niet eens had geregistreerd, maar Jessica zag dat de achterkant van zijn nek rood was uitgeslagen. Ineens vroeg ze zich af of de intuïtieve Kerry misschien toch niet zo opmerkzaam was, of tenminste niet als het om tekenen ging die haar kant op wezen.

'Goed,' zei Kerry en ze schakelde om naar zakelijk en efficiënt. 'Kunnen we dan nu alsjeblíéft aan het werk gaan?'

## 12

Die avond kwam Jessica na weer een lange trainingssessie in de fitnessruimte van het hotel op haar kamer terug. Zoals verwacht was haar eerste dag zo afmattend geweest dat iets gaan drinken wel het laatste was waar ze zin in had gehad. Aangezien ze die Sue helemaal niet kende, zou ze vast niet gemist worden en bovendien moest ze zo veel mogelijk gebruikmaken van de fitnessruimte voordat ze het komende weekend bij Pam introk, iets wat ze nu definitief waren overeengekomen. Ze ging douchen.

Toen Jessica even later uit de stomende badkamer kwam, zag ze dat haar mobiele telefoon als een gek lag te knipperen. Ze had vier gemiste oproepen, maar voordat ze tijd had om te kijken van wie, ging hij weer. 'Hallo?' zei ze.

'Jess? Met Dulcie. Waar zit je? Ik probeer je al een eeuwigheid te bereiken. Edward zei tegen pap dat je weg bent. Waarom heb je me dat niet verteld?'

Eindelijk, dacht Jessica. Eindelijk was ze lang genoeg gestopt met kakelen om te beseffen dat ze bijna drie hele weken niets van haar 'beste vriendin' had gehoord.

'Ik heb het je geprobeerd te vertellen, een aantal keren zelfs.'

'Nou, waar zit je?' snoof Dulcie.

'In Londen,' antwoordde ze, niet in staat de blije grijns tegen te houden die zich over haar gezicht uitspreidde.

'Wat doe je daar? Ben je op vakantie? Ik dacht dat je niet van shopreisjes hield?'

'Ik ben hier niet om te shoppen,' verklaarde Jessica resoluut terwijl ze de zachte badjas pakte die aan de achterkant van de badkamerdeur hing en zich erin wurmde, waarna ze op het bed ging liggen en zich in de grote, vierkante kussens nestelde. Hoe raar het ook was gegaan tussen haar en Dulcie de laatste tijd, ze was blij dat ze haar eindelijk op de hoogte kon brengen van wat er in haar leven speelde. 'Ik hoop hier een tijdje te kunnen blijven,' begon ze. 'Weet je nog dat ik je tijdens het borrelen vertelde dat ik was gestopt met werken bij de galerie en het had uitgemaakt met Shawn? Nou, al met al had ik echt het gevoel dat ik aan verandering toe was. Om eerlijk te zijn ben ik al een tijdje ongelukkig en–'

'Mag ik je iets vragen?' onderbrak Dulcie haar.

'Ja, hoor.'

'Heeft je vertrek iets te maken met het feit dat ik met Kevin ga trouwen? Want als dat zo is, begrijp ik dat wel hoor. Dat is toch heel logisch?'

Fout, dacht Jessica en ze voelde de bekende irritatie weer opkomen. Sinds wanneer was alles terug te leiden naar het feit dat zij ging trouwen? En ze hoopte maar dat Dulcie niet wilde beweren dat ze jaloers was, want ze kon er niet verder naast zitten. Trouwen was iets wat ze nooit van plan was te doen aangezien ze pertinent tegen het hele idee was.

'Mijn reis heeft niets met jouw bruiloft te maken. Echt. Maar wat wel zo is, is dat ik denk dat we allebei iets anders met ons leven willen.'

Hier had Dulcie niets op te zeggen en Jessica kon het wel uitschreeuwen van frustratie. 'Wat? Ik zweer je dat ik niet jaloers ben,' zei ze om het maar even hardop gezegd te hebben.

'Oh, ik ben blijven hangen bij je opmerking "dat we allebei iets anders met ons leven willen",' zei Dulcie, 'wat interessant is aangezien ik al wacht vanaf dat je onze kans om iets te worden hebt verpest door niet aan *Daddy's Girls* mee te willen doen om erachter te komen wat je dan voor beter plan hebt. Maar als het plan wegvluchten naar Engeland is en me in de steek laten op het moment dat ik je het hardst nodig heb, moet ik zeggen dat ik lichtelijk teleurgesteld ben. Want je zou dan mijn beste vriendin zijn, maar je doet al vreemd sinds ik je vertelde dat ik verloofd was.'

'Dat is niet waar,' zei Jessica.

'Wel,' wierp Dulcie tegen. 'Je hebt duidelijk iets tegen Kevin en ik zou gewoon willen dat je het toegaf.'

'Ik heb helemaal niets tegen Kevin,' antwoordde Jessica oprecht. 'Maar misschien snap ik wel niet waarom je zo nodig zo jong moet trouwen. Je kent hem pas een jaar, dus hoe weet je of je er goed aan doet?'

'Omdat ik van hem hou!' riep Dulcie ietwat hysterisch uit.

'Oh nou, dan is het goed,' zei Jessica, die bang werd dat ze dingen zou gaan zeggen waar ze spijt van kreeg. Ze slikte. 'Luister, ik wil alleen maar zeggen: vanwaar die haast? Is van elkaar houden echt genoeg? Kijk dan naar mijn ouders; iedereen lijkt van mening te zijn dat ze superveel van elkaar hielden en kijk eens hoe rottig dat is afgelopen.'

'Daar komt het bij jou altijd op neer, hè?' stelde Dulcie vast en ze klonk teleurgesteld en het beu. 'Begrijp je het dan niet? Natuurlijk is niets honderd procent gegarandeerd. Niemand weet hoe het gaat lopen. Kevin kan wel een ommezwaai maken en me vertellen dat hij homo is. Ik kan morgen onder een bus komen. Of we kunnen trouwen en supergelukkig worden, maar hoe komen we daar achter zonder dat we de gok wagen?'

'Dat is niet alles,' zei Jessica. 'Je bent veranderd, Dulcie. Je bent zo geobsedeerd met dat huwelijk dat het totaal langs je heen is gegaan hoe ongelukkig ik was. En dát is de reden dat ik in Londen ben, alleen heb jij het te druk gehad met servetten en dasspelden om daar op te letten.' Jessica verwrong haar gezicht in een poging niet te gaan huilen. Dit was verschrikkelijk, maar ze moest de controle houden over wat ze aan het zeggen was. 'Ik mis je, Dulcie, en ik vind het fijn voor je dat je gaat trouwen, maar wat is er met je gebeurd?'

'Er is niets met me gebeurd,' zei ze zacht.

'Luister,' zei Jessica, 'als ik je niet genoeg heb gesteund dan spijt me dat. Kevin is een leuke jongen en ik hoop echt dat jullie gelukkig worden. Maar tegelijkertijd is jouw huwelijk niet het enige op de wereld en je kunt niet verwachten dat iedereen zijn leven in de wacht zet tot jouw grote dag.'

'Maar ik vraag het ook niet van iederéén,' hield Dulcie vol en op dat afschuwelijke moment wist Jessica dat haar vriendin in tranen was uitgebarsten.

Jessica zuchtte en terwijl ze haar eigen tranen weg knipperde, probeerde ze wijs te worden uit wat hier aan de hand was. Er moest meer achter zitten. 'Oké,' zei ze geduldig en ze wreef hard over haar gezicht. 'Ik heb toegegeven dat ik het allemaal een beetje te snel vind gaan dus nu is het jouw beurt om te zeggen wat er aan de hand is. Want ik weet dat je niet echt bent getransformeerd tot een of andere cliché Bridezilla. Dus wil je het me alsjeblieft vertellen?'

En eindelijk, na maanden en maanden van vreemd doen, deed Dulcie dat.

'Oh Jess,' snikte ze in de telefoon op een toon die zo hartverscheurend was dat het Jessica de adem benam, 'ik mis mijn moeder. Ik mis haar zo ontzettend en trouwen zonder haar is zo verschrikkelijk,' vervolgde ze en ze stortte nu volledig in en brak in woest gesnik uit.

Loretta was gestorven toen Dulcie twaalf was, een verschrikkelijke dag waar Jessica nu nog met veel verdriet aan terugdacht. Ondanks het lange ziekbed dat eraan voorafging, was niemand van hen ook maar in de verste verte voorbereid geweest op het einde. Toen dat kwam was Vincent er helemaal kapot van geweest, totaal gevloerd en zo in beslag genomen door zijn eigen verdriet dat hij het moeilijk vond er zoveel tijd voor Dulcie te zijn als had gemoeten. Daardoor hadden de twee meiden zich meer dan ooit aan elkaar vastgeklampt gedurende die moeilijke tienerjaren. Ze waren onafscheidelijk geweest en nu, mede dankzij haar eigen frustraties, had Jessica het gevoel dat ze haar in de steek had gelaten. Niet alleen als vriendin, maar als zus of zelfs als soort van moeder. Jezus, wat konden relaties toch complex zijn.

Jessica voelde zich afschuwelijk. Ineens werd Dulcies hele recente gedrag niet alleen verklaard, maar ook geëxcuseerd. Dat haar moeder er niet bij was om haar te helpen een jurk uit te zoeken en alles samen mee te beslissen moest iets, wat een leuke tijd moest zijn, zo verschrikkelijk bitterzoet maken.

'Oh, Dulcie,' zei Jessica. Ze wilde dat ze in de VS was zodat ze haar vriendin een broodnodige knuffel kon geven. 'Het spijt me zo ontzettend.'

'Jij kunt er niks aan doen,' jammerde Dulcie door de telefoon. 'Het is niet jouw fout, maar de mijne. Ik had niet zoveel druk op je moeten leggen om iets te zijn wat je niet bent. Het is gewoon... ik denk dat jij als een zus voor me bent, of soms zelfs... je weet wel... je zorgt altijd voor me, Jess. En ik weet dat ik erg jong ben om te trouwen, maar ik wil gewoon zo graag een eigen gezinnetje.'

'Ik snap het,' zei Jessica, die nu net zo hard huilde als haar vriendin. Ze schraapte haar keel en haalde diep adem. Er waren nou eenmaal dingen in het leven die belangrijker waren dan jezelf vinden. 'Ik kom naar huis. Ik kan morgenochtend vliegen en dan ben ik dezelfde dag nog terug.'

'Nee,' zei Dulcie resoluut. Tot haar eigen verbazing begon ze te giechelen, hortend door haar tranen heen. De opluchting dat ze eindelijk hardop had uitgesproken wat ze amper aan zichzelf durfde toe te geven, was overweldigend. 'Je moet daar natuurlijk blijven, gekkie. Dat is wat ik wil en ik wil dat je er een mooi avontuur van maakt. Dat heb je verdiend en bovendien moet ik me vermannen...' Haar stem brak weer en Jessica's hart wilde hetzelfde doen. 'Ik hou van je, Jess, en het spijt me echt als ik een bitch ben geweest.'

'Dat is niet zo,' zei Jessica. 'Misschien een beetje gestoord, een beetje over de top af en toe misschien, maar geen bitch en bovendien had je er alle reden toe.' Er ontsnapte een traan, die ze wegveegde terwijl ze zich nog steeds schuldig voelde.

'Hé, als je daar toch een eeuwigheid blijft om "jezelf te vinden", moet ik misschien langskomen in Londen? Even aan iets anders denken dan de bruiloft?' zei Dulcie ineens op een bevlogen toon die Jessica maar al te goed kende.

Ze slikte, ogenblikkelijk vervuld van een angstig voorgevoel. Dit was háár reis en ze voelde zich er nogal bezitterig over. Als een klein kind dat niet wilde delen.

'Oké, dat zie je dus niet zitten,' concludeerde Dulcie.

'Nee, nee, natuurlijk wel,' zei Jessica vlug omdat ze dolgraag een volgende ruzie wilde voorkomen, 'maar misschien moet je me wat tijd geven en niet op stel en sprong te komen? Ik wil gewoon heel graag zien of ik het een tijdje in mijn eentje kan rooien, snap je? Ik denk dat dat goed voor me is.'

'Oké,' stemde Dulcie in, 'maar als je eenmaal gesetteld bent, kom ik absoluut. Mij hou je niet tegen.'

Jessica grijnsde toen ze zich realiseerde hoe leuk het zou zijn haar beste vriendin hier een tijdje te hebben. 'Super, en dan kunnen we er zelfs een vrijgezellenweekend van maken, alleen voor jou en mij,' stelde ze voor.

'Cool,' zei Dulcie.

Toen kon Jessica het niet laten eraan toe te voegen: 'Ik heb toeristenklasse gevlogen, wist je dat?'

Geschokt tot op het bot riep haar vriendin uit: 'Dat meen je niet! En je hebt het overleefd?'

'Helemaal,' lachte Jessica.

'Hé, je moet trouwens wel zorgen dat je hier bent voor het feest van je vader. Paps vertelde dat Edward gek wordt zonder jou.'

'Natuurlijk,' zei Jessica, dankbaar dat ze tenminste haar vriendin leek terug te hebben. Ze nam zichzelf meteen voor Kerry zo snel mogelijk te zeggen dat ze in september een paar dagen vrij moest hebben.

# 13

Jessica's tweede dag bij *The Bradley Mackintosh Show* verliep grotendeels hetzelfde als de eerste. Dat wil zeggen dat het eng en zenuwslopend was en een uitdaging om bij te houden wat er allemaal gaande was terwijl ze probeerde te wennen aan de werkwijze van haar collega's. Wijs worden uit hun spervuur van gekscherende opmerkingen vereiste al haar concentratie en dat, samen met op haar hoede zijn bij alles wat ze zei, betekende dat ze tegen lunchtijd al het gevoel had dat ze aan vakantie toe was.

Dus toen iedereen richting kantine ging, besloot Jessica even te blijven hangen om Dulcie een mailtje te sturen, haar gedachten bijeen te rapen en letterlijk op adem te komen.

Als ze geweten had dat ze haar collega's daardoor de perfecte gelegenheid gaf eens flink over haar te roddelen, had ze wel twee keer nagedacht.

'Er klopt iets niet aan haar' zei Natasha tegen de groep.

'Waar heb je het over?' vroeg Vanessa in haar Liverpoolse accent. 'Je mag haar gewoon niet omdat het een aantrekkelijke meid is en je niet van concurrentie houdt.'

'Dat is het niet,' hield Natasha vol. 'Zo mooi is ze niet. Of dat zou ze tenminste niet zijn als ze niet zo... glom.'

'Wat?' zei Kerry. 'Jessica heeft een geweldige huid; die glimt helemaal niet.'

'Ik heb het niet over haar huid,' zei Natasha, die worstelde om onder woorden te brengen wat ze bedoelde. 'Ik heb het over haar hele persoon, denk ik. Ze lijkt me een beetje te fris, een beetje 'gekunsteld' zoals bepaalde sterren dat hebben, maar alleen omdat je weet dat ze een heel team aan mensen hebben wier baan het is die persoon zich op en top te laten voelen en eruit te laten zien. Zoals Jennifer Aniston eruitziet alsof ze niet in staat is lichaamsgeur te hebben, hoe hard ze zich ook zou inspannen. Of vet haar. Ik bedoel, is het iemand opgevallen hoe duur de kleren zijn die ze draagt?'

'Zo opvallend zijn ze niet,' was de opmerking van Luke, die het drukker had met proberen rijstkorrels in Kerry's mouw te schieten.

'Ik weet dat ze zich niet "opvallend" kleedt, maar haar T-shirts komen niet bepaald van de H&M en die spijkerbroeken van haar kosten meer dan honderd pond.'

Vanessa rolde met de ogen.

'Wat?' vroeg Natasha verontwaardigd.

'Ook al heb je gelijk en heeft ze geld, wat kan het jou schelen? Volgens mij ben je gewoon pissig omdat onze Paul tegen Luke heeft gezegd dat ze een lekkere kont heeft.'

'Onzin,' snauwde Natasha voordat ze erover ophield omdat ze precies op dat moment Jessica zelf de kantine binnen zag lopen en naar de groep zwaaien. Natasha had tenminste nog het fatsoen terug te zwaaien, al was het wat onenthousiast, voordat ze zich tot Vanessa wendde om het over iets anders te hebben.

Aan de andere kant van de zaal zuchtte Jessica. Ze had het vage vermoeden dat er over haar werd gepraat, maar wist dat als ze hier wilde overleven, het ontzettend belangrijk was om zich geliefd te maken bij deze mensen. Terwijl ze zich wapende met een plastic dienblad had ze het gevoel dat ze terug op de middelbare school was, met als enige verschil dat zíj toen degene was op wie mensen indruk wilden maken en niet andersom.

Vanuit de rij zag ze Paul Fletcher met zijn handen in zijn zakken losjes de kantine in komen lopen. Ze glimlachte naar hem, maar haar glimlach verdween al snel toen ze zich realiseerde dat hij, in tegenstelling tot alle anderen, niet van plan was in de rij te gaan staan (waar Engelsen juist zo goed in waren). In plaats daarvan liep hij de lange, zich langzaam voortbewegende rij straal voorbij, pakte een broodje, iets te drinken en een zakje chips uit de vitrine vlak bij de kassa en liep lomp door, zich schijnbaar onbewust van de afkeurende geluiden van de andere mensen. Pas toen hij aan het betalen was, zag hij Jessica.

'Lukt het?' riep hij naar haar. 'Wat neem je?'

'Weet ik nog niet,' antwoordde ze naar waarheid omdat ze totaal geen trek meer had. Van al haar collega's was hij degene die haar het zenuwachtigst maakte.

'Oh, kom evengoed maar bij ons zitten,' bood Paul grootmoedig aan op een manier die bevoogdend op haar overkwam.

Terwijl ze zich zo log en onbeholpen voelde als altijd, knikte Jessica zwakjes en vroeg zich af wat ze moest doen. Uiteindelijk gaf ze het lunchen helemaal op, legde haar dienblad terug op de stapel en liep hem achterna door de kantine.

Er was niet veel plek rond de tafel maar Paul wurmde zich naast Kerry. 'Schuif op, vetzak,' zei hij plagerig.

'Hou je bek,' zei Kerry met een mond vol curry met lam. 'Ik heb troosteten nodig na mijn afspraakje van gisteren. Ik ben nog aan het bekomen, wat een ellende.'

Jessica was nu bij de tafel aangekomen. Er was geen plek meer vrij en ze was te verlegen om iemand te vragen op te schuiven, dus bleef ze maar een beetje in de buurt rondhangen in de hoop dat iemand het uiteindelijk zou merken en ruimte voor haar zou maken.

'Ik dacht dat je dat had opgegeven,' zei Luke.

'Ik mag toch wel van gedachten veranderen?' vroeg Kerry terwijl ze hem een overdreven knipoog gaf.

'Vertel Paul eens wat hij aanhad,' zei Natasha, die Jessica wel had gezien maar niet bepaald geneigd was haar erbij te laten en dat dan ook niet deed.

'Wat?' vroeg Paul. 'Wat kan die arme stakker aan hebben gehad dat zo verschrikkelijk was?'

Omdat ze de feiten al kenden, giechelden Natasha, Vanessa en Isy op voorhand.

Kerry slikte haar mondvol curry door voordat ze verkondigde: 'Manchetknopen in de vorm van wijnflessen.'

Iedereen lachte en Jessica vroeg zich af hoe ze moest reageren aangezien ze onbeholpen aan de periferie van hun gesprek stond. Meelachen voelde absurd, maar niet zo belachelijk als daar maar staan te staan als een stijve hark. Gelukkig merkte Luke haar nu op.

'Hé meiden, laat Jess er eens bij,' zei hij. 'Ze kan nergens zitten.'

'Oh, sorry meis,' zei Kerry meteen. 'Hier, kom maar naast mij zitten. Vanessa, schuif eens een stuk op met die dikke reet.'

'Dank je,' zei Jessica dankbaar tegen allebei. Toen Vanessa haar een warme glimlach schonk, kon ze wel janken. Ze vond het vreselijk zich zo zielig te voelen, maar als je gewend was je altijd in de inner circle te bevinden, was een outsider worden een vreemde ervaring waar je maar moeilijk aan kon wennen, en bovendien ook nog eens doodeng.

'Zijn de gasten voor deze week nog steeds ongewijzigd?' vroeg Paul terwijl hij aan zijn drankje slurpte.

'Voor de verandering eens wel,' antwoordde Kerry. 'Volgens mij wordt het zelfs een goeie show en nu Mike weg is, hijgt er tenminste ook niemand in onze nek.'

'Godzijdank,' zei Paul gemeend.

'Maar goed,' zei Kerry, 'raden jullie eens wat ik in mijn handtas heb?'

'Twee afgehakte handen met polsen, compleet met prulmanchetknopen in wijnflesvorm?' vroeg Luke.

'Nog beter dan dat,' verklaarde ze en ze bukte om iets uit haar tas te pakken. 'De *Heat*!'

De andere vrouwen gilden van verrukking en smeten zich met zoveel enthousiasme over tafel om het beter te kunnen zien dat Jessica's lach voor het eerst die dag geheel oprecht was.

'Ooh schitterend, kijk haar nou,' zei Vanessa genietend. Haar lichtbruine ogen straalden terwijl ze een ongelukkige, vaag beroemde persoon bestudeerde die met een bleek gezicht en warrig haar was gekiekt. 'Dat ziet er toch niet uit?'

Jessica's glimlach verdween even terwijl ze wijs probeerde te worden uit wat Vanessa zojuist had gezegd, zo sterk was haar accent.

'Om eerlijk te zijn,' bemoeide Paul zich ermee, 'komt ze net het ziekenhuis uitlopen; ik zou er ook niet op zitten wachten een camera in mijn gezicht geduwd te krijgen als ik net ben geopereerd.'

De meiden negeerden hem. Hatelijke opmerkingen maken bij het nieuwste nummer van *Heat* was een tijdverdrijf waar niet lichtvaardig over gedacht mocht worden.

'Zij is supermooi,' zei Isy en ze wees naar een foto van een hooghartige maar mooi uitziende erfgename die een nachtclub uit strompelde.

'En superdom,' zei Paul, die op stoom kwam. 'Ik zou haar wel eens willen zien als ze een hele dag moet werken, eens kijken hoe speciaal ze zich dan nog voelt.'

'Goed gezegd,' was Vanessa het met hem eens. 'Het leven is verrekte oneerlijk, hè?'

'Wacht eens even,' zei Kerry, die moest lachen om hoe stellig Paul deze vrouw als nutteloos had bestempeld. 'Ik weet dat haar start in het leven een makkie was, maar dat is toch niet haar schuld? Dat haar vader barst van de centen maakt haar nog niet automatisch een slecht mens.'

'Nee, maar wel een verwend en dom mens,' zei Paul.

'Wat een clichéreactie, zeg,' zei Jessica fel voordat ze zelf ook maar wist wat er uit haar mond ging komen. Iedereen viel stil en keek naar Paul om te zien hoe hij hierop zou reageren.

'Dat lijkt me niet,' zei hij rustig terwijl hij haar koeltjes aanstaarde.

Jessica bloosde over haar hele lijf maar voelde zich genoodzaakt haar punt over te brengen. 'Je kent haar niet eens, dus je baseert je mening alleen maar op wat je van haar vader weet.'

'Haar vader de multimiljonair,' was Pauls antwoord.

Jessica keek naar Kerry, die aandachtig luisterde maar duidelijk niet van plan was zich erin te mengen. Alle anderen waren ineens bijzonder geboeid door hun eten. Jessica slikte.

'Wat maakt het uit dat haar vader rijk is?'

'Je hoeft geen genie te zijn om alleen al aan de manier waarop ze uit die club wankelt te zien dat ze een behoorlijk verwend en vertroeteld bestaan leidt. En dáárdoor kan ik me een goede voorstelling maken van hoe ze is en hoewel ik graag in de idealistische wereld zou leven die jij in Hampstead blijkbaar bewoont, is dat niet zo. Ik leef in de echte wereld.'

'En wat wil je daarmee zeggen?' vroeg Jessica gloedvol, verontwaardigd over hoe bot hij deed.

'Dat Helena Davies ongetwijfeld verwend is door haar pappie en dus tot een verschrikking is uitgegroeid, wat misschien niet haar fout is maar wel de waarheid.'

'Jij oordeelt wel heel makkelijk. Je weet niet eens waar ik woon in Hampstead.'

'Ik kan me er wel een voorstelling bij maken.'

'Ik logeer bij mijn tante,' ging Jessica verder, terwijl ze zich afvroeg waarom het haar eigenlijk zoveel kon schelen wat Paul vond, 'en haar huis is toevallig heel gewoon; mooi, maar gewoon.'

'Je hoeft je bestaan niet tegenover mij te rechtvaardigen,' antwoordde hij.

Jessica opende haar mond om hierop te reageren, maar iets in de wijze waarop Pauls ogen glinsterden hield haar tegen.

'Toch heeft Helena Davies gave schoenen aan,' voegde Isy eraan toe en ze kneep onder tafel zachtjes in Jessica's knie.

'Jongens, het is bijna twee uur,' zei Natasha, onbewogen door de discussie. 'We moesten maar weer eens.'

Met tegenzin begon de groep de troep op te ruimen, stond een voor een op en sleepte zich richting de liften en het productiekantoor van *The Bradley Mackintosh Show*, verdiepingen hoger. Jessica draalde wat. Ze was nog aan het bijkomen van Pauls uitbarsting, voelde zich vernederd en had spijt dat ze ruzie had gezocht. Van nu af aan zou ze hem zo veel mogelijk mijden aangezien ze zich elke keer dat hij zijn neerbuigende mond opende ongelooflijk ongemakkelijk voelde.

'Sorry van daarnet,' verontschuldigde ze zich aan Kerry, die de laatste was die opstond.

'Doe niet zo mal,' antwoordde haar nieuwe baas vriendelijk. 'Je mag zeggen wat je wilt. En wees niet bang voor Paul, hij blaft harder dan hij bijt. Het is een geweldige gozer als je hem eenmaal leert kennen.'

Jessica knikte, niet al te overtuigd. Wat ze tot nu toe van hem had gezien was dat hij een eikel vol vooroordelen was. Haar maag knorde. Ze zou nooit het einde van de dag halen op een lege maag dus moest ze maar salmonella riskeren en zo'n verwelkte salade kopen die iedereen links had laten liggen. Ze ging gauw op zoek.

Ondertussen vouwde Kerry haar tijdschrift op en terwijl ze dat deed, trok het tekstje bij de foto van de rijke erfgename haar aandacht.

> *Helena Davies ziet er wat gehavend uit nadat ze heeft gevierd dat ze een half miljoen pond heeft ingezameld voor hulpverlening in Namibië. Haar vader, projectontwikkelaar Damien Davies, heeft naar verluidt gedreigd haar te onterven als ze nog meer van haar erfenis weggeeft aan goede doelen. Haar schoenen met luipaardprint zijn van Olivia Morris.*

Kerry besloot dat ze meteen na de vergadering uit zou zoeken of

Helena Davies een agent had. Ironisch genoeg zou ze best een goede gast kunnen zijn. Terwijl ze haar tijdschrift opborg en haar collega's achternaging de kantine uit, lachte Kerry wrang. Ze had genoeg beroemdheden ontmoet om te weten dat Paul ongelijk had. Als je alleen maar op je eerste indruk van mensen afging, beging je een grote fout. Mensen waren altijd anders dan je zou verwachten aan de hand van hun indruk in de media waardoor je maar een handjevol van de feiten kende. Bovendien kon je in het geval van Helena haar moeilijk verwijten wie haar ouders waren, want dat had je nou eenmaal niet in de hand.

Nee, net als Jessica wist ze dat je bij een beroemdheid, of bij wie dan ook, nooit alleen maar op het uiterlijk moest afgaan. Tenzij bij dat uiterlijk manchetknopen in de vorm van wijnflessen hoorden natuurlijk, in dat geval had je vrij spel.

## 14

Woensdag begon grijs, bewolkt en fris genoeg voor een jas, hoewel dat soort weersveranderingen nog een nieuwigheidje waren voor Jessica die wakker was geworden met enorme zin in haar werkdag. Deel uitmaken van de arbeidsmarkt was opwindend, deel uitmaken van de Britse arbeidsmarkt nog veel meer en ze kreeg een enorme kick van het reizen naar het werk tussen de massa. Gewoon een doodgewone meid. Maar zodra ze aan haar bureau plaatsnam, werd ze er weer aan herinnerd hoeverre van gewoon ze was en dat doen alsof wel eens moeilijk vol te houden zou kunnen blijken.

'Morgen,' kwetterde Kerry zodra ze door de deur kwam. 'We moeten een van de gasten van deze week naar een andere week schoppen want ik ben net gebeld en een fantastische ster is plotseling beschikbaar.'

'Super,' zei Jessica enthousiast. 'Wie?'

'Leonora Whittingston! Je weet wel, de komedie-actrice? Die ken je toch wel. Ze is supergroot in de vs.'

Jessica trok wit weg en verstijfde. Was dit een grapje? Een test? Waren ze er nu al achter wie ze was?

'Goeiemorgen,' zei Paul, die door het kantoor binnen te stormen Jessica ervoor behoedde antwoord te moeten geven en haar broodnodige seconden gaf om haar hoofd rustig te krijgen.

'Goeiemorgen, Paul. Je gaat me haten want je zult wat nieuwe teksten moeten schrijven. Ik heb net Leonora Whittingston voor de show van morgen geboekt,' kondigde Kerry trots aan.

'Oh, dat wordt geweldig,' zei Paul en hij klonk onder de indruk, 'maar je hebt gelijk, ik haat je. Vooral als je Jeff Bates afzegt, want zijn introductie is zo cool.'

'Al zeg je het zelf,' zei Luke.

'Ik ben bang dat ik geen keus heb,' antwoordde Kerry verontschuldigend. 'Ik kan moeilijk Kate Templeton afbellen en ik wil Alan Carr echt niet wegdoen, want die probeer ik al eeuwen te krijgen. Dus dan blijft alleen Jeff Bates nog over, maar dat vind ik toch een beetje een eikel.'

'Dat is het ook,' zei Isy. 'Ik was laatst op zijn verjaardagsfeest in de Movida en volgens mij was niemand daar echt een vriend van hem. De tent zat vol profiteurs... zoals ik.'

Het woord 'verjaardagsfeest' herinnerde Jessica eraan dat ze Kerry nog om vrij moest vragen. Het was pas over drie maanden september, maar hoe eerder ze het had geregeld hoe beter. Misschien moest ze meteen ook vragen of ze morgen vrij kon krijgen zodat ze Leonora niet tegen hoefde tegen te komen?

'Eh, Kerry,' begon ze, lichtelijk in paniek over alles, 'heb je even?'

'Ga je gang,' zei Kerry, die haar krullende haar opstak en met een balpen vastzette. Meerdere paren oren spitsten zich; een enorm nadeel van een kantoortuin hoewel de meesten tenminste probeerden niet te doen alsof ze luisterden. In tegenstelling tot

Natasha, die stopte met typen en met de armen over elkaar naar achter leunde in haar stoel.

'Ik moet in september een weekje naar huis. Kan dat?'

'Vergeet het maar,' antwoordde Kerry verbaasd. 'Je bent pas net begonnen en omdat de show gewoon doorgaat, moet je vrije dagen heel ver van tevoren aangeven. Het kan niet zo zijn dat een groot deel van het team tegelijkertijd afwezig is, daarom mag Mike nu op vakantie terwijl andere arme drommels in november zomervakantie moeten vieren. Bovendien gaan er volgens mij in september al een paar mensen weg voor de sluitingsfeesten op Ibiza,' rondde ze af en nam duidelijk aan dat de discussie daarmee gesloten was.

Het voelde voor Jessica als een klap in het gezicht. Deze dag ging van kwaad tot erger. Ze kon het verjaardagsfeest van haar vader toch niet missen? Het zou zijn hart breken. En ze moest Dulcie zien. Dit was een ramp. 'Oké,' zei ze, maar ze voelde zich wat misselijk. Te horen krijgen dat ze iets niet mocht was een vreemde gewaarwording, net als niet meteen je zin krijgen. Gek genoeg was het bij alle baantjes die ze de afgelopen jaren had gehad en waarmee haar vader zich altijd had bemoeid, nooit een probleem geweest om vrij te nemen.

'Wanneer komt Mike eigenlijk weer terug?' vroeg ze en slaagde er niet in het terloops te laten klinken.

'Niet komende maandag maar die daarna. Hoezo? Wou je het hem zelf vragen?' vroeg Kerry, die nu eindelijk Jessica's gegriefde gezichtsuitdrukking opmerkte. 'Dat kun je doen, maar ik denk niet dat je van hem een ander antwoord krijgt. Wilde je voor iets speciaals terug?'

'Mijn vader wordt vijfenzestig,' antwoordde ze in de hoop dat dat de zaak zou veranderen.

Kerry keek meelevend, al was het met mate. 'Oh, nou ja, dat valt nog wel mee dan. Tjee, die arme Julian; je weet wel, de regisseur? Die heeft de bruiloft van zijn zus gemist vanwege een liveshow.

Omdat hij de hele serie wilde doen had hij zich vast moeten leggen echt elke show te doen.'

'Wat vreselijk,' zei Jessica verschrikt.

'Dat is showbizz,' was Kerry's koele reactie. 'Maar laten we verder gaan. We moeten bedenken wat we met onze overbodige gast doen. Tact en diplomatie zijn hier wel aan de orde, dacht ik.'

Nog niet half zoveel als morgen, dacht Jessica, als Leonora Whittingston, de beste vriendin van haar moeder en haar eigen peettante, in de show zou komen.

Ongeveer een uur later was Jessica net aan het bedenken welke vermommingen tot de mogelijkheden zouden behoren (een gezichtssluier en een valhelm genoten haar voorkeur), toen Leonora van gedachten veranderde en toch niet wilde komen. Kerry was des duivels, maar Jessica was zielsgelukkig en kon haar peettante wel zoenen. De volgende keer dat ze haar zag zou ze dat meteen doen. Nu hoefde ze Kerry alleen nog maar te helpen met het zoeken naar een vervanger.

'Die onbetrouwbare rotberoemdheden,' foeterde Kerry, wier humeur in sneltreinvaart kelderde. 'Weten ze wel hoeveel gedoe ze veroorzaken door zo achterlijk grillig te zijn? Wat moet ik nou als ik op zo'n korte termijn niemand anders kan vinden? Die zieligerd van een Jeff Bates heeft er nu de pest in en is ook niet meer over te halen ons te vereren met zijn saaie aanwezigheid dus op dit moment is ieder voorstel welkom,' verkondigde ze aan een ietwat geschrokken kantoor.

Jessica pijnigde haar hersenen. Ze wilde dolgraag helpen, maar nu ze het al aan alle agenten op aarde had laten weten, was ze er vrij zeker van dat er geen enkele fatsoenlijke mogelijkheid meer was, op haar peettante na. Behalve Leonora zelf opbellen en haar smeken het als gunst te heroverwegen kon ze niet veel doen, en dat was echt uitgesloten.

'Wat dacht je van Helena Davies, die erfgename uit dat tijdschrift?' opperde Jessica aarzelend. 'Je hebt gezien wat ik gisteren over haar heb gevonden. Volgens mij zou ze er geknipt voor zijn en je hebt al bij haar agent gepolst.'

'Hmm,' mijmerde Kerry, en Jessica wist dat haar hersenen overuren draaiden. 'Het is niet echt een grote naam. Maar aan de andere kant zou ze een heel wat betere aanblik zijn dan een lege bank en we kunnen de anderen onmogelijk voor een hele show uitmelken. Ik denk erover na,' zei ze, waarmee ze zich verbaal van Jessica afsloot zodat ze de gevolgtrekkingen van zo'n grote gok kon overpeinzen.

Jessica nam de wenk ter harte en ging verder met haar werk. Ze keek pas weer op toen een zesde zintuig haar doorgaf dat er iemand naar haar staarde. Het was Paul en toen ze terugkeek, stond hij op om naar haar bureau te lopen.

'Probeer je iets duidelijk te maken?' vroeg hij luchtigjes terwijl zijn ogen haar zoals gewoonlijk zo ongeveer uitdaagden. Ze hadden zo'n aparte blauwgroene kleur; in een bepaald licht leek het wel zilver.

'Hoe bedoel je?' vroeg ze met een naar gevoel in haar buik. Dit leek wel haar standaardreactie op hem.

'Ik bedoel dat ik niet denk dat je Kerry een plezier doet door haar ervan te overtuigen dat ze Helena Davies moet vragen terwijl niemand meer van haar weet dan dat ze een lid van de beau monde is met een rijke pappie. Onze kijkers verdienen iets meer eer.'

'Maar we hebben research gedaan en–' begon Jessica.

'Het is niet mijn pakkie-an,' zei hij en hij keek over Jessica's schouder naar haar scherm. 'Ik wil gewoon niet dat Kerry problemen krijgt, vooral als je hier een mailtje hebt van Lisa Wrights agent.'

'Dat is toch een soapactrice?' vroeg Jessica, onbewust inhalerend. Paul was dan misschien ontzettend ergerlijk en lichtgeraakt, maar hij rook heerlijk.

'Ja. Niet zo'n heel interessante, maar van haar hebben mensen tenminste vaag gehoord.'

'Ik niet,' protesteerde ze.

'Eh nee, maar dat is logisch aangezien je uit Amerika komt,' attendeerde hij haar voordat hij weer wegwandelde.

Kerry keek nu op. 'Wat moest hij?'

'Niks,' zei Jessica met bonzend hart. Waarom moest hij toch zo onvriendelijk doen?

'Oké,' zei Kerry, die naar achter leunde in haar stoel en zich uitrekte, 'ik begin nu officieel in paniek te raken, dus als we niet snel van iemand iets horen, boek ik Helena Davies en wordt het bidden dat jouw voorgevoel over haar juist is. Maar ik bel wel eerst Mike. Als het misgaat kan ik dan tenminste nog zeggen dat ik hem gewaarschuwd heb.'

'Goed idee,' zei Jessica en in gedachten maakte ze een salto. Ze wist dat ze eigenlijk moest melden dat Lisa Wright beschikbaar was, want het was waarschijnlijk aan Kerry en niet aan haar om te beslissen of zij een betere optie zou zijn en toch, om ietwat schimmige, heimelijke, Paul-op-zijn-plaats-zetmotieven, koos ze ervoor het voor zich te houden en zwijgend toe te zien hoe Kerry de telefoon oppakte.

'Mike, hoi, met Kerry. Mag ik even je mening horen over iets?'

'Hoi Kerry, wat kan ik voor je doen?' antwoordde Mike, die pas twintig minuten geleden bij zijn Toscaanse villa was aangekomen, maar nu al wilde dat hij weer op zijn werk was. Het was zinderend warm, Diane zocht ruzie, de baby was aan het brullen, zijn peuterdochter wilde dat hij haar zwemvleugels opblies en hij was naakt, maar kon zijn zwembroek niet vinden.

Omdat hij Kerry niet kon verstaan door het kabaal van de kinderen, joeg hij zijn dochter de kamer uit en gebaarde naar zijn vrouw dat ze de baby moest overnemen.

Diane fronste, witheet van wrok. Ze had Ava letterlijk nét afgegeven en wilde een minuutje om alle slippers te zoeken. Grace zeurde al een uur aan één stuk door en Mike deed geen sodemieter om te helpen. Het was een lange reis geweest dus Diane voelde zich bezweet, enorm gestrest en wilde dolgraag haar opgezwollen voeten luchten. Ze had ernaar uitgekeken tijdens deze vakantie een extra paar handen in de buurt te hebben om te helpen, maar als die handen niets anders zouden doen dan hun klotemail op hun klote-iPhone checken, was er een grote kans dat ze gek zou worden. Ze waren allemaal toe aan een verkoelende duik in het zwembad maar ze kon niet alle spullen zoeken en tegelijkertijd op twee kinderen letten. Moest Mike nou echt meteen bij aankomst een werktelefoontje aannemen? Omdat ze geen ruzie wilde, haalde Diane diep adem en nam een huilende Ava van haar naakte man over, net op het moment dat ze een geconcentreerd gezicht trok. De geur die daarop volgde was afschuwelijk.

'Maaaaaamie. Ikke wil zwemmen,' zeurde Grace. 'Schiet nou o-hop.'

'Hallo, mág ik even?' snauwde Diane. 'Ik kan hier niet álles doen. Ik moet Ava's luier verschonen, dus wacht maar tot je vader DE TELEFOON WEGLEGT.' Dat laatste zei ze zonder geluid in Mikes richting, die naar haar wapperde alsof ze een irritante mug was, waarop Diane sterk de neiging kreeg haar man een knietje in zijn gevaarlijk blootgestelde ballen te geven.

'Nou, ik kan niet doen alsof ik er heel erg blij mee ben,' zei hij, ijsberend met zijn hand op zijn heup net alsof hij op kantoor was. 'En eerlijk gezegd, als die Helena Davies geen verbluffende gast blijkt te zijn, staat jouw hachje op het spel Kerry, niet het mijne.'

In Londen slikte Kerry, maar ze hield voet bij stuk en was de daaropvolgende minuten voordat ze het gesprek beëindigden bezig hem ervan te verzekeren dat het allemaal goed zou komen.

Terwijl Kerry wat er gezegd was voor het hele kantoor opsomde, luisterde Jessica aandachtig en verwijderde vervolgens snel de mailtjes van Lisa Wrights agent uit haar inbox.

Nu móést Helena Davies wel een geweldige gast zijn, want afgezien van al het andere, kon Jessica er niet aan denken van Paul Fletcher 'ik zei het toch' te moeten aanhoren.

# 15

Angelica Dupree was in dubio. Ze was een weekje in L.A. om wat shots voor haar nieuwe film over te schieten. De filmtamtam verkondigde al dat haar meest recente optreden fenomenaal was, het woord 'Oscar' werd zelfs genoemd. Maar op het moment was werk wel het laatste waar ze aan dacht.

Ze pakte haar sigaretten en aansteker en schoof de glazen deuren naar het balkon van haar penthouse-suite open. Ze aanschouwde het zonovergoten Beverly Hillse landschap en probeerde zich te ontspannen maar het lukte niet. Graydon liet zich de laatste tijd steeds meer hints ontvallen over de volgende stap in hun relatie, wat een onverwacht maar dringend verlangen teweeg had gebracht haar ex-man te spreken. Ze had in geen jaren rechtstreeks met Edward gesproken omdat ze altijd alle regelingen met betrekking tot Jessica via zijn agent Jill Cunningham trof. Maar nu er een huwelijk in de pijpleiding zat, voelde het alsof de tijd was gekomen de zaken te vereffenen met echtgenoot nummer één.

Ze had het Edward nooit vergeven dat hij niet had gereageerd op de honderden brieven die ze hem had geschreven nadat ze was weggegaan, maar ze wilde het spook van hun relatie te ruste leggen. Voordat ze weer zou trouwen moest ze dat eerst afsluiten. Dus na dagen van uitstellen besloot ze dat ze hem dan toch eindelijk zou gaan bellen. Zo. Blij dat ze een beslissing had genomen maar ietwat onzeker over hoe ze ertoe was gekomen, trok Angelica hard aan haar sigaret.

Ondertussen, niet ver daar vandaan in zijn huis in Malibu, rondde Edward net een bespreking af met agent Jill, zijn assistent Clare en Brendan, de producer van zijn komende film *Soldier*.

'Nou, dat was informatief Brendan, en ontzettend bedankt dat je helemaal hierheen wilde komen,' zei Jill terwijl ze hem uitliet.

'Ik bel nog,' zei Brendan, die al bijna de deur uit was en met zijn ogen knipperde tegen het felle zonlicht. 'En ik hoop maar dat Edward tot bezinning komt over onze hoofdrolspeelster,' voegde hij er zacht aan toe zodat alleen Jill het kon horen.

'Oh, wees maar niet bang,' zei Jill resoluut en ze zwaaide.

Op de achtergrond stond Edward boos te kijken en toen Jill de deur dichtdeed, besloot zijn assistent Clare zich uit de voeten te maken. 'Als je het niet erg vindt, ga ik deze aantekeningen uittikken,' zei ze tegen Edward.

'Goed idee. Bedankt, Clare,' antwoordde hij terwijl ze wegvluchtte.

Jill ademde diep in. Ze wist dat nu Brendan weg was, haar oudste cliënt haar een uitbrander zou geven.

En ja hoor...

'Is hij helemaal gek geworden?' bulderde Edward. 'Ik wil en ga niet met hem in zee als ik moet spelen dat ik verliefd ben op die eenentwintigjarige tegenspeelster. Juliana – of hoe ze ook heet – is nota bene vijf jaar jonger dan mijn eigen dochter. Ik lijk verdomme Gary Glitter wel!'

'Rustig nou maar,' zei Jill. Ze ging Edward achterna, die kwaad door de gang in de richting van de keuken liep. 'Juliana Sabatini wordt een hele grote en neem maar van mij aan: over een paar maanden ben je me dankbaar dat ik hierover voet bij stuk heb gehouden. Ik geef je gelijk dat ze aan de jonge kant is, maar ze zouden haar niet gecast hebben als ze niet dachten dat je het zou kunnen klaarspelen. En bovendien zou ik je toch nooit voor gek laten staan?'

'Nee,' gaf Edward snoevend toe hoewel hij vanbinnen nog kookte. 'Maar zelfs jij moet toegeven, Jill, dat het script baggerslecht is. Op zijn best afgezaagd. Ah Consuela, daar ben je' zei hij toen hij de enorme keuken in liep. 'Ik heb trek in iets lekkers. Zit er een kansje in dat je een van je legendarische broodjes kreeft gaat maken, bij voorkeur met heel veel mayo?'

'Komt eraan, meneer G,' antwoordde ze.

'Waarom neem je niet lekker een eiwitomelet?' opperde Jill dapper. Ze dacht aan de vijf kilo waarover ze de studio beloofd had dat haar cliënt die voor het begin van de opnamen kwijt zou raken.

'Als ik een bord met iets uiterst nutteloos en onbevredigends wilde zou ik dat doen, maar nee dus,' zei Edward boos, terwijl hij een blikje cola uit de koelkast pakte.

Jill negeerde Consuela die haar best deed niet te lachen en staarde verwijtend naar Edward.

'Allemachtig,' zei hij zuchtend en hield zijn handen omhoog als overgavegebaar voordat hij het blikje omruilde voor een cola light en aan de ontbijtbar ging zitten.

'Luister,' zei Jill. Ze zag zijn norse blik wel. 'Ik weet dat je niet met alle aspecten van de film blij bent, maar je moet op me vertrouwen. Weet je nog hoe bezorgd je was om het script voor *Fifty Guns*, en hoe is dat uiteindelijk afgelopen?'

'Best aardig,' mompelde Edward.

'Precies, dus probeer je geen zorgen te maken. Laat Brendan maar aan mij over. Tegen de tijd dat ik er klaar mee ben is het script tiptop in orde, dat beloof ik. En wat Juliana betreft: dit is Hollywood, waar een knappe man als jij mag aanpappen met wie hij maar wil. Hoe jonger en mooier, hoe beter, vindt het publiek. Zelfs al weten we allemaal dat een man in de echte wereld veel beter af is met een wat rijpere vrouw,' maakte ze haar relaas ietwat flirtend af precies op het moment dat Edward een enorme boer liet omdat hij zijn frisdrank te snel achterover had geslagen.

'Sorry,' zei hij en hij registreerde niet wat ze zei omdat zijn telefoon over ging.

Consuela had het echter wel gehoord en terwijl ze Edward zijn broodje gaf, schokten haar schouders. Jills wangen werden vuurrood.

Zich van niets bewust nam Edward boos zijn telefoon op, geïrriteerd dat het telefoontje tussen hem en een heerlijk broodje kwam.

'Hallo?'

'Hallo, Edward,' zei een bekende stem uit een lang vervlogen verleden die hij onmiddellijk herkende maar waarvan hij niet helemaal kon bevatten dat hij hem echt hoorde. 'Met mij.'

Een paar seconden staarde Edward alleen maar onnozel voor zich uit voordat hij plotseling rechtop ging zitten alsof hij gestoken was. En toen, zonder iets uit te leggen aan Consuela of Jill, die hem allebei aanstaarden, sprong hij van de barkruk en liet zijn broodje achter zodat hij het telefoontje in een andere kamer kon plegen.

'Wacht even,' wist hij uit te brengen en hij rende door het huis richting de privacy van zijn werkkamer terwijl hij naar de telefoon in zijn hand staarde als Superman naar een stuk Cryptonite. Toen hij eindelijk zijn werkkamer had bereikt, deed hij de deur achter zich op slot en schraapte zijn keel. 'Angelica, ben jij het?'

'*Oui, c'est moi*,' was het antwoord en Edward werd onmiddellijk terug in de tijd getrokken, overweldigd door herinneringen, fijne en nare.

'Hoe gaat het met je?' informeerde hij, waarna hij zich meteen belachelijk voelde.

'Het gaat... goed,' zei Angelica. 'En met jou?'

'Goed, denk ik... maar... waarom bel je?' vroeg hij bot. Hij gooide het over een totaal andere boeg, want gezellig beleefdheden met iemand uitwisselen die hem zoveel pijn had bezorgd voelde gewoon niet gepast en natuurlijk, dus wilde hij snel ter zake komen.

'Om te praten... ik weet het niet, het spijt me. Ik wilde gewoon proberen te praten over... alles.'

Haar stem te horen, iets waar hij ooit zo naar had verlangd, was een kwelling en het voelde voor Edward alsof iemand zojuist een handgranaat in zijn leven had gesmeten. Waarom nu? vroeg hij zich af terwijl zijn gedachten alle kanten op vlogen. Waarom belde ze hem na al die tijd vanuit het niets, terwijl hij jaren en jaren had gebeden dat ze dat zou doen?

Op dat moment klopte er iemand hard op de deur. Het was natuurlijk Jill die wilde weten wat er aan de hand was, maar hij negeerde haar. Hij slikte en wilde dat hij op de een of andere manier was gewaarschuwd dat Angelica zou bellen. Dan had hij kunnen bedenken wat hij moest zeggen, hoe hij moest doen. Nu werd hij totaal overvallen. 'Nou, volgens mij hebben we elkaar niet zoveel te zeggen,' stamelde hij. 'Ik bedoel, het zou fijn zijn geweest als we er... zeg een jaar of twintig geleden over hadden gesproken, maar nu is het een beetje laat, vind je ook niet?'

'Maar ik heb tenminste nog geprobeerd om...'

'Om wat?' wilde hij weten.

'Ik moet ophangen,' zei Angelica bijna fluisterend en Edward voelde een onmiddellijke schok van emotie door zich heen gaan. Hij wilde niet dat ze ophing, wat vreselijk verontrustend was aangezien hij de laatste paar decennia bezig was geweest zichzelf ervan te overtuigen dat hij haar haatte. Maar ineens voelde het niet meer zo. Eigenlijk was het ongelooflijk fijn haar stem te horen. Meer dan fijn. Het voelde als thuiskomen en herinnerde hem niet alleen aan alles wat ze ooit samen hadden gehad, maar ook aan alles wat zij had weggegooid. Wat hij als oude gevoelens van droefheid en woede had benoemd, begon zich in zijn buik te ontrollen en hij wist nu dat ze nooit echt weg waren geweest. Alle pijn en verdriet hadden in hem gesluimerd als een slapende hond en hij wist niet of hij sterk genoeg was de terugkeer van die oude gevoelens aan te kunnen.

Jill bonsde weer op de deur. 'Edward, doe open.'

'Ik denk niet dat we kunnen praten voordat jij alles hebt bijgelegd met Jessica,' zei Edward uiteindelijk. 'Ze is opgegroeid zonder te weten waarom je bent weggegaan, maar heeft het recht het te weten, Ange. Dat recht heeft ze, en alleen jij kunt het haar vertellen.'

De vertrouwdheid waarmee hij haar 'Ange' noemde liet haar hart uitzetten en samentrekken terwijl ze een doffe steek van verlangen voelde dat de hele ellendige situatie anders zou zijn, maar ze begreep wat hij zei. Wat ze niet begreep was waarom hij het niet zelf aan hun dochter had uitgelegd. 'Oké,' antwoordde ze alleen maar. 'Ik praat wel met Jessica. Je hebt gelijk.'

'Goed,' zei Edward hevig met zijn ogen knipperend. 'En dan, je weet wel... misschien...'

'Misschien wat?'

'Je weet wel. Kunnen we praten... misschien...'

'Dag,' zei Angelica voordat ze de telefoon neerlegde.

Edward sloot zijn ogen, ademde diep in en stopte alles wat hij voelde in een klein doosje ergens diep vanbinnen. Hij zou er later nog eens goed naar kijken, maar niet nu Jill hier was en wilde weten wat er aan de hand was.

'Edward, wat gebeurt er? Laat me erin.'

Toen hij de deur van het slot haalde, viel een ziedende Jill zowat naar binnen. Maar nadat ze één blik op Edwards asgrauwe gezicht had geworpen, veranderde haar toon van beledigd naar bezorgd.

'Wat is er? Vertel, Edward.'

'Je gelooft niet wie dat was.'

'Probeer maar.'

'Angelica.'

Jill hapte naar adem. Dat was zeker een shock. En toch kon ze het gek genoeg maar al te goed geloven.

# 16

Jessica had altijd geweten dat haar eerste draaidag een zware dag zou zijn om door te komen, maar had nooit kunnen voorzien hoeveel er vanaf zou hangen. Het was verleidelijk helemaal niet op te komen dagen, maar ze wist dat ze moest, al was het maar om Kerry niet af te vallen. Als Helena Davies een ramp zou blijken was ze toch onderweg naar huis, of ze het nu wilde of niet. Dit was pas haar vierde dag van haar betaalde baan dus ze hoopte vurig van niet, want ze was er nog niet klaar mee. Nog lang niet. Ze bad maar dat alles goed zou gaan.

Kerry besloot wat de volgorde van de dag zou worden. Alan Carr werd als eerste opgenomen, gevolgd door Helena Davies en als laatste Kate Templeton.

Nu Mike weg was, was het extra belangrijk dat de dag goed zou verlopen en om drie uur 's middags, toen alle gasten waren gearriveerd en veilig weggestopt in hun kleedkamers, begon het erop te lijken dat dat zo zou zijn. Helena Davies bleek in het echt nog veel mooier dan op de foto's en Kerry had al opgemerkt dat onder de lampen haar fantastische botstructuur, porseleinen huid en kastanjebruine haar een behoorlijk fabelachtige combinatie zouden zijn. Nadat ze een tijdje met haar hadden doorgebracht voor een praatje en om de show door te spreken, waren Kerry en Jessica ook opgetogen en opgelucht om bevestigd te zien dat Helena Davies, zoals verwacht, veel meer in haar mars had dan je aan de buitenkant kon zien.

In de studio, waar de hele dag druk gerepeteerd was, waren ze eindelijk klaar om Alan Carrs gedeelte op te nemen. De vier cameramannen hadden hun koptelefoons op en bemanden hun camera's, wat betekende dat de regisseur, beeldredacteur, technici en geluidsmannen allemaal op hun plek stonden in de galerij, het zenuwcentrum waar het allemaal gebeurde. Toen het publiek eenmaal uitzinnig was opgezweept door de opnameleider, startte de show. Het eerste interview verliep soepel. Alan Carr was hilarisch en terwijl Jessica in de flow van de dag kwam, merkte ze tot haar verbazing dat ze genoot van de chaos. Pas toen ze plotseling onderweg was om Helena te halen en naar de studio te begeleiden kwamen haar zenuwen terug.

Onderweg in de gang glimlachte Jessica geruststellend naar Helena, blij om te zien hoe opmerkelijk kalm ze leek, maar toen ze nogmaals keek, zag ze dat haar handen stevig tot vuisten waren samengeknepen. Paul liep op dat moment langs op weg naar de galerij. Uit het niets tikte hij Jessica op de schouder en trok haar naar zich toe zodat hij in haar oor kon fluisteren: 'En hoe is het met mevrouw Snob?'

Jessica antwoordde met een vuile blik en bad nog harder dat Helena het er goed vanaf zou brengen. Dat Paul zo intiem in haar oor fluisterde had nog een ander gevoel teweeggebracht en als ze niet beter wist, zou ze denken dat het haar lichtjes had opgewonden. Ze schudde zichzelf eens flink door elkaar. Het was een tijdje geleden, daar kwam het door.

Ze waren een paar minuten te vroeg bij de set aangekomen en al gauw hoorde Jessica in haar koptelefoon dat de camera's klaar waren, dat Julian klaar stond en Bradley Mackintosh er ook klaar voor was. De opnameleider gaf aan dat het publiek moest juichen, wat het enthousiast deed en toen begon Bradley de introductie voor te lezen die Paul voor hem had geschreven.

'En dan nu mijn volgende gast. Jullie hebben natuurlijk allemaal van Damien Davies gehoord, maar zijn dochter Helena kennen jullie misschien nog niet... Aan die ongemakkelijke stilte leid ik af dat ik gelijk heb, dus laten we haar er snel bij vragen om erachter te komen waar ze al die tijd heeft gezeten en hoe het is om de enige dochter van een van de rijkste mannen van het land te zijn. Het is een zware niet-baan, maar iemand moet het doen. Dames en heren, hier is Helena Davies.'

Jessica had nog net tijd Helena succes te wensen voordat ze de set op stapte om door miljoenen mensen bekritiseerd en beoordeeld te worden. Kerry kwam snel bij Jessica staan zodat ze haar optreden samen op een monitor achter de set konden bekijken.

'Helena, welkom,' begon Bradley toen het applaus wegstierf, 'en mag ik als eerste opmerken dat je een zeer mooie jongedame bent, niet dat ik verbaasd wil klinken, maar als we even een foto van Helena's vader mogen zien?'

In de galerij drukte Penny, de beeldredacteur, op het juiste knopje om een bijzonder onflatteuze foto van Helena's vader tevoorschijn te halen.

Helena lachte. 'Ah, da's gemeen, Bradley.'

'Ik weet het,' gaf hij toe. 'Het is niet zo best, hè? En hij is een echte rooie, hè? Terwijl jij meer kastanjebruin lijkt, maar je verft je haar natuurlijk? Ik denk dat veel van onze kijkers zich ook afvragen wat je eigenlijk doet nááśt naar de kapper gaan.'

Een makkelijke lach van het publiek, wat Bradley alleen maar aanmoedigde. 'Je moet natuurlijk ook tijd vrijmaken voor de manicure en gezichtsbehandelingen, maar behalve je "liefdadigheidswerk" doe je vast niet echt iets, of wel? Als ik jou was zou ik hetzelfde doen hoor!'

Helena bloosde maar kreeg het heldhaftig voor elkaar te blijven glimlachen, hoewel Kerry kookte vanbinnen en Jessica net zo ontzet was. Maar gelukkig kon Helena – die haar hele leven al het hoofd bood aan de verwachtingen van anderen – goed voor zichzelf opkomen.

'Ik ben inderdaad bij de kapper geweest,' antwoordde ze, 'maar alleen omdat ik wist dat ik voor het eerst van mijn leven op tv zou komen. Ik heb het afgelopen jaar ook zoveel tijd in Afrika doorgebracht dat ik de ergste gespleten haarpunten had in de geschiedenis van de mensheid, dus het was wel een beetje nodig.'

Jessica liet haar ingehouden adem ontsnappen. Nu had Bradley toch zeker geen andere keus dan op zijn minst te informeren wat ze in Afrika had gedaan? Ze hoopte het, want het begon erop te lijken dat Helena er spijt van had dat ze gekomen was.

'Oké,' zei Bradley. 'Natuurlijk, Afrika. Vertel ons daar eens over.'

'Nou, zoals je al zei, werk ik voor een liefdadigheidsorganisatie, wat waarschijnlijk klinkt alsof het een leuke hobby is om iets om handen te hebben, maar het betekent veel en veel meer voor me dan dat. Dus ik wilde het graag hebben over Namibië en wat daar echt aan de hand is,' zei ze bijna verontschuldigend.

'En dat gaan we ook doen,' zei Bradley. 'Het klinkt erg interessant en je zult er vast populair mee worden. Als dat zo is, wil je dan graag een reality-tv-ster worden en zo ja, wat voor een? Zien we je binnenkort in de jungle of misschien op de ballroomdansvloer?'

Helena lachte, al was het als een boer met kiespijn. 'Geen van beide, graag. Ik wilde nooit op televisie komen. Ik zou er toch niks van bakken en helemaal niet vermakelijk zijn.'

'Nou... eh...' zei Bradley, suggererend dat ze op dit moment ook niet echt meeslepend was, wat hem weer een lach van het publiek opleverde.

'Luister,' zei Helena gelaten. Ze had al genoeg van de ledige richting waarin dit interview ging. 'Ik weet wat mensen van me zullen denken; dat ik een verwend leeghoofd ben dat niets te melden heeft, nooit heeft hoeven werken of voor iets moeten ploeteren. Maar mijn vader is een nuchtere man uit het noorden van het land die zijn best heeft gedaan mij met beide benen op de grond te houden. Ik snap dat het genieten van een uitstekende scholing en opgroeien in weelde een enorm privilege is, maar ik wil echt niet alleen maar voor de aandacht op tv. Echt niet.'

Jessica voelde een sterke empathie voor haar en bad dat Bradley haar meer erkenning zou doen toekomen.

'Oké, oké,' zei Bradley met zijn handen omhoog, 'misschien moet je ons dan maar vertellen waarom je hier echt bent.'

Helena haalde diep adem en Jessica zag dat ze voor het eerst sinds het begin van het interview haar handen ontspande. 'Ik ben hier omdat toen ik voor het eerst naar Namibië ging, ik de eerste vier dagen alleen maar heb gehuild, zoveel dat ik amper nog bij zinnen was. Nadat de eerste schok om de armoede en wantoestanden waar ik getuige van was wegzakte, realiseerde ik me dat ik moest ophouden met me schuldig te voelen over alles wat ik bij mijn geboorte zomaar had gekregen, en beginnen met proberen er iets aan te doen. En daarom ben ik hier, om mensen bewust te maken zodat er zo veel mogelijk geld kan worden ingezameld, vooral voor een liefdadigheidsorganisatie die probeert het sterftecijfer onder moeders en hun pasgeboren baby's te verlagen. Het is letterlijk zo dat hoe meer mensen ik kan bereiken, hoe meer geld we kunnen inzamelen en hoe meer levens we kunnen redden.'

Haar gepassioneerde toon leek Bradley voor zich te hebben gewonnen en terwijl hij ernstig knikte, begon iemand uit het publiek langzaam te applaudisseren. Er deed nog iemand mee en voor ze het wisten, was het hele voorste deel aan het fluiten en luid aan het juichen.

'Wauw,' zei Bradley, 'vertel ons eens meer over die liefdadigheidsorganisatie van je.'

'Nou, drie jaar geleden heb ik tot grote afschuw van mijn vader besloten fulltime voor deze organisatie te gaan werken en ik woon nu negen maanden per jaar in Namibië in een dorpje waar...'

Terwijl Helena op stoom kwam, had je een speld kunnen horen vallen, zowel in de studio als in de galerij. Kerry liet een enorme zucht van opluchting ontsnappen voordat ze zich tot Jessica wendde en samenzweerderig naar haar knipoogde, en kwam er tot haar schrik achter dat haar assistent tranen in de ogen kreeg.

'Gaat het?' vroeg Kerry.

'Oh, let maar niet op mij,' zei Jessica, vastbesloten de tranen tegen te houden door hevig te knipperen. 'Ik ben gewoon een softie.'

'Ze is verdomd goed. Ik snap dat ze je raakt.'

Maar daar was Jessica niet zo zeker van, want ze was vol respect en ontzag voor Helena Davies. Een meid die net als Jessica rijk was geboren en toch in tegenstelling tot Jessica ervoor had gekozen zowel haar tijd als haar geld aan iets positiefs, inspirerends en ronduit nuttigs te schenken. Ja, Helena Davies had haar zeker stof tot nadenken bezorgd, maar die zelfbeschouwing moest wachten want op dat moment zag Jessica Paul, samen met haar kans om hem terug te pakken, verscholen in de coulissen. Ze herpakte zich snel en stapte op hem af.

Wat ze natuurlijk niet wist was dat Paul, die Jessica al in zijn richting had zien komen met een onmiskenbare schittering van triomf in haar ogen, ook iets voelde wat een beetje op schuldgevoel leek, alleen was dat bij hem omdat hij zo hard over Helena had geoordeeld.

'Zo,' zei Jessica toen ze hem had bereikt en erg haar best deed niet te triomfantelijk te kijken. 'Daar gaat je theorie, hè?'

'Welke theorie?' vroeg hij met een onwillige grijns.

'De theorie dat als iemand een rijke vader heeft, het automatisch een vreselijk persoon moet zijn.'

Paul trok zijn neus op voordat hij Jessica koeltjes in zich opnam voor wat wel een eeuwigheid leek. 'Ze was een goeie gast en niemand is verbaasder dan ik. Is dat genoeg of wil je je overwinning echt helemaal uitmelken?'

'Dus het was tóch een wedstrijd?' vroeg Jessica.

Paul deed zijn mond open om te antwoorden, maar op dat moment verscheen Kerry. 'Wat was ze waanzinnig goed, hè? Jessica, ik breng Helena naar haar auto en dan ga ik kijken of alles goed is met Kate Templeton.'

'Ik zal jullie niet langer storen,' zei Paul, de kans nemend ertussenuit te knijpen.

Jessica vond het best jammer dat hij wegliep. 'En, hoe is Kate?' vroeg ze aan Kerry terwijl ze hem nakeek. 'Is ze aardig?'

'Verbazingwekkend aardig zelfs,' antwoordde Kerry.

'Ja, hè,' zei Jessica. 'Ik bedoel, dat is wat de mensen zeggen...' voegde ze er snel aan toe toen ze besefte wat ze zei.

'Tja,' zei Kerry grijnzend, 'in mijn ervaring zijn actrices vaak superaardig totdat er iets fout gaat, dan ontdek je pas hoe ze echt zijn. Dus laten we hopen dat alles soepeltjes blijft verlopen.'

Jessica zweeg. Het had geen zin Kerry ervan te proberen te overtuigen dat Kate Templeton echt een van de goeien was. Haar vader had haar omschreven als een lieve meid die zelf amper kon geloven dat ze beroemd was. 'Zal ik Helena uitlaten?' stelde ze voor. 'Dan kun jij naar Kate.'

'Super,' zei Kerry. 'Ik vergeet steeds dat ik een assistent heb. Je maakt mijn leven echt een stuk makkelijker.'

Jessica bloosde om dit compliment.

'Oké, nou, dan ga ik maar gauw,' zei Kerry en ze trok een sprintje.

'Rustig aan,' riep Jessica haar na en ze probeerde een glimlach te onderdrukken. Ze vroeg zich af wat er in de afgelopen tien minuten in hemelsnaam met Kate Templeton gebeurd kon zijn dat haar PA en manager niet aankonden. En waarom moest alles zo paniekerig worden medegedeeld? Kerry was niet de enige die zich daaraan schuldig maakte. Op een gegeven moment had ze Luke horen zeggen (en voor één keer deed hij niet sarcastisch) dat hij het hele stuk gerend had terwijl hij zich vanuit kantoor de studiovloer op haastte met wat nieuwe scriptpagina's. Hoewel Jessica snapte dat bij tv en film tijd kostbaar was, snapte ze nooit waarom filmploegen zich zo opwonden over de kleinste dingen, iets wat haar al was opgevallen als klein kind op de set van haar vader. Het ene moment zei ze terloops tegen haar vader of kindermeisje dat ze wel een glas melk lustte, en het volgende begon het ongelooflijkste spel van wild gefluister en brulden mensen in paniek in hun Motorola: 'De dochter van meneer Granger wil melk. Kan er NU melk komen?!' Ze stond nog na te genieten van deze onverwachte herinnering toen haar eigen walkietalkie ineens op hol sloeg.

'Jessica, meld je, Jessica, kun je alsjeblieft naar kanaal drie gaan?'

'Hoi,' zei Jessica opgewekt nadat ze naar kanaal drie was overgeschakeld zodat ze konden praten zonder dat de hele ploeg meeluisterde. 'Vertel.'

'We hebben hier een probleempje. Kun je meteen komen?'

'Kom eraan,' antwoordde Jessica voordat ze zich het korte eindje door de gang naar Kate Templetons kleedkamer haastte waar zich blijkbaar een of ander drama afspeelde.

Kate Templeton had voor die dag haar eigen visagist meegenomen; een mager, gespannen ogende vrouw in een strakke spijkerbroek, een te groot T-shirt van Stella McCartney en Converse gympen. De manier waarop ze verwoed haar enorme stoffen professionele make-upkoffer aan het doorzoeken was, suggereerde dat ze iets kwijt was.

'Ah, daar ben je,' zei Kerry. 'Jessica, dit is Ali, die Kates make-up doet. En dit is Vivienne, Kates manager,' zei ze, doelend op een woest kijkende vrouw die onberispelijk gekleed was, maar die eruitzag alsof daar elk moment verandering in kon komen en ze haar bloes zou openscheuren en in De Hulk veranderen. 'Maar goed,' ging Kerry verder. Ze leek gestrest en zette haar ogen wijd open om op Jessica over te brengen hoe ernstig de situatie was, 'je moet onmiddellijk het taxibedrijf bellen. Ali hier denkt dat er misschien een paar van haar spullen uit haar tas zijn gegleden op de achterbank van de taxi, waaronder Kates absolute lievelingslipstick. Je moet zorgen dat die auto zo snel mogelijk terugkomt. Kates haar wordt op dit moment gedaan dus we hebben nog even en misschien kan ik wel een smoes verzinnen of zo dat we de briefing vóór de make-up moeten doen.'

'Maak je geen zorgen, ik bel nu meteen,' zei Jessica rustig en ze merkte nu Paul pas op. Hij stond in een hoek te wachten, blijkbaar op Kate Templetons briefing. 'Maar Kerry?'

'Ja?'

'Weet je zeker dat Robbie niet dezelfde lipstick in zijn koffer heeft?'

'Al gezocht,' siste Kerry door de zijkant van haar mond.

'Wat gezocht?' vroeg een onmiddellijk herkenbare stem. Een gecoiffeerde Kate Templeton was zojuist de kamer binnen geglipt en zag er zelfs zonder make-up prachtig uit.

'Niks,' zei Ali, die een lichte hartverzakking leek te krijgen.

'Kate, ik zal je aan onze hoofdtekstschrijver voorstellen, dit is Paul Fletcher...' begon Kerry.

Jessica sloop de kamer uit de gang op en schudde even het hoofd, zo verbaasd was ze over de hysterie, en belde zacht het autobedrijf.

'Hallo, ik vroeg me af of u me kon helpen...'

Vijf minuten later had Jessica bij elkaar gesprokkeld dat de chauffeur de lipstick had gevonden maar dat hij had uitgeklokt voor die dag en onderweg naar zijn huis in Brighton was. Als hij nu omdraaide, zou hij te laat komen voor zijn eigen veertigjarige huwelijksfeestje. Jessica zei meteen dat ze het maar moesten laten zitten. Het was een kwestie van prioriteiten, het ging hier tenslotte maar om een lipstick. Ze liep terug de kleedkamer in waar Kate Templeton met Paul zat te kletsen. Jessica merkte ontstemd op dat hij ineens op zijn charmantst was.

Op dat moment zag Kerry haar en begon haar duimen naar haar op te steken om erachter te komen hoe het ervoor stond, maar Jessica zag geen reden de dingen niet ronduit te zeggen. Er was een suffe lipstick kwijtgeraakt en afleidend aan wat haar vader had gezegd over Kate, had niemand reden nerveus te worden zoals je misschien bij andere Hollywooddiva's zou doen.

'Eh, sorry Kate,' zei Jessica zelfverzekerd. 'Hoi, ik ben Kerry's assistent. Ik ben bang dat onderweg hier naartoe in de auto je lievelingslipstick uit Ali's tas is gevallen.'

‘Oh,’ zei Kate lichtelijk verontrust en erg verbaasd dat ze rechtstreeks door een onbekende werd aangesproken, iets wat niet meer gebeurd was sinds haar eerste paar films een succes waren geworden.

‘Dus heb ik het autobedrijf gebeld en...’ Toen zag ze ineens dat Kerry’s gezicht alarmerend paars werd. Jessica draaide zich een stukje om te zien hoe het met Vivienne ging. Haar gezichtsuitdrukking was er een van pure woede. Voor het eerst vroeg ze zich af of ze hier wel goed aan deed. Misschien zou ze eigenlijk op een paard zonder zadel naar Brighton onderweg moeten zijn om deze lipstick te halen als zaak van leven of dood? Ze probeerde de dingen in perspectief te zien, probeerde zich eraan te herinneren dat Kate ook maar gewoon een mens was.

‘... de chauffeur kan wel terugkomen...’

‘Oké, fijn,’ zei Kate.

‘Maar hij is al halverwege onderweg naar Brighton voor zijn veertigjarige huwelijksfeestje, dus ik heb gezegd dat dat niet nodig was.’

Op Jessica en Kate na, hield iedereen in de kamer de adem in. Kerry’s ogen waren zo groot als schoteltjes. Paul leek verbijsterd. Vivienne zag eruit alsof ze met blote handen iemand kon vermoorden. Iedereen wachtte af hoe de actrice zou reageren.

‘Oh, prima,’ zei Kate uiteindelijk. ‘Dat was gekkenwerk geweest. Het is maar een suffe lipstick. Het was wel mijn lievelingslipstick, maar jullie hebben er vast ook genoeg. Ga maar even kijken, Ali.’

‘Oké,’ zei Ali opgelucht. Ze zag eruit alsof ze in huilen kon uitbarsten.

‘Fijn,’ zei Jessica zakelijk, ‘wil iemand nog iets drinken?’

‘Maar hoe haal je het in je hoofd?’ wilde Kerry later weten toen ze klaar waren met draaien en op kantoor een korte nabespreking hielden.

‘Ik dacht gewoon dat ze niet iemands dag wilde verpesten om een lipstick,’ herhaalde Jessica. ‘Ik wist dat ze er geen probleem van zou maken en als dat niet zo was, had ik nog een plan B.’

‘En dat was?’ sputterde Kerry. Ze zocht steun bij Luke en Paul maar die leken niet erg op te letten, dus klakte ze alleen maar met haar tong. Ze wist niet of ze Jessica een standje moest geven of een loonsverhoging. Het was heel verwarrend geweest om iemand die zo onervaren was zo kalm met een van Hollywoods grootste sterren te zien omgaan.

‘Als ze was gaan flippen had ik haar gratis Jimmy Choo-spullen aangeboden,’ legde Jessica uit. ‘Actrices vinden het geweldig om dingen gratis te krijgen.’

‘Waar had je ook alweer gewerkt in L.A.?’ mengde Paul zich erin. Hij gaf het niet graag toe, maar hij was verschrikkelijk onder de indruk van de ongedwongen, nuchtere mentaliteit van de nieuwe.

Jessica bloosde, niet voor het eerst die dag. ‘Bij een agent.’

‘Ik dacht dat je stage had gelopen bij Fox Films?’ vroeg Kerry.

‘Oh, ja, dat klopt…’ mompelde ze, en ze sloeg zichzelf in gedachten voor het hoofd.

‘Maar goed,’ zei Kerry, ‘het gaat erom dat je me echt hebt geholpen vandaag, wat ik enorm waardeer. Maar in de toekomst moet je voorzichtiger zijn met zulke mensen, want een andere actrice zou misschien niet zo redelijk hebben gereageerd. Ik weet dat het moeilijk te begrijpen is, maar ze leven niet in de echte wereld zoals jij en ik. Ik bedoel, als het iemand geweest was als… Caroline Mason, bijvoorbeeld, zou ze door het lint zijn gegaan. Toch, Paul?’

‘Ja,’ stemde hij knikkend in.

‘Toch bedankt voor wat je deed. Je was vrij briljant. Net als Helena, en dat was ook dankzij jou,’ gaf Kerry met pijn en moeite toe. ‘Hoewel ik niet weet of mijn hart de stress aankan als ik me afvraag wat je volgende week weer voor ons in petto hebt.’

Jessica grijnsde. Ze las tussen de regels door dat Kerry blij met haar was en dat ze Paul misschien wel een beetje geïmponeerd had, wat mogelijk een nog bevredigender gevoel gaf.

'Nog één ding,' zei Kerry voordat ze richting huis ging. 'Haal het niet in je hoofd om celebs gratis dingen aan te bieden, want als je je niet aan je woord kunt houden staan we voor paal. Bovendien, als we echt aan gratis Jimmy Choo-spullen zouden kunnen komen, zou Natasha niemand de deur uit laten gaan voor ze het in handen had.'

'Oké,' zei Jessica bedachtzaam. Ze was uitgeput en dankbaar dat het maar één keer in de week draaidag was. Wat een dag. 'Ik zal het in mijn oren knopen.'

# 17

De volgende dag was zo'n ongewoon warme, heerlijk zonnige middag in Londen waarop de beroepsbevolking bidt dat hun baas ze iets eerder dan normaal naar huis laat gaan. Gelukkig voor het productieteam van *The Brad Mackintosh Show* was hun baas er niet om iets af te dwingen, toe te staan of te weigeren. Dus de meerderheid van het kantoor had tegen vier uur de biezen gepakt en was naar de pub verkast. Hun vroege aankomst bij The Boaters aan de rivier in Hammersmith betekende dat ze buiten een paar tafels konden kapen en dat was een goed begin van het weekend.

'Op een dag als deze,' zei een bedachtzame Isy die er zo ontspannen uitzag dat, tenzij je zag dat haar mond bewoog, het je zou zijn vergeven als je dacht dat ze sliep... of dood was, 'kun je begrijpen waarom Londen zoveel cultuur heeft.'

'Wat lul jij nou?' vroeg Natasha. Ze deed de bandjes van haar hemdje naar beneden terwijl ze zonnebaadde, het gezicht naar de zon gekeerd.

'Nou,' zei Isy, 'als het altijd zo warm was, zou niemand ooit iets uitvoeren. Maar als het koud is en regent, ga je onvermijdelijk nadenken, toch? Je hersenen smelten niet en het kan je iets schelen. Ik bedoel, nu voel ik me een warme, luie, vette luiaard die in een boom wil slapen en bier wil drinken.'

'Drinken luiaards bier?' vroeg Luke. Hij kreeg het voor elkaar het feit dat het snikheet was te negeren door hetzelfde te dragen als de rest van het jaar; namelijk een zwarte spijkerbroek, wit overhemd, modern grijs jasje met één rij knopen en een zwarte slappe vilthoed. Godzijdank droeg hij deze kenmerkende combinatie volkomen ongekunsteld, dus zag hij er goed uit, in plaats van alsof hij te hard zijn best deed.

'Kweenie,' antwoordde Isy, die haar ogen sloot en wegzakte in een door de zon veroorzaakte bewusteloosheid, 'maar ik ben absoluut een luiaard en ik ben dol op bier.' Toen, in een actie die de groep lichtelijk liet schrikken, schoot ze naar voren met als plan haar voorhoofd op het kleine, ronde, aluminium tafeltje te laten rusten waar ze met de groep omheen zaten op het terras. 'Kut,' zei ze toen haar hoofd contact maakte met het tafelblad en ze meteen weer naar achteren vloog met haar handen op haar voorhoofd en tegelijkertijd slap lag van het lachen. 'Die klotetafel is loeiheet. Ik heb mijn voorhoofd verbrand.'

'Suffie,' zei Luke. Hij stak een sigaret op en bood het pakje aan de rest van de tafel aan.

Vanessa en Paul pakten er meteen eentje, maar Kerry aarzelde. 'Jezus, wat zou ik er graag eentje nemen om deze witte wijn mee weg te spoelen, maar het gaat net zo goed...'

'Doe nou niet,' smeekte Jessica zacht. Ze zat naast Kerry en had zich tot nu toe tevredengesteld met luisteren naar het geklets van de groep. 'Je krijgt er nadien spijt van, echt waar.'

Natasha wisselde een stiekeme blik met Vanessa, maar Vanessa – die de nieuwe griet echt mocht – deed er niet aan mee.

'Isy, als jij een luiaard bent, wat voor dier ben ik dan?' vroeg

Luke en hij nam een lange haal van zijn sigaret.

'Een koala,' antwoordde ze onmiddellijk terwijl ze nog over haar voorhoofd wreef. 'Natasha is een wolf, Vanessa een hagedis en Paul een beer, een grizzly.'

'Mafkees,' zei Paul goedaardig. 'Wacht even, en Kerry dan?'

'Een hond,' antwoordde Luke. Onder tafel verkocht Kerry hem een harde schop.

'Ze is geen hond,' zei Isy verontwaardigd alsof Luke het meest onzinnige had gezegd dat ze ooit had gehoord, 'maar een wolharige mammoet.'

'Geef me kracht,' zei Kerry, niet echt beledigd. De zon had alle echte gevoelens verdreven.

Ondertussen was Paul in opperbeste stemming. De show van gisteren was super gegaan en helemaal soepel verlopen zonder Mikes aanwezigheid. Hij wist dat het fout was hier zo'n genot in te scheppen maar hij kon er niks aan doen dat hij de man niet mocht. Als je zo hard gewerkt had als hij om zover te komen als hij nu was, was het irritant om voor iemand te moeten werken die, wat Paul betrof, bij het beklimmen van de ladder niet alleen een helpende hand had gehad, maar een arm en een been erbij.

Hij dronk van zijn koude bier terwijl hij zich afvroeg of hij munt zou slaan uit zijn goede humeur en Natasha mee uit zou vragen. Ze was haar gewoonlijke zelf geweest de afgelopen week; een wirwar van steeds gemengdere boodschappen. Maar tenzij hij de gok waagde, zou hij nooit zeker weten of ze spijt had dat het was geëindigd tussen hen. Ze was complex, maar dat was toch iedereen? Hij wist dat zijn beste vriend en huisgenoot Luke het zou afkeuren, maar Natasha was bloedmooi en wat hem betrof een onafgedane zaak. Wat was het ergste dat er kon gebeuren? Ze zou nee kunnen zeggen... dat zou best vreselijk zijn nu hij erover nadacht.

Hij keek naar de andere kant van de tafel. Kerry en Luke waren druk in gesprek dus de nieuwe was aan haar lot overgelaten. Gisteren was ze een beetje een openbaring gebleken, zo onaangedaan als ze was door beroemdheden. Op het moment zelf had hij niet geweten of haar directe benadering van Kate Templeton ongelooflijk dapper of ongelooflijk dom was, maar het was goed afgelopen dus ze had het precies goed aangepakt. Jessica was ook mooi. Niet zo mooi als Natasha, maar toch had ze iets wat hem aantrok. Hij had haar waarschijnlijk niet zo snel als een Californisch leeghoofd moeten afschrijven. Ze had echt wel iets te melden.

'Alles goed?' vroeg hij nu, en kijk eens hoe lief ze daardoor bloosde. Ze zouden het haar eigenlijk niet zo moeilijk moeten maken. Hij wist dat ze geïntimideerd was door hem en Luke, dus het was niet echt eerlijk om haar zoveel te plagen. 'Heb je het naar je zin gehad gisteren? Zo zag het er wel uit.'

'Ja, het was erg leuk, dank je,' antwoordde Jessica, die blij was dat iemand het vroeg. Ze meende ook wat ze zei. Het was een echte kick geweest om deel uit te maken van de georganiseerde chaos van gisteren.

'Ik moet zeggen dat je benadering van celebs me verraste en ik moet je meegeven dat je naar mijn idee een dramatische drieakter hebt weten te voorkomen. Ik denk dat het heel nieuw was voor Kate Templeton om zo redelijk te worden toegesproken.'

'Ja, hè,' was Jessica het met hem eens. 'Eigenlijk best droevig als je erover nadenkt, want ze lijkt me vrij nuchter.'

'Ik vind nog steeds dat je geluk hebt gehad,' bemoeide Kerry zich ermee. 'Zoals ik al zei, als het een minder redelijk iemand was geweest had je jezelf belachelijk gemaakt.'

'Natuurlijk,' gaf Jessica toe, 'maar Kate is *awesome* en ik snap niet dat iemand geïntimideerd zou zijn door haar.'

Natasha kneep haar ogen tot spleetjes. 'En ik snap niet waarom jij dat niet bent.'

'Ik begrijp wat je bedoelt, Natas,' zei Kerry bedachtzaam.

Jessica keek weg. Ze moest oppassen. Als ze voor een 'normale meid' door wilde blijven gaan, een experiment dat ze eindelijk onder controle begon te krijgen en waar ze zelfs van begon te genieten, was het essentieel dat haar identiteit geheim bleef. Ze kon zich al voorstellen wat een opschudding de waarheid zou veroorzaken en ze genoot er juist van om gewoon eens als zichzelf genomen te worden.

'Als wie klonk je toch toen je "awesome" zei?' mijmerde Vanessa in haar geprononceerde Liverpoolse accent.

Jessica fronste. Ze wilde dolgraag ontcijferen wat Vanessa zojuist gezegd had maar het had geen zin; haar accent was te sterk. Ze hoorde alleen maar een heleboel k's en andere gutturale klanken van achter uit haar keel komen. Ze had net zo goed Urdu kunnen spreken.

'Sorry?' vroeg ze onzeker. Vanessa steeds maar moeten vragen alles te herhalen begon gênant te worden.

'Ik zei: als wie klink je toch als je "awesome" zegt?' herhaalde Vanessa langzaam.

Jessica begon te fronsen. 'Ik versta je echt niet.'

'ALS WIE KLINK JE TOCH ALS JE "AWESOME" ZEGT?'

Nee, nog steeds geen flauw idee, maar ze durfde het niet aan om haar te vragen het nog een keer te herhalen dus deed ze maar een gooi. 'Eh, ja, ik denk het,' probeerde ze hoopvol. Tot haar ontsteltenis keek Vanessa verbijsterd. Paul grinnikte.

'Ze klinkt als Britney Spears of zo,' opperde Kerry hulpvaardig. 'Zo klink je als je "awesome" zegt.'

'Oh, oké,' zei Jessica, die zich afvroeg of dat goed of slecht was en of ze ooit de nuances in het gekscheren van haar collega's zou snappen. Toch was ze nu tenminste zover dat ze wist dat hun constante geruzie niet agressief was bedoeld.

Ze keek naar Paul. Ze had nog geen enkel gesprek met hem gevoerd waarin ze niet het gevoel had dat ze beoordeeld werd, maar hij was absoluut charismatisch en intelligent. Ze voelde zich zelfs steeds meer tot hem aangetrokken. Hij had iets wat haar... fascineerde en als hij lachte kreeg hij zulke sexy kraaienpootjes bij zijn ogen. Ze merkte dat ze constant haar best deed iets te zeggen wat hij interessant of leuk vond, al was het maar voor zo'n lach. Ze snapte wel waarom zoveel meiden op kantoor hem leuk vonden. Vanessa had duidelijk een zwak voor hem en ze vermoedde dat Natasha ook haar zinnen op hem had gezet, hoewel er maar moeilijk achter was te komen of dat echt zo was. Maar Jessica had al besloten dat het voor haar geen zin had om voor hem te vallen. Hij zou veel te hard werken zijn. En het zou ook nutteloos zijn, want een relatie met hem zou toch nooit meer kunnen worden dan een vakantieliefde. Hoewel ze dolgraag zou willen weten of zijn benen er zo sterk uitzagen als ze leken onder zijn spijkerbroek. En toen hij zich gisteren uitstrekte om iets te pakken, had ze een glimp opgevangen van een verrukkelijk platte, gespierde buik.

Jessica schudde zichzelf eens flink door elkaar en gaf de zon er de schuld van dat haar gedachten en zelfs haar libido met haar op de loop gingen, al weigerde ze erover na te denken dat ze daar in L.A. nooit last van had gehad, terwijl het daar toch elke dag zonnig was...

'Ik ga nog een rondje halen,' zei Paul, die opstond. 'Laat me een pint voor je kopen, Jessica. Ik kan er niet tegen om je water met prik te zien drinken. Dat voelt niet goed op een dag als deze.'

Ze lachte. 'Dank je, maar weet je nog dat ik zei dat ik geen bier drink?'

'Je hebt zoveel gezegd,' antwoordde hij. 'Meestal iets gestoords, maar je bent nu vijf hele dagen bij ons dus het wordt hoog tijd dat je onze cultuur leert kennen, en dus moet je bier drinken.'

'Liever niet,' zei ze met het gevoel dat ze gedwongen werd. 'Ik ga zo hardlopen dus ik hou het op water, dank je.'

'Ga je nú hardlopen?' riep Isy uit en haar mond viel open van verbazing.

'Ja, naar huis toe, want gisteren heb ik niet kunnen hardlopen omdat het draaidag was.'

'Wauw,' zei Isy luid en ze keek zo onder de indruk alsof Jessica haar net had verteld dat ze een Olympische medaille had gewonnen of de Mount Everest had beklommen in haar lunchpauze.

Luke verslikte zich bijna in een slok bier. 'Jij bent echt kostelijk, Bender. Je gaat naar huis hardlopen? Naar Hampstead?'

'Eh, nou, eigenlijk alleen maar het centrum in... heb met mijn tante afgesproken,' improviseerde Jessica, niet dat ze snapte waarom het zo grappig was dat ze überhaupt hardliep. Ze wilde gewoon niet dat ze erachter zouden komen dat haar huis, tot morgen, nog steeds een hotel was. Ze keek naar haar gympen en voelde zich ineens moe. Het was slopend om er de hele dag bij te moeten blijven met je hoofd. Het werd tijd om te gaan. Ze moest haar spullen nog inpakken voor de verhuizing naar Pam morgen en ze wilde Dulcie ook nog bellen, die de laatste paar dagen van de radar leek te zijn verdwenen.

'Nou, als je hier in de winter nog bent wil ik nog wel eens zien of je dan nog steeds zo gretig bent om hard te lopen,' zei Vanessa.

'Denk je dat?' vroeg Paul ineens nieuwsgierig.

'Wat?' vroeg Jessica, die nog probeerde wijs te worden uit wat Vanessa had gezegd.

'Dat je hier in de winter nog bent.'

'Ik hoop het,' antwoordde Jessica beleefd. 'Ik vind Londen erg leuk, het is weer eens wat anders dan–'

'Zon?' vroeg Luke.

'Strand?' zei Julian vanaf het andere tafeltje.

'Mooie mensen?' opperde Vanessa.

'Wat doe je eigenlijk in L.A.?' vroeg Natasha, nog druk bezig met het aanbidden van de zon hoewel die op het punt stond achter een wolk te verdwijnen. 'Bij wie woon je?'

'Mijn vader en stiefmoeder,' antwoordde Jessica terwijl ze haar rugtas pakte en hem op haar rug wurmde. Het was nu echt tijd om te gaan.

'Waar is je moeder?'

'Vertrokken toen ik drie was.'

Natasha reageerde hier niet op, maar het was duidelijk een ongemakkelijk moment en iedereen wist dat ze er spijt van had dat ze één vraag te veel had gesteld.

Paul voelde een plotselinge steek van sympathie voor Jessica, en ook empathie. Misschien waren ze toch niet zo verschillend. Hij keek nu naar haar terwijl ze zich bukte om zich ervan te verzekeren dat haar veters vastzaten. Daarna haalde ze een haarelastiekje uit de zak van haar korte spijkerbroek en bond haar fijne blonde haar vast.

'Wat ga je dit weekend doen? Heb je wel wat te doen?' vroeg Kerry oprecht bezorgd. Ze had het idee dat Jessica niet veel deed met haar vrije tijd, behalve rondhangen met haar tante.

'Weet ik nog niet,' antwoordde Jessica, die juist uitkeek naar een paar rustige dagen om alles te verwerken. 'Ik zal Mikes tuin water geven en verder, je weet wel, dingetjes.'

Kerry, die niet kon begrijpen dat er mensen waren die geen hectisch sociaal leven hadden, voelde iets wat op medelijden leek. 'Oké, nou, ik ga dit weekend naar een wellnesscentrum, maar volgend weekend gaan we met een aantal clubben dus dan moet je ook meegaan. Als je niet wilt, hoeft het niet hoor, maar omdat je zei dat je zo van muziek hield...'

'O ja?' vroeg Paul, die muziekgek was.

'Dat klinkt leuk,' zei Jessica en ze deed expres alsof ze Paul niet had gehoord. Het laatste waar ze nu zin in had was een kruisverhoor over haar muzieksmaak. 'Het lijkt me leuk om eens een Engelse club te bezoeken.'

'Dat je nu pas zegt dat je naar een wellnesscentrum gaat,' onderbrak Vanessa jaloers. 'Wat ben je ook een trut Kerry, ik wil ook wel.'

'Ik ook,' zei Isy. Ze sloeg haar Bacardi Breezer achterover. 'Mijn klauwen mogen wel eens gevijld en mijn hoeven gemasseerd.'

Kerry werkte al zo lang met Isy samen dat ze niet gek opkeek van haar woordkeus. 'Ja, nou ja, ik heb ook wel zin in een verwenmoment,' zei ze, 'maar het is een vrijgezellenfeest van een vriendin van de familie. Om eerlijk te zijn heb ik helemaal geen zin in het geneuzel over trouwen,' maakte ze veelzeggend af. Kerry was pas vierendertig maar Jessica kon merken dat ze wel aan de Ware Jacob toe was.

'Wat gaan jullie allemaal doen?'

'Slapen,' antwoordde Isy.

'Clubben,' antwoordde Luke.

'Van alles,' antwoordde Natasha en ze wierp een stiekeme blik op Paul waar Jessica zich, ongepast, aan ergerde. 'En jij, Paultje? Naar je mammie?'

Paul hapte niet. Hij had zo zijn redenen om zo vaak naar het huis van zijn moeder in Staines te gaan, maar hij praatte er niet graag over. Zelfs toen hij iets met Natasha had, had hij haar niet veel over zijn leven verteld. Luke was de enige op het werk die hij volledig vertrouwde en vertrouwen was iets wat Paul hoog achtte.

Kerry keek naar Jessica, die nog talmde, haar rugzak op de rug, duidelijk wachtend op een stilte in het gesprek om gedag te kunnen zeggen. 'Oké meis, nou, fijn weekend en maak je niet te druk om die stomme tuin van Mike, oké? Ik zie je maandag om tien uur en enorm bedankt voor al je harde werk. Het was onwijs leuk om je deze week bij ons te hebben.'

Jessica glom van trots. 'Tot dan,' zei ze voordat ze nog even zwaaide en met redelijk snelle tred het pad af rende.

Iedereen staarde haar na, geboeid door wat over het algemeen gezien werd als vrij dubieus gedrag. Waarom zou iemand willen hardlopen op een dag als vandaag, vooral als je ook koud bier kon drinken?

'*Run, Forrest!*' riep Luke ineens heel hard, '*run!*' Ze moesten daar allemaal erg om giechelen, inclusief Jessica. Toen ze een grote stip in de verte was, draaide ze zich nog een keer om en zwaaide.

Toen ze haar allemaal om de hoek zagen verdwijnen, was Natasha de eerste die iets zei. 'Zou ze een bus pakken zodra ze de hoek om is? Ik denk het wel.'

'Ik denk het niet,' zei Isy, nog steeds vol ontzag. 'Ze is geweldig. Als ze een dier was, zou ze een gazelle zijn.'

'Een gazelle met dikke enkels,' merkte Natasha gemeen op, en Paul vroeg zich op dat moment af of hij nog wel met Natasha uit wilde.

## 18

Op zaterdag verhuisde Jessica naar het huis van haar tante in Hampstead. Ze realiseerde zich nu allang dat haar oorspronkelijke beslissing om in het Dorchester in te trekken een inschattingsfout was geweest. Het was zoveel gewoner om te verblijven in een normaal huis dat ook comfortabel was, hoewel eenvoudig en piepklein vergeleken bij wat ze gewend was. Pam vertelde haar dat het in de Victoriaanse tijd was gebouwd, meer dan honderd jaar geleden. Dat verbaasde Jessica hoewel het wel verklaarde waarom het huis zo typisch Engels en ouderwets aandeed. De inrichting had duidelijk geen facelift meer gehad sinds de jaren tachtig van de twintigste eeuw en dat vond Jessica alleen maar aan de charme bijdragen, al was ze wel totaal verbijsterd toen ze ontdekte dat het huis geen wasruimte had. Enkel een machine in de keuken waarvan Pam beweerde dat die je kleren zowel waste als droogde. Ongelooflijk.

Toen Jessica zondag wakker werd, was ze blij dat ze geen echte plannen had voor die dag. De humor van haar collega's was meedogenloos en constant proberen te ontcijferen of iemand nu wel of niet sarcastisch deed, bezorgde haar hoofdpijn. Maar ze begon nu tenminste alle namen te onthouden en had ook het gevoel dat ze vooruitgang boekte bij een aantal van de meiden. Vooral bij Kerry, maar ook bij Isy.

'Je-ess!' riep haar tante naar boven en onderbrak daarmee haar gedachten.

'Ja?'

'Er is hier iemand voor je.'

'Wat?' riep Jessica, die dacht dat ze het verkeerd had verstaan.

'Er is iemand voor je.'

Ze ging rechtop zitten. Wie kon dat nou zijn? Angelica zat in L.A.; niet dat ze elkaar nog hadden gesproken sinds Graydon haar bij hun ontbijt had weggesleept. Niemand van haar werk zou onaangekondigd op zondag op de stoep staan, dus het kon maar beter niet Edward zijn want dan zou ze echt woest worden. Ineens hoorde ze luidruchtige voetstappen naar boven komen en haar kant op, dus ze sprong snel uit bed, verschrikkelijk gespannen. Wat krijgen we nou?

'Verrassing!'

Haar kamerdeur vloog open en daar, in de gang, stond niemand minder dan Dulcie.

'Dulcie!' riep Jessica uit. 'Wat doe jij hier?'

'Hetzelfde als jij, schat, de beest uithangen. Hoe gaat-ie?'

'Ik... ik ben in shock. Jezus, het is echt goed om je te zien, maar ik–'

'Klep dicht en geef me een knuffel,' beval Dulcie. Jessica, die geen beter plan had, deed wat haar gezegd werd.

'Wanneer ben je aangekomen?' vroeg een nog onthutste Jessica. Ze zou willen dat ze enthousiaster kon doen, maar haar overheersende emotie op dat moment was een zeurende irritatie dat Dulcie haar had moeten zeggen dat ze zou komen.

'Gisteravond. Na de vlucht rechtstreeks naar het Berkeley gegaan, waar ik als een roosje heb geslapen. Zodra ik wakker werd, heb ik me door mijn chauffeur hierheen laten brengen.'

'Maar ik dacht dat je het van tevoren zou laten weten als je kwam,' zei Jessica door haar op elkaar geklemde kaken heen. 'Hoe lang blijf je eigenlijk?'

'Een weekje maar,' antwoordde Dulcie.

'Maar je weet toch dat ik een baan heb, hè?' vroeg Jessica in paniek. 'Dus ik kan niet elke dag met je de hort op.'

'Hou eens op met stressen. We kunnen vast wel een goeie smoes verzinnen voor je saaie baantje. Maar goed, wat doet dat ertoe? We gaan lol maken.'

'Maar...'

'Geen gemaar. Kom op, aankleden. Mijn chauffeur staat te wachten en ik heb over drie kwartier een afspraak op de trouwafdeling van Harrods.'

'Oké,' jammerde Jessica, en ze miste al meteen het gevoel van onafhankelijkheid waar ze zo kort van had mogen proeven. 'Ik ga wel mee. Maar echt, Dulcie, we moeten praten. Ik ben heel blij je te zien, maar ik wil ook tijd met Pam doorbrengen vandaag en ik zeg nu al dat ik maandag en de rest van de week níét kan wegblijven op mijn werk. Ik werk daar nota bene pas een week en dit is de eerste keer dat ik–'

'Rustig nou maar,' maande Dulcie. 'Pam redt zich wel en ik zal je niet van je werk weghouden als je dat echt niet wilt. Ik weet dat je met je missie bezig bent om het boetekleed aan te trekken en net zo arm en ellendig en verveeld te zijn als de rest, dus wie ben ik om je tegen te houden?'

'Mafkees,' zei Jessica, maar ze moest wel lachen.

'Maar ik hoop wel dat je hebt geregeld dat je naar huis kan voor de verjaardag van je pa. Hij kwijnt weg zonder jou en zal het je nooit vergeven als je niet komt.'

'Natuurlijk,' loog Jessica en ze knoopte het in haar oren dat zo snel mogelijk voor elkaar te krijgen... hoe dan ook. 'Oké, ik wil graag vijf minuten om me te wassen en aan te kleden, mag dat?'

Dulcie knikte blij en ging op Jessica's bed zitten, trok haar iPhone uit haar Vuitton-tas zodat ze iemand kon sms'en en zag er belachelijk glamoureus uit in haar Pucci-jurk en haar sleehakken van Prada.

'Wat doe je eigenlijk voor werk?' vroeg ze afwezig.

'Iets heel cools,' antwoordde Jessica, die zich uit haar pyjama pelde en zich in een handdoek wikkelde. 'Niet wat ik de rest van mijn leven zou willen doen, maar Kerry, voor wie ik werk, is te gek. En dan is er nog Isy die een beetje gek is maar wel lief. Vanessa, die volgens mij een schat is hoewel ik geen woord kan verstaan van wat ze zegt. En Mike, hij is nu even weg, maar hij is heel knap en aardig. Er is eigenlijk maar één iemand die ik niet kan peilen en dat is Paul, die soms wel aardig kan zijn en dan ineens weer heel ruziezoekerig en koppig.'

'Klinkt alsof je verliefd bent,' zei Dulcie, nog druk bezig met haar sms.

'Op Mike? Nee hoor,' protesteerde Jessica. 'Hij is getrouwd en helemaal niet mijn type.'

'Niet Mike, maar Paul.'

'Doe niet zo raar,' zei Jessica fronsend. 'Dan heb je niet goed geluisterd.'

'Zal wel,' grijnsde Dulcie, niet overtuigd. 'Maar je hebt nog niet verteld wat je precies doet op dat kantoor van je.'

'Ik assisteer degene die de beroemdheden boekt voor *The Bradley Mack Show* van de BBC,' antwoordde Jessica, nu bijna de deur uit en onderweg naar de badkamer.

Dulcie stopte meteen met spelen met haar telefoon.

'Wát doe je? Dat meen je niet. Waarom heb je dat niet eerder gezegd? Ik ben gek op die show. Ik kijk het heel vaak op BBC World. Jess, je móét zorgen dat ik erin kom. Mijn vader is er jaren geleden geweest en zijn cd-verkopen waren de volgende dag praktisch verdubbeld. Dat is precies de publiciteit die ik nodig heb.'

De moed zonk Jessica in de schoenen. Shit. Als Dulcie zich iets in haar hoofd haalde... En dit was een van de slechtste ideeën die ze ooit had gehad.

Later die avond pakten een nogal stille Jessica en ietwat vijandige Dulcie de metro naar Mikes huis. De afspraak bij Harrods was verrassend leuk geweest, maar wat minder plezierig was, was Dulcies onophoudelijke gezeur dat ze in de show wilde.

Nu trilde haar onderlip vervaarlijk omdat ze bij god niet kon bedenken waarom het kwaad zou kunnen het op z'n minst te vragen. Maar voor Jessica waren de woorden 'Mag mijn vriendin die een heel klein beetje beroemd is in L.A. maar niet om wie ze zelf is en niet omdat ze iets speciaals doet, te gast zijn in de show om geen andere reden dan dat ze met een jongen gaat trouwen die tweede is geworden bij *American Idol?*' niet iets wat ze ooit wilde uitspreken.

'Maar waarom mag ik je baas niet gewoon rechtstreeks bellen?' zeurde Dulcie in een laatste wanhopige poging. 'Dan hoef jij er niet eens bij betrokken te worden.'

Jessica zuchtte diep van frustratie. 'Omdat het antwoord dan nog steeds nee is, en als dat niet zo is, wat nooit het geval zal zijn, komt ze er waarschijnlijk toch wel achter dat we elkaar kennen en is het spel uit.'

'Oké,' zei Dulcie. Ze wist dat als Jessica ergens over tot een besluit was gekomen, ze bij haar standpunt zou blijven.

'Oké,' herhaalde Jessica humeurig en ze staarde uit het raam terwijl ze station Turnham Green in het lommerrijke Chiswick naderden. 'We zijn er.'

Ze stapten uit en tegen de tijd dat ze bij het uitcheckpunt waren had Dulcie duidelijk al besloten dat ze het wilde proberen goed te maken. Ze sloeg zelfs een heel andere toon aan en was voor een keer bereid haar nederlaag toe te geven.

'Sorry, Jess,' zei ze. 'Ik beloof dat ik erover op zal houden. Die baan is blijkbaar belangrijk voor je, dus ik vraag het je niet meer, goed?'

'Goed,' zei Jessica opgelucht, hoewel ze er niet helemaal van overtuigd was dat de zaak nu echt was afgedaan.

'En bedankt dat je me hebt gedwongen de metro te nemen,' voegde Dulcie eraan toe. 'Ik vond het zelfs wel leuk. Een beetje onhygiënisch, maar wel oké,' zei ze terwijl ze een antiseptische handgel uit haar Vuitton-tas pakte en een dikke laag op haar handen smeerde. Toen ze het op haar gezicht begon te deppen als een man die aftershave opdeed, kwam Jessica's gevoel voor humor eindelijk weer terug.

Met behulp van Jessica's stratengids vonden de meiden Mikes huis vrij gemakkelijk, maar ze waren wel verbaasd over hoe gewoontjes het eruitzag. In L.A. woonden succesvolle producers in enorme, vorstelijke huizen, terwijl dat van Mike vergelijkbaar was met dat van Pam.

'Is dit het?' vroeg Dulcie ongelovig, waarmee ze precies verwoordde wat Jessica zelf ook dacht, maar wel op zo'n manier dat ze zich ervoor schaamde.

'Natuurlijk,' zei Jessica resoluut. 'Wat had je dan verwacht? Niet iedereen kan in een paleisje wonen zoals de producers die wij kennen.'

Dulcie rolde achter de rug van haar vriendin met haar ogen en wachtte geduldig terwijl Jessica zich voorzichtig binnenliet met de sleutels die Mike haar had gegeven. Zodra de deur open was, begon het alarm onheilspellend te piepen en de twee meiden paniekerig te gillen totdat Jessica de juiste getallen in het kastje had ingetypt. Toen het eenmaal was uitgeschakeld en het tot hen doordrong dat ze veilig binnen waren, giechelden ze van opluchting en liepen naar de achterkant van het huis.

'Jeetje,' zei Dulcie met opgetrokken neus, 'het is zo klein, het lijkt wel een poppenhuis.'

'Hou toch op,' zei Jessica en ze sloeg haar vriendin vriendschappelijk op de arm. 'Je klinkt als een snob. En zo klein is het niet; het is niet veel kleiner dan Pams huis.'

'Ik ben geen snob,' was Dulcies antwoord. 'Ik zeg het alleen maar.'

Jessica ontgrendelde de openslaande tuindeuren in de open keuken en stapte naar buiten. Ze vond de tuinslang aan de zijkant van het huis en draaide de kraan open.

'Mag ik ook eens?' vroeg Dulcie.

'Tuurlijk,' antwoord Jessica. 'Straks, ik eerst.'

Om beurten gaven ze de dorstige, twaalf meter diepe tuin met gazon een verzadigende douche, beide genietend van de eenvoud van een klusje dat ze allebei niet eerder hadden gedaan. Het gras leefde voor hun ogen op en de droge aarde slorpte het water dankbaar op.

Toen de klus was geklaard liepen ze terug door het huis en Jessica verzekerde zich ervan dat ze alles had afgesloten. Terwijl ze dit deed, viel haar blik op een ingelijste foto in de keuken. Ze liep ernaartoe om hem te bekijken. Dulcie kwam achter haar aan, nieuwsgierig waar ze naar keek.

'Is dat Mike?' vroeg Dulcie.

'Ja,' antwoordde Jessica. Mike met een aantrekkelijk uitziende dame van wie Jessica aannam dat het zijn vrouw Diane moest zijn, en een schattig meisje met ongekamde krullen om haar gezicht. Ze zagen er met z'n drieën ongelooflijk gelukkig uit en Mikes vrouw was een schoonheid. Ze had lang, donkerblond haar en een stralende glimlach. Ze droeg een mooie bloemenjurk en had een gebruinde huid, dus de foto was blijkbaar tijdens een vakantie gemaakt.

'Zijn vrouw is wel dik, hè?' merkte Dulcie opgewekt op.

Jessica fronste.

'Oh god, moet je de lul van je baas eens zien,' riep Dulcie uit en Jessica's blik verplaatste zich naar beneden om te zien dat het T-shirt dat Mike droeg amper bedekte wat leek op een... lieve help!... klein, bijna aanstootgevend strak zwembroekje dat niets aan de verbeelding overliet. Gegeneerd dat ze de contouren van de ballen van haar baas had gezien, wendde Jessica haar blik af.

De twee meiden reisden in aangename stilte terug naar Hampstead, alleen deze keer in Dulcies auto met chauffeur die ze had laten komen. (Wat haar betrof was de metro-ervaring niet voor herhaling vatbaar.) Jessica's gedachten bleven teruggaan naar de foto in Mikes keuken en niet alleen vanwege Mikes strakke zwembroek.

'Ze zagen er zo gelukkig uit,' zei ze plotseling.

Dulcie antwoordde meteen zonder te hoeven vragen waar ze het over had. 'Wat een mazzel heeft dat meisje. Ze leken me het perfecte gezinnetje.'

Later die avond werd het drukkend warm en benauwd, dus het verbaasde Jessica niets dat ze maandagochtend wakker werd van het geluid van door de lucht rollende donder. Terwijl ze diep onder de dekens kroop, besefte ze hoe nutteloos hun watergeefexpeditie was geweest omdat Mikes tuin nu toch een plensbui over zich heen kreeg. Een fractie van een seconde was ze jaloers op Dulcie die in haar luxe suite zonder verantwoordelijkheden wakker kon worden wanneer ze wilde en de hele dag kon doen waar ze zin in had.

Maar toen ze eenmaal was opgestaan en had gedoucht, ondanks de onberekenbare geiser van Pams tweede badkamer, stond Jessica te trappelen om te gaan. Al was de nieuwigheid van de metro er wel een beetje af. Die ochtend was zelfs een van de vervelendste ritjes tot nu toe. Ze had de hele weg moeten staan dus ze was blij dat ze op haar werk positief nieuws te horen kreeg.

De kijkcijfers voor de show van vorige week waren binnen en dat betekende bevestiging: Helena Davies was een boeiende gast geweest en een enorm succes.

'Nu moet ik je wel op een drankje trakteren, Jess,' zei Kerry vanachter haar bureau net toen Paul binnenliep.

Jessica's hart rammelde zo ongeveer in haar borstkas toen ze hem zag. Hij droeg een spijkerbroek en een grijs sweatshirt, dus niets speciaals, maar om de een of andere reden zag hij er goed uit. Geweldig, was haar sombere reactie toen ze dacht aan wat Dulcie gezegd had. Verliefd worden op iemand die zo onvoorspelbaar was kon ze niet echt gebruiken.

'Hoi Paul,' zei Kerry. 'Goed weekend gehad?'

'Redelijk tot tamelijk,' antwoordde hij raadselachtig. 'En jij, vetzo?'

'Ging wel, dank je,' zei Kerry terwijl ze door typte. 'Het wellnesscentrum was geweldig. Het hotel was een beetje "herbergachtig", maar je krijgt waar je voor betaalt, lijkt me.'

'Nou je ziet er... precies hetzelfde uit als ervoor,' lachte hij en hij sprong opzij toen Kerry hem een klap probeerde te verkopen met een tijdschrift.

'Ik was op Facebook bezig,' zei ze vrolijk. 'Ik verander net mijn status naar "*Kerry Taylor heeft nog steeds een massagegezicht*".'

Isy, die bezig was Bradleys verscheidene handtekeningenkaarten op verschillende stapels te leggen, moest lachen. 'Wat is dat in godsnaam?'

'Nou,' zei Kerry, 'zoals je weet is mijn haar op z'n best weerbarstig en nu zat er ook nog allemaal olie in, dus ik zag eruit als Medusa. Ik had rode strepen op mijn gezicht omdat ik met mijn hoofd in zo'n gat had gelegen en ik had gekwijld.'

'Dat klinkt erg aantrekkelijk,' klonk Lukes stem van verderop. 'Ik wou dat ik het had kunnen zien.'

'Aantrekkelijk was ik in elk geval niet,' bracht Kerry ertegenin terwijl ze haar koffiemok oppakte en erachter kwam dat die leeg was.

'Ik snap niet wat er zo leuk is aan Facebook,' zei Penny, de beeldredacteur vanachter Julians bureau. Ze was naar het kantoor gekomen om haar papierwerk te doen. 'Waarom zou je de behoefte hebben iedereen die je kent over je weekend te vertellen?'

'Weet ik het,' antwoordde Kerry, 'het is gewoon lachen. Zit jij er ook op, Jessica? Hoe heet je daar? Dan voeg ik je toe als vriend en kun je ook meegenieten van mijn hilarische status updates. Nadat je koffie voor me hebt gehaald, natuurlijk.'

'Ja,' zei Jessica, nog afgeleid door de aanblik van Paul die zijn mouwen opstroopte en zijn vingers rekte als voorbereiding op het typen. Hij had prachtige onderarmen, dacht ze terwijl ze naar de andere kant van het kantoor liep en water opzette. 'Ik hoor bij de groep L.A. L.A. Land en sta vermeld als Jessica Gra–' Net op tijd bedacht ze waar ze mee bezig was. 'Oh,' zei ze snel terwijl ze Nescafé in een beker schepte en voor zichzelf een kruidenthee uitkoos, 'ik bedenk me net dat ik niet meer op Facebook zit. Ben ermee gestopt voordat ik hierheen kwam.'

'Ik dacht al dat je er niet op zat,' zei Paul afgeleid.

'Hoe weet jij dat nou?' vroeg Natasha ad rem. 'Heb je Jessica opgezocht op Facebook, Paul?'

Paul, die dat had gedaan maar niet goed wist waarom, weigerde te happen. 'Je kent me, Tash. Ik ben een nieuwsgierig aagje. Maar ik heb niet lang gezocht. Weet je hoeveel Jessica Benders er op Facebook zitten? Honderden!'

'Nou, maar ik dus niet,' zei Jessica koortsig. Ze knoopte het goed in haar oren op het werk nooit op haar pagina te kijken. Naast al het andere zouden mensen vreemd opkijken als ze zouden zien dat Leonora Whittingston een van haar 'vrienden' was.

'Maar waarom zou je er net nu vanaf gaan?' vroeg Natasha met een wantrouwig gezicht. Ze kon ergerlijk volhardend zijn. 'Je zou toch denken dat je, nu je ver van huis bent, in contact wilt blijven met je vrienden.'

Jessica haalde alleen maar haar schouders op en keek weg, waarbij ze Kerry's koffie krachtiger roerde dan nodig was.

'Kunnen we het nu alsjeblieft over iets anders dan Facebook hebben?' vroeg Kerry. 'En hoe leuk het ook is om na te genieten van de show van vorige week, de volgende staat alweer voor de deur en we komen wéér een gast te kort.'

Het kantoor kwam tot rust en er volgde een relatief vredig werkochtendje. Later die middag, ongeveer een uur nadat iedereen was teruggekomen van de lunch in de kantine, was Jessica zo in beslag genomen door een mailtje dat Kerry haar had gevraagd op te stellen aan een agent, dat toen ze een bekende stem hoorde het even duurde voordat ze besefte dat het er eentje was die niet in het kantoor thuishoorde.

'Hallo, hallo, hoe gaat het hier? Weet je misschien waar Jessica zit? Oh, laat maar, ik zie haar al... hai...'

Jessica draaide zich vliegensvlug om in haar stoel alsof iemand haar met een hete pook had gepord. 'Dulcie!' siste ze. 'Wat doe jij hier in godsnaam?'

Ze kon haar ogen amper geloven. Haar beste vriendin stond midden in de ruimte en zag eruit als een pauw die de weg kwijt was. Ze was piekfijn gekleed, schitterend in een combinatie van Versace, Alexander McQueen en Marc Jacobs. Het subtielste onderdeel van haar outfit was nog haar nagellak, en die was fluorescerend oranje.

'Hoi meis, verrassing... alweer,' zei ze met een kwaadmakend gebrek aan voorzichtigheid in haar stem. 'Ik dacht ik wip even langs om te kijken hoe het gaat. Je wilde per se geen vrij nemen dus dacht ik: ik ga gewoon bij jou langs.'

Jessica was woedend. Hoe durfde ze alles op het spel te zetten? En ze kon er niet eens iets van zeggen omdat iedereen in het kantoor het werk had neergelegd en de ogen uitkeek. Inclusief Paul. Hyperventilatie lag op de loer.

'Wie ben jij?' vroeg Kerry, die Dulcie grondig bekeek.

'Dulcie Malone, een vriendin van Jessica,' antwoordde Dulcie en ze paradeerde naar haar toe om haar te begroeten. 'En jij?'

'Iemand die zich afvraagt wat je hier doet,' antwoordde Kerry snedig met een stalen gezicht.

‘Het spijt me ontzettend, Kerry,’ zei Jessica, wanhopig om enige controle over de situatie te krijgen. ‘Ik heb haar gezegd dat ze hier niet moest komen,’ zei ze door op elkaar geklemde kaken. ‘Dat ik moest werken...’

‘Dus jij bent Kerry,’ zei Dulcie. ‘Jess heeft me zoveel over je verteld. Jij boekt de gasten, toch?’

Ineens snapte Jessica helemaal waar dit bezoekje om draaide, wat de neiging om tegen Dulcie te schreeuwen alleen maar groter maakte.

‘Ja,’ zei Kerry, die Dulcie opnam met nauwelijks verborgen minachting terwijl Natasha vreselijk argwanend keek en alsof er een enorm kwartje op het punt stond te vallen. Geschrokken kwam Jessica in actie.

‘Dulcie, kan ik je even buiten spreken? Men probeert hier te werken en jij leidt af,’ zei ze en ze sprong op om een verbaasde Dulcie het kantoor uit te slepen. ‘Laten we hier even bijpraten,’ zei ze boos terwijl ze Dulcie de deur uit duwde de gang op. ‘Ik ben zo terug, Kerry,’ riep ze over haar schouder. ‘Het spijt me enorm, ben echt zo terug–’

In de gang trok ze van leer. ‘Wat ben je in godsnaam aan het doen? Je weet dat ik niet wil dat ze te weten komen wie ik ben. Hoe egoïstisch kun je zijn?’

‘Het spijt me,’ zei Dulcie en voor het eerst sinds haar aankomst keek ze lichtelijk berouwvol. ‘Ik dacht gewoon dat als ik zelf zou komen, je baas zou inzien dat ik de perfecte gast ben. Je was zo... terughoudend om me te helpen. Krijgen we op deze manier niet allebei wat we willen?’

‘Nee,’ tierde Jessica, ‘dat is niet zo en wat ik wil is het eens een keer in mijn eentje rooien, zonder dat de bagage van wie ik ben in de weg staat. En dat weet je. Dus je gaat volkomen buiten je boekje, want nu vermoeden mensen dat er iets niet pluis is. Kijk eens naar jezelf. Je ziet er verdomme uit alsof je naar de Emmy’s gaat of zo.’

Dulcie had nu het fatsoen om lichtelijk beschaamd te kijken. 'Het spijt me, oké?' mompelde ze. 'Ik had me niet gerealiseerd dat op kantoor iedereen zo gewoontjes gekleed ging en ik wilde je niet in verlegenheid brengen. Ik denk dat ik niet zo goed heb nagedacht.'

'Nee, dat klopt,' was Jessica het met haar eens.

'Is dit echt *too much?*'

'Aaaahhh,' jammerde Jessica en Dulcie keek deze keer echt bezorgd.

'Oké oké, wat zal ik doen?' vroeg ze. 'Het zou gek staan als ik zomaar wegga.'

Jessica haalde haar schouders op, totaal verslagen. Ze liet zich langs de muur naar beneden zakken als een hoopje ellende.

'Ah, doe nou niet zo, Jess,' herstelde Dulcie zich. 'Niet opgeven. Kom op, we komen hier wel uit. Laat het maar aan mij over en onthou...' ze stopte voor een dramatische stilte.

'Wat?' snauwde Jessica.

'We zijn Amerikánen, wij kunnen alles.' En daarmee spoedde ze zich terug naar het productiekantoor.

Jessica dwong zichzelf niet te huilen. Ze wist dat ze op moest staan maar voelde zich te lamgeslagen door de angst over wat Dulcie nu weer zou gaan doen. Maar haar zonder toezicht bij haar collega's laten was ook geen optie. Ze haalde diep adem, krabbelde overeind en sleepte zich terug naar het kantoor, waar hoe dan ook haar lot zou worden beslist.

'Dus...' hoorde ze Dulcie tegen Kerry zeggen toen ze door de deur kwam. De moed zonk haar in de schoenen toen ze zag dat Dulcie op een hoek van Kerry's bureau was gaan zitten op een verwaande manier waarvan ze wist dat Kerry het niet op prijs zou stellen.

'... niet alleen is mijn vader Vincent Malone, ik ga ook met Kevin Johnson trouwen. Je weet wel, die vorig seizoen tweede is geworden in *American Idol*? Dus los van mijn eigen talent en projecten heb ik nog genoeg te vertellen.'

'Wil je alsjeblieft van mijn bureau af gaan?' vroeg Kerry uiterst geïrriteerd.

'Hoe ken je Jessica precies?' vroeg Natasha. Ze hing achterover in haar stoel en overzag het hele tafereel als een leeuw die een eenzame impala bij een poel had ontdekt.

'Ah,' zei Dulcie. Ze draaide zich naar Jessica en gaf haar een wat voor een geruststellende knipoog door moest gaan. 'Dat wilde ik net vertellen. Want haar vader...'

'Oh, hou toch op,' onderbrak Jessica haar bliksemsnel. 'Niemand wil over mijn saaie ouwe pa horen. Saaie ouwe meneer Bénder,' zei ze nadrukkelijk.

'Oh, nee hoor,' zei Natasha. 'Het klinkt allemaal fascinerend.'

Luke hield zijn buik vast terwijl hij zijn best deed niet hardop te lachen. Paul was minder geamuseerd door de hele scène.

'Als je me even de kans geeft, Jess,' zei Dulcie. 'Ik wilde net vertellen dat jouw vader, meneer Bender, de chauffeur is van mijn vader en dat we elkaar zo hebben leren kennen. En dat hij chauffeur is maakt hem nog niet saai,' maakte ze af, en oogde heel tevreden met zichzelf met wat ze erachteraan had geïmproviseerd.

Help, dacht Jessica bedroefd.

'Jouw vader rijdt Vincent Malone?' vroeg Kerry. 'Dat heb je me helemaal niet verteld.'

'Je vroeg er ook niet naar,' antwoordde Jessica slapjes.

'Dus zo wist je dat hij in de show was geweest?'

'Hij is al jaren zijn chauffeur,' zei Dulcie, die de smaak te pakken had. 'Heb je de film *Sabrina* met Audrey Hepburn gezien? Jessica's leven lijkt daar wel een beetje op. We zijn zo ongeveer samen opgegroeid en komen toch uit totaal verschillende milieus.'

Op dit moment stond Luke op, excuseerde zich en liep met schokkende schouders de ruimte uit. Natasha was de enige die lichtelijk onder de indruk was, hoewel haar coole houding voorkwam dat het zichtbaar werd. Bovendien was ze niet alleen onder de indruk, ze was ook stikjaloers dat Jessica bevriend was met iemand die zo glamoureus was en dat haar leven gedeeltelijk samenviel met dat van echte Hollywoodsterren.

'Mooie jurk,' zei ze nonchalant. 'Van McQueen?'

'Ja,' bevestigde Dulcie enthousiast.

'Dacht ik al,' zei Natasha. 'Heb hem in *Elle* gezien.'

Paul rolde met de ogen en trok een scheef gezicht in Dulcies richting. Jessica kon zien dat ze zijn idee van de hel was. Te vreselijk om ook maar grappen mee uit te halen. Vandaag was ze het bijna met hem eens. In deze omgeving kwam Dulcie op de een of andere manier veel erger over dan thuis.

'Nou,' zei Kerry en de minachting sijpelde uit al haar poriën, 'hoewel ik me kan voorstellen dat het enig moet zijn geweest voor Jess om zo dicht bij jou op te groeien, mevrouw Malone, op de vraag of je te gast mag zijn is mijn antwoord toch nee. Je bent niet ons soort gast, ben ik bang. We vragen alleen mensen die zelf iets te melden hebben, niet alleen vanwege hun vader.'

'Weet je dat zeker?' vroeg Paul sarcastisch. 'Scarlett O'Hara hier kon nog wel eens heel wat ramptoerisme trekken.'

'Sorry hoor,' zei Dulcie gekrenkt en Jessica overwoog kortstondig om uit het raam te springen. 'Ik weet niet wie je denkt dat je bent, maar ik sta erbij hoor. Wie is deze gozer?' vroeg ze en ze draaide zich naar Jessica voor opheldering.

'Paul,' mompelde ze terwijl ze wenste dat hij eens wat minder hardvochtig had gedaan.

'Echt waar?' loeide Dulcie. 'Hij?' Haar ongelovige blik sprak boekdelen.

Jessica keek haar boos aan en haatte zichzelf dat ze meer gaf om wat Paul dacht dan om haar beste vriendin.

'Ik ga waarschijnlijk toch Lisa Wright boeken voor deze week,' zei Kerry mat.

'Lisa wie?' vroeg Dulcie. Ze zag er behoorlijk ontmoedigd uit, maar het leek nog niet te zijn doorgedrongen dat ze het beter op kon geven.

'Wright,' zuchtte Kerry, die Julian twijfelachtig had zien kijken. 'Ik weet dat het niet ideaal is, maar ik denk dat ze het wel oké zal doen. Ik kan haar altijd afbellen als er op het laatste moment een beter alternatief voorbij komt.'

'Eh, hallo?' zwaaide Dulcie. Ze doelde op zichzelf.

'Niet jij,' snauwde Kerry.

Jessica hield haar handen voor haar ogen als een klein kind dat naar *Doctor Who* kijkt maar het eigenlijk te eng vindt om echt te kijken, bang voor wat ze te zien zal krijgen. Pas toen Dulcie eindelijk doorhad dat ze beter kon vertrekken en zei dat ze ging, keek ze weer op.

'Ik laat je wel uit,' zei ze.

'Zorg je wel dat ze helemaal het gebouw uit is?' merkte Paul droogjes op.

'Reken maar,' antwoordde Jessica.

# 19

Jessica had het de rest van de dag druk met de nasleep van Dulcies spontane bezoekje aan het kantoor. Ze zat in de rats over wat er in Natasha's hoofd omging. Die had duidelijk besloten dat er iets verdachts was aan Jessica en hield alles wat ze zei en deed nauwkeurig in de gaten. Ze bleef maar naar informatie vissen over haar leven in L.A., stelde vraag na vraag, bijna in de hoop dat ze zich zou verspreken. Toch hield Jessica zich robotachtig aan Dulcies verhaal terwijl ze zo weinig mogelijk details losliet, want hoe minder ze zei, hoe minder ze zou moeten onthouden. Toch was er één vraag die haar moeilijk viel, en het was niet Natasha die hem stelde.

Het was de volgende dag, na het werk, met het vaste groepje in de pub. Jessica kletste met Luke toen Paul uit het niets vroeg: 'Hoe kun je met zo iemand bevriend zijn?'

Hoewel ze wel zoiets van hem had verwacht, stelde Jessica het niet op prijs dat hij het aankaartte waar de hele groep bij was. Ze vond het ook een beetje belachelijk dat hij zo persoonlijk beledigd klonk door haar vriendschap met Dulcie.

'Als je haar kent, valt ze wel mee,' verdedigde Jessica haar. 'Diep vanbinnen is het een schat.'

Paul keek verbijsterd. 'Echt? Van waar ik zat, leek ze een verschrikking. Verwend en egoïstisch, en dat waren nog de beste eigenschappen.'

Jessica voelde aan dat Pauls teleurstelling voortkwam uit het feit dat hij een hogere dunk van haar had, wat een soort indirect compliment was maar wel een dat ze niet wilde. Al had Dulcie een slechte eerste indruk gemaakt, welk recht had hij om een oordeel te vellen over haar vriendin?

De avond na het hele debacle was Jessica thuisgekomen en had een berouwvolle Dulcie in Pams keuken gevonden. Nu ze de tijd had gehad de dingen te overdenken, had ze oprecht spijt van wat ze had gedaan en Jessica kon merken dat de nogal lauwe ontvangst van Jessica's collega's haar niet koud had gelaten. Ze leek er ook door te zijn gaan beseffen hoe moedig het was wat Jessica deed en het hielp Dulcie eindelijk te accepteren dat ze geen dag vrij zou nemen. Evengoed zou ze maar een weekje in de stad zijn, dus ze wilde Jessica wel elke avond zien. Met het harde werken, alle activiteiten na het werk plus het pendelen, eiste Jessica's 'gewone' levensstijl nu al zijn tol en begon ze in te zien hoe makkelijk ze het altijd had gehad.

Op woensdag was ze zo moe dat toen Kerry haar vroeg of ze tijdens de lunch meeging naar Primark voor wat *retail therapy*, ze de uitnodiging afsloeg. De andere meiden spraken toegenegen over 'Primani', maar de enige keer dat ze met hen mee was gegaan had ze niets kunnen vinden, wat haar had doen beseffen dat ze tóch haar moeders modesmaak min of meer had meegekregen.

Alleen en diep in gedachten liep ze naar de kantine. Tien minuten later was ze bijna aan het einde van de altijd langzame rij.

'Waar denk je aan?' klonk een stem in haar oor.

Jessica schrok, draaide zich om en zag Paul die haar met die schitterende ogen van hem aankeek.

'Oh, hai... eh, oh niets,' antwoordde Jessica. 'Ik vroeg me gewoon af wat jullie Britten tegen verse groenten en fruit hebben.'

Paul keek naar haar. Jessica Bender had iets wat hem intrigeerde. Een voorkomen waardoor hij haar genadeloos wilde plagen aan de ene kant en aan de andere kant... voor haar wilde zorgen of zoiets. Als hij niet zo in de ban van Natasha was, zou hij haast het idee krijgen dat hij op haar viel. Toch was Jessica in zoveel opzichten niet zijn type en bezat ze eigenschappen waar hij normaal gesproken niet van hield. Maar op de een of andere manier vormde wat hem in anderen ergerde – haar naïviteit, haar zeer Amerikaanse persona, haar gebrek aan scherpte over bepaalde dingen – een aanlokkelijk pakket. Jessica Bender zette hem voor een raadsel, realiseerde hij zich tijdens een plotseling moment van helderheid.

'Je mag nee zeggen hoor, maar ik pak even snel een latte en moet dan mijn teksten voor morgen nog doornemen. Misschien wil je ernaar luisteren en feedback geven?' vroeg hij terwijl hij zich afvroeg waarom hij zich ineens zo onzeker voelde.

'Ja hoor,' antwoordde Jessica verbaasd. 'Lijkt me leuk, maar ik betwijfel of je veel aan me hebt...'

'Kom mee,' zei Paul grijnzend. 'En laat die latte maar zitten, ik maak wel een oploskoffie op kantoor.'

'Goed,' zei Jessica met plezier haar dienblad weer achterlatend.

Paul liep terug in de richting van het productiekantoor en Jessica ging hem achterna en glimlachte bij zichzelf. Ze voelde zich belachelijk blij dat hij haar had uitgekozen, maar sprak zichzelf meteen vermanend toe. Dit was kritische Paul, dus wie wist hoe lang het zou duren voordat hij haar weer beledigde. Toch boekte ze absoluut vooruitgang en kon ze er niet omheen: als ze in zijn buurt was voelde ze zich murw van verlangen. Hij was sexy, moest ze bekennen. Supersexy.

Toen ze op kantoor aankwamen liep Paul rechtstreeks naar de ketel. 'Koffie?' vroeg hij.

'Nee, dank je. Ik heb warm water in mijn tas.'

'Vergeten,' antwoordde Paul en hij keek haar zijdelings aan. 'Je lichaam is je tempel, toch? Geen bier, geen sterkedrank, geen cafeïne. Het is vast een wilde boel bij jullie thuis.'

Jessica haalde alleen maar haar schouders op. Hij moest eens weten wat zich allemaal bij hen thuis afspeelde, de mensen die langskwamen; hij zou er nog van opkijken.

'Maar wel een mooie tempel,' zei hij en hij pakte zijn mok en liep naar Mikes kamer in de hoek.

Terwijl ze zich afvroeg of ze het goed had gehoord, bloosde Jessica van top tot teen, boos dat hij haar plaagde. Waarom zei hij zulke flirterige dingen? Wist hij dat ze hem leuk vond? Waarom voelde ze zich altijd op het verkeerde been gezet door hem?

Paul keek of niemand anders de kamer in gebruik had en schoof haar Mikes lege kantoor in zodat ze niet gestoord zouden worden. Toen hij de deur eenmaal achter hen had dichtgedaan, werd Jessica zich ineens bewust van het feit dat ze alleen waren. Ze voelde dat voor hem hetzelfde gold.

'Heerlijk dat Mike er niet is,' zei hij uiteindelijk om de ongemakkelijkheid te verdrijven. 'Laten we hopen dat hij het zo naar zijn zin heeft in Toscane dat hij besluit daar te blijven.' Hij legde zijn spullen op Mikes bureau, inclusief zijn voeten die hij er oneerbiedig op neer kwakte.

'Waarom mag je Mike niet?' vroeg Jessica verlegen. 'Hij leek me wel oké.'

Paul keek op en Jessica's maag en hart leken een salto te maken toen hij haar bedachtzaam aanstaarde. Hij gaf altijd de indruk dat er bij hem twee keer zoveel gedachten door zijn hoofd gingen als bij anderen. Ze zou willen dat ze wist wat hij dacht.

'Het is niet dat ik hem echt niet mag, ik vertrouw hem gewoon niet en ik kan het niet uitstaan als mensen je niet de hele waarheid vertellen,' zei hij uiteindelijk.

Jessica slikte. 'Wat kan er nou zo erg zijn aan Mike?' opperde ze bedeesd.

'Niet wat, maar wie,' antwoordde hij raadselachtig terwijl hij de computer voor zijn neus aanzette. 'Goed, ik zal je de teksten voorlezen maar alleen lachen als het écht grappig is. Als ze slecht zijn, wil ik dat liever nu weten.'

'Oké,' zei Jessica voordat haar nieuwsgierigheid het van haar won. 'Heeft hij een affaire of zo?'

'Wie, Mike? Nee. Waarom denk je dat?'

'Ik weet het niet,' zei ze schouderophalend. 'Ik dacht misschien... met Natasha?'

Er flitste even een vreemde blik over Pauls gezicht. 'Nee, het enige verdachte aan Mike, voor zover ik weet tenminste, is dat zijn directe baas, David Bridlington, zijn schoonvader is.'

'Oh, oké,' zei Jessica, die niet echt als door de bliksem getroffen leek door deze openbaring.

'Dus hij hoeft waarschijnlijk niet erg bang te zijn dat hij ooit zijn baantje kwijtraakt, snap je?' legde Paul lichtelijk bevoogdend uit voordat hij gelukkig van onderwerp veranderde.

'Is het heel anders om in Londen te werken dan in L.A.?' vroeg hij terwijl hij zijn wachtwoord intikte. 'Je zei dat je bij Fox en voor een agent hebt gewerkt, maar wat deed je dan precies?'

Jessica had inmiddels genoeg ervaring met het beantwoorden van dit soort vragen om ze beide onmiddellijk en overtuigend te beantwoorden.

'Ik heb stage gelopen bij Fox en daarna heb ik een tijdje een agent geassisteerd, daardoor ben ik denk ik niet al te geïntimideerd door de agenten hier.' Toen verplichtte haar open en eerlijke karakter haar ertoe daaraan toe te voegen: 'Ik heb ook even als receptioniste voor een galerie gewerkt en een tijdje liefdadigheidsevenementen helpen organiseren.'

Paul keek verbaasd. 'Klinkt alsof je veel hebt gedaan. Je bent niet vies van een beetje werk, zeg.'

'Eh, zoiets ja,' antwoordde Jessica, die vanbinnen ineenkromp om het compliment dat ze niet verdiende. Ze kon zich maar al te goed voorstellen wat Paul ervan zou vinden dat elk baantje dat ze ooit had gehad haar op een presenteerblaadje was aangegeven en dat ze de rest zelf had verzonnen. Op dat moment ging haar mobiele telefoon. Het was een geheim nummer.

'Hallo...?'

'Jessica, fijn dat ik je te pakken krijg,' zei een onmiskenbaar Franse stem.

Shit, het was haar moeder. Ze had vast een raar gezicht getrokken want Paul trok vragend zijn wenkbrauwen op.

'Oh, hoi, eh... het komt nu niet zo goed uit.'

'Sorry, maar ik probeer je al een eeuwigheid te bereiken,' zei Angelica. 'Ik heb je voicemail tig keer ingesproken maar toen je niet terugbelde was ik bang dat je boos op me was. Ik vind het echt heel erg dat we laatst zo snel weg moesten. Ik denk dat Graydon gewoon bezorgd om me was. Ik moet toegeven dat het een schok was om Pamela na zo'n lange tijd weer te zien, maar ik zou graag aan je uit willen leggen–'

'Ja, ja,' onderbrak Jessica haar. Ze wilde dat ze ophing. 'Nou, fijn dat je belt, maar kan ik je later terugbellen?'

'Oké,' zei Angelica, maar ze klonk gekwetst. Ze wist dat ze afgepoeierd werd. 'Ik ben nu in L.A. maar volgende week ben ik terug, dus laten we dan afspreken. En ik bel je vanavond in het hotel.'

'Nee, doe maar niet, bel me maar weer op mijn mobiel want ik logeer bij Pam,' zei Jessica, vastberaden daar niet verontschuldigend over te klinken.

'Oh...' zei Angelica, 'aha. Dat zal ik doen, want we hebben zoveel te bespreken–'

'Oké, spreek je gauw,' antwoordde Jessica vrolijk voordat ze snel ophing. Ze voelde zich schuldig, maar vermengd met een vleugje boosheid. Waarom had haar moeder altijd zo'n spectaculair slechte timing? Ze gaf toe dat ze haar eerder terug had moeten bellen, maar het was nooit een goed moment als je toch niet wist wat je moest zeggen.

'Alles goed?' informeerde Paul.

'Super,' antwoordde Jessica iets te opgewekt.

'Kan je je concentreren als ik muziek opzet?' vroeg Paul. Hij pakte een cd uit zijn tas, zwaaide zijn voeten weer van het bureau en deed de cd in Mikes stereo.

'Dan gaat het juist beter.'

'Dat heb ik ook,' zei Paul en hij glimlachte op zo'n manier naar haar dat haar ingewanden alarmerend aangenaam door elkaar schudden.

'Wie is dit?' vroeg Jessica toen een nummer met een aparte, ongewone sound begon.

'Eh... Elbow?' antwoordde Paul, schijnbaar stomverbaasd dat ze het niet kende.

'Kijk niet zo,' zei Jessica giechelend om het overdreven verbouwereerde gezicht dat hij trok. 'Ik ben dol op muziek maar er is zoveel, dus het is toch logisch dat ik niet hetzelfde ken als jij?'

'Dat zal dan wel,' gaf Paul toe. Hij leunde met zijn armen achter zijn hoofd achterover in Mikes draaistoel. Aan zijn ontspannen pose viel af te leiden dat hij meer interesse in kletsen had dan echt werken. 'Nou, kom maar op, mevrouw Bender. Wat ken je wel? Wat staat er bijvoorbeeld op je iPod?'

Kortstondig overwoog Jessica een iets opgesmukter antwoord te geven. Meer wat ze altijd dacht dat anderen wilden horen: The Beatles, Mozart, The Stones, gevolgd door een zooi coole bands (zoals Elbow), naast de toegestane hoeveelheid vereiste kitschpop die aantoonde dat je niet te vol van jezelf was. Maar ze zag er vanaf. Behalve dat ze genoodzaakt zou zijn te liegen, mocht ze Paul graag genoeg om te willen dat hij de ware Jessica leerde kennen.

'Nou,' antwoordde ze terwijl ze aarzelend op de stoel tegenover Paul ging zitten, wat haar alleen nog maar meer het gevoel gaf dat ze ondervraagd werd, 'ik ben altijd dol geweest op Motown-muziek, maar ik moet toegeven dat waar ik het meeste naar luister pure, onvervalste pop is. Vooral uit de jaren tachtig en negentig. Ik hou van elektronisch klinkende groepen als The Pet Shop Boys en Erasure. En van Madonna, Michael Jackson, Duran Duran, George Michael, Abba, Stevie Wonder, Diana Ross, The Eurythmics... 'k weet niet... van alles... alles wat opgewekt klinkt en waar ik vrolijk van wordt. Ik hou van housemuziek en, ooh... Coldplay en The Killers,' maakte ze enthousiast af.

Paul hield zijn hoofd schuin. Jessica vond het vreselijk dat ze zich zo onzeker voelde terwijl ze zijn reactie afwachtte. Het had haar nooit eerder iets kunnen schelen wat iemand van haar muzieksmaak vond, dus waarom nu dan wel? Omdat ze Pauls ondoorgrondelijke blik niet langer kon trotseren, staarde Jessica naar haar handen.

Paul lachte. 'Wat is er?'

Jessica fronste. 'Niks.'

'Oké, maar je werd ineens knalrood. Ben ik echt zo'n eikel dat je me niet eens durft te vertellen van welke muziek je houdt?'

'Nee,' zei Jessica, maar haar wangen verrieden haar blijkbaar dus ze besloot uit te weiden. 'Maar je lijkt me gewoon iemand die anderen beoordeelt op basis van hun muzieksmaak.'

Paul keek licht beledigd. 'Echt? Jeetje, ik weet dat ik een chagrijnig stuk vreten kan zijn, maar zo erg ben ik toch ook weer niet? En als je mijn zus kende, zou je wel anders praten. Die heeft pas een dubieuze muzieksmaak. In mijn moeders huis hoor je vooral Take That, Girls Aloud en Katy Perry, en dat is nog op een goeie dag.'

'Klinkt als een vrouw naar mijn hart.'

'Ze is vijftien,' voegde Paul er grijnzend aan toe.

'Zie je wel,' zei Jessica, niet langer beschaamd en nu verontwaardigd. 'Je oordeelt wel en je hebt nu net beweerd dat ik een – hoe noemen jullie dat hier ook alweer? – o ja, "muts" ben omdat ik van een bepaald soort muziek hou.'

'Dat was niet de bedoeling,' zei Paul, die weer rechtop ging zitten in zijn stoel, met genoegen de kritiek aannemend en geamuseerd door Jessica's gebruik van het woord muts. 'Als het helpt, ik luister wel eens naar Neil Diamond.'

Neil Diamond was een goed zoenoffer en Jessica voelde zich weer rustig worden. Ze glimlachten allebei en ze vroeg zich ineens af wanneer Paul nou zijn teksten zou gaan oplezen, maar hij leek nog steeds geen haast te hebben.

'In alle eerlijkheid,' zei hij en hij liet zijn armen op het bureaublad rusten. 'Ik heb veel liever mensen die gewoon eerlijk toegeven wat ze wel en niet leuk vinden dan dat ze antwoorden wat ze denken dat ze zouden moeten antwoorden. Maar het is nu eenmaal wel zo dat ik een geweldige smaak heb.'

'Oh, natuurlijk,' plaagde Jessica en ze kneep haar ogen tot spleetjes, blij dat ze geen lunch had gekocht want op dit ogenblik had ze toch geen hap door haar keel kunnen krijgen. Ineens viel haar blik op Pauls armen. Ze vond zijn horloge mooi. Het was oud, zag er versleten uit, was groot en van zilver en paste goed bij zijn pols, die ze nog mooier vond. Jezus, ze moest hier echt mee ophouden.

Paul had zich weer naar het scherm gedraaid en tuurde er geconcentreerd naar terwijl hij iets herlas wat hij had geschreven.

'Maar je hebt wel gelijk,' zei Jessica, 'muziek is absoluut iets waardoor je kunt zien of mensen pretentieus zijn. Wil je trouwens weten waar ik een afschuwelijke hekel aan heb?'

Paul knikte terwijl hij tegelijkertijd iets typte.

'Als je naar een club gaat en de dj achter elkaar saaie nummers speelt die niemand ooit eerder heeft gehoord. Niemand danst totdat hij eindelijk een bekend nummer opzet, iets wat iedereen kent en dan kan iedereen niet snel genoeg naar de dansvloer rennen. En dan is de dj ineens de held en realiseer ik me dat het niet zo gestoord is dat ik zoveel van popmuziek hou. Dat het "populaire" muziek heet, heeft een reden en als niemand daar meer laatdunkend over zou doen, zou dat het uitgaan een stuk leuker maken.'

'Hartelijk dank hiervoor, mevrouw Bender,' zei Paul opgeruimd en hij draaide zich weer naar haar toe. 'Herinner me eraan dat ik je eens meeneem naar Hyde Park. Dan kan ik je Speakers' Corner laten zien en kunnen we wat underground, serieuze trancemuziek meenemen om je op te zwepen. Dan mag je van wal steken en kun je naar hartenlust de nadelen van niet-populaire muziek verkondigen.'

Jessica moest wel lachen.

Paul pakte een balpen achter zijn oor vandaan en kauwde er bedachtzaam op. 'Wat heeft je doen besluiten de VS voor Engeland te verruilen?'

Jessica overpeinsde wat ze zou antwoorden maar koos voor de waarheid. 'Ik had thuis wat probleempjes en op een dag realiseerde ik me dat er op een handjevol mensen na niet veel was om voor te blijven.'

'Geen vriendje dus?' informeerde Paul terloops maar nieuwsgierig naar het antwoord.

'Geen vriendje.'

'En hoe zit het met je vader? Die zal het niet leuk gevonden hebben dat je wegging?'

'Nee,' antwoordde Jessica eerlijk en ze glimlachte toen ze aan haar lieve vader dacht, op wie ze altijd dol zou blijven hoe kwaad ze soms ook op hem was. Ze miste hem nu al verschrikkelijk. 'Hij was er niet blij mee, maar hij weet dat ik terugkom... ooit.'

'Zijn jullie close?'

'Best wel,' antwoordde Jessica vaagjes, ongemakkelijk met de richting die dit gesprek opging. 'Maar goed, laten we het over iets anders hebben. Ik wil meer weten over die voortreffelijke muzieksmaak van jou. Wat zou je zeggen dat jouw lievelingsnummer is?'

Toen ze dit zei, leunde ze naar voren op het bureau precies op het moment dat Paul dat ook deed. Ineens was haar gezicht dichtbij genoeg bij het zijne om zich echt te kunnen inbeelden hoe het zou zijn die prachtige mond van hem te kussen. De lucht tussen hen in voelde zwaar van iets ongewoons, iets wat gedurende de afgelopen dagen was gegroeid. Ze staarden elkaar zo intensief aan dat toen Kerry haar hoofd om de deur stak, het even duurde voordat ze merkten dat ze er was. Maar toen het tot hen doordrong schrokken ze zich allebei kapot en gingen snel rechtop zitten.

'Sorry Jess, ik vroeg me af waar je was,' zei Kerry, die wel doorhad wat er gaande was. 'Zijn jullie druk bezig of mag ik je wegkapen? Ik moet fruitmanden hebben voor onze gasten en ik hoopte jou daarmee op te zadelen. En ik wil je laten zien wat ik bij Primark heb gekocht. Strings voor een pond, en meer zou je ook niet moeten betalen voor iets wat de rest van zijn leven in je bilspleet doorbrengt, ja toch?'

Paul trok een heel vies gezicht en Jessica giechelde. 'Natuurlijk,' zei ze, nog nalachend. 'Sorry dat je me niet kon vinden, we–' Ze zweeg. Ze wilde zeggen dat ze aan zijn teksten hadden gewerkt maar dat was er niet eens van gekomen.

'Ik had haar hierheen gesleept om me te helpen met wat teksten, maar in plaats daarvan heb ik haar uitgehoord over haar nogal spectaculair afgrijselijke muzieksmaak,' zei Paul.

Kerry keek van hem naar haar assistent en glimlachte bij zichzelf. Het leek erop dat Jessica het nieuwste slachtoffer was dat voor de ongelooflijk complexe maar superleuke Paul was gevallen. En aan de onnozele uitdrukking op zijn gezicht te zien kon het wel eens wederzijds zijn.

'Jess,' zei hij nu, met die suffe glimlach nog op zijn gezicht, 'is heel hulpvaardig geweest maar misschien eerlijker dan goed voor haar was. Ze luistert naar George Michael, maar wat doe je eraan.'

'Ik heb George duizend keer liever dan Elbow,' zei Jessica, die schuchter wegkeek.

'Dus het is nu al "Jess"?' plaagde Kerry.

Toen hij de insinuerende toon in haar stem hoorde, viel hij meteen weer terug in zijn rol. Het was alsof je een knop omzette. 'Maar goed,' zei hij bijna knorrig, 'oprotten nu, jullie, ik heb het druk.'

En daarmee prikte hij zomaar de zeepbel door. Jessica's gezicht betrok. Wat dacht ze wel niet? Het was maar goed dat Kerry was binnengekomen, besloot ze. Wat haar betrof was omgaan met Paul altijd vragen om moeilijkheden. Ze voelde zich nogal dwaas en stond op, maar Kerry, die spijt had van haar geplaag, besloot iets aardigs te doen.

'O ja,' zei ze nonchalant, 'Jess gaat zaterdag met ons mee clubben, Paul. En ik denk dat er nog wel meer van kantoor gaan. Ga je ook mee? Jessica neemt zelfs haar kostelijke vriendin Veruca Peper mee, maar ze heeft ons ervan verzekerd dat die zich zal gedragen, dus laat je daar niet door afschrikken.'

Paul keek niet op, zo druk was hij nu met de eerder genegeerde teksten, maar na een paar tellen mompelde hij afgeleid: 'Klinkt goed, waarom niet?'

Jessica was al bijna de deur uit en de enorme smile die onmiddellijk verscheen kon ze met geen mogelijkheid onderdrukken. Kerry grijnsde, maar niet in de richting van hypergevoelige Paul. Paul ging nooit met ze mee clubben, dus het leek erop dat haar voorgevoel toch juist was, wat haar echt plezierde hoewel het wel weer verdomde typisch was. Vond zij maar vlak onder haar neus hier op kantoor wat ze zocht. Sommige mensen hadden het echt veel te makkelijk.

# 20

Het werd zaterdag en toen Jessica zich aan het klaarmaken was om uit te gaan, belde Angelica weer.

'Hoi mam,' zei Jessica. Ze hield de telefoon tussen schouder en oor terwijl ze eyeliner aan probeerde te brengen.

'Hai, ik ben blij dat ik je eindelijk te pakken heb.'

'Ik weet het, sorry. Ik was gewoon zo druk met werk en alles. En ik vind het echt vreselijk, maar ik was nu eigenlijk ook bezig. Ik ga vanavond uit met een paar mensen van het werk en ik ben al aan de late kant, dus...'

'Oké, maar voor je weer ophangt,' zei Angelica, haar stem ongewoon streng, 'kunnen we alsjeblieft iets in onze agenda's zetten? Ik ben maandag vrij. Zullen we dan afspreken? Misschien een hapje eten? Ik hoop echt dat het kan want ik ga weer weg en deze keer langer, misschien wel een paar maanden voor–'

'Fijn,' zei Jessica, meer bezig met het feit dat ze net in haar oog had geprikt met haar mascara. 'Dan praten we bij, goed? Mam, ik moet nu echt ophangen; de deurbel gaat, dus Dulcie is er. Ik zie je volgende week.'

Ze hing op, wierp nog een laatste blik in de spiegel, pakte haar tas en denderde de trap af in de wetenschap dat ze haar moeder verwaarloosde. Maar goed, misschien zou ze nu de volgende keer wel twee keer nadenken voordat ze zich door haar vriend liet commanderen. Deze gedachte bluste haar schuldgevoel niet helemaal, ze wist dat ze de tijd had moeten vinden een van haar vele telefoontjes te beantwoorden, maar de laatste tijd was ze gewoon steeds zo druk en verstrooid. Kwam Angelica er ook eens achter hoe dat voelde.

Jessica had met Kerry en de anderen afgesproken in de Toucan in Soho en Dulcie en zij arriveerden daar stipt om halfnegen. Ondanks Jessica's instructie om zich gewoon te kleden, droeg Dulcie een op de mode vooruitlopende outfit. Vastbesloten een leuk avondje te maken van de laatste avond van haar verblijf, had ze voor een luipaardjumpsuit van Alexander Wang gekozen, waarin ze er eigenlijk sensationeel goed uitzag ook al viel ze ontzettend uit de toon. Toen ze naar de bar liepen merkte Jessica dat ze, op Kerry na, de eersten waren.

'Sjonge,' zei Kerry sarcastisch tegen Dulcie zodra ze ze aan zag komen lopen, 'je had je wel een beetje mogen opdoffen.'

Omdat ze Kerry nooit anders had gezien dan in de kleding die ze naar het werk droeg, verbaasde Jessica zich erover hoe anders haar baas eruitzag. Ze droeg een zeer slank makende zwarte jurk met rode schoenen met kurken sleehakken en haar onhandelbare manen waren voor deze avond getemd.

'Je ziet er prachtig uit,' zei Jessica. 'Mooie jurk, zeg. Je ziet er zo anders uit.'

'Daar heeft ze gelijk in,' zei Dulcie. 'Ik herkende je niet eens.'

'Mooi,' zei Kerry, 'dan kom je ook niet bij me zeuren dat je in de show wil.'

'Nou... ik...' begon Dulcie, maar ze maakte haar zin niet af. Jessica wierp haar zo'n vuile blik toe dat ze het niet durfde. Ze had genoeg preken gehad.

'Jij ziet er trouwens ook geweldig uit, Jess,' voegde Kerry eraan toe, doelend op Jessica's paarse mini-jurk waar haar gespierde ledematen prachtig in uitkwamen. 'Dat zal Paul wel bevallen.'

Ondanks dat dit precies was wat Jessica stiekem wilde, deed ze in plaats van Kerry te bedanken voor het goed geplaatste compliment eenzelfde duit in het zakje.

'En ik denk dat Luke ook wel aangenaam verrast zal zijn vanavond.'

'Luke?!' herhaalde Kerry vertwijfeld. 'Neem je een loopje met me? Alsof Luke me ooit zou zien staan. En andersom ook niet. We zijn verdomme even groot, hoewel ik vermoed dat hij een smallere taille heeft dan ik. Ik zou hem pletten.'

'Nou, volgens mij zou hij dat helemaal niet erg vinden.'

Dulcie onderdrukte een giechel en Kerry stond op het punt tegen Jessica te zeggen dat ze haar belachelijke opmerkingen voor zich moest houden toen Isy, Vanessa en Natasha door de deur kwamen, met vlak achter hen aan Luke en als laatste Paul. Zodra hij verscheen maakte Jessica's hart een vreemde salto in haar borstkas. Ze zuchtte toen ze besefte dat haar handen bezweet aanvoelden en haar mond gortdroog werd. Ze was echt een lopend cliché van iemand die verliefd was. Dat Dulcie haar in haar ribben porde hielp ook niet echt. Het was niet de bedoeling dat ze zich zo voelde.

De meiden van het kantoor kwamen op hen af en Jessica was geroerd om te zien dat ze voor haar Dulcie allemaal vriendelijk begroetten. Maar Jessica wantrouwde toch Natasha's motieven toen die daarna allerlei vragen op haar vriendin begon af te vuren.

Ondertussen kon ze het niet laten een stiekeme blik op Paul te werpen. Hij stond geanimeerd met Kerry te praten, maar precies op dat moment keek hij op en kruisten hun blikken elkaar. Bij hen allebei verscheen er tegelijkertijd een glimlach op het gezicht en Jessica wist dat ze zich niets had ingebeeld. Er was iets tussen hen, als een soort overheerlijk geheim waar ze zich allebei van bewust waren. Toen zag hij Dulcie en zette opzettelijk grote ogen op. Het was zo komisch dat Jessica een giechel niet kon onderdrukken.

'Is het goed als ik je even alleen laat?' vroeg ze aan Dulcie. 'Ik ga naar de bar.'

'Ik red me wel, schat. Ik geniet van deze zeer Engelse ervaring. Ik ben nog nooit ergens wat gaan drinken waar daadwerkelijk vloerbedekking lag, of waar het naar hond rook. Echt uniek.'

Jessica sloeg het restje van haar wodka-tonic achterover, liet Dulcie bij Isy achter en ging naar de bar om een nieuw drankje te bestellen. Zelfs met haar rug naar hem toe voelde ze Pauls ogen op zich gericht. In de hoop dat hij naar haar toe zou komen, gooide ze haar haar naar achteren en beet koket op een nagel op een manier waarvan ze normaalgesproken zou moeten kotsen. Ineens leek het wel alsof het tegenovergestelde doen van waar de vrouwenbeweging voor had gestreden de enige logische houding was. Ze draaide zich om om weer stiekem te kijken en, ja hoor, hun blikken kruisten elkaar weer.

'Iemand ziet jou wel zitten,' zei Kerry droogjes toen ze bij Paul was weggelopen en naast Jessica aan de bar kwam staan. 'Hij doet helemaal aardig en ik heb hem geen gestreken kleding meer zien dragen sinds hij met Natasha uitging,' voegde ze eraan toe precies op het moment dat Luke bij haar elleboog verscheen. Jessica kon niet anders dan deze laatste opmerking die als een kanon door haar heen was geschoten en onderweg oneindig veel vragen opriep, maar te slikken.

'Alles goed?' vroeg Luke nonchalant, met zijn vilthoed schuin op het hoofd. 'Ik zie dat je alles uit de kast getrokken hebt, Kezza. Van plan om te scoren vanavond? Of heb je een afspraakje met een van je internetseks-eikels?'

'Kop dicht, lelijke aap,' was Kerry's weerwoord, hoewel iets minder agressief dan gewoonlijk. Hoezeer ze het ook probeerde, ze kon wat Jessica eerder had gezegd niet uit haar hoofd krijgen. Ze wist dat het totale onzin was, en dat zij op Luke zou vallen, nou, dat was eigenlijk zelfs nooit in haar opgekomen. Maar je interesse kon onmogelijk niet geprikkeld raken als je verteld werd dat iemand je leuk vond, besloot ze. Vooral omdat het zo lang geleden was dát iemand haar leuk had gevonden. Om eerlijk te zijn, zou ze op dit moment zelfs nog dankbaar zijn als kolonel Gaddafi in haar geïnteresseerd was. Ze keek even naar Luke, die terug grijnsde en haar blik net iets langer vasthield dan nodig was. Oh, ga toch weg. Jessica met haar stomme ideeën. Luke was gewoon een sukkel van kantoor die haar de hele tijd in de maling nam en haar lastig viel als een jochie op het speelplein. Het meisje met de staartjes pesten en zeggen dat hij haar stom vond terwijl hij eigenlijk...

'Wat wil je?' vroeg de barvrouw uiteindelijk met een levensmoeie houding die Jessica hilarisch vond. In de VS was de dienstensector precies wat het was: er werden diensten verleend en klanttevredenheid werd serieus genomen. In Londen mocht je al blij zijn dat je daadwerkelijk kreeg waar je om gevraagd had terwijl het personeel je het idee gaf dat ze liever wilden dat je niets vroeg.

'Wat willen jullie?' vroeg ze aan Kerry en Luke.

'Stop je geld maar weg, Bender,' zei Luke. 'Deze krijg je van mij. Ik betaal ook wel voor je vriendin, Scary Spice, en natuurlijk voor de charmante Kerry.'

'Dank je, Luke,' zei Jessica terwijl ze Kerry's blik zocht en knipoogde. 'Voor mij graag een wodka-tonic.'

'Voor mij een biertje,' zei Kerry.

Jessica glimlachte in zichzelf omdat Lukes gezichtsuitdrukking een open boek was. Een meid die bier dronk; ze was overduidelijk de vrouw van zijn dromen. 'Eh, Kerry?' vroeg ze, ze probeerde nonchalant te klinken maar slaagde daar niet in, 'ik vroeg me af, hè. Toen Paul en Natasha iets hadden samen, vond hij haar toen echt leuk? Puur uit interesse,' voegde ze er snel aan toe, terwijl ze zichzelf haatte omdat ze het niet had kunnen weerstaan het te vragen.

'Ja,' antwoordde Kerry onverbloemd, 'maar ze pasten helemaal niet bij elkaar en ze maakte hem ellendig, dus maak je geen zorgen.'

'Precies,' zei Luke met een onnozele grijns. 'Paul denkt dan misschien dat hij weer een kansje maakt bij Natasha, het is niet wat hij diep vanbinnen wil. Of wie hij wil, eigenlijk,' voegde hij er liefjes aan toe. 'Jouw naam valt de laatste tijd nogal vaak in ons appartement.'

Jessica glimlachte zwakjes. Dit stelde haar gerust, maar niet helemaal. Jezus, wat was ze dom bezig. Als Paul nog gevoelens voor Natasha had, die echt een soort godin was, dan maakte zij toch geen schijn van kans? En bovendien had het ook geen zin om een relatie aan te gaan, hield ze zichzelf voor, hoewel deze mantra steeds minder overtuigend begon te klinken.

Hun drankjes arriveerden en Jessica nam net een nogal grote slok van het hare om haar zenuwen te onderdrukken toen Paul zelf naar haar toe kwam slenteren.

'Alles goed?' begroette hij haar met een klein knikje. Ze kon zijn aftershave ruiken. Hij rook goddelijk. Zijn eigen unieke geur vermengd met sigarettenrook, waspoeder en het citrusachtige goedje dat hij blijkbaar over zijn gezicht had gegooid. 'Wat drinken?'

'Nee, dank je,' antwoordde Jessica stijfjes waarna ze nog een grote slok nam. 'Ik heb er net eentje van Luke gekregen.'

'Nou, zo te zien glijdt die aardig snel naar binnen dus ik haal er nog wel eentje voor je.'

'Oké,' antwoordde ze bijna knorrig, in gevecht met de lelijke jaloezie op Natasha die haar opvrat. De hoeveelheid wodka in haar bloed hielp ook niet echt om haar emoties onder controle te houden. Ze was altijd een goedkope date geweest, zelfs naar L.A.'se maatstaven.

Op dat moment kwam Natasha aangeslopen. 'Hoorde ik dat je een rondje ging halen? Voor mij graag hetzelfde als altijd, Paul,' zei ze nadrukkelijk. Ze had haar woorden behoedzaam gekozen en keek naar Jessica om zich ervan te verzekeren dat die het goed had begrepen. Ze wilde Paul zelf niet, maar wilde ook liever niet dat iemand anders hem in de klauwen kreeg. Maar Paul was niet gek en door wat hij de laatste tijd voor Jessica was gaan voelen, was hij minder blind voor zijn ex.

'Wat was dat ook alweer?' vroeg hij omdat hij precies wist wat ze in haar schild voerde. 'Wat je altijd drinkt? Ik weet het niet meer.'

Natasha oogde woedend maar ze wilde geen gezichtsverlies lijden waar Jessica bij was dus nam ze er haar toevlucht toe Paul zwart te maken.

'Dat is waar ook. Ik was vergeten dat je altijd je geld in je zak houdt. Dus logisch dat je het niet weet.'

'Drink er een van mij,' zei Jessica. Het laatste wat ze wilde was Natasha te vijand hebben.

'Vooruit maar,' zei ze, ze had geen zin erop door te gaan. 'Voor mij graag een witte wijn en een water, en dan moeten we maar eens gaan. Dj Delish doet de tweede set en ik heb gehoord dat hij om op te vreten is. Lekker gespierd, schijnt.'

Paul rolde met de ogen en schudde het hoofd, maar hield er al gauw mee op. Wat heerlijk; voor het eerst sinds tijden besefte hij dat wat Natasha zojuist had gezegd nul komma nul met hem deed. Dj Delish mocht haar hebben. Super.

Terwijl Natasha bij de andere meiden ging zitten aan een tafeltje vlakbij, glimlachte Jessica naar Paul. De twijfels die ze had over hem en Natasha waren voor nu weggenomen. Hij zag er vanavond fantastisch uit en had die blik van een mannelijke man die erg zijn best heeft gedaan op zijn uiterlijk. Alsof hij een heel uur onder de douche had staan schrobben tot hij niet schoner kon. Zijn donkere, bijna zwarte haar was pas gewassen en zijn kleren roken merkbaar schoon. Hij droeg een T-shirt met een mooie lichte trui eroverheen. Zijn schitterende kont zat in dezelfde soort spijkerbroek als altijd en hij had zijn gebruikelijke afgetrapte gympen aan. De neiging haar neus in zijn nek te stoppen en zijn geur op te snuiven spoelde over haar heen, maar dat deed ze natuurlijk niet.

Op dat moment behoedde Kerry hen voor een onbehaaglijke stilte door tegen de groep te zeggen dat ze hun drankje op moesten drinken zodat ze naar de club konden gaan. Al merkbaar aangeschoten, sloeg Jessica haar nieuwste drankje achterover.

'Is het een beetje een goeie club?'

'Ben er nooit geweest,' antwoordde Paul, 'maar ik vermoed dat het mijn idee van de hel is. Je weet toch dat het "Guilty Pleasures" heet?'

'Eh, ja,' zei Jessica, ineens bezorgd dat deze avond zweepslagen, bondage of billenkoek zou inhouden.

'Dat verwijst naar hun muziekbeleid,' legde Paul uit. 'Ze draaien alleen nummers die de meeste mensen bagger vinden. Zoals Take That, Abba, The Spice Girls, dat soort troep,' zei hij nonchalant. 'Je zult je er goed thuis voelen.'

'Echt waar?' vroeg Jessica opgewekt. Ze had nu wel geleerd dat ze hem niet te serieus moest nemen als hij haar op de kast probeerde te krijgen en was in haar nopjes dat hij nog wist waar ze over hadden gepraat. 'Dat klinkt echt supervet,' giechelde ze, licht in het hoofd van drank en lust.

'Ja, vet man,' zei Paul gespeeld.

'Oh, ga toch weg jij,' zei ze en ze bloosde als een gek en sloeg hem op zijn arm. 'Maar als je de muziek zo vreselijk vindt, waarom ga je dan mee?'

'Waarom denk je?' was zijn onmiddellijke antwoord en hij keek haar er zo buitengewoon sexy bij aan dat ze over haar hele lijf rilde van verlangen. 'Hoewel ik niet snap waarom je je vriendin mee moest brengen,' voegde hij eraan toe, waarmee hij het effect lichtelijk verpestte.

'Omdat het haar laatste avond is en ze mijn beste vriendin is,' zei Jessica ferm. 'Ik weet dat je haar niet mag en ik moet toegeven dat ze zich niet van haar beste kant heeft laten zien, maar ik beloof je dat er onder dat L.A.-laklaagje een lieve, nuchtere meid zit!'

'Ik zie het,' zei Paul. Hij knikte met zijn hoofd in Dulcies richting en toen Jessica zijn blik volgde, zag ze Dulcie net haar glas afvegen met wat alleen maar een antibacterieel doekje kon zijn.

# 21

De laatste keer dat Jessica en Dulcie samen waren wezen dansen in L.A. was een paar maanden daarvoor geweest. Een feestje in de legendarische kelder van Paris Hilton, wat eigenlijk een nachtclub was compleet met dansvloer en paal. Het was een leuke avond geweest en iedereen was tot op zekere hoogte losgegaan, hoewel nooit ten koste van hun uiterlijk. De meiden hadden toen net genoeg gedronken om ongeremder te worden maar niet zo erg dat ze hun handtas kwijt zouden raken of niet meer bij konden houden of hun lipgloss nog wel goed zat. Bij het inzetten van een nummer dat ze leuk vonden, hadden ze koketterig gegild en één slappe hand in de lucht getild terwijl ze sexy bleven dansen op hun hemelhoge hakken. Hakken die dansen martelend pijnlijk maakten, maar hun kuiten langer lieten lijken.

Eerst leek het slechts een detail, maar toen de goed ingedronken groep de pub verliet, merkte Jessica dat hoewel de Britse meiden hakken droegen, deze niet zo hoog waren dat ze niet een flink potje konden dansen. Om de een of andere reden wist ze dat dit een factor was geweest bij hun besluit om blokvormige sleehakken boven puntige stiletto's te verkiezen, en voor haar sprak dat boekdelen. Het leek symbolisch voor het verschil in houding tussen de Britten en hun bevoorrechte tegenhangers in Hollywood. Kort gezegd gaven Kerry en de anderen meer om een leuke avond dan er goed uitzien. Jessica voelde iets wat op opluchting leek bij deze bevestiging dat het ook anders kon dan in de vreemde, door imago's geobsedeerde microkosmos waarin ze was opgegroeid.

Ze zigzagden door Soho, een ervaring op zich op een zaterdagavond, en toen ze bij de club aankwamen bleek dat ze in de rij moesten wachten ondanks het feit dat ze op de gastenlijst stonden. Toen de groep eindelijk langs het touw mocht, kon Dulcie het niet laten te zeggen: 'Niet te geloven dat ik hieraan meedoe.

Ik heb mijn hele leven nog nooit ergens voor in de rij gestaan.'

'Voor alles moet een eerste keer zijn,' zei Paul vinnig.

'Dulcie,' smeekte Jessica haar vriendin, 'kun je alsjeblieft iets gewoner klinken?'

'Oké,' zei Dulcie, 'maar maak je niet dik, je weet dat ik dat soort dingen gewoon maar voor de lol zeg.'

Ze liepen nu de trap af naar de club in de kelder en hoorden de eerste flarden van de muziek die daarbinnen werd gedraaid. Isy, vlak achter hen, was de eerste die doorhad welk nummer het was. Ze slaakte een soort opgewonden gil die je normaalgesproken op een vrijgezellenavond op Mallorca zou verwachten en stormde hen voorbij, zo graag wilde ze naar binnen.

'Wat is het?' vroeg Jessica. 'Wat draaien ze?'

Maar Dulcie was de tweede die het hoorde en wachtte ook niet om het te zeggen. In plaats daarvan drong ze langs Jessica en racete achter Isy aan naar de dansvloer, waarbij ze haar schijn van coolheid helemaal opgaf. Het was 'Girls Just Wanna Have Fun' van Cyndi Lauper. Jessica rende hen gauw achterna en het duurde niet lang of de drie meiden gingen, luidkeels meezingend, uit hun dak op de dansvloer. Op een gegeven moment dachten Jessica en Dulcie dat Isy een vreemd dansje deed om hen aan het lachen te maken en lagen in een deuk, totdat ze zich realiseerden dat het gewoon alleen maar haar unieke dansstijl was. Hun gezicht betrok omdat ze bang waren dat ze Isy misschien gekwetst hadden, maar dat was niet nodig. Isy danste zo gepassioneerd dat ze zich niet bewust was van de mensen die haar vreemd aankeken, en dat waren niet alleen Jessica en Dulcie.

Paul, die om logische redenen niet dezelfde reactie op het nummer had gehad, kwam de club op een rustiger tempo binnenlopen, maar grijnsde zodra hij Jessica en haar vriendinnen zag. Het verbaasde hem dat Dulcie zo enthousiast meedeed, maar aan de andere kant leek hij voortdurend versteld te staan van iets... of iemand. Hij stond te kijken hoe Jessica in het rond danste, haar mond met de woorden meebewoog en zoveel blijdschap uitstraalde dat het aanstekelijk op hem werkte. Jessica Bender bezorgde hem absoluut een glimlach op zijn gezicht en als het zo doorging, zou zijn gemene en humeurige reputatie gevaar lopen. Ze was supermooi en zag er goed uit in die jurk.

Luke gebaarde naar hem. Hij had wat stoelen vlak bij de dansvloer gevonden van waaruit ze comfortabel hun vrouwelijke collega's rond konden zien zwieren.

'Allemachtig,' zei Luke. 'Waar is Isy mee bezig? Het lijkt alsof ze haar medicijnen thuis heeft laten liggen.'

Paul grijnsde. 'Ze is net zo'n dramastudent. Je weet wel, die zich met beweging uitdrukken. "Ik ben een boom."'

'Scary Spice doet tenminste wel leuk mee,' riep Luke toen de dj het volgende nummer inmixte. 'En die Bender beweegt niet slecht, hè?'

Paul stak zijn middelvinger naar hem op maar grijnsde erbij. De muziek stond zo hard dat het weinig zin had om te praten, dus zaten ze maar wat en genoten van de show, beide geconcentreerd op de vrouw die ze wel zagen zitten. Hoewel het bij Luke, tenzij je heel opmerkzaam was, moeilijk was te zien wie dat was.

Luke was eraan gewend zijn gevoelens voor Kerry verborgen te houden, maar hij was al verliefd op haar zo lang hij zich kon herinneren. En zo lang als hij zich kon herinneren, was Kerry heel duidelijk en uitgesproken geweest over haar 'lijst'. Haar lijst van wat ze wel en niet wilde in een man. Haar lijst waar het hele kantoor van op de hoogte was... Door die lijst wist Luke dat Kerry iemand wilde leren kennen die haar aan het lachen maakte. Dat gedeelte moest lukken. Ze wilde ook iemand die oplossend, aardig en eerlijk was en die meer van haar hield dan zij van hem. Dat was ook allemaal een makkie.

Wat ze níét wilde was iemand die niet van honden hield. Luke was dol op honden. Ze wilde ook niet iemand die racistisch, snobistisch, pretentieus of verwaand was. Prima. Maar ze wilde absoluut iemand met een goeie kop met haar en haar ideale man was lang. Die criteria had ze tegen meerdere mensen meerdere malen verkondigd. Luke zou nooit lang worden en dat hij zo vaak zijn geliefde hoed droeg had een reden.

Verder wilde Kerry niet iemand die in hetzelfde wereldje werkte omdat ze bang was dat ze dan snel uitgepraat zouden zijn, en ze wilde absoluut geen moederskindje. Luke werkte voor de tv en hield belachelijk veel van zijn moeder. Als hij de griep had, zou hij niet met zijn hand op zijn hart kunnen zweren dat hij niet het allerliefste wilde dat zijn moeder voor hem zorgde in plaats van iemand anders. Kort samengevat had Kerry in de anderhalf jaar dat Luke haar kende genoeg gezegd om ervoor te zorgen dat hij niet in staat was zijn gevoelens kenbaar te maken omdat het duidelijk was dat ze hem om een aantal van de bovengenoemde redenen zou afwijzen. Dus nam hij er maar genoegen mee haar van een afstandje te adoreren, bracht veel tijd door met bidden dat ze niemand anders zou ontmoeten en overwoog één zorgwekkende dag lang om in halfhoge hakken te investeren.

Ondertussen bevond Jessica zich in haar eigen wereldje. Het was hier echt haar idee van de hemel. De sfeer was ongelooflijk en zo anders dan de plekken waar ze in L.A. kwam. Ze was niet de enige wie het opviel.

'Jeetje, Jess,' schreeuwde Dulcie met glimmende ogen van opwinding. 'Wat is dit cool. Ik vermaak me enorm. Ik kan me niet heugen wanneer ik voor het laatst uit ben gegaan zonder me zorgen te maken wat mensen van me vinden,'

'Heerlijk, hè?' zei Jessica, die naar haar vriendin grijnsde en ervan genoot haar zo blij en ontspannen te zien.

'Geweldig,' zei Dulcie. 'Ik moet toegeven dat ik zelfs begin in te zien waarom je het hier naar je zin hebt.'

'Ja hè, de muziek is echt super.'

'Dat bedoelde ik niet. Ik bedoelde hier in Londen, met deze

mensen. Ze zijn wel oké. En je lijkt me gelukkig. Nu ik je lekker je eigen ding zie doen, snap ik waarom je weg moest.' De twee meiden omhelsden elkaar. 'Maar luister, denk vooral niet dat je op me hoeft te passen. Ik vermaak me prima met je vriendinnen als je naar je lover toe wilt.'

'Doe niet zo raar,' protesteerde Jessica.

'Dat doe ik niet,' zei Dulcie. 'Het is een afkrakende eikel, maar ik zie dat je hem leuk vindt en hij ziet er goed uit.'

Jessica schudde het hoofd. 'Ik geef toe dat hij iets heeft... misschien, maar het heeft niet echt zin hem beter te leren kennen als ik niet eens weet hoe lang ik hier nog blijf.'

'Waarom niet?' vroeg Dulcie, die het echt niet begreep.

'Omdat het toch niets wordt.'

Op dat moment kwam Isy helemaal verfomfaaid uit de drukte vandaan. 'Dulcie, ouwe luipaardslang van me, kom je de wolvendans met me doen?'

'Kom eraan,' riep Dulcie. 'Weet je?' zei ze met glinsterende, donkere ogen tegen Jessica. 'Ik vind het heel dapper van je dat je hierheen bent gegaan, maar als het erop aankomt ben je te bang een kans te geven aan iets wat je ertoe zou dwingen daadwerkelijk iets te voelen. Ik snap dat niet, Jess,' zei ze en ze haalde vertwijfeld de schouders op.

'Kom nou,' zei Isy en ze sleepte Dulcie mee.

'Wat een te gekke meid is dit!' riep Dulcie achterom. 'Ze moet eens naar L.A. komen. Ze is dolkomisch. Paris zou haar geweldig vinden.'

Jessica hield even een vinger voor haar lippen om haar vriendin te waarschuwen dat ze zich stil moest houden over hun leven in L.A.. Wat Dulcie zojuist gezegd had irriteerde haar. Ze vond Paul wel leuk, dat was waar, en ze was er serieus toe geneigd iets met hem te beginnen, maar wilde niet gekwetst worden.

'Hallo daar,' zei een stem in haar oor. Ze wist wie het was zonder zich te hoeven omdraaien.

'Zullen we even gaan zitten?' vroeg Paul.

In tegenspraak met alles wat ze net had staan denken, knikte ze en negeerde zelfs het feit dat 'Dancing Queen' net op werd gezet, wat maar weer bewees hoe leuk ze hem vond.

Ze liepen naar een leeg tafeltje en ze liet zich naast hem neerploffen. 'Hoi,' zei ze bedeesd toen gevoelens van verlegenheid met emmers vol tegelijk terugkeerden.

'Vermaak je je wel een beetje?' vroeg Paul.

'Ja, ontzettend,' antwoordde ze, verbaasd dat hij dat niet kon zien. 'Het is hier echt gewe – oh – je maakte een geintje, hè?'

'Ja, mevrouw Bender, ik maakte een geintje,' zei hij.

Ze keken elkaar een tijdlang aan en terwijl Jessica in zijn ogen staarde zag ze, en niet voor het eerst, dat hij prachtige wimpers had. Het aparte gevoel in haar buik keerde terug. Paul liet zijn armen zakken, leunde wat naar voren en stopte een verdwaalde haarlok achter haar oor. Ze slikte. Ze had nog nooit zó graag gewild dat iemand haar zou kussen. Wat zou er eigenlijk zo erg zijn aan een vakantieliefde? Maar natuurlijk net toen Paul hetzelfde leek te denken, kwam Kerry aangesneld op de voet gevolgd door een erg dronken ogende Luke. Ze waren duidelijk met een missie bezig en kwamen aangelopen met dienbladen vol sterk uitziende drankjes.

'Alsjeblieft, voor jullie,' zei ze. En daarna: 'Isy, Van, Tash, Scary Spice!' Ze gilde met zo'n indrukwekkende hoeveelheid decibellen dat de meiden haar vanaf de andere kant van de dansvloer konden hoorden.

'Wauw,' zei Paul. 'Jouw stem is net een... hondenfluitje, niet dat ik hen honden wil noemen,' voegde hij er gehaast aan toe toen ze allemaal hun kant op kwamen dansen. Jessica merkte dat Dulcie alleen nog maar oog voor Isy had. Ze was helemaal weg van de jongere vrouw.

'Hi hi hi,' giechelde Isy nu buiten adem. 'Ik heb net met een Japanse toerist staan zoenen die zei dat ik de beste danseres was die hij ooit heeft gezien.'

'Dan wil ik de slechtste wel eens zien,' zei Luke. Toen Isy vervolgens een impressie deed van hoe dat eruit moest zien, lag iedereen dubbel. Een voor een pakten ze allemaal de aangestoken Sambuca van Kerry's dienblad en terwijl ze dit deden werd Jessica overvallen door het heerlijke gevoel van camaraderie tussen haar nieuwe Engelse vrienden. Jezus wat was ze dronken. Net als Dulcie, trouwens.

'Ik wil graag iets tegen de hele groep zeggen,' begon haar vriendin nu met dubbele tong.

'Ga je gang,' zei Kerry goedgeluimd.

'Oké, nou, ik weet dat we niet zo'n goeie start gemaakt hebben en dat jullie me in nog geen miljoen jaar in jullie show laten komen, maar toch vind ik jullie helemaal geweldig. En jullie hebben het natuurlijk bij het verkeerde eind, want ik zou een supergast zijn, maar jullie zijn evengoed geweldig. Dus bedankt dat ik vanavond mee mocht en zorg alsjeblieft goed voor Jess als ik weer in de VS ben.'

'Doen we,' zei Kerry.

'Daar kun je op rekenen,' zei Vanessa, haar accent uitgesprokener dan ooit. Dulcie staarde haar niet-begrijpend aan omdat ze geen woord had verstaan van wat ze zei. Jessica giechelde. Ze was dus niet de enige.

'Volgens mij kan ze prima voor zichzelf zorgen,' mengde Paul zich er met een scherp randje aan zijn stem in.

Dulcie kneep haar ogen tot spleetjes. 'Nou, dat mag je vinden,' zei ze, 'maar je hebt echt geen idee wat je je op de hals haalt als je haar ook maar één haar krenkt. Jezus, meneer G wordt razend als–'

'Oké, laten we daar de rest niet mee vervelen, Dulcie,' riep Jessica zich zo ongeveer op haar vriendin stortend.

'Oh, natuurlijk,' riep Dulcie zichzelf tot de orde.

'Ik krijg steeds het gevoel dat je iets voor ons achterhoudt,' schreeuwde Natasha boven de muziek uit.

Jessica overwoog net wat ze moest zeggen toen ze werd gered

door de volgende plaat van de dj. Het was 'Baby One More Time' van Britney Spears en zodra ze de bekende openingsakkoorden hoorden, besloten alle meiden inclusief Natasha dat dansen meer prioriteit had dan Jessica ondervragen en haastten ze zich terug naar de dansvloer. Het duizelde Jessica. Zou ze met ze mee gaan? Toen pakte Paul haar hand. Ze ging weer zitten, het was tenslotte geen wedstrijd.

'Zo klink ik dus blijkbaar,' zei ze luid. Er werd nu alleen nog maar geschreeuwd, want praten was onmogelijk. 'Dat hadden jullie toch besloten?'

Paul grijnsde. 'We zijn wel afschuwelijk tegen je, hè?'

'Een beetje,' zei ze schouderophalend. 'Maar hé, diep vanbinnen zijn jullie allemaal best aardig.'

'Fijn,' zei Paul. 'Dus je blijft nog wel een tijdje in Engeland?'

Jessica dacht aan thuis en aan haar vader en het feit dat Dulcie morgen weer weg zou gaan en werd overvallen door heimwee, maar ze wist dat ze nog even zou blijven.

'Ja. Ik denk het wel. Ik vind het hier wel leuk,' antwoordde ze, ongeremd door de drank. 'Ook al is het een gek en ouderwets land.'

'Het kan nooit gekker zijn dan een land dat zich jaren door die sukkel van een Bush heeft laten regeren,' zei Paul fantasieloos. Hij was ook dronken.

'Zal wel,' antwoordde Jessica lachend. 'Trouwens, denk je eens in wat mijn land allemaal voor geweldigs heeft en hoeveel van de cultuur jullie overnemen. Welk nummer draait de dj nu bijvoorbeeld? En je weet dat wij de beste shows maken, dus geef het maar op.'

Paul lachte. 'Je bent hilarisch, Jessica Bender. Op zoveel manieren niet mijn type, maar toch zie ik dat je er wel mee door kan.'

'O ja?' vroeg ze en ze ontblootte haar rechte witte, door de orthodontist onder handen genomen tanden.

'Ja,' antwoordde hij met een glimp van zijn eigen ietwat scheve tanden die nooit een beugel hadden gezien.

‘Nou, lief dat je dat zegt,’ zei ze eenvoudigweg en grijnsde weer. Ze zaten een tijdje in aangename stilte en lachten zo nu en dan om de capriolen van de anderen op de dansvloer. Vanessa hield Isy bij de enkels vast en reed haar als een kruiwagen de club rond totdat ze allebei op de grond vielen van het lachen. De Japanse toerist sloeg zich op de dijen van het lachen en maakte honderden foto’s, duidelijk gecharmeerd van Isy. Ze droeg de meest eigenzinnige outfit tot nu toe: een originele combinatie van Schotse ruitjes, kant en Dr. Martens.

‘Zoiets zul je mijn vrienden thuis nooit zien doen.’

Paul wierp haar een verbaasde blik toe alsof een wereld zonder mensen die kruiwagentje speelden in nachtclubs ondenkbaar was.

‘Echt,’ zei Jessica. ‘Jullie Britten zijn zoveel relaxter. Kijk maar naar hoe weinig het jullie kan schelen hoe je eruitziet. Ik kijk altijd ergens naar met mijn tante, volgens mij heet het *Coronation Street*? Hoe dan ook, ik vond het ongelooflijk hoe gewoon de cast eruitzag, maar dat is wel cool want daardoor ga je je niet de hele tijd ongunstig met die mensen vergelijken en... kun je me nog volgen?’

‘Ik geniet van je speech,’ antwoordde Paul. ‘Ga verder.’

Jessica bloosde en trok haar neus op.

‘Ik ben volkomen serieus,’ zei Paul en voor het eerst klonk hij het ook. ‘Ik luister graag naar je. Vertel eens tot wat voor conclusies je nog meer bent gekomen over ons groene en aangename landje.’

‘Echt?’

‘Echt.’

‘Oké,’ zei Jessica, die met moeite boven de muziek uit kwam. ‘Nou, ik vind het heerlijk hoe Londen geschiedenis uitademt. Ik weet dat het cliché is. En ik vind het ook geweldig hoe jullie praten, vooral de nieuwslezers. Ze klinken zo vorstelijk, maar dat is misschien niet verbazingwekkend aangezien jullie land ook echt een koninklijke familie heeft. Zelfs de naam klinkt statig. Verenigd Koninkrijk. Geweldig. Het somt Engeland en de Engelsen op. Zo elegant, zo deftig.'

'Weet je dat zeker?' vroeg Paul met een stalen gezicht, en Jessica volgde zijn blik door de zaal naar waar Kerry zeer onelegant op een speaker probeerde te klimmen. Toen het haar eindelijk was gelukt, meer door puur doorzettingsvermogen dan atletisch talent, schreeuwde ze iets uit volle borst. Vanaf waar Jessica zat, leek het op 'Kom maar op.' Toen verscheen er uit het niets een grote uitsmijter en sleepte haar weg. Jessica huiverde toen de hele club haar onderbroek te zien kreeg.

'Ik moet toegeven,' zei ze, 'dat dat waarschijnlijk niet het beste voorbeeld van Britse etiquette was dat ik ooit heb gezien, maar aan de andere kant...'

'Hou nou je mond en kom hier,' zei Paul, en niet in staat nog een seconde langer te wachten, pakte hij haar vast, zijn hand achter haar hoofd, en trok haar behoedzaam naar zich toe. Vervolgens kuste hij haar zo ongelooflijk lekker dat Jessica echt dacht dat ze wel eens zou kunnen flauwvallen. Terwijl zijn tong haar mond verkende, voelde ze een sensatie die in haar onderbroek begon, zich dwars door haar buik omhoogwerkte, in haar hersenen eindigde en onderweg allemaal tintelingetjes verspreidde. Hem kussen voelde helemaal goed en ze had het gerust nog een tijd vol kunnen houden als er niet een kreet van Isy door de hele club had geklonken. Op dat moment stopte Paul net zo plotseling als hij begonnen was en liet haar los.

Jessica voelde zich overspoeld worden door teleurstelling en paranoia. Zou het zo verschrikkelijk zijn als iemand zag dat hij haar zoende? Ze kon niks zeggen, want nu kwamen een paar van de meiden van kantoor naar hen toe, waaronder Natasha.

Duidelijk verward ging Paul met een hand door zijn haar en probeerde zich fysiek te herpakken toen Mark Ronsons 'Valerie' begon en er een enorm gejuich opging in de club.

‘Eindelijk een nummer dat ik leuk vindt,’ zei hij lacherig, zijn stem veelzeggend hees.

Het had hem tenminste net zo opgewonden als haar, dacht Jessica bedroefd, en ze glimlachte werktuiglijk naar hem bij wijze van antwoord, te zeer in beslag genomen door haar eigen gedachten om meer te doen dan dat. Schaamde Paul zich voor de kus of deed hij zo omdat hij gaf om wat Natasha dacht of omdat hij gewoon verstandig was? Ze wist het niet en was te dronken om het nu te bedenken, hoewel het wel even bij haar opkwam dat het haar op maandagochtend misschien meer zou kunnen schelen dat er op kantoor over haar geroddeld werd. Ze had zich totaal laten meeslepen door het moment. Een ontnuchterende gedachte.

‘Ahoi!’ riep Isy, waarmee ze de betovering helemaal verbrak maar ook wat van de spanning wegnam.

‘Hoi,’ zei Jessica en ze glimlachte naar haar.

‘Jezus, wat heb ik een dorst,’ zei de jongere vrouw. ‘Ik zou het bezwete voorhoofd van die uitsmijter nog likken, zo’n droge mond heb ik.’

‘Dat hoeft niet,’ zei Natasha. Ze kwam net aanwandelen met een kan kraanwater en wat glazen. Jessica was zich er ineens vreselijk van bewust hoe goed Natasha eruitzag in haar korte overall van French Connection en sandalen met plateauzolen.

‘Dans je niet, Paultje?’ informeerde Natasha terwijl Isy de kan van haar afpakte en er rechtstreeks uit dronk.

‘Je weet dat ik niet dans,’ zei Paul tegen zijn ex.

‘Jawel,’ zei ze, ‘maar ik dacht dat je voor dit nummer wel een uitzondering zou maken.’

Deze laatste opmerking was beladen met betekenis en bezorgde Jessica een misselijk gevoel. Paul en Natasha hadden samen liedjes die iets voor hen betekenden. Ze hadden een verleden en toch zat ze hier, terwijl ze hem slechts een paar korte weken kende, en liet zich helemaal meeslepen. Ze was zo naïef. Wat dacht ze wel niet?

'Nou, ik heb er nog geen genoeg van,' zei Vanessa nadat ze een halve liter water achterover had geslagen.

'Ik ook niet,' zei Isy en ze liet de kan op het lage tafeltje achter waar Jessica en Paul aan zaten en ging weer de dansvloer op met Natasha en Vanessa.

Toen ze weg waren, draaide Paul zich onmiddellijk naar haar, maar Jessica ontweek zijn blik want nu was het Dulcies beurt om naar hen toe te dansen. Deze keer was Jessica blij met de afleiding. Ze moest eens goed nadenken wat Paul Fletcher betrof en ze was plotseling niet meer zo overtuigd van de wijsheid van je halsoverkop in een onbezonnen affaire met iemand van je werk storten. Ze wilde Natasha absoluut niet voor de voeten lopen.

Ze glimlachte naar haar vriendin. Dulcie viel echt ontzettend uit de toon, maar op een goede manier en zelfs Paul kon een grijns niet onderdrukken toen ze hun kant op hopte.

'Maak plaats, maak plaats,' schreeuwde ze en ze wurmde zich tussen hen in. 'Maak je geen zorgen ik ben zo weer weg, maar ik wilde even een woordje wisselen met deze loverboy aangezien ik morgen vertrek.'

Jessica kromp vanbinnen ineen en porde Dulcie hard tussen de ribben.

'Auw!' gilde ze, wat het effect verpestte.

'Als je weer komt om me te waarschuwen, bespaar je de moeite. Ik zal op Jess passen,' zei Paul en Jessica's hart sprong bijna uit haar borstkas om zelf een hoopvol dansje te doen. Helaas kon ze geen seconde langer negeren hoe nodig ze naar het toilet moest.

'Ik ga naar de wc,' zei ze, verscheurd. Ze wilde ze liever niet alleen laten, bang voor wat er gezegd zou worden, maar stond echt op springen. Had ze maar geen liter alcohol moeten drinken.

'Dus,' zei Dulcie toen Jessica ervandoor ging, 'ik heb gemerkt dat je besloten hebt me niet te mogen, maar je moet weten dat ik best meeval.'

'Ik heb nooit iets anders beweerd,' zei Paul. 'Ik ken je niet eens.

We zijn gewoon... verschillend.'

'Ja natuurlijk!' riep Dulcie uit. 'We komen uit twee totaal verschillende werelden, maar dat betekent nog niet dat we geen manier kunnen vinden om met elkaar om te gaan. En dat moeten we toch op z'n minst proberen als je van plan bent iets met mijn vriendinnetje te gaan beginnen. Het zou goed voor je zijn, je bent zo gesloten.'

'Oh god,' kreunde Paul. 'Psychologisch gewauwel op de zaterdagavond. Ben ik dol op. En wie zei dat ik iets ga beginnen met Jessica?'

Dulcie antwoordde met een blik die boekdelen sprak over hoe belachelijk ze deze opmerking vond. 'Ik heb toch zeker ogen in mijn hoofd? Luister Paul, je bent een ontzettende zeikerd, maar je hebt blijkbaar ook een paar verzoenende eigenschappen want Jessica heeft besloten dat je oké bent. Dus ik ben bereid je het voordeel van de twijfel te geven.'

'Jíj bent bereid míj het voordeel van de twijfel te geven?' herhaalde Paul, perplex maar toch geamuseerd. 'Dat is dan wederzijds, goed? Jessica geeft blijkbaar om je, dus dan moet jij wel oké zijn omdat zij oké is, maar dat betekent nog niet dat wij nu beste vrienden moeten worden. Je bent vast een prima mens, diep vanbinnen... onder dat luipaardvel, maar we zullen nooit dingen gemeen hebben zoals Jess en ik bijvoorbeeld.'

'O ja?' vroeg Dulcie geërgerd. 'Waarin zijn Jess en ik zo verschillend dan?'

'Ik zeg niet dat het jouw schuld is,' zei Paul ernstig, 'maar in tegenstelling tot jou heeft Jessica altijd hard moeten werken. Ze heeft van niets iets moeten maken terwijl jij alles op een presenteerblaadje krijgt aangegeven. We zitten op hetzelfde niveau. Haar vader is nota bene jouw vaders chauffeur.'

'Paul,' verzuchtte Dulcie hoofdschuddend, 'heb je er ooit bij stilgestaan dat het ook kan zijn dat je met Jessica op kan schieten omdat ze een geweldige meid is en niet vanwege haar achtergrond? En laat ik je nog iets vertellen: dat iemand rijk geboren wordt betekent nog niet dat zijn leven één groot feest is.'

Paul keek niet overtuigd.

'Bovendien, wie kan er nou iets aan doen wie zijn ouders zijn of hoe hij is opgevoed?'

Paul keek haar even aan. 'Ik wilde je niet boos maken en je hebt gelijk, dat zóú er allemaal niet toe hoeven doen,' zei hij en hij reikte Dulcie de hand. 'Maar dat is jammer genoeg wel zo, al wil ik wel een wapenstilstand voorstellen.'

'Wapenstilstand,' stemde Dulcie in en ze ontblootte haar kaarsrechte witte tanden in een magnifieke grijns.

'We zijn denk ik tot op zekere hoogte een product van onze opvoeding,' zei Paul filosoferend. 'De miskleunen van onze ouders.'

'Dat kun je wel zeggen,' was Dulcie het met hem eens, en ze zag in dat Jessica nog een zware dobber aan hem zou krijgen als het iets werd tussen hen. Nog afgezien van al het andere, zou ze uiteindelijk de waarheid wel móéten vertellen en ze dacht niet dat Paul haar er makkelijk mee weg zou laten komen als het zover was. Maar jezus wat zou ze graag zijn gezicht willen zien als ze dat deed.

Op dat moment kwam Jessica terug van de wc.

'Alles goed hier?'

'Yep,' zeiden Dulcie en Paul tegelijkertijd.

'Wááánh!' gilde Jessica ineens.

'Wat is er?' vroeg Paul.

'Kijk!' schreeuwde ze zo blij dat ze dacht dat ze uit elkaar zou knappen. Paul keek naar waar Jessica heen wees. Op de dansvloer had Luke blijkbaar besloten (of was nu dronken genoeg, een van de twee) dat vanavond de avond zou zijn dat hij zijn gevoelens kenbaar zou maken. Of Kerry het nu leuk vond of niet, het kon hem geen reet schelen. Nu schreed hij doelbewust op haar af met een vastberaden blik op zijn gezicht en toen ze dat zag, had Jessica onmiddellijk geraden wat hij op het punt stond te doen. Kerry, zich niet bewust van haar naderende aanbidder, zwierde nog steeds heen en weer op de dansvloer op de zoete tonen van Amy Winehouse, met een uitsmijter in de buurt die haar heel goed in de gaten hield.

Luke zag er pijnlijk zenuwachtig uit toen hij haar bereikte. Zijn schouders waren zo gespannen dat het leek alsof hij een kledinghanger in zijn jasje had en Jessica begon te duimen. Ondertussen keek Paul, die langzaam doorkreeg wat er gebeurde, aandachtig toe als een Engelse voetbalfanaat die tijdens de Wereldcup naar beslissende penalty's zit te kijken. En hij was ook net zo zenuwachtig voor de uitkomst. Toen Luke Kerry op haar schouder tikte, scheel van angst, bad Jessica dat ze hem niet zou afwijzen.

Ondertussen draaide de nog stuiterende Kerry zich om, niet heel verbaasd dat Luke daar stond. Totdat hij zich naar voren boog om iets in haar oor te fluisteren en Kerry's gezichtsuitdrukking voor hun ogen veranderde van zorgeloos naar verbijsterd, want voordat ze de kans kreeg te reageren op wat Luke had gezegd, nam hij haar in zijn armen, zwiepte haar achterover en begon haar hartstochtelijk af te lebberen.

'Wat?!' riep Paul, die zijn ogen amper kon geloven. Hij moest lachen, meer van schrik dan van iets anders. 'Zet hem op, Lukie!' schreeuwde hij.

'Jee, wat mis ik Kevin,' zei Dulcie melancholiek, waarna ze opstond om Isy te zoeken.

Toen Luke haar eindelijk losliet, leek het of Kerry's eerste instinct was hem een klap in zijn gezicht te verkopen, maar toen scheen het in haar op te komen dat ze eigenlijk best van de zoen had genoten. Omdat hij bespeurde dat hij misschien een kansje maakte, greep Luke haar weer beet en zoenden ze weer verder alsof ze zojuist gehoord hadden dat de wereld elk moment zou kunnen vergaan. Er verzamelde zich een groepje mensen om hen heen en dj Delish die zijn met Adidas-petje getooide kop erbij hield, zette gauw de plaat af en verwisselde hem voor 'Young Hearts Run

Free'. De toeschouwers juichten om hoe romantisch het allemaal was en toen ze eindelijk boven kwamen om adem te halen, stond Kerry voor één keer met haar mond vol tanden. Maar Luke, die hier verdomde lang op had moeten wachten, stak een vuist in de lucht van blijdschap, op zo'n manier dat Kerry's normaal gesproken stoere façade helemaal afbrokkelde. Toen mensen het 'gelukkige paar' aanspraken om hen de hand te schudden en te feliciteren, keek ze totaal geschokt.

Jessica sloeg verrukt haar handen op elkaar. 'Wat super,' gilde ze.

'Luke en Kerry?' vroeg Paul, nog onthutst van wat er zojuist was gebeurd. 'Wie had dat ooit gedacht?'

'Oh, ik wel,' antwoordde Jessica wijs en ze wierp hem zijdelings een flirterige blik toe.

Pauls gezicht werd weer serieus. 'Ik zat de denken om misschien straks, als je het leuk vindt, een paar mensen te vragen mee naar ons appartement te gaan. Kom je ook?'

Jessica vroeg zich af wat ze moest doen. Het was enorm verleidelijk, hoewel het een stuk minder interessant vooruitzicht zou zijn als één van die mensen Natasha was. Toch was ze blij dat hij het vroeg. Maar precies op dat moment koos de dj 'Holiday' van Madonna als volgende nummer en vonden er een aantal bliksemsnelle schakelingen in Jessica's hersenen plaats. Holiday... vakantie... waarom gingen er nu ineens alarmbellen rinkelen? En toen drong het tot haar door. Mike kwam zondagmiddag thuis van vakantie. Zondag, en dat zou het nu onderhand wel zijn... Ze greep Pauls pols om op zijn horloge te kijken.

'Shit!'

'Zo'n slecht idee is het toch ook weer niet?' vroeg Paul gekwetst.

'Mike.'

Paul schrok. Dat was wel het laatste wat hij verwacht had te horen.

'Nee, je begrijpt me verkeerd,' zei Jessica snel. 'Het is twee uur 's morgens, wat betekent dat het zondag is en Mike vandaag thuiskomt en ik heb al een week lang zijn planten geen water gegeven. Niet één keer. Hij vermoordt me.'

Paul deed zijn mond open om te protesteren. In de grote lijn der dingen bevond Mikes tuin zich zo ver onder aan zijn lijstje van dingen waar hij zich om bekommerde, dat het ongelooflijk was. Maar hij voelde dat het moment toch al voorbij was.

'Nou, misschien kunnen we binnenkort eens wat gaan drinken?' vroeg hij en hij probeerde niet te gretig te klinken.

Jessica pakte zijn hand vast, haar ogen vol spijt, maar evengoed vastberaden te vertrekken. 'Misschien,' zei ze, 'maar ik denk wel dat je er eerst over na moet denken wat je nog voor Natasha voelt. Ik wil niemand voor de voeten lopen.'

Dit overdonderde Paul nogal. Maar hij zag in dat ze een punt had, ondanks dat het hem erg verbaasde.

Ondertussen werd Jessica geraakt door een enorme golf van teleurstelling. De enige reden dat ze de andere vrouw had opgenoemd was om te vissen naar een ontkenning dat Natasha überhaupt een issue was.

'Maar goed,' zei ze en ze probeerde dapper te zijn, 'ik ga Dulcie zoeken om afscheid te nemen en dan ga ik er vandoor. Als ik nu wegga, kan ik nog even slapen voordat ik naar Chiswick ga en daar eerder dan Mike zijn.'

'Oké, maar we gaan echt eens wat drinken samen,' zei Paul. Jessica gaf geen antwoord. In plaats daarvan stond ze op en stopte alleen nog even om kort naar hem te zwaaien voordat ze de menigte in dook om Dulcie te zoeken.

En zo verpestte Mike Connor Paul Fletchers kans om Jessica mee naar huis te nemen, iets waarvan hij begon te beseffen dat hij het heel graag wilde.

# 22

Een paar uur later, in Malibu, zou je wel kunnen zeggen dat Edwards zaterdagavond niet zo lekker was verlopen als die van zijn dochter. Hij keek even op de klok, die hem vertelde dat het halfzes 's morgens was. Door een combinatie van te veel alcohol, eten en onrust, was slapen geen optie meer. Net als Jessica waren Betsey en hij een avondje wezen 'dansen'. Dit was natuurlijk niet zijn idee geweest, maar hij was erin mee gegaan omdat hij wist dat zijn vrouw hoopte dat een avondje uit hun huwelijk zou kunnen redden.

Ironisch genoeg was gebleken dat de avond hun relatie waarschijnlijk helemaal om zeep had geholpen. Edward begroef zijn gezicht dieper in het kussen alsof dat op de een of andere manier de pijnlijkheid van de avond kon wegnemen. Hij kwelde zichzelf door te herbeleven hoe een van de paparazzi voor de club Betsey voor zijn dochter aanzag. Op dat moment had hij naar zijn vrouw gekeken – met haar frisse gezicht, blote zwarte jurk en moorddadig hoge hakken – en gezien hoe andere mensen hen zouden zien. Maar in plaats van zich blij of trots te voelen, zoals sommige mannen, had hij zich alleen maar bedroefd en zielig gevoeld. Wanneer was het leeftijdsverschil tussen hen zo'n probleem geworden? Wat deed deze jonge vrouw bij hem? En wat deed hij hier in godsnaam?

Deze laatste gedachte was samengevallen met hun binnenkomst in de club, waarna het onmogelijk was geworden nog te denken. De muziek was oorverdovend en terwijl Betsey richting de dansvloer liep, had Edward een seconde nodig gehad om te beseffen dat zijn hand aan de hare vastzat en ze hem met zich mee sleepte.

Te moe om tegen het lawaai op te boksen, had hij zich krachteloos laten leiden en terwijl hij wenste dat zijn spijkerbroek niet zo strak zat, deed hij zijn uiterste best zich te herinneren hoe dansen ook alweer moest. Hij had stijfjes heen en weer gewiebeld en zich afgevraagd of hij eruitzag als zo'n man waar de jonge mensen om lachten. Zo'n man die zijn haar verfde met Grecian 2000, die weigerde volwassen te worden en per se rond wilde rijden in een cabrio sportwagen met een baseballpet op zijn hoofd.

Op een bepaald moment had Edward besloten dat het tijd was om te gaan, maar kwam er vervolgens achter dat hij Betsey kwijt was. Niet dat hij lang hoefde te zoeken. Ze stond midden op de dansvloer met haar kont tegen het kruis van een gespierde jongeman aan te rijden. Terwijl hij toekeek hoe ze uitvoerde wat je in een ander soort club een lapdance zou noemen, kon hij alleen maar denken aan de snack die hij klaar zou maken als ze weer thuis waren.

Terwijl hij er nu over lag te piekeren in bed en last had van een lichte reflux (hij had iets te veel mayo gebruikt), realiseerde hij zich dat het tijd werd Betsey los te laten nu ze nog tijd had om een nieuw leven voor zichzelf op te bouwen. Hij hield op een bepaalde manier best van haar, maar gewoon niet op de goede manier. Hij mocht haar graag, wat ze verschrikkelijk zou vinden en toch kon je het zo samenvatten. Ze mochten elkaar graag, maar hoorden niet bij elkaar.

Shit. Nou moest hij ook nog pissen, nog zo'n irritant teken van zijn vorderende leeftijd. Het maakte tegenwoordig niet uit hoe laat hij ontwaakte, naar het toilet gaan was altijd een eerste, dringende behoefte. Bang Betsey wakker te maken, glipte Edward stilletjes onder de lakens vandaan, liep op zijn tenen richting badkamer en pakte zijn marineblauwe Ralph Lauren badjas van de achterkant van de deur voordat hij de trap af sloop.

Edwards werkkamer was zijn heiligdom. Zijn enorme, uit het hout van een mangoboom gesneden bureau was het middelpunt. De muur erachter hing vol met ingelijste posters en filmfoto's van de vele films waar hij door de jaren heen in had gespeeld. De Bondfilms namen natuurlijk een voorname positie in. In die van *The World in Your Hand* droeg Edward zijn kenmerkende smoking en keek door de loop van een revolver naar Angelica (Heavenly Melons) die in haar beruchte zwarte bikini boven op een enorme wereldbol zat. Ze zag er wellustig uit, betoverend, als in de fantasie van iedere viriele man.

De zijmuur van de kamer bestond uit glazen schuifdeuren waardoor wanneer ze open stonden, de zeelucht met zijn ziltе indringende geur de kamer vulde. Maar nu was de zon nog niet op en de oceaan grijs en staalachtig.

Achter in de kamer bevond zich Edwards thuisbioscoop. Een enorm scherm domineerde de achtermuur met aan beide zijden ervan zijn ongelooflijke filmcollectie. Edward was niet per toeval bij de film terechtgekomen; hij was al van kinds af aan dol op films en kocht ze al zo lang hij zich kon herinneren op elk medium dat er ooit was geweest.

Hij wist al precies wat hij deze ochtend wilde kijken en omdat Betsey toch lag te slapen, was de kust veilig. Terwijl hij snel naar zijn bureau liep voelde hij een aangenaam gevoel van verwachting. Hij pakte een klein sleuteltje uit zijn sigarendoos, maakte een la aan de rechterkant van het bureau open en pakte er een bruine bubbeltjesenvelop uit met daarin een dvd. Daarna keek hij even steels naar de deur om te zien of er niemand aankwam en haastte zich naar de dvd-speler, deed de dvd erin en streek neer op zijn lievelingsstoel. Hij drukte op een knopje van de afstandsbediening en de verduisterende gordijnen kwamen met een ruk in beweging om zich te sluiten. De kamer werd ondergedompeld in complete duisternis. Daar gaat-ie, dacht hij en er ging een tinteling door zijn ruggengraat.

Veertig minuten later was Edward Granger een emotioneel wrak. Hij keek naar de rushes van Angelica Dupree's nieuwste film die ze in Marokko gedraaid had en was totaal weggeblazen door haar acteerprestaties. De film was in het Frans, Angelica's moedertaal, en hoewel Edward daar beslist niet vloeiend in was, verstond hij genoeg om het te redden zonder ondertitels. Gelukkig maar want die werden er pas bij gedaan nadat de film gemonteerd was. Hij wist maar al te goed hoeveel mazzel hij had het ruwe materiaal te mogen bekijken en dat alleen maar omdat hij de producer zo goed kende dat hij het voor elkaar had gekregen een kopie bij hem los te peuteren.

In deze scène vertelde Angelica, gevangen in een ongelukkig, onvruchtbaar huwelijk, aan de man van wie ze hield dat ze hem niet langer kon zien en dat ze moreel verplicht was bij die klootzak van haar mishandelende echtgenoot te blijven. (Al waren de redenen daarvoor Edward niet helemaal duidelijk, omdat hij de voorafgaande scènes niet had gezien.) Het was een blijk van haar acteerkunst dat ze Edward met zo weinig kennis van de plot evengoed nog zo kon raken. Ze speelde geweldig ingetogen en liet haar zeegroene ogen de boodschap overbrengen.

Hij zocht in zijn zak naar een zakdoek en blies hard zijn neus. Edward ging altijd makkelijk janken om films. Hij ging altijd makkelijk janken, punt. Iets waar Angelica hem genadeloos mee had geplaagd, hoewel ze het eigenlijk vertederend vond. Privé had ze hem altijd haar 'sentimentele softie' genoemd, een uitdrukking die ze zijn zus Pam had horen gebruiken en had overgenomen. Wanneer ze samen een film keken wist ze zodra zijn zakdoek tevoorschijn kwam dat het weer zover was. Dan stond hij op het punt, of was al aan het snotteren. In Jessica's jeugd waren schooluitvoeringen, vooral kerstvoorstellingen of iets waar zingende kinderen in voorkwamen, taboe geweest en Edward had altijd geprobeerd te voorkomen iets sentimenteels in het openbaar te moeten bekijken. Het kon natuurlijk niet dat James Bond er in een vliegtuig op betrapt werd dat hij om *Cheaper by the Dozen* met Steve Martin zat te grienen. Hij huiverde bij die specifieke herinnering. Maar in de privacy van zijn eigen bioscoop kon hij janken zoveel hij wilde. En dat deed hij dan ook.

Op het scherm liep Angelica weg van haar geliefde. Jaren van verdriet en frustratie waren van haar gezicht af te lezen terwijl ze zich naar de deur haastte. Ze was voortreffelijk, wat Edward niet verbaasde, want in tegenstelling tot de meeste mensen had hij altijd geweten dat ze ongelooflijk goed kon acteren.

De enige reden waarom bijna niemand anders dit doorhad was dat zodra ze in beeld verscheen, iedereen altijd zo in vervoering raakte, zo druk was met het in zich opnemen van haar verrukkelijke schoonheid dat of ze nu wel of niet goed acteerde niet meer relevant was. Bij alles wat ze door de jaren heen had gedaan, hoe indrukwekkend haar prestaties ook waren, haar uiterlijk overschaduwde ze altijd. Maar nu, na een paar decennia van volwassenheid, kwam ze eindelijk op het punt dat de kracht van haar belachelijke schoonheid begon af te nemen en mensen er voorbij begonnen te kijken. Edward wist zeker dat ze na dit optreden eindelijk de eer zou krijgen die haar al jaren toekwam. Misschien zelfs een Oscarnominatie? Ze was fascinerend.

Hij vroeg zich af hoe ze zou reageren als hij zou bellen om haar dat te zeggen. Hij had al geprobeerd een smoes te verzinnen om haar terug te bellen sinds die keer dat ze elkaar laatst hadden gesproken, maar was doodsbang voor alle onuitgesproken dingen tussen hen. Hij kon nog steeds amper geloven dat ze had gebeld en had zich bijna iedere minuut van iedere dag afgevraagd of ze al met Jessica had gesproken en zo ja, waarom ze hem dan niet meer had gebeld. Hij had gehoopt dat ze vrede had willen sluiten, maar haar stilzwijgen suggereerde van niet. Toch was het zo misschien ook maar beter want hij wist ook niet of hij haar ooit zou kunnen vergeven.

Edward keek op zijn horloge. Betsey zou nu wel snel wakker worden dus hij moest het afronden. Maar hij wilde het apparaat net uitzetten toen de volgende scène op het scherm verscheen. De camera draaide langzaam door een prachtig verlichte kamer en Edward realiseerde zich met een schok dat Angelica op het bed zat, totaal, poedeltje en ietwat verbazingwekkend naakt. Haar gezicht leek licht te geven en toen ze over haar schouder keek, kreeg hij een glimp van een borst te zien, hoewel haar lange weelderige haar de rest bedekte. Ze was adembenemend mooi, zelfs op haar achtenveertigste. Misschien zelfs nog wel mooier dan ooit. Edward staarde naar haar en voelde zich plotseling een voyeur, maar zijn lichaam luisterde gewoon niet naar zijn hersenen, die zeiden dat hij het af moest zetten. Gebiologeerd keek hij toe hoe Angelica opstond en de kamer doorkruiste om uit het raam te kijken, de camera achter haar zodat haar billen vol in beeld waren. Haar billen die Edward zoveel jaar niet had gezien en toch zo volkomen vertrouwd waren, misschien iets minder pront maar daardoor alleen maar echter en prachtiger. Die fransozen houden zich niet in wat naaktscènes betreft, dacht hij somber. Toch was er niets smerigs aan. Het was voortreffelijk geschoten. Op het scherm draaide Angelica zich om en haar gezicht drukte verbazing uit toen iemand de kamer binnenliep.

'Jean Paul,' zei ze geschrokken terwijl haar geliefde in haar armen rende. En toen begon die lul haar, tot Edwards afschuw, hartstochtelijk te zoenen, zijn mond overstelpte haar gezicht, nek en haren met kussen, zijn hand op haar nog altijd volle borst. Edward kon er niets aan doen; hij bleef staren, totaal gehypnotiseerd en overspoeld door zo'n complexe, bedwelmende cocktail van emoties dat hij amper adem kreeg. En toen...

'Wat heeft dit te betekenen?'

De lamp boven zijn hoofd flitste aan en Edward draaide zich vliegensvlug om en zag een verbaasde en zeer boos kijkende Betsey staan. Haar haar zat door de war en ze had een van zijn overhemden en een paar Uggs aangetrokken.

'Betsey... je bent wakker. Ik zet het wel uit. Ik deed wat research voor mijn film en–'

'Zit je nou porno te kijken?' vroeg Betsey met schelle stem en een gezicht dat beefde van woede toen ze de scène op het scherm zag. Gegeneerd maar enorm dankbaar dat Betsey niet kon zien wie de actrice was omdat Angelica nu tegen een muur werd aangeduwd en van achter werd bepoteld, vond Edward de afstandsbediening en zette de aanstootgevende beelden af. Tot zijn ontzetting voelde hij dat hij moest blozen. Jezus, dit was nog erger dan toen hij als tiener door zijn moeder met zijn handen onder de dekens was betrapt.

'Natuurlijk niet,' protesteerde hij. 'Ik weet dat het er een beetje pikant uitzag, maar ik verzeker je dat het geen porno was.'

'Aaaahhh,' jammerde Betsey en ze stak een beschuldigende vinger naar hem uit. 'Edward, jij klootzak. Je wilt niet met je vrouw vrijen maar zodra ik even niet oplet, heb je vieze filmpjes opstaan en je hand in je broek.'

Edward was beledigd. 'Ho, wacht eens even, Betsey.'

Dat had hij beter niet kunnen zeggen. 'Wacht eens even? Jij vraagt mij om even te wachten, nou, dáár zit ik dus al weken op te wachten,' en ze wees weer, maar nu in de richting van Edwards kruis.

Niet-begrijpend zakte Edwards blik naar beneden en hij was mogelijk nog verbaasder dan Betsey toen hij ontdekte dat hij de trotse eigenaar was van de grootste tent in zijn broek in jaren. Kijken naar Angelica had hem een enorme erectie bezorgd en hij wist niet zo goed wat hij daarvan moest denken. Aan de andere kant wist Betsey heel goed hoe zij erover dacht. Toen ze het licht uitdeed en de deur achter zich dichtsloeg, werd Edward in duisternis ondergedompeld.

'Verdomme!' riep hij. Hij zou er, letterlijk, nog een harde dobber aan hebben om dit uit te leggen.

# 23

Toen de maandagochtend aanbrak boven Londen genoot Mike Connor van het feit dat hij weer in zijn eigen bed in Chiswick lag. Hij was nog nooit van zijn leven zo blij geweest om thuis te zijn na een vakantie, of had zo'n zin gehad om weer aan het werk te gaan, wat precies de rust zou betekenen die hij goed kon gebruiken. Wat een ramp was deze hele ervaring van begin tot eind geweest en hoe heerlijk was het om gisteravond onder vertrouwde lakens te kruipen. Om te weten dat als de luiers op zouden raken, hij niet vijf kilometer een berg af hoefde te rijden om nieuwe te kopen.

Hij zwoer niet meer weg te gaan met de kinderen tot ze minstens twaalf waren. Als Diane erop stond zou hij er misschíén toe over zijn te halen naar zo'n bungalowpark te gaan, waar ze kinderclubs hadden, genoeg babysitters en kip met patat op de menukaart. Allemaal dingen waar hij eerder van gegruwd had, maar die nu zeer verstandig klonken. De realiteit van een villa in Toscane was een heel ander verhaal gebleken dan de paradijselijke idylle die ze zich hadden voorgesteld.

Voorzichtig draaide hij zich om, bang Diane en haar woede te wekken. Daar had hij de afgelopen veertien dagen genoeg van gehad. De hele reis leek te zijn voorbijgegaan in een ongelukkige waas van proberen te voorkomen dat Grace verdronk en ruzie maken met elkaar tot op het punt dat hij niet meer wist wie er nu het meeste had gehuild, baby Ava of Diane. Zonder zijn gebruikelijke smoes van werk om op terug te vallen, had hij ook een paar keer de voeding van drie uur 's nachts moeten doen, hoewel hij niet wist waarom hij überhaupt de moeite nam. Dianes borsten deden zo'n pijn dat ze toch altijd ook uit bed was, hem schijnbaar verwijtend dat hij geen melk kon produceren met zijn eigen tepels zonder tepelkloven.

De afgelopen nacht had hij ook niet bepaald de goede nachtrust gehad waar hij op gehoopt had. Hij was wakker geworden van een stomme klotevos die op een onchristelijk tijdstip de vuilnisbakken overhoop haalde en had vanaf dat moment naar het plafond liggen staren met ogen die zich langzaam aanpasten aan de steeds minder wordende duisternis. Diane, die naast hem lag, was blijkbaar zo uitgeput van hun 'vakantie' dat ze niets merkte van het kabaal dat het schurftige dier maakte. Ze was op een gegeven moment zelfs begonnen te snurken. Iets wat ze altijd fel ontkende als hij er ooit over begon, wat hem irriteerde want hoe kon ze dat nou eigenlijk weten? Jezus, wanneer was het leven zo ontzettend onsexy geworden?

Hij zuchtte. Hij maakte zich al langer zorgen om Diane en de vakantie leek te hebben bewezen dat zijn bezorgdheid niet ongegrond was. Hij herkende deze neurotische, gestreste versie van de vrouw met wie hij getrouwd was amper, en in plaats van het opkikkertje voor hun relatie te zijn dat ze zo nodig hadden, was uit de reis alleen maar naar voren gekomen hoe moeilijk Diane het moederschap deze keer vond. Het ontstemde hem ook dat ze hem tegenwoordig zo weinig wilde. Soms leek het alsof ze alles liever deed dan vrijen. Tegels voegen, het toilet in de bleek zetten, belastingaangifte doen; alles zolang ze maar geen lichamelijk contact met hem hoefde te hebben.

Hij keek op de wekker op zijn nachtkastje. Kwart voor zes. De meisjes zouden zo wakker worden. Misschien kon hij nu alvast gaan douchen, dan zou hij ze horen als ze wakker werden en kon Diane wat langer in bed blijven liggen. Een cadeautje voordat hij haar alleen liet...

Een paar uur later was de zon helemaal opgekomen en in Hampstead liep Jessica gevaar voor het eerst te laat op haar werk te komen. Het had haar geen moeite gekost op tijd op te staan en ze had zelfs alweer een stukje hardgelopen, maar besluiten wat ze aan moest hield haar op. Belachelijk, aangezien ze Paul al een paar weken iedere werkdag zag. Maar sinds hun zoen voelde alles anders. Wat ze aan moest leek ineens van cruciaal belang en de vleugels van de druk rondfladderende vlinders voelden als de oren van Dombo. Iew, wat een beeld, dacht ze en ze trok een vies gezicht terwijl ze een kam door haar haar haalde. Denk aan iets anders. Denk weer aan de kus, die ontzettend fantastische kus die haar zoveel verwarring bezorgde wanneer ze zich afvroeg wat hij voor Paul betekende, áls hij al iets voor Paul betekende.

Oké, nu hield ze zichzelf nog meer op. Goed, spijkerrok, Havaianas slippers en haar blauw met witte shirtje. Klaar.

Ondertussen, niet ver daarvandaan in Tufnell Park, begonnen Paul en Luke aan hun gebruikelijke reis, maar deze keer met een heel speciale gast op sleeptouw. Uiteindelijk was Kerry de enige geweest die was meegevraagd naar hun appartement in de vroege uurtjes van zondagmorgen. Niet dat Paul veel van haar of zijn vriend had gezien, want ze hadden de hele tijd in Lukes slaapkamer gebivakkeerd en kwamen daar alleen uit om naar de wc te gaan, thee te zetten en één keer om de bezorger van het Indische eten te betalen. Paul was blij voor ze, echt heel erg, maar Kerry's aanwezigheid had wel benadrukt dat hij alleen was. Daardoor had hij een groot deel van zijn zondag doorgebracht met zich afvragen of hij Jessica had beledigd toen hij in de club ophield met zoenen. Hij hoopte van niet want het kon hem niets schelen wat iemand anders ervan dacht dat hij haar leuk vond. Zelfs een boxset van *The Wire* had zijn gedachten niet lang bij Jessica Bender vandaan kunnen houden.

Nu liep het bonte groepje richting metro, Luke met een glimlach zo groot dat het leek alsof het wel pijn moest doen en Kerry in dezelfde jurk als ze met uitgaan had aangehad, maar dan met een van Lukes overhemden eroverheen, strak om haar omvangrijke boezem. Paul was een beetje geschrokken van hoe zijn twee vrienden in één nacht leken te zijn veranderd in Liza Minnelli en

David Gest rond de tijd van hun huwelijk. Iemand zijn tong in de mond van een ander zien steken en rond zien roeren is nooit een aangenaam gezicht. Wat misschien fijn aanvoelt voor degenen die het doen, zag er altijd walgelijk uit voor de toekijkers. Gek genoeg had hij hen beiden niet als het kleffe type ingeschat en toch leken ze nu aan elkaar vastgelijmd te zijn en waren afschuwelijk handtastelijk. Hij hoopte maar dat dat uiteindelijk over zou gaan. In de tussentijd keek hij ernaar uit op het werk Jessica weer te zien. Hij wilde haar zijn bedoelingen duidelijk maken en haar laten weten dat zijn relatie met Natasha iets uit het verleden was. Dat had hij zich nu definitief gerealiseerd.

In Chiswick was Mike naar zijn werk vertrokken en was Diane Connors dag begonnen. De vakantie waarvan ze had verwacht dat die al haar problemen op zou lossen, was voorbij. Hij was niet alleen voorbij maar was ook meer dan nutteloos gebleken om rust in haar hoofd te creëren. Ze leek zich zelfs nog ellendiger te voelen dan ervoor. Ze had zich waarschijnlijk nog beter gevoeld als ze thuis was gebleven en een extra kop thee had gedronken, mijmerde ze.

Ze keek naar haar jongste dochter en probeerde haar beter te laten aanhappen, maar kleine Ava moest er niets van hebben. Haar zuigkracht was ongelooflijk, zoals wanneer je de bank probeert te stofzuigen en je denkt dat de hele bekleding meekomt. Maar goed, als ze eenmaal de smaak te pakken had, nam het gevoel van hete naalden in haar tepels af. Toen ging de deurbel.

'Verdikkeme,' vloekte Diane en ze probeerde zichzelf omhoog te hijsen zonder de drinkende baby te storen. Door voorzichtig te lopen kreeg ze het voor elkaar helemaal bij de voordeur te komen zonder dat Ava losliet. Ze was hier zo blij mee dat ze er niet over nadacht dat degene achter de deur op het punt stond een goede blik te kunnen werpen op haar geaderde uiers.

'Eh... bloemen voor mevrouw Connor...?' zei de perplex staande bezorgjongen.

'Oh geweldig, dank je wel,' zei Diane, die te laat besefte hoe ongepast dit was en zich snel achter de deur probeerde te verbergen. Op dit punt kon zelfs Ava niet meer vasthouden en liet los. Toen ze dat deed, spoot er een uitbundig straaltje melk uit Dianes borst. Fijn.

Met haar vrije arm greep Diane de bloemen, tekende ervoor zo goed en zo kwaad het ging (haar handtekening bestond niet echt uit letters), mompelde een bedankje en deed gauw de deur weer dicht, terwijl de bezorgjongen zo snel als hij kon de benen nam over het tuinpad.

Ava, niet blij met de onderbreking van haar voeding, zette het op een brullen, dus Diane concentreerde zich op het terug wurmen van haar borst in de mond van de baby voordat ze door de keuken terug schuifelde. Er verscheen een stiekem glimlachje toen ze aan het gezicht van de bezorgjongen dacht. Het was waarschijnlijk nogal gênant geweest, al was dat slechts een kwestie van perspectief. Ze had onlangs een kind gebaard en het feit dat iemand een tiet zag viel in het niet vergeleken met de student medicijnen die haar naakt op handen en knieën als een koe had zien loeien.

Minuten later was Ava eindelijk verzadigd en lag heerlijk tegen de schouder van haar moeder. Diane sloot haar ogen en doezelde net weg in een fijne, door slaapgebrek veroorzaakte bewusteloosheid, toen de telefoon ging. Ze schrok zich dood. Ze was op het moment één bonk zenuwen en omdat Grace boven lag te slapen, nog moe van de lange reisdag van gisteren, bad ze dat die niet wakker was geworden van de telefoon. Terwijl ze zich afvroeg of ze voorbestemd was de rest van haar leven wakker te worden gehouden, griste Diane de hoorn van de haak, wanhopig het aanhoudende lawaai te laten ophouden.

'Hallo?' zei ze ongeduldig.

'Met mij,' zei Mike.

Diane slikte. Ze wilde niet wéér ruzie maken maar worstelde al tegen de woede die vanbinnen opborrelde. 'Ik had toch gezegd dat je overdag niet op de vaste telefoon moest bellen?' zei ze. Ze probeerde laconiek te klinken, maar slaagde daar niet in.

'Oh shit, sorry. Sliep je? Was je weer naar bed gegaan?' vroeg Mike.

'Nee, maar als ik dat wel had gedaan had je me nu hoe dan ook wakker gemaakt.'

'Oké, nou, je hoeft niet zo te schreeuwen en het spijt me. Ik belde om te zien of je mijn bloemen had gekregen.'

Diane werd onmiddellijk overspoeld door schaamte. 'Ja. Ze zijn prachtig, dank je wel.'

'Heb je het kaartje gelezen?'

'Ja,' loog Diane. 'Dat was... lief.' Ze weerstond de neiging om te zeggen dat ze het gevoel had dat de bloemen uit het cellofaan halen, afsnijden en een vaas zoeken, meer gedoe was dan ze waard waren.

Mike zweeg even. 'Luister, ik weet dat je het op het moment heel zwaar hebt, maar je doet het geweldig.'

Diane knipperde tranen weg voordat ze ongelovig antwoordde: 'Echt? Zo voelt het niet. Ik ben constant zo ontzettend moe en ik heb soms het gevoel dat ik gek word.'

Mike haalde diep adem. Waarom moest ze de hele tijd overal zo ongelooflijk dramatisch over doen? 'Oké, nou, ik ga na het werk nog even een biertje drinken maar zal op tijd zijn om voor te lezen.'

Diane deed haar mond open om te protesteren maar er kwam geen geluid uit. De gedachte aan zulke spontaniteit werd haar gewoon te veel. Ze was overweldigd door de oneerlijkheid van de situatie.

'Mama...' zweefde een stemmetje door de babyfoon.

'Ik moet ophangen,' zei Diane en ze legde de telefoon neer.

'Mama,' klonk het stemmetje weer, maar nu dringender.

'Maaaaamaaaaaaa!' riep een verontwaardigde Grace die nu haar bed uit was gekomen en boven aan de trap stond, woedend dat het traphekje dicht was.

'Ik kom eraan,' riep Diane verdoofd, maar ze zag een van Grace' plastic Dora-figuren over het hoofd en gleed er met haar rechtervoet over uit.

'Aah,' riep ze uit toen ze struikelde en erg haar best moest doen Ava niet te laten vallen. 'Verdomde klote-Dora de Verkenner,' vloekte ze terwijl er een pijnscheut door haar nog altijd gevoelige onderkant ging.

'Mama?' klonk een verontwaardigde stem van boven. 'Dat mag je niet zeggen.'

'Wat niet, lieverd?' riep Diane aarzelend, beschaamd dat ze het gehoord had.

'Domme. Domme is een stout woord, mama.'

Diane zeeg onder aan de trap neer terwijl de schrik zich door haar hele lijf verspreidde en op dat precieze moment drong het tot haar door dat ze zich misschien niet honderd procent voelde. Normaal gesproken zou ze hebben moeten giechelen om wat Grace net zei, of minstens moeten glimlachen. Ze zou zich hebben voorgenomen dit nieuwste juweeltje uit de mond van hun dochter aan Mike te vertellen (hoewel ze haar gevloek wat zou hebben afgezwakt). Maar vandaag leek het heel goed mogelijk dat ze nooit meer iets grappig zou vinden. Ze sjokte de trap op.

Wat ze er wel niet voor over zou hebben om een dagje vrij te hebben. Ze was zo uitgeput en van de gedachte alleen al dat ze de dag door moest komen met twee veeleisende dwingelands als gezelschap kreeg ze de neiging te gaan huilen. En dus deed ze dat. Ze ging midden op de trap zitten en huilde in stilte dikke, vette, zoute tranen die op Ava's gezicht vielen. Dronken van de melk opende het piepkleine mensje één lila-kleurig oog om haar huilende moeder eigenaardig aan te kijken, waarmee ze leek te zeggen: Hé, wat doe jij nou weer?

# 24

Toen Kerry die ochtend het kantoor binnen paradeerde, erg jaren tachtig in een mannenoverhemd waarin ze bij haar middel een knoop had gelegd, gebaarde Jessica naar Mikes gesloten deur.

'Hij is terug.'

'Heb je hem gesproken?' vroeg Kerry terwijl ze haar clutch op haar bureau zette.

'Nee,' antwoordde Jessica. Ze bekeek haar vriendin argwanend. 'Hé, wacht eens even. Had je die tas zaterdagavond ook niet bij je? En draag je nou dezelfde jurk?'

Kerry kon de schijn niet langer ophouden. Ze moest het gewoon vertellen anders zou ze uit elkaar knappen.

'Jezus Jess, we wilden discreet doen maar dat heeft toch geen zin want Paul weet het toch, bovendien weet ik niet of ik dat wel in me heb. Ik ben het hele weekend bij Luke gebleven.'

'Niet waar! Waar is hij nu dan?'

'Koffie halen met Paul. Maar Jess, moet je horen: het was de beste seks uit mijn hele leven en niet alleen omdat ik erom stond te springen, wat natuurlijk wel zo was, maar omdat hij zo geweldig is,' kakelde ze en ze keek er belachelijk gelukkig bij.

Jessica was oprecht blij voor haar vriendin die zojuist was neergezonken in haar stoel met een dromerige uitdrukking op haar gezicht.

'Wie had dat nou gedacht, hè?' zei Vanessa koddig terwijl ze naar hen toe kwam om gedag te zeggen.

'En, oh god, de dingen die hij tegen me zei in bed,' vertelde Kerry met grote ogen.

'Oh, wat romantisch,' zei Jessica.

'Ja, hè,' gilde Kerry instemmend. 'Ik krijg al klotsende knieën als ik alleen maar aan hem denk.'

'Iets minder romantisch,' zei Vanessa en Jessica lachte, precies op het moment dat de oorzaak van Kerry's klotsende knieën het kantoor binnenliep. Paul kwam achter hem aan. Jessica hield onmiddellijk op met lachen en voelde zich week worden. Toen ging haar mobiele telefoon. Het was Angelica. Shit, ze was weer vergeten terug te bellen maar het was nu (alweer) echt niet het goede moment om te praten, dus zette ze haar telefoon uit.

'Goeiemorgen saam,' verkondigde Luke tegen de hele ruimte. Een mededeling, geen groet.

'Jezus christus,' zei Julian. 'Gaat het er hier van nu af aan zo aan toe? Het lijkt wel een aflevering van *Friends*.'

'Dus iedereen weet het al?' vroeg Luke. Hij rolde zogenaamd gefrustreerd met zijn ogen, terwijl je aan hem kon zien dat hij maar al te graag zijn verovering van de daken wilde schreeuwen. Hij kuste Kerry teder op haar voorhoofd en zette daarna zijn koffie op het bureau.

Ondertussen liep Paul nonchalant naar Jessica in de hoop onopgemerkt te blijven terwijl de rest druk was met de vertoning van Luke en Kerry.

'Goeiemorgen,' zei hij zacht.

'Hoi,' zei Jessica verlegen en ze sloeg haar ogen naar hem op.

'Is het nog gelukt met Mikes tuin?'

'Ja,' antwoordde ze met een glimlach.

'Mooi zo,' zei Paul. 'Ik hoop dat je weet dat je me aan mijn lot hebt overgelaten met kleffie en beffie?'

Jessica giechelde toen ze zijn blik volgde. Luke had zich op Kerry's bureau gedrapeerd en masseerde haar schouders. Ze lachten allebei ergens om en Kerry's gezicht was compleet euforisch. Op dat moment kwam Natasha de deur door. Ze keek geagiteerd omdat ze te laat was, maar niet zo geagiteerd dat ze niet even naast het verliefde stelletje kon stoppen om haar vinger in haar keel te steken.

'Nou, je hebt je vast wel gered,' zei Jessica mat tegen Paul. De aanblik van zijn ex was een tijdige herinnering dat ze zich niet moest laten meeslepen in geflirt.

'Is Dulcie goed weggekomen?' informeerde Paul, die had gezien hoe Jessica's gezicht betrok zodra ze Natasha zag. In de club had hij zich gerealiseerd dat iemand haar over hun verleden moest hebben verteld. Dat werd hierdoor bevestigd. Hij hoopte maar (voor zijn ego) dat ze niet alle details kende over hoe het was geëindigd.

Jessica knikte. 'Ja, prima.'

'Luister,' zei Paul, erop gebrand zijn doel te bereiken, 'je moet het zeggen als ik vrijpostig ben maar ik zou het echt heel leuk vinden om je beter te leren kennen en hoewel het me geen reet kan schelen wat de rest van het kantoor denkt, is het waarschijnlijk beter om ze niets te geven om over te roddelen in zo'n vroeg stadium... dus...'

'Dus,' herhaalde Jessica.

'Wat ik probeer te zeggen is dat ik denk dat we uit moeten gaan. Ik bedoel, ik zou je graag eens mee uit nemen.'

'En het kan je van níémand hier iets schelen wat ze daarvan denken, maar wilt het wel geheim houden?' vroeg Jessica, zo verward als ze klonk. Moest ze zich nou zorgen maken om Natasha of niet, want ze zag het niet zitten met haar om Pauls liefde te strijden.

'Ja,' verklaarde Paul en hij deed zijn best niet te lachen. 'Oké, ik zal het voor je spellen. Voor het geval je het denkt – en misschien heb ik het wel helemaal mis –, maar ik geef er in het bijzonder niet om wat Natasha denkt, goed? Ik dacht dat je dat in de club misschien dacht, maar dat is echt niet zo. Maar ik denk wel dat het voor ons allebei beter is als we kijken hoe de dingen lopen zonder de extra druk dat iedereen over ons praat.'

'Aha,' zei Jessica, die al moest blozen bij het horen van het woord 'ons'. 'Natuurlijk, eh, ik bedoel, dat ben ik met je eens,' zei ze bedeesd, terwijl haar hart weer als een gek tekeer ging omdat ze in Pauls ogen staarde.

'Dus wanneer mag ik je mee uit nemen?' vroeg hij en hij verplaatste zijn gewicht van de ene voet naar de andere.

Hij was nerveus, besefte Jessica. Schattig.

'Ehm...' zei ze tijdrekkend omdat ze wist dat ze niet te wanhopig moest lijken. Ze zou moeten zeggen dat ze vanavond en morgen al wat te doen had. Dat hij haar woensdag mee uit mocht nemen of misschien zelfs pas in het weekend. 'Is vanavond goed?

Paul grijnsde. 'Vanavond is super. Zullen we rechtstreeks hiervandaan gaan of wil je dat ik je thuis ophaal?'

Jessica overdacht de twee opties. 'Haal me maar op,' zei ze. 'Als je dat goed vindt.'

'Maar natuurlijk,' zei hij. 'Dan kan ik meteen zien waar je woont.'

'Ja, maar stel je er niet te veel van voor. Zoals ik laatst al zei heeft mijn tante een schattig huis, maar niets speciaals.'

'O... ké,' zei Paul vertwijfeld.

Vanuit het heiligdom van zijn kantoor genoot Mike ondertussen van het speelse rumoer van de gesprekken van zijn team erbuiten. Het was een geruststellend geluid, realiseerde hij zich. Het geluid van normaalheid, van mensen die ontspannen met elkaar omgingen... en vrolijk. Zijn telefoon ging.

'Met Mike Connor,' nam hij op omdat het zijn werktelefoon was.

'Mike, met David.'

'David,' zei Mike, en hij dwong zijn hoofd terug in werkmodus.

'Fijne vakantie gehad?'

'Niet slecht, dank je,' antwoordde hij. 'Ook niet echt goed om eerlijk te zijn, maar niet slecht.'

'Redt Diane het nog een beetje?'

'Ehhhh,' antwoordde Mike twijfelachtig.

'Aha. Nou, Wendy en ik hebben het erover gehad en we vinden dat ze wel wat hulp kan gebruiken. Een kindermeisje of hoe je die tegenwoordig ook noemt. Ze helpt er niemand mee door zich als martelaar op te werpen, toch?'

'Ehhhh...'

'Maar goed, dat moeten jullie maar uitzoeken. Ik stuur je zo een memo over een eenmalige special die ik wil dat je in het najaar maakt.'

'Leuk,' zei Mike. 'Klinkt interessant, ik ga er meteen mee aan de slag. Maar over dat andere... ik weet niet of...'

'Onzin,' zei David resoluut, waarmee hij elke mogelijkheid tot discussie afkapte.

'Goed dan,' zei Mike zwakjes, maar David had al opgehangen.

Bazige ouwe zak, dacht Mike. Jezus, wat was het soms een ramp om je schoonvader als baas te hebben. Omdat ze niet meer ging werken, wilde Diane ook geen nanny. Hij had voorgesteld om hulp te nemen, maar ze had gezegd dat ze vond dat ze dan toegaf dat ze gefaald had of zoiets. Toch had David een punt. Er moest iets gebeuren en – te oordelen naar het laatste telefoontje met zijn vrouw – liever vroeg dan laat. Hij pakte de telefoon weer op.

'Jane, schat, ken jij heel toevallig iemand die oppast?' vroeg hij aan zijn secretaresse. Zijn secretaresse, die eigenlijk een personal assistent was, verafschuwde het feit dat Mike haar altijd zijn secretaresse noemde en verafschuwde het nog veel meer om 'schat' te worden genoemd. Ze had ook geen flauw idee waarom Mike in godsnaam dacht dat zij iemand kende die oppaste. Als hij op haarzelf doelde, kon hij het vergeten.

'Nee,' antwoordde ze. 'Maar ik kan wel rondvragen. Is het voor een speciale gelegenheid?'

'Mijn vrouw is over een paar dagen jarig. Ik dacht dat het wel leuk zou zijn haar uit eten te nemen,' zei Mike gladjes. Hij voelde zich ook wel een casanova. Een nieuwe man.

'Leuk,' zei Jane, niet erg onder de indruk. 'Hebben jullie geen vaste oppas, dan?' voegde ze eraan toe. Het kon haar eigenlijk geen zak schelen, maar ze vroeg het toch.

'Dat hadden we, maar die is teruggegaan naar Brazilië. Wat een egoïstische zeug, hè?' zei Mike opgewekt. Maar Jane lachte niet, dus klonk wat hij zei niet grappig, alleen maar lomp. 'Nou, laat het me maar weten als je iemand bedenkt,' zei hij en hij hing op. Op dat moment stak iemand haar hoofd om de deur. 'Kerry, hoe is-ie? Hoe is het hier gegaan? Ik wilde net de show van vorige week gaan bekijken, ik heb gehoord dat die geweldig was.'

'Het ging inderdaad wel,' zei Kerry. 'Maar nooit eens tijd om van het succes te genieten, hè? Op naar de volgende.'

'Ja, wie komen er ook alweer?'

'Marisa Tomei, Michael McIntyre en Jonny Lee Miller.'

'Formidabel,' zei Mike, tevreden met de indrukwekkende lijst namen. 'Jonny zat er eerst nog niet bij, toch?'

'Dat klopt,' antwoordde Kerry en ze probeerde niet te grijnzen om Mikes gebruik van alleen zijn voornaam. 'Maar goed, wil je even een paar bonnetjes voor me tekenen?'

'Tuurlijk,' zei Mike terwijl hij de papieren van haar aanpakte. 'En hoe gaat het met de nieuwe?'

'Blijkt een megagoeie te zijn, Mike,' antwoordde Kerry oprecht. 'Megagoed.'

'Mooi. Vraag eens of ze hierheen komt, ik wil haar graag bedanken voor het besproeien van mijn tuin.'

'Benen verloren?'

'Eh, ja,' antwoordde Mike, die niet goed wist hoe hij dat moest opvatten. Hij was altijd een beetje bang voor Kerry.

Dertig seconden later was het Jessica's beurt om op zijn deur te kloppen.

'Hoi Mike,' zei ze vrolijk. 'Welkom thuis, fijn dat je er weer bent.'

'Dank je,' zei Mike terwijl hij zich afvroeg waarom zij ineens zo blij was met het leven. 'Ik wilde je bedanken voor–' Zijn mobiele telefoon ging. 'Wacht even, ik kom zo bij je terug, het is mijn vrouw... Hoi lieverd... Gaat het? Wat is er nu weer?' vroeg hij en hij keek gespannen.

Jessica wees naar de deur omdat ze zich afvroeg of ze later terug moest komen en hem wat privacy moest gunnen, maar Mike schudde zijn hoofd en stak een hand omhoog om aan te geven dat ze moest blijven. Dus toen had Jessica geen andere keus dan te luisteren naar wat overduidelijk een zeer privé gesprek was, terwijl ze om zich heen keek in de weinig inspirerende kamer. Er was niets om haar aandacht op te vestigen, dus staarde ze maar aandachtig naar het plafond, als een bouwvakker die probeerde in te schatten wat er moest gebeuren.

'Zeg me nou gewoon wat er aan de hand is,' smeekte Mike. 'Al goed... rustig nou maar. Ik ga wel niet naar de pub als dat zo'n probleem is... Oké... we praten er wel over als ik thuiskom... Oké, schat. Ja... ja, zie je straks. Nee, ik ben niet vergeten dat ik kinderparacetamol zou halen.'

Mike hing op. Zijn hele gezicht was getekend door de spanning, zelfs zijn bruine tint kon het niet verbergen.

'Eh, alles goed?' informeerde Jessica beleefd.

'Ja,' antwoordde hij afwezig. 'Mijn vrouw. Ze heeft het een beetje zwaar op het moment, meer niet.'

'Aha, ik snap het,' zei Jessica, die het eigenlijk niet snapte. Voor zover ze zich kon herinneren, had de vrouw op de foto's in Mikes huis eruit gezien alsof ze alle reden had om gelukkig te zijn met haar levenslot.

'Ze is vastbesloten het allemaal zelf te doen, snap je,' zei Mike. Hij voelde zich om de een of andere reden gedwongen het uit te leggen. Misschien dat hij dan zelf ook beter begreep wat er met zijn vrouw aan de hand was. Meer voor zichzelf dan iets anders. 'Ik denk dat ze er gewoon even tussenuit moet, maar elke keer dat ik daarover begin, is ze te moe om erover na te denken. En toch ga ik op zoek naar een oppas voor woensdag zodat we op z'n minst uit eten kunnen met haar verjaardag, maar–'

Mike zweeg, want hij besefte dat hij zijn hart uitstortte bij iemand die hij amper kende en die onlangs haar vrije tijd had opgegeven om zijn tuin water te geven. 'Maar goed, je komt niet naar je werk om mijn saaie sores aan te horen. Bovendien had ik je hierheen laten komen om je te bedanken voor het besproeien van onze tuin toen we weg waren. Ik hoop dat je de reis niet al te vaak hebt hoeven maken?'

'Oh, nee hoor,' zei Jessica vluchtig en ze dacht vol schuldgevoel aan de verzengende week waarin de tuin er verdord bij had gelegen, snakkend naar water.

'Ik ben blij dat alles het heeft overleefd,' zei ze.

'Oh, de planten in de potten zijn dood, maar dat geeft niet,' zei Mike vaagjes. Jessica slikte en wachtte op een standje. Maar het werd al snel duidelijk dat hij niet van plan was er verder nog iets over te zeggen. Hij was zichtbaar afgeleid, bezorgd om zijn vrouw. Jessica had met hem te doen.

'Misschien kan ik oppassen?' bood ze aarzelend aan.

Mike keek op. 'Sorry?'

'Misschien kan ik oppassen voor jou en je vrouw? Als je me tenminste genoeg vertrouwt om je kinderen bij achter te laten. Ik bedoel, ik heb geen echte ervaring met kinderen, maar als het 's avonds is liggen ze in bed, toch?'

Ja,' zei Mike, ineens met zijn volle aandacht bij Jessica. 'Ja, dat klopt. Maar jeetje, nee, ik kan niet van je aannemen dat je de ene na de andere gunst verleent. Niet dat het een gunst zou zijn, natuurlijk; ik zou je betalen. Wat je er maar voor wilt hebben, zelfs. Vijf pond per uur? Nee, dat is niet genoeg. Zes of zeven misschien? Ik weet niet wat babysitters tegenwoordig krijgen. Mijn vrouw regelt dat soort dingen, maar ik zou je er absoluut fatsoenlijk voor betalen.'

'Oh, dat zit wel goed,' zei Jessica beschaamd.

Mike kauwde op het hoekje van zijn duimnagel terwijl hij snel nadacht.

'Oké, om eerlijk te zijn zou het helemaal geweldig zijn als je het wilde doen, want op het moment hebben we gewoon niemand.

Mijn ouders zijn stokoud, die van haar zijn nutteloos en ze weigert ook maar na te denken over iemand die geen aanbeveling heeft,' zei hij alsof de tegenzin van zijn vrouw om hun kinderen zomaar met iedere willekeurige gek achter te laten ergerlijk en volkomen onredelijk was. 'Maar ik wil niet dat je denkt dat ik daar op uit was, want dat was echt niet zo,' voegde hij er overmatig enthousiast aan toe. 'Ik moet het natuurlijk nog wel aan mijn vrouw vragen, haar ervan overtuigen dat je geen pedofiel of zo bent, maar als je echt serieus bent is dat fantastisch.'

'Oké,' zei Jessica twijfelend terwijl ze zich afvroeg wat ze zich nu weer op de hals haalde.

'Oh, maar even dit. We kunnen het misschien beter niet tegen de lui hier op kantoor zeggen? Belangenverstrengeling en zo. Bovendien ben je er vast al achter wat voor ongelooflijke roddeltantes het zijn.'

'Prima,' zei Jessica, ook maar al te blij het stil te houden, gezien de reacties die ze de vorige keer dat ze hulp aanbood had gekregen.

'Oké, nou, dan bel ik Diane nu meteen terug.'

'Fijn,' zei Jessica, zich omdraaiend om weg te gaan.

'En Jessica?'

'Ja, Mike?'

'Bedankt,' zei hij en hij verwrong zijn gezicht om te benadrukken hoezeer hij het meende, wat hem juist onoprechter deed lijken.

'Heel graag gedaan,' zei ze, terwijl ze bij zichzelf dacht dat hij en zijn vrouw echt het soort mensen leken die eens wat vaker de deur uit zouden moeten gaan.

Een blijer man, vestigde Mike zijn aandacht weer op zijn inbox. Ah, daar was de beloofde mail van David over de najaarsspecial. Hij las hem gauw door. Het leek hem echt super. Een erg goed idee. Fantastisch, nu had hij tenminste ook echt iets om over te praten tijdens de vergadering morgen. Het leven lachte hem weer toe. Dankzij de goeie ouwe Bender.

# 25

Die avond ging klokslag acht uur Pams deurbel.

'Daar zal je hem hebben, lieverd,' riep Pam naar boven. Nu ze haar nichtje zo opgewonden zag van de nieuwigheid van een opbloeiende romance werd Pam teruggezogen naar de tijd van de begindagen van de verkering tussen haar en Bernard. De afgelopen paar dagen had ze het zichzelf zelfs toegestaan voor de verandering eens in herinneringen en romantische nostalgie te zwelgen. Denken aan het verleden leek haar de laatste tijd niet meer zo te beangstigen en volgens haar kwam dat doordat Jessica er was. Haar nichtje had haar eraan herinnerd dat het leven voor de levenden was en Jess' geluk en groeiende zelfvertrouwen waren prachtig om te zien. Op zondag, toen Jessica Paul in een tijd van veertig minuten drie keer had weten te noemen, was zelfs Pam meegesleept geraakt, dromend van een grootse bruiloft.

Terwijl de deurbel nogmaals ging, grinnikte Pam bij zichzelf.

'Moet je mij nou horen,' zei ze tegen haar eigen spiegelbeeld in de hal.

Jessica kwam de trap afgerend, zenuwachtig en bang dat ze zich te veel had opgedoft voor een etentje op de maandagavond. Paul kennende zou hij haar waarschijnlijk toch meenemen naar een of andere pub. Maar ze was naar huis gekomen om zich op te frissen, dus dat was wat ze had gedaan. Het feit dat ze een crèmekleurige vintage Chloe-jurk droeg die haar moeder voor haar had gekocht zou hem waarschijnlijk toch ontgaan.

'Zie ik er goed uit?' vroeg ze nog snel even aan haar tante.

'Prachtig,' antwoordde Pam met haar hand op haar hals. 'Die jongen mag in zijn handjes knijpen. Ik maak me uit de voeten.'

Jessica gaf haar in het voorbijgaan in de hal een dankbaar kneepje en stopte daarna om nog een laatste keer diep adem te halen voordat ze de deur opendeed. En toen ze dat uiteindelijk deed, keek ze vreemd op.

'Shit, wat doe jij hier?' stamelde ze ontredderd. Haar moeder stond op de stoep en zag eruit als de enorme Hollywoodster die ze was.

'Je hebt de jurk aan die ik voor je heb gekocht, dat model staat je goed,' zei Angelica tevreden.

Toen eindelijk tot haar doordrong dat wat ze zag echt haar moeder was en niet een hologram, begon het besef Jessica's bewustzijn binnen te sijpelen dat ze vagelijk (heel vagelijk) plannen had gemaakt met haar moeder. Ze realiseerde zich meteen dat behoorlijke schadebeperking wel op zijn plaats was, maar haar dringender zorg was het feit dat Paul nu elk moment aan zou kunnen komen en het heel moeilijk uit te leggen zou zijn waarom Heavenly Melons bij haar op de stoep stond.

'Mam, alsjeblieft?' smeekte ze. 'Het spijt me, maar ik heb vanavond een afspraakje.'

'Een afspraakje? Vanavond? Oh Jessica, wat leuk voor je. Vond hij het leuk om samen met ons uit eten te gaan?'

'Binnenkomen,' zei Jessica, die doorhad dat de subtiele aanpak niet ging werken.

'Ik weet niet of Pamela dat wel goed vindt–' Maar Angelica kreeg niet de kans haar zin af te maken want na vlug beide kanten de straat in te hebben gekeken, greep Jessica haar moeder en trok haar de hal in, waar Pamela net uit de voorkamer kwam om te zien wat er gaande was.

'Wat doe jij hier?' snerpte de oudere dame verontwaardigd. Ze had haar handen op haar heupen en zo'n dreigende uitdrukking op haar gezicht dat ze er nogal vervaarlijk uitzag. Jessica begreep voor het eerst waarom haar moeder een beetje bang voor haar tante was.

'Ik ben hier omdat ik met mijn dochter heb afgesproken,' zei Angelica en ze rechtte haar rug.

Jessica voelde zich plotseling ellendig. Dit was allemaal haar schuld.

'Luister mam, het spijt me ontzettend. Ik had moeten bellen, maar het is geen geintje: ik heb vanavond echt een afspraakje en het is heel belangrijk voor me.'

'Dat is fantastisch, meis,' zei Angelica. Ze keek haar sentimenteel maar stralend aan. 'Ik ben erg blij voor je, echt waar.'

Jezus, dacht Jessica. Ze had er zoveel jaar naar verlangd om zulke aandacht van haar moeder te krijgen, maar op dit moment wilde ze alleen maar dat ze de hint zou begrijpen en weggaan.

'Luister,' zei ze uiteindelijk, omdat ze zich had gerealiseerd dat ze geen andere optie had dan het heel duidelijk te maken, 'ik kan vanavond niks met je doen. Ik heb per ongeluk nóg een afspraak gemaakt en ik wil niet dat hij je ziet. Hij weet niet wie mijn ouders zijn en om eerlijk te zijn is het heel belangrijk dat dat ook zo blijft. Voor één keer mijn eigen leven te leiden en niet in jouw schaduw te staan is een hele verademing. Dat snap je toch wel? Daarom ben ik tenslotte hier!'

Angelica oogde ongelooflijk gekwetst en leek te krimpen in haar kleren als een lekgeprikte ballon.

'Aha,' zei ze.

Beschaamd en uit elkaar knappend van frustratie, bloosde Jessica. 'Zo had ik het niet bedoeld... ik...'

Angelica keek zwijgend naar de vloer. Ze was zo moe van haar op niets uitlopende pogingen om vrede te sluiten met haar dochter. 'Ik weet dat de dingen tussen ons niet zijn zoals zou moeten, Jessica. En het spijt me, maar je moet weten dat er een eind komt aan het aantal keren dat iemand zijn verontschuldigingen kan aanbieden zonder te worden vergeven.'

Jessica keek haar moeder verbijsterd aan. Ze had haar nooit zoiets horen zeggen. Niet dat haar woorden hetzelfde effect op Pam hadden.

'Nou wordt-ie helemaal mooi,' tierde ze. 'Je kunt toch nooit vaak genoeg je verontschuldigingen aanbieden? Aan haar en aan Teddy. Hij heeft jaren gewacht om iets van je te horen, wanhopig om te weten waarom je het hebt gedaan.'

'Maar dat is niet waar, ik–'

De deurbel ging.

'Shit,' zei Jessica geschrokken.

'Oh, nou heb je het voor elkaar,' zei Pam zo dreigend als ze kon gezien het feit dat ze fluisterde. 'Luister eens, Ange. Als je iets wilt bereiken bij je dochter, verpest dit dan niet voor haar, hoor je me? Deze gozer betekent veel voor haar en ze moet dit afspraakje op haar eigen voorwaarden kunnen hebben.'

'Prima,' zei Angelica, nu ook in paniek. 'Maar wat moet ik nu dan doen? Mijn chauffeur draait de auto even. Hij zal er zo zijn.'

Ondertussen buiten, begon Paul te denken dat hij bij het verkeerde huis stond. Hij belde nog maar een keer aan. Op precies datzelfde moment begon Angelica's mobiele telefoon in haar tas te trillen.

'Dat zal mijn chauffeur zijn,' fluisterde ze en ze oogde verslagen, 'wat betekent dat hij elk moment hier kan zijn...'

'Hallo?' klonk Pauls stem door de brievenbus.

Omdat ze zijn ogen er doorheen zag turen, raakte Pam in paniek. 'Daarin,' beval ze en ze duwde een verbijsterde Angelica richting de gangkast.

Toen ze besefte wat er gebeurde, probeerde Angelica – die een hekel had aan kleine ruimtes – te protesteren, maar Pam luisterde niet. Ze schoof haar erin en sloeg de deur dicht, die Angelica's smeekbede dempte. 'Kop dicht, mevrouwtje. We halen je er zo snel mogelijk weer uit.'

Verslagen deed Angelica wat haar gezegd was. Het werd stil in de kast. Tegen deze tijd stond Jessica's mond zo ver open dat haar onderkaak praktisch de grond raakte en was ze helemaal de weg kwijt. Gelukkig wist Pam nog wel waar ze was en omdat ze zag dat haar nichtje aan de grond genageld stond van paniek, deed ze zelf de deur maar open.

'Hallo,' zei ze als een slechte tv-presentatrice die van de autocue las, 'jij moet Paul zijn. Kom erin.'

'Bedankt,' zei hij en toen Jessica naar voren stapte om hem te begroeten, was moeilijk te zeggen wie er het meest verward uitzag, zij of Pam.

'Zo,' zei Paul aarzelend terwijl hij zich afvroeg waarom iedereen zo raar keek, 'u bent vast Pam. Jessica heeft me zoveel over u verteld.'

'Ooh,' snerpte Pam, luider dan nodig was. 'Toch wel goeie dingen?'

'Oh, jawel,' bevestigde Paul.

Op dat moment was het geluid van een mobiele telefoon te horen. Het kwam uit de gangkast.

Jessica en Pam grijnsden allebei maniakaal naar Paul en deden alsof ze het niet hoorden. Ondertussen, in de kast, deed een claustrofobische Angelica haar best om bij haar telefoon te komen zodat ze hem uit kon zetten, wat niet echt hielp omdat nu de hele kast stond te schudden.

'Zit er iemand in die kast?' vroeg Paul.

'Wat?' vroeg Jessica dommig.

'Die kast,' zei Paul. 'Er zit iemand in.'

'Eh...'

'Doe niet zo gek. Waarom zou er iemand in de kast zitten?' bulderde Pam veel te luid. Maar ze bereikte niet het beoogde effect, want op dat moment ging de kastdeur piepend open en Angelica, die het simpelweg geen seconde langer in zo'n kleine ruimte kon uithouden, stapte er voorzichtig uit, hoewel ze in een poging onopgemerkt te blijven achter de kastdeur bleef staan.

'Behalve die persoon, dan,' zei Pam terwijl ze woest Angelica's kant op staarde. 'Oh, we houden hier wel van een geintje, nietwaar Jess? Toch? Oh, je zou je gezicht moeten zien, Paul. Hilarisch. Hebben wij je even te pakken!'

Paul oogde verschrikkelijk onzeker.

'Dus,' zei Jessica zwakjes. Ze wist dat er een verklaring vereist zou zijn waarom Angelica Dupree zojuist uit haar gangkast was gekomen. Het was tijd alles op te biechten. Afgezien van al het andere vond ze het vreselijk jammer dat het spel uit was. Ze was nog lang niet klaar om weer Jessica Granger te worden, maar ze had geen keus meer. Ze draaide zich om om haar moeder voor te stellen. Toen ze dat deed besefte ze dat Angelica, die zich nu achter haar verschool, haar hoofd had bedekt met een van Pams zijden hoofddoeken en een regenjas aan had getrokken die ze allebei in de kast moest hebben gevonden.

Jessica stelde haar poging op prijs, maar nu zag ze er niet meer uit als een filmster maar als een filmster die niet herkend wilde worden. Toch leek Paul niet door te hebben wie ze was. Er stroomde hoop door haar lijf. Zou ze hier mee weg kunnen komen?

'Dus Paul, dit is... een van de oude chauffeursvriendinnen van mijn vader... en... daar zul je haar auto hebben.'

Een verdwaasd kijkende Paul draaide zich om en zag een enorme Bentley met verduisterde ramen voor het huis tot stilstand komen.

'Tjonge, wat een vette auto. Maar... als zij de chauffeur is, wie bestuurt hem dan nu? En waarom zat u in de kast?' informeerde hij heel redelijk terwijl Angelica haar kans schoon zag en langs hem heen scheerde. Hij kreeg geen antwoord.

'Doeg,' riep ze zo vaag als ze kon om haar Franse accent te verbergen. Toen ze langs Paul was gerend, het trappetje af en naar de auto, volgde er een lange stilte waarin Pam en Jessica allebei met een bevroren grijns naar Paul keken totdat Jessica zich realiseerde dat ze zich vreemd gedroegen.

'Goed,' zei ze en ze sloeg haar handen tegen elkaar. 'Zullen we?'

'Eh, ja,' zei Paul gespannen. 'Maar ik begrijp nog steeds niet waarom een andere chauffeur–'

'Je brengt haar wel weer veilig thuis, hè?' riep Pam, alsof het zou helpen als ze alles heel luid zei.

'Zal ik doen,' antwoordde Paul en hij hoopte maar dat zijn trommelvlies nog intact was. Hij was ook niet helemaal eerlijk. Natuurlijk hoopte hij haar veilig thuis te brengen (hij was geen psycho of zo), maar als het even kon wel naar zíjn huis.

'Nou, gedraag je en je kunt nooit té voorzichtig zijn, hè,' kon Pam niet laten er ondeugend aan toe te voegen, zo opgelucht was ze om de enorme Bentley eindelijk de oprit af te zien rijden.

'Pam!' vermaande Jessica, maar terwijl ze het trappetje afliep, zuchtte ze ook diep van opluchting. Dat had maar weinig gescheeld. En zij had het kunnen voorkomen. Haar moeder deed zoveel meer haar best dan anders en dat moest ze echt eens beantwoorden. Maar het was gewoon moeilijk met zoveel op haar bordje. Toch zwoer ze er iets aan te doen.

'Dat was allemaal een beetje vaag,' zei Paul toen ze de straat uit liepen. 'En je hebt me voorgelogen.'

'Sorry?' antwoordde Jessica. Haar hart versnelde weer eens. Had hij dan toch Angelica's gezicht gezien?

'Het huis van je tante? Je zei dat het niets speciaals was,' herinnerde hij haar toen hij haar geschrokken gezicht zag. Ze staken de straat over.

Jessica glimlachte aarzelend terug, niet zeker wat ze moest zeggen. Ze kreeg de vage indruk dat ze ook maar beter kon zwijgen totdat ze erachter was waar hij precies naartoe wilde.

'Waarom bleef je maar zeggen dat ze zo'n "schattig" en gewoon huis had terwijl ze in een kolossale Victoriaanse villa woont boven aan een van de duurste heuvels van Londen?' riep hij uit. 'Wilde je daar iets mee duidelijk maken? Of denk je net als Dulcie dat ik een omgekeerde snob ben?'

'Eh, ja... nee,' antwoordde Jessica, helemaal de weg kwijt. Ze dacht echt dat het een correcte beschrijving van het huis was geweest, maar Paul dacht daar blijkbaar anders over.

'Ik bedoel, als je echt vindt dat een kast van een huis dat meer dan een miljoen pond zou opbrengen niets bijzonders is, dan weet ik niet of ik je ooit wel mee zal nemen naar mijn flat,' ging hij verder.

'Oh,' zei Jessica.

'Het was maar een grapje,' zei Paul snel, 'je mag met me mee wanneer je maar wilt, maar geen gelul meer, oké?'

'Ik zal het niet meer doen,' zei Jessica en haar gedachten sloegen op hol. Hoe had ze dat zo ontzettend verkeerd kunnen hebben ingeschat? Was het huis van haar tante echt zoveel waard? Nu ze erover nadacht was haar huis in L.A. zo buitenproportioneel van afmetingen (via het interne telefoonnetwerk hoorden ze of het eten klaar was) dat het best kon zijn dat ze niet het meest realistische perspectief had. Ze voelde zich gedwongen het te verklaren. 'De enige reden dat ik liet doorschemeren dat het huis van mijn tante iets anders was dan geweldig, was omdat ik–'

'Ik val je niet aan, hoor,' zei Paul, die stopte en Jessica naar zich toe draaide. 'Het is alleen raar dat je het expres zo gebagatelliseerd hebt. We zouden je niet hebben veroordeeld als je had gezegd dat je tante stinkend rijk was... Dat verandert niets aan het feit dat jij en je vader het niet makkelijk hebben gehad. Anders zou je je niet uit de naad werken als Kerry's assistent en hij niet voor Vincent Malone chaufferen, toch?'

Jessica deed haar mond open om iets uit te brengen ter verdediging, maar Paul ging verder: 'Wat wil je vanavond doen? Zullen we een hapje gaan eten of wil je liever eerst ergens wat drinken?'

Jessica keek voor het eerst die avond eens goed naar hem. Hij droeg zijn standaard T-shirt en spijkerbroek maar had weer dat gewassen voorkomen. Zijn haar was uit zijn gezicht gekamd en hij zag er spectaculair goed uit. Jessica kreeg ineens zin haar handen onder die kleren te krijgen.

'Laten we beginnen met iets te drinken en daarna zien we wel,' stelde Jessica voor en terwijl ze zo samen over straat liepen, begonnen de zenuwen langzaam te verdwijnen. Wat maakte het uit waar ze woonden of wie ze 'waren'; ze voelde zich thuis bij Paul.

Een uitwerking die alleen maar werd getemperd door het feit dat ze van tijd tot tijd bijna omviel van de sterke golven van lust die ze voelde als ze bedacht hoe goed hij eruitzag. Hoe had ze hem ooit intimiderend kunnen vinden?

Later, in een kroeg die ze een paar straten verderop hadden gevonden, speelde Jessica met het idee alles op te biechten. Misschien kon ze het maar beter uit de weg ruimen en nu vertellen wie haar ouders waren voordat er echt iets ontstond tussen hen. Maar ze was zo bang om de doos van Pandora open te maken die altijd alles verpestte, dat ze besloot het niet te doen. Paul leek zo onder de indruk dat ze in haar eentje in Engeland was en werkte, en op het moment wilde ze niet dat iets dat verpestte. Het zou zo'n mindere prestatie lijken als hij wist wat voor ruggensteun ze had. Bovendien wilde ze het niet tijdens haar eerste echte afspraakje met Paul de hele tijd over haar ouders hebben. Waarom zou Edward zich ertussen werken zoals hij altijd deed, of Angelica alle aandacht opeisen? Dit was eindelijk eens alleen voor haar. De waarheid kon nog wel even wachten.

'Weet je wat?' zei Jessica uiteindelijk nadat ze een tijd lang over niets substantieels hadden gekletst. 'Ik weet helemaal niets over jou. Je bent erg goed in vragen stellen, maar niet zo goed in ze beantwoorden en ik wil alles weten.'

'Oké,' zei Paul en hij boog naar voren om zijn glas neer te zetten. Zijn arm streek langs Jessica's dij en ze rilde van verwachting. 'Ik ben geboren in Staines, letterlijk een "vlek" op de kaart die even opwindend is als de naam suggereert. Je kunt zelf wel bedenken hoe de opgroeiende jeugd de draak stak met die plaatsnaam.'

Jessica trok een vies gezicht. Ze kon er wel wat bij bedenken. Even ebde de lust weg.

'Ik zat daar ook op school maar deed totaal niet mijn best. Of tenminste, niet tot mijn vader wegging, want toen veranderde er wel iets. Ik denk dat ik me realiseerde dat als ik niet oppaste, ik net zulke oninspirerende baantjes zou krijgen als mijn moeder altijd had. Alleen was het tegen die tijd een beetje te laat om nog iets van school te maken, dus ging ik maar werken. Ik heb een poos behoorlijk saaie baantjes gehad, maar maakte er evengoed een leuke tijd van en ondertussen probeerde ik mijn horizon zo veel mogelijk te verbreden. Mezelf een beetje ontwikkelen, zou je kunnen zeggen. Mijn leven is hoofdzakelijk prima geweest, maar wel behoorlijk gemiddeld. Laat ik het zo zeggen: ik denk niet dat mijn leven tot nu toe een bijzonder boeiende biografie zou zijn.'

'Sjonge,' zei Jessica met het sarcasme dat Paul meestal aanwendde. 'Ben je nu je verdriet aan het verdrinken of zo?'

Paul lachte. 'Ik vind mezelf niet zielig, maar ik denk gewoon – ik hoop – dat het mooiste nog moet komen,' zei hij op een manier die Jessica liet smelten. Het voelde alsof ze een lift in haar buik had die vijf verdiepingen tegelijkertijd naar beneden raasde. 'Hoewel ik moet toegeven dat het me de afgelopen vijf jaar of zo behoorlijk voor de wind is gegaan sinds ik voor de tv werk,' voegde hij eraan toe.

'Kun je het goed vinden met je moeder?' vroeg Jessica.

'Absoluut,' zei Paul. 'Ze is super.'

'Woont ze nog in Staines? En volgens mij bestaat er geen verschrikkelijker naam voor een plaats.'

'Moet jij nodig zeggen, mevrouw Bénder,' antwoordde hij nadrukkelijk, wat hem een harde por in zijn ribben opleverde. 'Auw, en ja, om je vraag te beantwoorden, mijn moeder en zusje wonen nog steeds in het enige huis dat ooit mijn thuis is geweest. Ik ging naar de basisschool in Staines, naar de middelbare school in Staines, had mijn eerste zaterdagbaantje in Staines en ben er de meeste weekenden nog te vinden.'

'Wat was je eerste baantje?' informeerde Jessica. Ze hing aan zijn lippen.

'Mmm, dat was echt heel sexy,' mijmerde Paul. 'Vakken vullen in de Safeways tot ik achttien werd, toen promoveerde ik naar de kassa's. Mijn tweede baantje was duizend keer beter. Ik heb zes maanden bij platenwinkel Our Price gewerkt dus je kunt je voorstellen dat ik het daar erg naar mijn zin had. Al mijn loon gaf ik uit aan muziek. Het was rampzalig.'

Jessica glimlachte verlegen naar hem terwijl ze bad dat hij niet de vraag zou stellen die er nu onvermijdelijk aan zat te komen.

'En wat was jouw eerste baantje?'

Jessica slikte. Waarheid of leugen? Liegen of de waarheid spreken? Zou het te veel weggeven, te veel vragen uitlokken als ze toegaf dat ze pas op haar tweeëntwintigste haar eerste baantje had gehad? En dat toen ze zich eindelijk geroepen voelde te gaan werken, ze het alleen maar hoefde te vragen? Dat ze meteen assistent werd gemaakt op de filmset waar haar vader op dat moment aan het draaien was en het eigenlijk helemaal niet als werk voelde? Iedereen was constant misselijkmakend aardig voor haar en het was deze totaal onrealistische ervaring geweest die Jessica ertoe had aangezet te proberen de dingen op haar eigen manier te doen. Om verder te kijken dan de filmindustrie en het rijke tapijtwerk van het leven fatsoenlijk te ervaren.

'Ik heb ook voor – in – een winkel gewerkt,' zei ze, weer te laf om iets te willen hoeven uitleggen.

'Ja, wat voor winkel dan?'

'Het was een...' Jessica kon niets bedenken. Liegen was haar nooit goed afgegaan. Er was een reden dat ze niet hetzelfde beroep als haar ouders uitoefende; acteren was in essentie liegen voor de kost. 'Weet je dat ik me dat niet eens meer kan herinneren?' zei ze zwakjes nadat ze de vreemde, excentrieke en volkomen nutteloze suggesties waar haar hersenen mee aan kwamen zetten terzijde had gelegd. Een fietsenwinkel? Een duikwinkel? Een horlogewinkel? (Een horlogewinkel???)

'Je kunt je je eerste baantje niet meer herinneren?' vroeg Paul verbaasd. 'Mijn god, ik dacht dat die je zo vreselijk moesten tekenen dat je ze nooit meer vergat. Hoewel, van het kleine beetje dat ik tot nu toe heb gehoord klinkt het alsof je zoveel verschillende dingen hebt gedaan dat het misschien allemaal één vage brij wordt. Iets anders dan. Vertel eens wat meer over je vader. Vindt hij het leuk om Vincent Malones chauffeur te zijn?'

'Ja hoor,' antwoordde Jessica, die moeite moest doen om niet te gaan giechelen. De gedachte aan haar vader die met een pet met klep op zijn hoofd zijn beste vriend rondreed, was gewoon té grappig.

'En hoe is hij als mens?'

Net James Bond... dacht ze.

Jessica keek Paul aan. Hij verdiende een paar eerlijke antwoorden, dacht ze terwijl ze zijn aandachtige blik in zich opnam en zijn prachtige, mannelijke, sterk uitziende handen die vlak bij de hare lagen. 'Mijn vader is mijn meest favoriete persoon op aarde,' verklaarde ze en de waarheid maakte haar plotseling verlegen. 'Ik ben onwijs dol op hem en door de jaren heen zijn we eigenlijk altijd met z'n tweetjes geweest, dus hij is niet alleen een vader, hij is ook een moeder. Een mannelijk exemplaar met harige benen, dat wel, maar toch een moeder. Hij is degene die me naar bed bracht toen ik klein was. Nou ja, hij en de nanny; als hij aan het werk was. Hij is degene die mijn verjaardagsfeestjes organiseerde en ervoor zorgde dat ik de taart kreeg die ik wilde. Hij is degene die heeft moeten verduren dat al mijn vriendinnen kwamen slapen en degene die tegen me schreeuwde als ik me had misdragen, of recenter, zijn auto in de prak had gereden.'

Paul keek verbaasd op van deze bekentenis, bijna alsof hij het zich niet kon voorstellen.

'Hij is aardig, grappig en ongelooflijk sentimenteel. Als ik je vertel dat hij moest huilen om de film *Cheaper by the Dozen...?*'

Paul keek verbaasd en lachte vervolgens.

'Echt waar, ik heb hem moeten verbieden naar *Marley & Me* te kijken toen die uitkwam, want dat zou hij niet hebben aangekund. Maar aan de andere kant,' zei Jessica, 'luistert hij niet altijd naar wat ik probeer duidelijk te maken. Hij bemoeit zich te veel met mijn leven en dat kan soms best verstikkend zijn. Het lijkt soms alsof de rollen zijn omgedraaid. Alsof ik degene ben die op een bepaalde manier op hem past, wat prima is, maar ik denk gewoon...'

'Wat?' moedigde Paul haar aan.

'Oh, ik weet het niet... gewoon, je weet wel, hij is getrouwd en ik vind eigenlijk dat zijn vrouw dat nu zou moeten doen.'

'Hoe is je stiefmoeder?'

'Wil je het echt weten?'

'Nee, daarom vroeg ik het ook,' plaagde hij.

'Oké, nou, denk maar aan Pamela Anderson of... Heather Locklear, daarmee wordt ze ook wel vergeleken. Maar als het spannende eraf is, hou je een leuke meid over die eigenlijk geen idee heeft wat ze met haar leven wil en die geen kwade bedoelingen heeft maar wel een stem die asfalt kan laten smelten.'

'Echt?' vroeg Paul. 'Dat verwachtte ik niet. Ze klinkt hilarisch... en met een goed lijf.'

Jessica tikte op zijn hand. 'Je hebt het hier wel over mijn stiefmoeder, hè? Maar om eerlijk te zijn zou ik het je niet kwalijk nemen als je haar wel zag zitten. Zoveel ouder dan wij is ze niet.'

Nu keek Paul helemaal geïntrigeerd. 'Jeetje, zeg dat maar niet tegen Luke,' zei hij terwijl hij Jessica bedachtzaam aankeek. Niet voor het eerst had hij het gevoel dat hij meer met haar gemeen had dan hij ooit had kunnen weten toen ze elkaar voor het eerst ontmoetten. Ze was niet de enige die zich af en toe verantwoordelijk voelde voor een ouder. Misschien hadden ze allebei net even sneller op moeten groeien dan anderen.

'Mag ik vragen of je je moeder wel eens ziet?'

'Jawel,' zei Jessica kalm. 'Zo nu en dan, je kent het wel. Ze is vaak weg, maar komt me een keer of drie, vier per jaar opzoeken. Soms meer, soms minder.'

Paul zag een flits van iets wat moeilijk te interpreteren was over Jessica's gezicht schieten en besloot daar niet over door te vragen.

'Jouw beurt. Vertel eens over je moeder, hoe is zij?'

Net als Jessica voelde Paul zich genoopt naar waarheid te antwoorden. Wat er tussen hen opbloeide, wat 'het' dan ook was, leek totale eerlijkheid te verlangen, een verlossing van dingen waar hij normaal gesproken niet over wilde praten.

'Mijn moeder is een kei. Ze werkt elk haar door God gegeven uur in een kroeg, waar ze al jaren werkt om ons een dak boven het hoofd te houden. Mijn zus en ik kwamen altijd op de eerste plaats en ze is een geweldige vrouw die een behoorlijk rotleven heeft gehad. Er zijn niet veel uitjes of vakanties geweest om de monotonie van haar saaie werk te onderbreken, maar ik heb haar nooit horen klagen. Mijn zusje is ook een schat. Ze is vijftien, dus ik ga de meeste weekenden naar huis om haar gezelschap te houden. Ook al is ze oud genoeg om voor zichzelf te zorgen, als mam uit werken is kan het soms behoorlijk eenzaam zijn voor Lucy. Mijn vader is 'm gepeerd toen zij nog heel klein was en heeft sindsdien nooit een cent betaald. Hij is een derderangsklootzak en ik haat hem,' zei hij nuchter zonder dat er ook maar iets aan zijn stem te horen was. 'Hij heeft hun bankrekening geplunderd voordat hij wegging, is gaan hokken met een of andere zuipschuit die hij in een pub had ontmoet en heeft alles opgezopen. Vorig jaar is hij overleden. De drank had eindelijk zijn lever vernacheld.'

Jessica knipperde terwijl ze zich een leven probeerde voor te stellen dat zo anders was dan het hare en werd gekweld door schuldgevoel dat ze ooit medelijden met zichzelf had gehad. Ze wist ook dat ze Angelica – wier moederlijke toenaderingen ze constant afwees – had verwaarloosd. 'Wat vreselijk,' zei ze uiteindelijk.

'Nee hoor,' zei Paul. 'Zo is het leven, toch? Bovendien heeft het feit dat ik sneller volwassen moest worden me ambitieuzer gemaakt. Vastberadener om zover te komen dat ik tegen mijn moeder kan zeggen dat ze nooit meer hoeft te werken. Ik betaal haar hypotheek, dat is al fijn, en nu ben ik aan het sparen om wat geld achter de hand te hebben voor Lucy's studie. Mam spaart ook elke cent op die ze verdient.'

Jessica wist niet wat ze moest zeggen. Het leven was zo belachelijk uit balans, zo oneerlijk, en als ze dacht aan de rijke, verwende blagen die ze kende in L.A., vroeg ze zich af waarom dat toch zo was. Ze was zelf altijd snugger genoeg geweest om te vermoeden, te weten zelfs, dat er meer op de wereld was dan de Hollywood-zeepbel waarin ze leefde, maar de meeste van haar vrienden niet. Ze kon zo een tiental mensen bedenken die er enorm van op zouden knappen als ze eens een tijdje in de echte wereld zouden doorbrengen, 'gewone' mensen zouden leren kennen. Niet dat ze Paul gewoon vond. Hem vond ze fantastisch. De eerste jongen met wie ze iets wilde die ze daadwerkelijk bewonderde. En ze wílde iets met hem. Ze kon het niet langer ontkennen.

'Moet je ons nou melodramatisch zien zitten doen,' zei Paul met een grijns. 'Jezus, zo erg is het nou ook weer niet, toch? Ik haal nog een drankje. Of wil je wat gaan eten?'

'Doe mij maar wat te drinken.'

Terwijl hij naar de bar liep, dacht Jessica na over alles wat ze te weten was gekomen. Hoe beter ze Paul leerde kennen, hoe meer ze hem mocht en respecteerde. Gek genoeg wist ze dat haar vader ook dol op hem zou zijn. Maar de hele kwestie van haar identiteit begon haar wel parten te spelen. Op welk punt moest ze hem de waarheid vertellen? Als ze om hem zou gaan geven zou liegen tegen Paul alleen maar moeilijker worden en ongetwijfeld steeds meer als bedrog aanvoelen. Zíj wist dat ze het alleen maar verzweeg om zichzelf te beschermen en zodat ze zo veel mogelijk uit dit verblijf kon halen, maar ze wist dat Paul het anders zou zien. En tegelijkertijd was het zo'n ontzettende verademing niet tegen de vooroordelen van mensen op te hoeven boksen dat ze nog wat langer van die vrijheid wilde genieten.

Paul kwam weer terug met de drankjes en een paar zakjes chips. 'Sorry als ik net wat somber overkwam,' zei hij schouderophalend terwijl hij de zakjes opentrok. Hij had meer over zichzelf losgelaten dan hij in jaren had gedaan en voelde zich nu niet dapper genoeg om Jessica in de ogen te kijken.

'Doe niet zo raar,' zei ze en ze wapperde het weg met haar hand waarna die in het zakje chips, of '*crisps*', verdween. 'Het spijt me ook als ik een beetje zelfmedelijdend heb geklonken. Mijn moeder probeert het wel en, nou ja, diep vanbinnen ben ik best gek op haar, weet je wel? Ze heeft natuurlijk haar mindere kanten maar... ik weet tenminste dat ze van me houdt, denk ik.'

'Fijn,' zei Paul. 'En nu geen deprimerend geklets meer over onze verstoorde gezinslevens, hoewel je nu tenminste begrijpt waarom ik er niet tegen kan als mensen niet eerlijk zijn. Mijn vader heeft heel wat op zijn geweten.'

'Eh, ja,' zei Jessica, die een nogal groot brok twijfel probeerde weg te slikken dat in haar keel vast leek te zitten.

Een paar drankjes later verlieten ze de pub en liepen door de lommerrijke straten totdat ze uiteindelijk Primrose Hill bereikten. Het was nu donker en de fonkelende lichtjes van de stad knipperden naar hen in de duisternis. Paul stopte en sloeg zijn armen om haar heen.

'Je bent zo mooi,' zei Jessica.

'Jij ook,' zei Paul. Hij trok haar naar zich toe en kuste haar zomaar midden op straat.

Het was een geweldige kus en de kracht van de gevoelens die erachter zaten was nogal overweldigend. Jessica kuste hem terug en haar handen gleden over zijn rug naar zijn haar, dat ze streelde, en ze trok zacht zijn gezicht dichter naar het hare.

'Tjeetje,' zuchtte ze toen ze een tijd later eindelijk naar lucht hapten. 'Dat was–'

Maar Paul was nog niet klaar. Hij kuste haar weer, ging langzaam met zijn tanden over haar onderlip en strooide kleine elfenkusjes rond haar mond voordat hij zijn tong weer naar binnen liet glijden. Jessica was nu finaal in de kushemel en ze drukte zich tegen hem aan omdat ze meer wilde. Ze kon zich eerlijk waar geen enkele plek op aarde indenken waar ze liever wilde zijn en eventuele overgebleven twijfels over of ze wel een relatie met hem aan moest gaan verdwenen totaal. Niet dat ze veel keus had. Haar mond wilde hem niet loslaten. Toen ze elkaar eindelijk loslieten, raakte Jessica de enorme glimlach die zich op haar gezicht had gevestigd niet kwijt.

Intussen wilde Paul, net zo doordrenkt met zowel verlangen als geluk, zo dolgraag met haar in zijn slaapkamer thuis zijn dat hij al zijn zelfbeheersing nodig had om niet een taxi aan te houden en haar er zonder het te vragen in te proppen. Maar dat zou als ontvoering kunnen worden gezien, dus in plaats daarvan fluisterde hij voor de tweede keer in een week: 'Ga je met me mee naar huis, Jess?'

Jessica negeerde al haar driften en hoorde zichzelf antwoorden: 'Nog niet.'

'Echt niet?' vroeg Paul en hij keek ongelooflijk teleurgesteld, waarna hij zich weer naar haar toe boog om haar te kussen.

Jessica zuchtte. De combinatie van een bijna volle maan en de straatverlichting zorgde ervoor dat ze precies in die prachtige, krachtige ogen van hem kon zien hoe graag hij haar wilde. Ze voelde het ook, dankzij iets waarvan ze net had gemerkt dat het tegen haar aan duwde. Ze was alleen maar dankbaar dat vrouwen geen last hadden van onthullende erecties, want als dat wel zo was, zou die van haar Paul waarschijnlijk van de heuvel hebben geslingerd. Er bestond geen twijfel over dat ze net zo graag als hij samen in bed wilde liggen, maar iets (iets irritants) zorgde ervoor dat ze nog wat langer wilde wachten. Waarschijnlijk het feit dat ze diep vanbinnen wilde dat wanneer ze op een dag hieraan terug zou denken, ze zou kunnen zeggen dat ze had gewacht. Maar tot nu toe had ze zichzelf ervan overtuigd dat er tussen hen nooit meer zou kunnen zijn dan een vakantieliefde, dus waarom zou ze wachten? Bovendien, als hij haar ook maar half zo leuk vond als zij hem, zou hij haar er echt niet om veroordelen. Was ze gewoon geprogrammeerd om de boot af te houden tot na minstens drie afspraakjes? Jezus, wie kon het wat schelen? Ze was buiten adem van lust, duizelig van verlangen en wilde dolgraag naakt met hem in bed liggen. Ze wist dat het fantastisch zou zijn, dus waarom niet?

Jessica drukte zich weer tegen hem aan, nodigde hem met haar bekken uit haar over te halen van gedachten te veranderen. Maar tot haar zware teleurstelling was Paul nu degene die terugkrabbelde.

'Hoewel ik zonder enige moeite toegeef hoe graag ik je mee naar huis wil nemen, heb je gelijk,' zei hij met tegenzin.

'Oh?' zei Jessica en ze slikte, vastbesloten te verhullen hoezeer ze hiervan baalde. Waarom had ze dan ook nee gezegd? Wat een doos. Teleurstelling en frustratie overspoelden haar en toch werd ze getroost door de wetenschap dat ze allebei wilden dat het er een keer van zou komen.

Nu ze de nederlaag had geaccepteerd, wist ze heel goed dat er één ding was dat de sfeer geheid zou verpesten en daarom voegde ze eraan toe: 'Tja, we moeten morgen natuurlijk ook in topvorm zijn voor de productievergadering.'

Ze had gelijk. De geringste zinspeling op Mike was genoeg om het moment te verpesten en weer op vriendschappelijke voet verder te gaan. Paul moest lachen en zei toen: 'Ik zal proberen me niet al te beledigd te voelen dat je me afwijst omdat je fris wilt zijn voor een van Mikes productievergaderingen. Hoewel ik mezelf graag voorhoud dat ik je een iets boeiendere tijd had kunnen bezorgen,' voegde hij er hoopvol aan toe voordat hij zijn hoofd naar haar toe bewoog om haar nog een laatste lange kus te geven.

Terwijl Jessica zijn kus beantwoordde, knikte ze. Natuurlijk had hij daar gelijk in en daarom had ze – zonder zijn medeweten – ook op het punt gestaan te doen wat Kerry had gedaan als ze in haar schoenen had gestaan en 'Schijt aan!' te zeggen.

Ze moesten maar snel weer afspreken, dacht ze somber, want ze wist niet hoe lang ze nog kon wachten.

## 26

'Oké, tuig van de richel,' grapte Mike, verheugd aan het roer te staan van weer een dinsdagse productievergadering. Hij was vandaag goedgeluimd. Gisteravond had hij een sceptische Diane weten over te halen vanavond Jessica te ontmoeten zodat ze kon beslissen of ze een goede babysitter zou zijn. Hij had expres een wit overhemd aangetrokken om goed uit te laten komen hoe bruin hij was geworden en had al een paar bewonderende blikken opgevangen. Natasha had absoluut goedkeurend zijn kant op gekeken en hij wist vrij zeker dat Vanessa's blik ook even op hem was blijven rusten. De leeuw was terug in zijn hol.

'Allereerst wil ik jullie complimenteren met hoe goed jullie je hebben weten te redden in mijn afwezigheid.' Paul snoof daar luid om, maar Mike ging ongegeneerd verder. 'En ten tweede wil ik dat jullie goed luisteren want ik heb groot nieuws. Gigantisch zelfs.'

Iedereen leefde zichtbaar op. Isy tilde zelfs haar hoofd van tafel.

'Ik heb David Bridlington eindelijk kunnen overhalen wat vernieuwingen door te voeren,' kondigde Mike aan, waarbij hij een beetje losjes omging met de waarheid. 'Het ging niet zonder slag of stoot, zoals jullie je kunnen voorstellen, maar ik denk dat ik hem heb weten overtuigen mijn visie te volgen. Dientengevolge kan ik jullie met trots mededelen dat we in september een twee uur durende special gaan doen die precies samenvalt met een uiterst belangrijke gebeurtenis op de showbizzkalender.' Hij zweeg en begon achter zijn stoel door de kamer te ijsberen. 'Goed, dit is natuurlijk onontgonnen terrein. Het wordt onze eerste themashow ooit en we moeten ervoor zorgen dat hij vernieuwend is en toch soepeltjes verloopt, want als het een succes wordt zullen de "grote directeuren",' zei hij in een gemaakt noordelijk accent en kreeg het voor elkaar om in één keer ongeveer een kwart van de aanwezige mensen te beledigen, 'misschien willen dat we nog meer specials doen. Dus raadt iemand zo al wat het thema van de show zal zijn?'

Twintig gezichten staarden hem aan, sommige mismoedig, andere nieuwsgierig, maar over het algemeen zag hij een lege uitdrukking. Maureens ogen leken zelfs dicht te zijn. Mike fronste.

'Maureen!' riep hij naar de vrouw die over de kleding ging, waardoor ze een meter de lucht in schoot.

'Wat?' vroeg ze terwijl ze bijkwam. 'Eh, nou, voor Bradley wordt het deze donderdag koningsblauw en ik heb ook een kortingspas gekregen voor twintig procent korting bij River Island, dus als iemand die wil lenen.' Hierop volgde applaus.

Mike zuchtte. 'Kom op, mensen. Heeft iemand die niet zit te slapen een idee wat het thema van de special zou kunnen zijn?'

Jessica, die recht achter Paul zat, staarde smachtend naar de achterkant van zijn nek, wensend dat ze die kon kussen en herleefde het afspraakje van de avond ervoor scène na scène. Ze vond zijn haar zo mooi donker en zou er graag met haar vingers doorheen gaan. Ze schrok op toen Paul zich omdraaide in zijn stoel. 'Zou hij ook wel eens overwegen ons iets te vertellen zonder er een heel drama van te maken?'

Ze onderdrukte een giechel, verscheurd tussen inzien dat Paul gelijk had en haar medelijden met Mike, van wie ze wist dat hij dolgraag wat meer enthousiasme van het team wilde. Ze had ermee ingestemd na het werk zijn vrouw en kinderen te ontmoeten, maar ze hadden elkaar beloofd het tegen niemand te zeggen. Haar enige bedenking was dat als ze door de inspectie kwam, ze morgen ook al niet met Paul kon afspreken omdat ze dan zou moeten oppassen. En dan was het donderdag draaidag... Jezus, wat frustrerend.

'Vast niet Fashion Week,' gokte Natasha, wat haar een dankbare glimlach van haar baas opleverde die geduldig op een antwoord wachtte.

'Nee, toch bedankt. Iemand?'

Sommigen haalden hun schouders op, anderen trokken komische gezichten waarmee ze wilden aangeven dat ze echt heel erg hun best deden iets te bedenken. Anderen bleven wezenloos voor zich uit staren.

'Oké,' zei Mike. 'Ik zal jullie een hint geven. Welke film komt er dit najaar uit? Een film die deel uitmaakt van een merk op zichzelf?'

Ineens was er één persoon in de kamer die wist wat het antwoord wel eens zou kunnen zijn.

'Jessica?' zei Mike. Hij had een schok door haar heen zien gaan. 'Enig idee?'

Ze vertrouwde er niet op dat ze een woord uit kon brengen, dus schudde ze alleen maar wild het hoofd en werd knalrood.

'Ooh, wacht even,' begon Luke, die voor het eerst die ochtend enthousiast leek over iets anders dan onder tafel aan Kerry's been te zitten. 'Toch niet Bond? Komt rond die tijd niet de nieuwe Daniel Craig-film uit? Het zou echt supercool zijn als het Bond was.'

'Eindelijk,' maakte Mike triomfantelijk bekend. 'Luistert er toch nog iemand,' zei hij en hij deed net alsof hij een denkbeeldige strop om zijn nek knoopte en aantrok. 'We hebben een winnaar!' deelde hij mee toen hij klaar was met doen alsof hij zichzelf ophing.

Hij was nu echt op dreef. 'Bond!' schreeuwde hij en Jessica schrok zich te pletter. Haar zenuwen waren al zwaar aangetast. 'Nul nul zeven! Ieders favoriete spion. De nieuwe Daniel Craig komt op zevenentwintig september uit en wij gaan er een hele special aan wijden. Dus, Kerry en Jessica, ook al weet ik dat we nog maar een week of zeven hebben om gasten te boeken, wil ik graag dat jullie nu met de rest brainstormen over wie we, ideaal gezien, in de show zouden willen. We hebben natuurlijk minstens één Bond nodig anders gaat het hele feest niet door, een bondgirl–' hij stopte om jongensachtig verlekkerd te kijken – 'en een slechterik zou fijn zijn. Dus iemand een idee?'

Jessica had wel een idee. Haar idee was om op te staan, weg te lopen en zich vanaf het dak van het gebouw te pletter te laten vallen. Verwoed probeerde ze een excuus te bedenken om uit deze zaal weg te kunnen, maar haar hoofd bleef leeg. Het enige wat erin te vinden was, was paniek die als een kip zonder kop rondrende...

'Nou, mijn eerste gedachte is om bij Daniel Craig te beginnen en vanaf daar verder te kijken,' zei Kerry. 'Ik denk dat er een vrij grote kans is dat hij het doet. Hij is tenslotte toch al in de stad voor de première en er lijkt me geen betere kans om de film te promoten.'

'Ah, kunnen we Edward Granger niet vragen?' zeurde Natasha.

'Edward Granger, hè?' zei Mike, met zijn handen op zijn heupen wat hem er een beetje vrouwelijk uit liet zien.

'Jaaah,' antwoordde ze, ongehoord flirterig. 'Dat is echt de beste. Iedereen doet alsof Daniel Craig dat is, maar diep vanbinnen willen ze toch echt Edward... of Pierce. Zijn schietijzer zou ik ook best eens in het echt willen zien.'

'Stouterik,' zei Mike, die deed alsof hij geschokt was maar met volle teugen genoot.

'Mijn moeder heeft Edward Granger ooit ontmoet,' mengde Paul zich erin, en dat zorgde ervoor dat Jessica hem aanstaarde alsof hij zojuist had medegedeeld dat hij het gebouw op wou blazen. 'Jaren geleden,' ging hij verder, zalig onwetend van de hartkloppingen die hij Jessica bezorgde. 'Ze had een prijsvraag gewonnen en mocht naar een van zijn premières. Hij was daar samen met Angelica Dupree. Mam raakt er nog steeds niet over uitgepraat hoe "appetijtelijk" Edward Granger eruitzag. Het schijnt dat Heavenly Melons nog diezelfde avond is bevallen.'

'Waardoor ze veranderde in Milky Melons,' grapte Luke.

'Wauw,' zei Natasha. 'Wat gaaf.'

'Nou, ik zal er in elk geval een belletje aan wagen,' zei Kerry. 'We bellen gewoon alle Bonds. Hoe meer zielen hoe meer vreugd, lijkt me.'

'Of hoe Moore zielen hoe Moore vreugd,' wierp Mike ertussen en hij keek echt verrukt over zijn eigen woordgrapje.

'Maar ik kan je nu al vertellen,' ging Kerry verder, Mike negerend maar zich vagelijk afvragend waarom Jessica zo raar keek,' dat Edwards Grangers agent, Jill Cunningham, een van de moeilijkste van heel Hollywood is en aangezien hij op het moment niets te promoten heeft, heeft hij de publiciteit ook niet hard nodig of zo. En ik durf te wedden dat ze moeilijk gaat doen over het feit dat hij de aandacht met andere gasten moet delen.'

Jessica zakte onderuit in haar stoel, zo laag ze kon zonder er helemaal af te vallen. Ze was misselijk en haar hart bonsde luid in haar borst. Dit was absoluut het ergste wat er had kunnen gebeuren en nu zou ze toch zeker ontslag moeten nemen? Ze kon het echt niet aan om mensen over haar vader... en natuurlijk haar moeder... te horen praten. Oh god.

'Jammer,' zei Vanessa op dat moment, 'want ik ben ook verzot op Edward Granger. Het is echt een woest aantrekkelijke man en die scène waarin hij aan een gestoorde Afrikaanse tiran ontsnapt en dan die toren beklimt om Heavenly Melons te redden was echt sexy. Zoals hij haar op het bed smeet voor een vluggertje voordat hij haar redde wond me altijd op.'

Voor een keer was Jessica blij dat ze haar collega niet goed kon verstaan. Ze had de neiging haar vingers in haar oren te stoppen en heel hard te gaan zingen. Het bloed kolkte door haar hoofd.

Julian mengde zich er nu in. 'Ik snap niet hoe jullie vrouwen hier over de lievelings-Bonds van suffe huisvrouwtjes kunnen zitten praten terwijl jullie totaal voorbijgaan aan de eerste en de enige Bond. Sorry hoor, maar naast Craig is Sean Connery zonder enige twijfel de beste gast die we kunnen hebben. En om eerlijk te zijn is het Bond-ketterij wanneer je iets anders beweert.'

Een paar mensen mompelden instemmend. Mike deed zijn handen in zijn zakken en beet op zijn lip terwijl hij hierover nadacht, genietend van de discussie die was ontstaan.

'Ehm,' zei Paul, 'hoewel ik het met Julian eens ben dat Connery de beste Bond ooit is–' Julian stak tevreden zijn duim naar hem op – 'nu ik erover nadenk, als je Daniel Craig zou kunnen krijgen die – zo is het nu eenmaal – Connery's rivaal is voor de nummer-één-plek en de gast is die we het hardst nodig hebben, als je dan Heavenly Melons kunt krijgen als bondgirl, dan denk ik dat we een kijkcijferrecord hebben. Ik ken geen enkele man op aarde die niet verliefd op haar werd in *The World in Your Hand*, om twee voor de hand liggende redenen. Ik durf zelfs te zeggen dat ze, misschien samen met Ursula Andress of Halle Berry, de meest sexy bondgirl aller tijden is. Los daarvan lijkt het me ook een zeer interessante vrouw om in de show te hebben. Ze speelde tenslotte niet alleen in een Bond-film, ze was ook met een Bond getrouwd.'

'Ja, ze zat niet alleen in een Bond, Bond ook in haar,' voegde Luke er grof aan toe, wat een kabbelend gelach veroorzaakte.

Jessica was meer dan wanhopig. Haar ouders zouden altijd deel blijven uitmaken van de Bond-discussie, maar ze had gehoopt niet zo pontificaal. Bovendien was dit de eerste keer in haar leven dat ze iets anders dan flagrante hielenlikkerij over ze hoorde en had ze zeker nog nooit een vriendje hoeven horen toegeven dat hij verliefd op haar moeder was, ook al had ze altijd vermoed dat ze dat wel waren. Niet in staat nog meer aan te horen, sprong ze op omdat ze wist dat overgeven een reële mogelijkheid was.

'Excuseer me,' zei ze terwijl ze alleen nog even haar tas van de grond pakte om vervolgens met haar hand voor haar mond de kamer uit te rennen.

'Jezus,' zei Mike en hij keek verbaasd toen de deur van de ruimte zwaarmoedig achter Jessica dichtsloeg. 'Wat is het toch met de vrouwen in dit kantoor dat ze altijd mijn vergaderingen uitrennen? Shit, ik hoop maar dat ze niet ziek is,' voegde hij eraan toe, ineens minder bezorgd over wat er met Jessica kon zijn en meer over zijn eetplannen de volgende avond.

Hij was niet de enige bezorgde persoon in de kamer; Kerry en Paul stonden allebei snel op om Jessica te zoeken en te zien of het wel goed met haar ging.

# 27

'Gaat het, scheet?' vroeg Kerry terwijl ze op de deur klopte.

'Ja hoor,' antwoordde Jessica hees. Maar ze zat onderuitgezakt als een zak aardappelen op het toilet, de stille tranen stroomden over haar gezicht.

'Ben je ziek of zo? Wat is er met je?' drong Kerry aan. Het was schrikken om Jessica anders dan opgewekt te zien. Ze namen haar vriendelijke, vrolijke karakter grotendeels voor lief.

'Het gaat wel. Echt, ik was gewoon een beetje misselijk, meer niet,' jammerde Jessica somber. Wanhopig probeerde ze de tranen te laten ophouden.

'Paul heeft toch niks verkeerd gedaan?'

Paul. Jessica glimlachte een klein, droevig glimlachje. 'Nee, Paul heeft niks verkeerd gedaan.'

Hij kon er niets aan doen dat hij net als de rest van de wereldbevolking met haar moeder naar bed wilde. Hij kon er ook niets aan doen dat Mike had besloten die stomme Bond-special te doen waardoor de kans groot was dat mensen achter haar geheim zouden komen en dat het einde van haar avontuur zou betekenen, evenals van de hoop die ze had gehad om iets met Paul op te bouwen. Zelfs als ze nu de waarheid zou vertellen zouden haar leugens onvermijdelijk groter lijken. Ze was nu dan misschien al anderhalve maand in Engeland, maar ze werkte hier pas drie weken en alles stortte nu al in. Het was zo oneerlijk.

'Gelukkig maar,' zei Kerry. 'Want hij hangt hier als een soort George Michael voor de deur van de toiletten rond, dus ik zal hem zeggen dat je oké bent. Hij is erg bezorgd om je,' voegde ze er zacht aan toe.

Jessica haalde diep adem en keek naar het plafond om de tranenstroom te stoppen. Ze wilde niet dat Paul bezorgd was, maar kon hem nog niet onder ogen komen. Ze kon ook niet geloven dat zijn moeder haar ouders had ontmoet. Jezus, het had zelfs niet veel gescheeld of zijn moeder had háár ontmoet. Hoe verzin je het?

'Zeg maar dat ik me niet zo lekker voel, maar dat er niks aan de hand is en ik er zo aankom, goed?'

'Oké,' zei Kerry. Hoewel ze bezorgd was, had ze zich er voldoende van overtuigd dat Jessica geen gekke dingen zou gaan doen zoals zichzelf verdrinken in de toiletpot of zo.

Het geluid van Kerry's voetstappen stierf weg en de deur kraakte weer op zijn plek. Jessica zuchtte. Nu ze alleen achterbleef met de lege stilte werd ze overvallen door een sterke en plotselinge drang om met haar vader te praten. Als ze zich niet happy voelde was hij altijd degene die haar de dingen in perspectief liet zien, zijn kalme, geruststellende stem die de balans herstelde. Ze was de laatste tijd zo in beslag genomen met Paul dat ze hem maar weinig had gebeld, maar nu verlangde ze ernaar hem te zien en smachtte naar een van zijn stevige knuffels die altijd alles goedmaakten. Ironisch als je bedacht dat hij, zoals altijd, de kern van het probleem was. Ze had niet eens de mogelijkheid om haar andere ouder te zien. Toen ze zich er eindelijk mentaal op had voorbereid om Angelica te bellen, kwam ze er tot haar ontzetting achter dat ze een promotietour door Europa ging doen en pas over een aantal weken weer in Londen zou zijn. Angelica leek er enorm van te balen, maar er was niets aan te doen dus hadden ze besloten zodra ze terug zou zijn iets af te spreken. Een afspraakje dat zeker ongemakkelijk zou worden. Jessica zuchtte. Ze moest zichzelf vermannen en zich losmaken van dit wc-hokje voordat Paul een opsporingspatrouille eropuit stuurde.

Ze deed de deur van het slot en liep voorzichtig richting de spiegel. Daar deed ze goed aan. Haar blauwe ogen waren rood, opgezwollen en waterig. Haar lichte huid was vlekkerig en rood. Een aantrekkelijke combinatie.

Toen ze eindelijk tevoorschijn kwam hield een gespannen ogende Paul nog altijd de wacht. 'Hé,' zei hij, zijn gezicht in zorgen gehuld. 'Wat is er? Kerry zei dat je je niet lekker voelde.'

'Het gaat wel. Een opkomende verkoudheid, denk ik,' antwoordde ze zwakjes.

'Weet je het zeker? Want ik dacht even dat ik iets verkeerds had gezegd...' zei hij aarzelend met wegstervende stem. 'De ene minuut klets ik uit mijn nek over Heavenly Melons en de volgende ga jij er vandoor. Ik hoop dat je niet–'

Jessica stak een hand op, al was het wat zwakjes, om ervoor te zorgen dat hij niets meer zou zeggen. De schat. Maar zo zielig was ze niet. Als hij Honor Blackman of Jane Seymour had uitgekozen om lyrisch enthousiast over te zijn, zou ze er geen enkel probleem mee hebben gehad. Maar dat had hij niet gedaan en de ongepaste uitspraken over haar moeder zouden voor altijd in haar geheugen gegrift staan. Hoe zou ze hem duidelijk kunnen maken dat in plaats van een of andere jaloezieaanval, wat zij had moeten doorstaan als een raar soort incest aanvoelde?

'Ik voel me gewoon niet honderd procent. Als ik nu naar huis ga, gaat het morgen vast weer beter,' mompelde ze.

Paul leek niet overtuigd en zijn zorgzaamheid bezorgde haar een enorm schuldgevoel en veel verwarring. Het was allemaal te veel om te verwerken.

‘Oké,’ zei hij, nog altijd bezorgd. ‘Maar wel snel weer beter worden hè? Ik hou je aan dat vervolgafspraakje, dus als dit allemaal één grote truc is om daar onderuit te komen...’

Jessica kreeg het voor elkaar zwak te glimlachen. ‘Gekkie,’ zei ze zacht en ze strekte haar hand uit om een van de zijne te pakken. ‘Dat is niet zo.’

‘Oké,’ zei Paul. Hij leek langzaam een beetje geruster te worden. ‘Dat wilde ik gewoon even weten.’

Jessica slikte. Waarom moest het verdomme nou weer zo lopen? Ze wilde alleen maar bij Paul zijn en dat er iets moois tussen hen zou opbloeien zoals al een beetje gebeurde tot nu toe. Tot dit.

‘Goed,’ zei ze rustig, zichzelf herpakkend. ‘Wil je tegen Mike zeggen dat ik nu naar huis ga en dat ik er morgen wel weer ben?’ Ze wist niet helemaal zeker of dat wel zo zou zijn. Ze moest eens goed over alles nadenken.

‘Natuurlijk,’ antwoordde Paul, die maar niet van het onaangename gevoel afkwam dat Jessica hem niet alles vertelde, ‘maar eerst loop ik met je mee naar buiten en regel ik een taxi voor je. Als je ziek bent, moet je niet met de metro gaan.’

‘Dat lukt wel,’ protesteerde Jessica. Ze stond weer op het punt in dikke tranen uit te barsten. Ze moest hier zo snel mogelijk weg. ‘Ik ga wel met de taxi maar je hoeft echt niet met me mee te lopen.’

Paul bekeek haar eens goed en probeerde te bedenken hoeveel hij kon protesteren voordat hij irritant gevonden zou worden. Hij wilde met haar meelopen, dat was het hem nou net.

‘Ik zie je morgen,’ zei ze resoluut omdat ze zijn twijfel bemerkte. En daarmee spoedde ze zich zo snel ze kon naar de liften en liet Paul in uiterste verwarring achter. Want hij was niet gek.

Tien minuten later zat Jessica behaaglijk achter in een taxi toen haar mobiele telefoon ging. Het was Mike.

‘Jessica,’ zei hij. ‘Gaat het wel goed met je?’

‘Ja hoor,’ antwoordde ze voor wat wel de honderdste keer die dag leek en toen bedacht ze dat ze vanavond zijn vrouw zou ontmoeten. 'O jeetje Mike, het spijt me dat ik ben weggegaan zonder je te spreken. Maar ik–'

'Nee, geeft niet hoor. Als je ziek bent ben je ziek,' antwoordde hij en hij probeerde zijn teleurstelling te verbergen. 'Ga maar lekker naar huis en wordt gauw weer beter – zo belangrijk was het nou ook weer niet –, maar ik neem aan dat je vanavond niet meer langskomt?'

Jessica dacht erover na. Ze wilde hem niet laten stikken als dat niet nodig was. Het betekende duidelijk veel voor hem, maar aan de andere kant moest hij ook denken dat ze ziek was omdat ze echt broodnodig denktijd kon gebruiken... 'Nou, zo ziek ben ik nou ook weer niet. Ik bedoel, ik denk niet dat het besmettelijk is,' begon ze voorzichtig om zijn reactie te peilen.

'Echt?' vroeg Mike, die zich meteen op dit stukje informatie wierp. 'Nou... tja, ik wil niet dat je het gevoel hebt dat je je naar ons huis moet slepen als je je er niet goed genoeg voor voelt... misschien kan ik Isy wel vragen, al ben ik bang dat ik me dan de hele avond zorgen loop te maken of ze het huis niet in brand steekt of zo.'

'Het lukt wel,' zei Jessica. Ze moest nu bijna lachen om hoe belachelijk de hele situatie eigenlijk was. 'Als ik vanmiddag wat rust, voel ik me vast weer goed genoeg om langs te komen, als je dat goed vindt? Ik wil niet dat je denkt dat ik loop te spijbelen of zo. Ik voel me echt niet lekker, maar slapen helpt vast en ik wil dolgraag je kleine meiden ontmoeten,' voegde ze er afsluitend aan toe voordat ze zich helemaal in de nesten werkte.

'Oké, super,' zei Mike. 'Ga maar gewoon naar huis en kom langs als je zover bent.'

'Oké,' snufte Jessica. 'Tot vanavond dan. Je zei dat ik het liefste vroeg moest komen zodat ze nog wakker waren. Is zes uur goed?'

'Helemaal geweldig. Ik probeer ook zo vroeg mogelijk van het werk weg te gaan zodat ik er bij kan zijn.'

Mike legde de telefoon neer en zakte opgelucht in zijn stoel terug, maar ook met een zeker schuldgevoel voor het geval hij zojuist druk had uitgeoefend op een ziek persoon om iets te komen doen wat ze eigenlijk niet wilde. Wat hij niet zag was Natasha, die ongezien zijn kantoor was binnengeglipt om iets door te spreken en nu wantrouwig naar hem keek.

Even voor zessen was Jessica onderweg naar Chiswick toen haar telefoon ging. Ze was verrast, alleen niet aangenaam, om te ontdekken dat het Graydon was die ze aan de lijn had.

'Ik ben blij dat ik je te pakken heb,' zei hij onheilspellend.

'Oké...' zei ze en ze klonk zo twijfelachtig als ze zich voelde.

'Want we gaan voor langere tijd weg, maar dat heb je vast al van je moeder gehoord.'

'Ja, dat vertelde ze me inderdaad,' zei Jessica defensief. Ze had Angelica dan misschien niet veel gevraagd over haar aanstaande reis, maar zo speciaal was het nou ook weer niet; ze was altijd weg.

'Oké, nou, ik wilde namens haar een woordje met je spreken voordat we weggaan,' zei hij gladjes, 'want volgens mij hebben jullie laatst afgesproken maar heb jij haar niet vereerd met je aanwezigheid.'

Haar niet vereerd met mijn aanwezigheid? Wat lulde hij nou raar?

'Het was een misverstand,' zei Jessica. 'Ik had me een beetje vergist, maar–'

'Ja ja,' zei Graydon. 'Maar het heeft nogal een slecht effect op haar gehad en met de mentale gesteldheid van je moeder.... ben ik bang dat je het weer zult doen.'

'Wat bedoel je met mijn moeders mentale gesteldheid? Waar heb je het over?'

'Luister goed,' zei Graydon alsof hij het tegen iemand had die een beetje traag van begrip was, 'je moeder heeft een heel gevoelige en delicate aard, dus moet ik haar beschermen en ervoor zorgen dat ze geen situaties tegenkomt die ze niet aankan. Dat jij haar van de week afwees was een slag in haar gezicht en ik kan simpelweg niet toestaan dat het nog eens gebeurt.'

Zelfs als ze de beste dag van haar leven gehad zou hebben, zou Jessica nog slecht gereageerd hebben op de verderfelijke bagger die uit zijn mond kwam. En vandaag was ze niet in de stemming het nog een seconde langer aan te horen.

'Met alle respect, Graydon,' protesteerde ze, 'wat zich tussen mij en mijn moeder afspeelt gaat je geen ene zak aan.'

'Nou, daar vergis je je in,' zei hij. 'Het gaat mij zeker aan en als ik mijn zin krijg, zal dat over niet al te lange tijd officieel zijn.'

Nu kotsmisselijk antwoordde Jessica: 'Nou, ik weet vrij zeker dat mama zich wel twee keer bedenkt als ze hoort dat jij me loopt te bedreigen, Graydon, dus als ik jou was zou ik maar snel kappen.'

'Blaas het nou niet op. Ik uit alleen maar mijn bezorgdheid over de manier waarop je met je moeder omgaat. Meer niet,' zei hij luchtigjes. 'Bovendien weet ik niet of jij wel zo zeker van je zaak moet zijn. Zo'n goeie band hebben jullie twee nou ook weer niet, hè?'

Jessica had het gevoel dat ze een stomp in haar solar plexus kreeg. De klootzak. 'Het kan me niet schelen wat jij denkt,' zei ze en ze probeerde niet te huilen. 'Bemoei je gewoon niet met mijn zaken.' Ziedend hing ze op. Wat een lef. Wat een sukkel en hoe durfde hij zich ermee te bemoeien? Hij had geen idee van het complexe verleden dat ze met haar moeder had en om eerlijk te zijn, als Angelica met haar staart tussen de benen terug rende naar die harige aap om te zeuren over hoe Jessica haar 'behandelde', konden ze allebei de pot op.

Ze was nu bij Mikes huis aangekomen dus Jessica verbande de afgelopen vijf onaangename minuten uit haar hoofd, vermande zich en belde aan bij nummer zesentwintig. Ze had vandaag al zoveel doorstaan dat ze niet echt zenuwachtig was voor de nieuwste situatie waar ze in zou belanden en hier wist ze tenminste wat ze kon verwachten. Ze herinnerde zich van de foto's in de keuken dat Diane een aantrekkelijke vrouw was met lang donkerbruin haar. Ze had een royaal, vrij sensueel figuur en een mooi, vriendelijk gezicht. Daarom was Jessica ook een beetje ondersteboven toen de deur werd opengedaan door een Neanderthaler in een T-shirt vol vlekken en een ochtendjas, met een huid in de kleur van stopverf en vettig, onverzorgd haar.

'Eh, hoi,' zei Jessica terwijl ze achter dit enge wezen keek of ze Diane daar misschien ontdekte zodat die uit kon leggen waarom er een holenmens in de hal stond.

'Is Diane er?'

'Ik ben Diane. Jij bent vast Jessica?'

'Ja,' zei Jessica overdreven luid in een wanhopige poging haar fout te herstellen. 'Leuk je te ontmoeten en ik hoop dat ik niet te vroeg ben, maar Mike had gezegd dat ik moest komen als de kids nog op waren.'

'Nee hoor, dat is prima,' zei Diane zacht. 'Kom binnen. Erg aardig dat je bent gekomen. Het is net baddertijd dus het is een beetje chaotisch, maar kom vooral mee naar boven.'

Jessica hoorde een schel lachje van de eerste verdieping komen en werd daar meteen vrolijk van. Er was tot nu toe een merkbaar tekort aan kleine mensjes in haar leven geweest, maar als ze wel kinderen tegenkwam kon ze er meestal goed mee opschieten. Diane stampte vermoeid de trap op en Jessica, nog steeds niet over de schok heen van hoe slonzig en onverzorgd ze eruitzag, bestudeerde haar van achteren. Ze had een erg dikke kont. Maar ja, in L.A. lieten de vrouwen waarschijnlijk hun overgebleven zwangerschapsvet chirurgisch weghalen, mijmerde ze.

'Dit,' zei Diane moe toen ze eenmaal op de overloop stonden, alsof alleen maar tegen een ander mens praten al een gigantische prestatie was waar ze geen extra energie voor had, 'is dus Grace. Grace lieverd, kom eens hier om gedag te zeggen. Dit is Jessica van papa's werk.'

Een kleine wervelwind met een dikke bos klittende krullen kwam gekleed in alleen een onderbroek en hemd uit een van de slaapkamers gerend en Jessica kreeg automatisch een glimlach op haar gezicht. Ze was zo lief. Ze had een ondeugend koppie, een dopneusje en een hoog voorhoofd. Haar heldere, nieuwsgierige ogen bekeken Jessica en meteen kwamen de vragen.

'Wie heet jij?'

'Hoe heet jij,' verbeterde Diane terwijl ze haar dochters hemd over haar hoofd trok. 'Kom hier jij, je bad is klaar.'

'Ik heet Jessica en jij bent vast Grace?' vroeg Jessica en ze knielde op de overloop om met haar te praten.

'Toen we op vakantie waren,' zei het kleine meisje, 'gingen we elke avond uit eten.'

'O ja?' vroeg Jessica, werkelijk gefascineerd door de willekeurige draai aan hun gesprek. 'En wat heb je dan gegeten?'

'Eh.'

Grace dacht erover na terwijl haar moeder haar onderbroek uittrok, haar optilde, de badkamer in droeg en in het bad plonsde.

'Pizza en psghetti,' sliste ze.

'Spaghetti, lieverd,' zei Diane, die op de automatische piloot speeltjes uit een doos begon te trekken en in bad gooide. Ineens draaide ze zich vragend naar Jessica om. 'Ik weet dat je hier pas net bent, maar kun je eventjes op Grace letten? Dan haal ik Ava snel op. Ze ligt in het wiegje naar haar mobiel te kijken maar ze zal zo wel gaan zeuren om een voeding.'

Precies op dat moment kwam er een krijsend huiltje uit de slaapkamer van de baby vlakbij.

'Tuurlijk,' zei Jessica. 'Ga maar.'

'Dank je,' mompelde Diane.

Toen haar moeder de badkamer uit was, rolde Grace samenzweerderig met de ogen naar Jessica op een manier die zo duidelijk van volwassenen was gekopieerd dat het Jessica aan het giechelen maakte.

'Mama zegt stoute woorden,' fluisterde ze ondeugend en er verscheen een opgewekte glimlach op haar gezicht.

'Grace,' waarschuwde Diane die in de badkamer terugkwam met een klein, knorrend bundeltje in een boxpakje.

'Ach gossie,' riep Jessica uit. Ze was ondersteboven van de piepkleine afmetingen van het mensje in Dianes armen. 'Wat een scheetje.'

De moeder ging op het toilet zitten en keek naar de kleine Ava alsof ze daar nog niet eerder over had nagedacht. 'Ja, dat is ze, hè?' zei ze, hoewel de toon van haar stem Jessica het idee gaf dat ze er niet helemaal zeker van was. Ze snapte wel dat Mike bezorgd was om zijn vrouw. Ze zag er volkomen uitgeput uit, als de vermoeidste persoon op aarde. Alsof ze ter plekke op de badkamervloer kon gaan liggen en in slaap vallen. Ze leek ook erg afstandelijk, wat Jessica in het geheel niet ongemakkelijk maakte, maar haar wel het gevoel gaf dat ze iets moest doen om te helpen.

Grace begon in zichzelf te zingen in bad. Jessica constateerde tot haar vreugde dat het in plaats van een kinderversje heel goed 'The Winner Takes It All' kon zijn dat de driejarige om zeep hielp.

'Ze is gek van *Mamma Mia*,' legde Diane uit.

'Wie niet,' zei Jessica tegen Grace en ze zou willen dat ze ondertekende foto's van Pierce Brosnan kon aanbieden, dat zou ze met één telefoontje kunnen regelen.

'Onwijs bedankt dat je langs wilde komen,' voegde Diane eraan toe. Jessica wilde net zeggen dat het genoegen aan haar kant was toen ze werd afgeleid door de aanblik van Diane die met één hand onder haar T-shirt rommelde. Toen wat het dan ook was wat ze probeerde te doen gelukt was, schoof ze het shirt omhoog en onthulde de zachte huidplooien van haar buik. Vervolgens floepte er een grote, bungelende borst vol melk uit. Zo snel als die was verschenen, verdween een deel ervan ook weer in Ava's koortsachtig ernaar happende mond. Jessica's mond viel even open.

Ze had nog nooit van haar leven iemand borstvoeding zien geven en wist niet waar ze moest kijken. Maar waar ze ook besloot te kijken, er leek geen ontsnappen te zijn aan de aanblik van Dianes enorme bruine tepel. Of liever, niet echt haar tepel, want die zat stevig in de vacuümzuigende kaken van de baby, maar het gebied eromheen dat uit een van de vreemdste beha-achtige gevallen hing die Jessica ooit had gezien. Het leek wel een chocoladekoekje.

'Je vindt het toch niet erg?' vroeg Diane geschrokken alsof het pas net bij haar was opgekomen dat sociale conventies vereisten dat ze het op z'n minst zou vragen, aangezien een betrekkelijk onbekende zich in haar badkamer bevond.

'Nee, joh,' antwoordde Jessica en ze probeerde verschrikkelijk Europees en ongegeneerd te klinken. Ze wist nog dat Angelica haar eens verteld had dat de Amerikaanse houding tegenover borstvoeding haar over het algemeen altijd razend maakte. Het was een onverwachte herinnering die in Jessica een ongebruikelijk gevoel van genegenheid teweegbracht voor haar uitgesproken vastelandse moeder, gevolgd door een van rancune toen ze eraan dacht wat Graydon net had gezegd.

'Sorry,' zei Diane. 'Soms vergeet ik dat niet iedereen op aarde zich in een vreemde geïsoleerde zeepbel bevindt die om voedingen, billen afvegen en niet slapen draait.'

Jessica glimlachte geruststellend naar haar en toen Diane terug glimlachte, zag ze voor het eerst een glimp van de vrouw van de foto's beneden.

'Ik wil meer speeltjes,' eiste Grace plotseling en snerpend. Ze had duidelijk genoeg van zingen en haar kikker onder water houden.

Diane, net in een min of meer comfortabele houding gezeten, rolde met de ogen alsof de timing van Grace' verzoek ontzettend typisch was. Ze oogde uitgeput, verslagen, maar stond evengoed op om nog meer speelgoed te gaan pakken. Maar zodra ze dat deed begon Ava – witheet omdat haar voeding werd onderbroken – te brullen. Jessica was overdonderd door het volume dat uit zo'n klein lijfje kwam. Tegelijkertijd begon Grace ook te gillen dat ze meer speelgoed wilde. NU. Tot de kakofonie buitengewoon luid was. Terwijl Diane rond schuifelde als de Klokkenluider van de Notre Dame in een ochtendjas, sprong Jessica op.

'Nee, nee, laat mij het maar doen. Voed jij die kleine maar,' zei ze over het lawaai heen omdat ze Dianes worsteling niet langer kon aanzien. 'Oké,' vroeg ze aan Grace, 'wat wil je hebben? We hebben hier een boot, een graafmachine en een paar vissen.'

'Die wil ik niet. Die zijn saai,' zeurde Grace nauwelijks hoorbaar door Ava's gekrijs. De peuter kreeg nu een rare paarsbruine kleur en haar onderlip begon vervaarlijk te trillen.

'Grace,' snauwde Diane, die Ava eindelijk weer terug aan de borst had. 'Hou op, oké? Meer hebben we niet, dus hou op. Mama is erg moe en het is een lange dag geweest. En je zegt "alsjeblieft" als je ergens om vraagt, anders krijg je het niet.'

'Hé, je moeder heeft gelijk,' stond een kalme Jessica haar bij, maar met een vriendelijke glimlach om haar mond. 'Maar misschien kan ik kijken of ik iets in jouw kamer kan vinden waar we mee kunnen spelen?' stelde ze voor, gretig om haar af te leiden.

'In mijn kamer?' herhaalde Grace en ze keek verbijsterd om wat ze duidelijk een nogal onalledaags idee vond, de woedeaanval schijnbaar vergeten. Hoewel Jessica vermoedde dat die met één verkeerde zet zo weer zou terugkeren.

'Ja,' zei Jessica. Ze wipte de badkamer uit en de kamer van het meisje in. Ze hoopte maar dat Diane het niet erg vond dat ze initiatief toonde, maar ze had het vermoeden dat Diane liever had dat ze gewoon hielp zonder eerst duizenden beleefde vragen te stellen.

Enkele seconden later kwam Jessica terug in de badkamer met een plastic theeservies. Dat bleek een voltreffer en de rust keerde terug.

'Dank je,' zei Diane even later dankbaar terwijl ze toekeek hoe Grace en Jessica 'thee' voor elkaar inschonken.

'Graag gedaan,' antwoordde Jessica. 'Ik hoop dat je het niet erg vindt als ik dit voorstel, maar nu ik hier toch ben, waarom ga je Ava niet ergens voeden waar je lekkerder kan zitten? Ik was Grace wel en speel nog even met haar.'

'Oh, dat hoeft niet,' zei Diane onzeker vanuit haar ongemakkelijke positie op het toilet. Om ervoor te zorgen dat Ava niet viel, moest haar ene been omhoog, over het andere, in een houding die ongetwijfeld tot jaren van osteopaatbezoeken zou leiden. 'Je kwam alleen maar voor het oppassen. Je wilt haar vast niet ook nog in bad doen en zo.'

'Als je het liever niet hebt, begrijp ik dat helemaal,' antwoordde Jessica, 'maar ik doe het graag. Het lijkt me zelfs erg leuk.'

'Eh nou, goed dan,' zei Diane. 'Misschien doe ik dat dan wel. Als je zeker weet dat je je redt?'

'Ga weg, mama. Ik wil dat Jessica me in bad doet,' eiste Grace, die genoeg had van de beleefde voorzichtigheid.

'Niet zo brutaal,' zei Diane. Ze keek verslagen maar schuifelde evengoed met een tevreden drinkende baby richting het comfort van de slaapkamer.

Tien minuten later stopte een verzadigde Ava met smakken en haalde haar kaken van haar moeders borst. Diane maakte het zichzelf nog gemakkelijker op het bed met Ava tegen de schouder zodat ze een boertje kon laten. Terwijl ze haar jongste dochter over de rug wreef, luisterde Diane naar het geluid van Grace in de kamer ernaast. Ze had de leukste baddertijd in eeuwen. Toen hoorde ze Jessica voorstellen dat ze haar haren zouden wassen en hoopte maar dat ze dat niet had geroken. Het was namelijk hard nodig. Ze was behoorlijk onder de indruk van hoe Jessica de boel overnam. Mike had gelijk; ze leek een aardige meid en haar instinct zei haar dat ze een zorgzame en verantwoordelijke persoon was om haar dierbare meisjes bij achter te laten. Ze kon waarschijnlijk beter voor ze zorgen dan zijzelf, dacht ze bedroefd.

Even later dommelde Ava in slaap dus stond Diane op om haar

in haar wiegje te leggen. Tegelijkertijd tilde Jessica een schoongewassen Grace uit bad en wikkelde haar in een handdoek.

'Waar is haar pyjama?' vroeg Jessica.

'Op het bed in onze slaapkamer,' antwoordde Diane, verrast over hoe naadloos Jessica in hun routine leek te stappen. Hoe haar aanwezigheid alles zoveel makkelijker maakte. 'Daar kleed ik haar meestal aan zodat ze kinder-tv kan kijken voordat we een verhaaltje lezen.'

'Oh, aha. Oké,' zei Jessica, die zich niet verder wilde opdringen door de slaapkamer van haar baas binnen te gaan. Het leek haar niet gepast. Maar alsof ze voelde dat haar moeder op het punt stond het weer over te nemen, bemoeide Grace zich ermee.

'Maar ik wil dat Jessica mijn pyjama aandoet.'

'Sst liefje, mama doet het gewoon,' protesteerde Diane zachtjes maar ferm terwijl ze Ava's deur achter zich dichttrok.

'Nee,' jammerde Grace en het was meteen duidelijk dat er weer een scène van de vermoeide peuter te verwachten viel. In de hoop die in de kiem te smoren, mengde Jessica zich erin.

'Ik heb er geen moeite mee als jij het ook niet erg vindt.'

Diane zuchtte en overwoog het alternatief; een schreeuwwedstrijdje met Grace.

'Nou, als je het echt niet erg vindt, kom gerust verder,' zei Diane terwijl ze hoopte dat zij en Grace Jessica niet helemaal afschrikten.

Integendeel, Jessica was juist bang dat ze Diane in verlegenheid bracht. Aan de andere kant, dacht ze, zou iemand die het niet erg vond in zo'n afstotelijk T-shirt gezien te worden en die binnen vijf minuten na hun ontmoeting haar tiet tevoorschijn haalde, er vast geen probleem mee hebben als haar slaapkamer een beetje een zooitje was. Toen Diane zich bukte om een onderbroek van de vloer te pakken, deed ze echter wel uit beleefdheid alsof ze het niet had gezien.

Een blije Grace liet zich door Jessica afdrogen en aankleden zonder de gewoonlijke protesten en Diane liet zich in de leunstoel in de hoek neerploffen, zelfs te moe om de stapel wasgoed opzij te leggen die daar al dagen lag te wachten om opgeruimd te worden. Grace liet Jessica haar natte haar uitkammen en Diane kreeg de neiging te controleren of dit echt wel haar dochter was. Het was verbazingwekkend hoe Grace onmiddellijk naar deze onbekende toe trok, hoewel het haar ook weer niet helemaal verraste. Jessica was tenslotte jong, mooi, lief, vrolijk en leuk en terwijl de twee wat af kletsten, genoot Diane van het ongebruikelijke tafereel van huiselijk geluk. Toen het bij Diane opkwam dat er de laatste tijd met haar maar weinig te lachen viel, liet ze de vertrouwde acute droefheid weer over zich heen spoelen.

Mike had gelijk; ze kon wel wat hulp gebruiken. Niet alleen in haar belang, maar ook in dat van Grace, die het gewoon niet verdiende de hele dag in de buurt te zijn van iemand die zo... depressief was. Oh... was dat het? vroeg ze zich af in een moment van helderheid. Haar adem stokte van dat besef. Als dat het was, dan moest ze een weg terug naar zichzelf vinden en snel ook, want ze herkende niets meer aan zichzelf en zo kon het niet doorgaan.

# 28

De volgende dag was Jessica in een heel vreemde stemming. Op het werk leek iedereen alleen nog maar over Bond te kunnen praten. Het was afschuwelijk.

'Maar Daniel Craig is echt briljant,' zat Luke te vertellen, 'zoals ze hem hebben neergezet als een gevoelloze killer maar hij aan de andere kant verliefd wordt op het meisje. Het hele wraak-thema in *Quantum of Solace* is ook briljant. Ik hou wel van een goed verhaal.'

'Ja ja, dat zal wel,' zei Kerry.

'Ik begrijp nog steeds niet waarom niemand George Lazenby de beste vindt,' zei een verbijsterde Isy.

'Nou, ik mis de tijd van de grapjes en clichés,' zei Julian, haar totaal negerend. 'Een personage "Pussy Galore", "Heavenly Melons" of "Honey Ryder" noemen zou tegenwoordig niet meer langs de pc-politie komen, en dat is erg jammer.'

'Jammer?' wilde een in toenemende mate verontwaardigde Isy weten. Soms had ze het gevoel dat niemand op haar golflengte zat (waarschijnlijk omdat dat zo was). 'Waarom is het jammer dat vrouwen niet meer vernederd worden? De mannelijke personages heten toch ook niet Willy Cock of Hugh Balls?'

'Of Dick Brownnose?' moedigde Kerry haar aan.

'Je hebt gelijk, Isy,' was Vanessa het met haar eens. 'Hoewel ze wel zo af en toe werden vernederd door de modeafdeling. Weet je nog dat banaangele skipak van Roger Moore?'

'En of,' stemde Luke in. 'In *The Spy Who Loved Me*, waarschijnlijk de beste opening ooit van een Bond-film. De spookachtige stilte, de parachute in de kleuren van de Britse vlag; geweldig.'

'Echt niet,' riep Natasha. 'Ik bedoel, ik geef je gelijk dat het briljant was, maar wat dacht je dan van Edward Grangers opening in *The World in Your Hand*? Dat was echt geniaal. Kun je je die achtervolging door de Arabische bazaar niet meer herinneren? En aan het einde rolt Angelica Dupree uit dat Perzische tapijt en landt aan zijn voeten, een en al tiet en tand?'

'Dat was grandioos,' was Hassan het met klem met haar eens. Hij deed meestal niet zo mee in de discussies op kantoor, maar deze keer voelde hij zich geroepen ook een duit in het zakje te doen.

Jessica zuchtte.

'Dat stuk heb ik als jochie wel honderd keer teruggespoeld. Dat, en de scène in de zwarte bikini, natuurlijk.'

'Natuurlijk,' sloot Luke zich wellustig bij hem aan, wat hem een jaloerse blik opleverde van zijn vriendin.

'Nou, het meest sexy Bond-moment aller tijden vind ik Daniel Craig die uit de zee komt in *Casino Royale*,' verkondigde Kerry, vastberaden het gesprek weg te sturen van Angelica Dupree's borsten. 'En het lijkt erop dat we hem kunnen boeken. Zijn agent moet het nog bevestigen, maar het ziet er goed uit,' grijnsde ze. 'Hoewel ik graag nóg een Bond erbij zou hebben. Connery en Moore hebben allebei nee gezegd, dus misschien heb je geluk Natasha, want de volgende op mijn lijstje is Granger.'

'Vet. Als Granger komt, kunnen we dan van baan wisselen, Jess? Want misschien ben ik namelijk wel zijn type. Heb je zijn vrouw wel eens gezien? Echt zo'n poppetje. Dikke memmen en alles.'

'Hij komt toch niet,' zei Jessica door op elkaar geklemde kaken en werd rood toen ze besefte wat ze gezegd had.

'Hoe weet jij dat nou?' wilde Kerry weten. 'Ik had toch gezegd dat ik Jill Cunningham wilde bellen. Je hebt het toch niet al gedaan, hè?'

'Nee,' zei Jessica snel, en ze had – alweer – lichtelijk het gevoel dat ze moest overgeven. Haar gedachten kwamen krakend in actie, zoekend naar een uitleg. 'Ik eh – heb Edward Granger gegoogeld en de show is vlak voor zijn verjaardag... dus dat zal hij wel aan het vieren zijn...'

Het was een zwak en eigenaardig antwoord. Kerry wierp haar een vreemde blik toe. 'Oké, nou ja, het is de moeite van een belletje waard, als zijn agent mee wil werken natuurlijk. Brosnan is druk met filmen dus die kan niet worden overgehaald en zou er nou echt iemand op Dalton of Lazenby zitten wachten? Behalve Isy, dan. Nee, Granger is echt de enige andere Bond die de moeite waard is, lijkt mij.'

Kerry glimlachte naar Jessica, maar haar assistent zat als aan de grond genageld en keek alsof haar net verteld was dat haar rok al een maand lang in haar onderbroek zat gepropt. Ze stond op.

'Ik ga naar de kantine,' zei ze en ze liep het kantoor uit zonder ook maar achterom te kijken.

Paul, een van de weinige mensen die daadwerkelijk probeerde wat werk gedaan te krijgen terwijl dit zich allemaal afspeelde, zag hoe ze wegliep. Hij had die ochtend maar één blik op haar hoeven werpen om te weten dat wat het dan ook was wat er aan de hand was nog niet was opgelost en had haar vanaf dat moment dolgraag even alleen willen spreken. Dus ondanks dat hij midden in een toespraak zat die af moest voor een prijsuitreiking waar Bradley later die week naartoe zou gaan, liet hij zijn werk liggen en ging haar achterna.

'Jess!' riep hij toen hij haar blonde hoofd verderop in de gang zag. Ze had er blijkbaar flink de pas in gezet en leek het niet te hebben gehoord. Of toch wel? Ze leek nóg harder te zijn gaan lopen. Hij sprintte achter haar aan in een verwoede poging haar in te halen terwijl Jessica vooruitsnelde. Als ze zo deed moest het nog erger zijn dan hij vermoedde. Wat was er in vredesnaam aan de hand? Hij bereikte haar eindelijk en dwong haar zich om te draaien en hem aan te kijken.

'Wat is er?'

'Niks,' zei ze, maar de tranen rolden over haar wangen.

'Zeg het me alsjeblieft,' smeekte Paul, die nu zijn hart vasthield voor wat het in godsnaam kon zijn. 'Jezus Jessica, vertel op. Wat is er gebeurd? Ben ik de oorzaak? Ik weet dat je niet ziek bent, dus kom daar niet weer mee aanzetten.'

'Er is niks,' herhaalde Jessica ongeloofwaardig.

'Ik geloof je niet. We hadden maandag zo'n leuke avond maar twee dagen later kun je me amper nog in de ogen kijken, dus wat is er in de tussentijd veranderd?'

Jessica staarde naar haar tenen, niet in staat hem aan te kijken.

'Kunnen we vanavond afspreken?' drong Paul aan. 'Ik weet niet wat er is, maar ik vind het vreselijk om je zo ellendig te zien en ik hoop maar...'

Jessica keek op.

'Ik hoop maar dat het niet aan mij ligt,' waagde Paul het te zeggen en hij oogde zo ellendig als hij zich voelde.

Jessica knipperde flink terwijl ze voor de honderdste keer overwoog alles te vertellen, maar kon de woorden er niet voor vinden. 'Ik kan vanavond niet met je afspreken,' zei ze uiteindelijk.

'Oké,' zei Paul, al voelde het alsof hij een klap kreeg. 'Waarom? Wat ga je doen dan?'

Jessica zuchtte. Ze wilde Mikes vertrouwen niet schaden door Paul te vertellen dat ze ging oppassen. Normaal gesproken zou ze natuurlijk dolgraag met Paul hebben afgesproken, maar met wat er op het werk gaande was, leek tijd doorbrengen met Grace en Ava toch een te prefereren keuze. Zij zouden in elk geval geen moeilijke vragen stellen. Bovendien had Diane toen de kinderen op bed lagen haar hart bij haar uitgestort over een aantal dingen en ze wilde weten hoe het met haar was.

'Ik... ik... ga iets met Pam doen,' zei Jessica en ze voelde zich uitgeput. Steeds maar moeten liegen was dodelijk vermoeiend.

'Wat ga je dan met Pam doen?' informeerde Paul voorzichtig, wat Jessica's hart brak.

'Ik heb gewoon gezegd dat ik iets met haar zou doen vanavond, meer niet,' zei Jessica en haar ogen smeekten hem het te begrijpen.

'Oké,' zei Paul, maar hij oogde gekwetst.

'Is morgenavond ook goed?' stelde ze hoopvol voor omdat ze niet alles teniet wilde doen wat er tussen hen opbloeide. 'Ik weet dat het laat zal worden maar misschien kunnen we na de show wat gaan drinken of zo?'

Pauls gezichtsuitdrukking veranderde meteen. Hij grijnsde van opluchting. 'Natuurlijk ben ik dan vrij, op één voorwaarde.'

'Wat?' vroeg Jessica terwijl ze zich afvroeg hoe verschrikkelijk ze eruit moest zien. Ze was geen mooie huiler, meer het type rode-vlekken-in-de-nek'.

'Dat je me morgen vertelt wat er is en waarom je zo uit je doen bent. Ik begrijp het wel, wat het ook is. Vertrouw me,' drong hij aan.

Met een ernstig gezicht dacht Jessica hier even over na. 'Oké,' zei ze uiteindelijk en ze meende het. Morgen zou ze hem alles vertellen. Niet over het oppaswerk voor Mike en Diane, dat was wat anders. Diane had haar gisteravond iets toevertrouwd en ze ging dat vertrouwen niet beschamen door het aan Paul te vertellen. Maar ze zou hem wel vertellen wie haar vader en moeder waren, wat meteen zou verklaren waarom die hele Bond-special zo klote voor haar was. Dat was ze Paul verplicht en ze moest maar bidden dat hij het zou begrijpen.

'Donderdag dus,' zei hij met een ernstige blik. Hij vond het vreselijk om Jessica zo verdrietig te zien en realiseerde zich op dat moment hoeveel hij voor haar begon te voelen.

Aarzelend stapte hij naar haar toe en toen hij eenmaal door had dat een knuffel wel welkom zou zijn, deed hij dat. Het was precies de knuffel die ze nodig had en het was ook de eerste keer dat lichamelijk contact tussen hen iets anders was dan seksueel. Toen Jessica haar gezicht in zijn borstkas begroef, voelde ze zich zo veilig dat ze daar de hele dag had kunnen vertoeven. Maar een paar tellen later kroop wat begon als een troostend en vriendelijk gebaar toch richting het seksuele toen het haar opviel hoe breed zijn borstkas was en hoe sterk zijn armen om haar heen aanvoelden. Ondertussen was hij zich bewust van het gevoel van haar borsten die tegen hem aan drukten en begon hij zich voor de miljoenste keer voor te stellen hoe het zou zijn om naakt met haar in bed te liggen.

Precies op dat moment liep Jeremy Paxman langs. Zijn aanwezigheid verschafte het nodige geheugensteuntje dat ze zich in een gang middenin het BBC-gebouw bevonden en dat opgewonden worden nu geheel ongepast was.

Paul liet haar los. 'We moeten terug,' zei hij met tegenzin, en een emotioneel uitgeputte en verwarde Jessica liet zich terug leiden naar het productiekantoor.

Later vroeg Mike aan Jessica of ze even had.

'Hai,' zei hij toen ze in zijn kamer stond en de deur dicht was. 'Helemaal klaar voor vanavond?'

'Ja,' antwoordde Jessica, 'maak je geen zorgen, ik ben het niet vergeten.'

'Nee nee, natuurlijk niet,' zei Mike en hij keek een beetje schaapachtig. 'Oké, ik vraag het maar gewoon meteen. Kun je misschien vandaag wat eerder stoppen met je werk hier? Want zoals je weet, voelt Diane zich de laatste tijd niet zo geweldig en ik ben net even naar huis geweest zodat ze langs de dokter kon. Ze heeft waarschijnlijk last van een nogal ernstig geval van de "babyblues", misschien zelfs een postnatale depressie.'

'Wat erg.'

'Het komt wel goed,' zei Mike. 'Of ik weet het eigenlijk niet. Het is doodeng, maar nu weten we het tenminste. Nog bedankt dat je haar hebt voorgesteld dat ze zou gaan. Ik denk dat jullie gesprek gister haar erg heeft geholpen en ik weet hoe aangenaam ze het vond om een extra paar handen te hebben tijdens baddertijd, daarom zou het ook zo fijn zijn als je er vandaag weer bij bent. Ik zou zelf gaan, maar omdat ik er net al even tussenuit ben geknepen...'

'Natuurlijk ga ik,' zei Jessica, blij dat ze iets kon doen om te helpen. Arme Diane.

Mike keek even heel bedroefd. 'Ik had het moeten weten,' zei hij zacht. 'Ze is al zo lang niet zichzelf, maar ik bleef het maar op vermoeidheid afschuiven. Maar goed, we moeten gewoon doen wat we moeten doen om haar weer beter te krijgen.'

Jessica vond Mike op dat moment wel een goeie peer. Ze had altijd al gevonden dat Pauls minachting voor hem niet helemaal op zijn plaats was. Ze kon zien dat hij echt van zijn vrouw hield.

'Ik help maar wat graag,' zei ze. 'Bovendien lijkt het me enig om Grace weer in bad te doen.' Dat was niet gelogen. Ze had genoten van haar inkijkje in huiselijke chaos.

'Super,' zei Mike. 'Je bent een engel, maar vertel het alsjeblieft niemand hier, goed? Ik wil dat dit privé blijft.'

'Natuurlijk,' knikte Jessica verwoed.

'Ik verzin wel iets waarom je weg moet. Kun je om zes uur bij ons huis zijn?'

'Natuurlijk, of vijf uur kan ook?' stelde ze voor omdat ze een kans zag nog een uur af te snoepen van naar Bond-geklets te moeten luisteren. 'Dan kan ik ook helpen met het avondeten van Grace. Diane zei dat dat tijdstip altijd nogal een logistieke nachtmerrie is.'

'Echt? Jezus, je bent echt fantastisch. Straks ga ik je nog Jessica Poppins noemen,' plaagde Mike.

'Oké,' zei ze vaagjes, haar gemoed te zwaar om ook maar te doen alsof ze zijn suffe grapjes leuk vond.

Uiteindelijk ontsnapte Jessica zelfs nog eerder aan het Bond-geobsedeerde kantoor, tot Natasha's en Kerry's irritatie. Maar ja, als ze niet 'Klif, trouwen, neuken' waren gaan spelen en haar vader in hun smerige vermaak hadden opgenomen, was ze misschien wel wat langer gebleven.

'Maar waarom zou Mike jou vragen om naar een showcase te gaan?' vroeg Kerry, over wie Jessica tot haar ontzetting te weten was gekomen dat ze het liever met Piers Morgan zou doen dan met haar vader. Ze wist niet of ze blij of beledigd moest zijn.

'Als die nieuwe comedian een beetje goed is, waarom stuurt Mike jou dan en niet mij? Niet kwaad bedoeld, hoor.'

'Geeft niet,' zei Jessica treurig. Ze vond het vreselijk dat alles zo in het geheim moest, maar zou op het moment alles zeggen als ze daardoor maar naar Chiswick kon vluchten.

'Misschien denkt Mike dat ze wel wat kan worden opgevrolijkt?' opperde Luke, waarbij hij Jessica geruststellend in de arm kneep.

'Of misschien denkt hij dat jij het veel te druk hebt met morgen en je het mij niet zou willen laten overnemen,' improviseerde Jessica, waar Kerry meer in leek te trappen.

'Ik hoop dat ik niet als een trut overkwam,' zei die nu. 'Ik weet dat je een beetje down bent.'

'Wel een ongelooflijke sexy trut,' zei Luke en hij stapte op zijn vriendin af voor een tongsandwich. Jessica keek de andere kant op.

'Hou daar toch eens mee op, jullie twee,' klaagde Natasha. Toen wendde ze zich tot Jessica en fluisterde: 'Ik hoop maar dat er geen andere reden is waarom Mike en jij zoveel privégesprekken voeren.'

Jessica had de kracht niet om haar beschuldigende toon te bestrijden, dus deed ze maar alsof ze het niet had gehoord, pakte haar tas en ging ervandoor, in de volle wetenschap dat Paul haar vanaf de andere kant van het kantoor nakeek.

## 29

Het oppassen op Grace en Ava verliep die avond ongelooflijk goed. De kinderen waren schatjes en Jessica vond hun onschuld en eenvoud een heerlijk tegengif tegen alles wat er op dat moment gaande was. De praktische aanpak die nodig was om in hun behoeften te voorzien sprak haar ook aan. Ze vond het leuk om te helpen het eten van Grace te bereiden, ervoor te zorgen dat het genoeg was afgekoeld om te eten, dat ze niet met haar sap morste en dat ze haar groenten at. Na veel aanmoedigingen van Jessica kreeg ze het zelfs voor elkaar haar bordje helemaal leeg te eten, waar Diane zo blij om was dat het meisje ijs mocht als toetje. Jessica keek gefascineerd toe terwijl ze dat opat. Ze had nog nooit iemand zich zo hard zien concentreren op eten, en het scheen Jessica op dat moment toe dat kinderen helemaal gelijk hadden. Ze leefden compleet in het hier en nu omdat ze natuurlijk niet het vermogen hadden iets anders te doen, maar waren daardoor des te meer in staat van de kleine dingen te genieten. Zittend aan de keukentafel met Grace, ervoer Jessica een zeldzame kalmte. Om halfzes, terwijl de rest van de moderne wereld naar huis racete, zwoegend aan de kost probeerde te komen en de spanning en stress van het dagelijks leven het hoofd moest bieden, had Grace alleen maar oog voor haar ijs. Terwijl Ava's enige zorg was hoeveel van haar kleine vuistje er in haar mond paste.

'Ze is de halve nacht wakker geweest. Ik denk dat ze tanden krijgt,' legde Diane uit. Ze zag er nog vermoeider uit dan de dag ervoor. Maar ze was ook belachelijk opgewonden dat ze uit zou gaan en toen Jessica vroeg arriveerde en zei dat ze Grace haar avondeten wilde geven, was ze in dankbare tranen uitgebarsten. Dat was lichtelijk alarmerend maar ook wel begrijpelijk, aangezien er net een depressie bij haar was geconstateerd.

Bedtijd was chaotisch. Grace was vreselijk uitgelaten door de ongewone bedrijvigheid in huis en Ava was aan het brullen, maar zodra de baby in haar wiegje lag, vertrokken Mike en Diane en lieten de oudste aan Jessica over. Toen haar ouders de deur uit waren, werd Grace meteen weer rustig en Jessica las haar vier verhaaltjes voor voordat ze haar instopte.

Jessica sloop net de trap af toen haar mobiele telefoon in haar zak trilde. Zoals te verwachten was het een bezorgde Diane die wilde weten hoe het ging.

'Ze liggen heerlijk te slapen,' fluisterde Jessica terwijl ze naar de woonkamer liep om de babyfoon aan te zetten. 'Ik wilde je net sms'en.'

'Is Grace goed naar bed gegaan?'

‘Als een engeltje.’

‘Je bent een schat. Onwijs bedankt en niet vergeten me te bellen als er iets is, en je hebt het nummer van het restaurant voor het geval er geen bereik is, hè?’

‘Ja,’ verzekerde Jessica haar. ‘Geniet nu maar van je avond en probeer je geen zorgen te maken. Het gaat hier prima en ik beloof je dat ik zal bellen als ik je nodig heb.’

Nu ze eindelijk kon ontspannen, deed Diane wat haar gezegd was en nam voor het eerst in lange tijd wat rust om eens goed en open met haar man te praten over hoe ze zich voelde. Tegen de tijd dat ze aan het toetje toe waren, had ze al het gevoel dat ze de dingen meer in perspectief zag dan ze sinds Ava’s geboorte had gedaan.

‘Weet je,’ zei ze, ‘volgens mij ben ik niet depressief. Niet echt, in elk geval. Ik bedoel, ik wil mezelf niets aandoen of zo...’

‘Jezus, Diane,’ riep Mike uit.

‘Wat? Ja, sorry als je dit niet wilt horen, maar ik heb op internet gekeken en, geloof me, dat overkomt sommige vrouwen echt. Maar ik zeg nu juist dat ik dat níét heb,’ ging ze verder. ‘Ik heb waarschijnlijk gewoon alleen een zwaar geval van de babyblues en dat komt doordat ik me de hele tijd zo bekaf voel. Weet je nog dat ik zoveel bloed heb verloren tijdens de bevalling? Nou, de dokter zei dat bloedarmoede kan bijdragen aan een postnatale depressie.’

‘Wat ik het ergst vind, is dat je je zo voelde en maar hebt doorgeploeterd zonder iets te zeggen,’ zei Mike, vastbesloten dat laatste te negeren. Hij was zeer teergevoelig en was er op het moment van de bevalling van overtuigd geweest dat die voor hem net zo traumatisch was als voor Diane. Maar nadat hij dat één keer hardop had uitgesproken wist hij dat als zijn klokkenspel hem lief was, hij dat nooit meer moest doen.

Ondertussen vroeg Diane zich af hoe Mike zo dom kon zijn geweest dat hij zich niet had gerealiseerd dat ze zo down was. Er waren toch duidelijke tekenen geweest? De dagelijkse tranen, niets aankunnen, de lusteloosheid, de constante *bad hair days*. Vanavond was de eerste keer in maanden dat ze haar bronzer tevoorschijn had gehaald, een medicijn op zichzelf.

Maar Mike kende zijn vrouw wel goed genoeg om te weten waar ze aan dacht. 'Het spijt me, Di,' zei hij droef. 'Ik beloof je dat ik meer zal helpen. Zeg me maar wat ik moet doen en ik doe het.'

'Oh, jij kunt er niks aan doen,' vermaande Diane en ze probeerde niet te huilen. 'En ik weet dat ik op het moment een verschrikking ben om mee samen te leven maar misschien zou één goeie nacht slapen per week helpen? Dat, en pillen. En ik denk dat ik erover na moet denken om weer aan het werk te gaan als Ava wat groter is. Ik weet dat ik heb gezegd dat ik dat niet zou doen maar ik ben gewoon niet in de wieg gelegd voor huisvrouw.'

'Nou, waar je ook voor kiest, ik sta achter je, en vannacht slaap je in de logeerkamer. Ik geef Ava wel een fles,' zei hij, een paar weken te laat, en pakte de hand van zijn vrouw.

'Oké,' zei Diane met een brok in haar keel. 'Jeetje, ongelooflijk hoe er heel even tussenuit zijn al helpt. Zielig eigenlijk. En ik weet dat Jessica voor jou werkt, maar denk je dat ze misschien een dag in de week kan komen? Of misschien zelfs een paar middagen, tot ik weer de oude ben?'

'Waarom bellen we morgen niet gewoon een bureau? Er zijn vast genoeg geschikte mensen te vinden,' opperde Mike, verheugd dat Diane eindelijk hulp wilde accepteren, wat alleen maar een positief effect kon hebben op zijn leven. Op dat van zijn hele gezin.

'Ik weet niet,' zei Diane twijfelachtig. Ze wist dat het inhalig van haar was, maar ze wilde Jessica. 'Het is gewoon... ik mag Jessica erg graag en ze zullen niet allemaal zoals zij zijn. Misschien moeten we het dan maar laten zoals het is? Jessica wil vast wel nog een keer oppassen, dus dan kunnen we tenminste weer eens een avondje uit. Want dit was fijn.'

'Dat was het zeker,' was Mike het met haar eens. Hij wist wat zijn vrouw eigenlijk wilde zeggen. Maar hoe kon hij Jessica weglokken van haar werk voor de show zonder te worden aangeklaagd wegens professioneel wangedrag? 'Nemen we nog een kop koffie?'

'Oh, ja, iets om me de hele nacht wakker te houden, daar zit ik op te wachten,' antwoordde Diane sarcastisch. 'Nee, dat laat ik wel aan de kinderen over. Ik denk dat we beter naar huis–' Op dat moment piepte haar telefoon omdat er een sms'je binnenkwam. Toen ze zag dat het van Jessica was, sprong ze bijna een meter de lucht in van schrik. 'Shit,' zei ze en door de paniek kreeg ze onmiddellijk iets krankzinnigs over zich. Daarna: 'Oh...' Haar gezichtsuitdrukking veranderde binnen één tel naar gelukzalig. Ze legde haar hand op haar borst. 'Wat is ze toch geweldig. Kijk dan, Mike.'

Mike pakte de telefoon van haar aan en las:

> *Alles goed hier. A werd ff wakker dus*
> *luier verschoond & in slaap gewiegd.*
> *Zalk der om 23u 'n fles geven? Nu niet*
> *gegeven want wilde schema niet id*
> *war schoppen. Geniet Rvan & maak je*
> *g1 zorgen. Slapen allebei als roosjes!*

Mike keek naar Dianes gezicht en wist dat zijn vrouw haar hart had verpand. Niet aan hem, maar aan een superkindvriendelijke, kundige Jessica Bender.

# 30

Het bleek dat het Paul en Jessica die week niet gegund was wat te gaan drinken samen, want de volgende dag belde Pauls moeder om te zeggen dat zijn zusje Lucy de ziekte van Pfeiffer had opgelopen. Gelukkig had ze net haar eindexamen achter de rug maar Anita maakte zich evengoed enorme zorgen aangezien het weken van ziekte zou kunnen betekenen voor Lucy, wat weer betekende dat ze veel tijd alleen door moest brengen wanneer Anita aan het werk was. Niet bepaald de zorgeloze zomer waar Lucy naar had uitgekeken.

Eén bijwerking van Pauls zorgen over de situatie was dat erachter komen wat er mis was met Jessica op de achtergrond raakte. Niet dat Jessica dat erg vond. Ze vond het alleen niet leuk om Paul zo bezorgd te zien en wilde dat ze iets kon doen om te helpen. Tijdens een draaidag kon hij er natuurlijk niet tussenuit knijpen naar huis, dus hij had geen andere optie dan proberen het even uit zijn hoofd te zetten en zich in plaats daarvan op zijn werk te storten. Maar later, toen alles op de band stond, ging hij op zoek naar Jessica en vroeg, zoals ze al verwacht had, of ze het erg zou vinden hun afspraakje te verzetten.

'Ik heb gewoon veel aan mijn hoofd,' zei hij terwijl hij met een hand door zijn haar ging. 'Dus ik hoop dat je het niet erg vindt, maar ik wil goed in vorm zijn als we afspreken. En niet piekeren, zoals nu.'

'Natuurlijk,' antwoordde Jessica, die het vreselijk vond om hem zo te zien. 'Ik snap het.'

'Bedankt, Jess. Ik wist dat je het zou begrijpen. Omdat je ook uit een eenoudergezin komt, weet je hoe het is als je een deel van de verantwoordelijkheid op je moet nemen.'

'Precies,' antwoordde ze, en ze wilde dat dat zo was geweest want dan hoefde ze zich op dat moment niet zo'n inadequaat mens te voelen. 'En ik ga nergens heen, hoor,' voegde ze er zacht aan toe.

Dat was maar goed ook, want Pfeiffer kon erg lang in je systeem blijven zitten en dat betekende dat Paul de daaropvolgende weken veel tijd kwijt was aan het heen- en weer reizen naar

Staines. Deels om zijn lusteloze, bedlegerige zusje gezelschap te houden en deels om de werklast van zijn moeder een beetje te verlichten door huishoudelijke taken op zich te nemen die Lucy anders zelf zou doen. Daardoor stond de piepjonge romance tussen Jessica en hem, voorlopig, in de wacht.

Niet dat dat voor hun gevoelens voor elkaar gold. Integendeel. Het was vaak zelfs op het randje van marteling om op het werk zo dicht bij elkaar te zijn terwijl ze de boel stil wilden houden voor hun collega's. Maar Jessica had ook wel een beetje het gevoel (en kreeg al een schuldgevoel als ze het aan zichzelf toegaf) dat ze uitstel had gekregen, een adempauze waarin ze het voor elkaar kon krijgen tot bedaren te komen over het hele Bond-gebeuren en de dingen in perspectief te zien. Niemand was vanwege de special plotseling achter haar ware identiteit gekomen en dus was ze het al minder als een probleem gaan zien. Ze begon zelfs immuun te worden voor de constante verwijzingen naar haar ouders, die ook wat waren afgenomen al waren ze nog niet helemaal verdwenen.

Nu Paul zo afgeleid was door de situatie thuis en ze het zo druk hadden op het werk, vlogen de daaropvolgende weken voorbij zonder dat Jessica er erg in had. En typisch, op de zeldzame avonden dat Paul wél tijd en puf had om iets te doen, had ze steevast al afgesproken voor Diane te babysitten. Maar gelukkig kregen ze het wel voor elkaar een paar keer samen te lunchen in de kantine en een af en toe minder intiem drankje te drinken met de rest erbij. Over het geheel genomen hield Jessica zich in, omdat ze wist dat Paul een zware tijd doormaakte en ze zijn last niet groter wilde maken door te zeuren over wanneer ze nou weer eens uit zouden gaan.

Ondanks dat ze hem elke dag zag miste ze hem vreselijk, wat een vreemde tegenstelling was. Maar ondertussen genoot ze ook met volle teugen van het babysitten voor Mike en Diane, dus zei ja wanneer ze het maar vroegen. Langzaam kwam ze tot de ontdekking dat ze goed was met kinderen en Diane leek het ook erg leuk te vinden haar over de vloer te hebben. Niet alleen omdat ze de hulp goed kon gebruiken, maar ook omdat ze het gevoel had dat ze met haar over van alles kon praten. Ze had zelfs zwaar gehint dat het haar heerlijk zou lijken als Jessica meer voor haar kon werken, een idee dat zeer aantrekkelijk was maar dat ze niet echt serieus nam aangezien ze op het moment bij Dianes echtgenoot in dienst was.

Voordat Jessica het doorhad was juli omgevlogen, net als het veranderlijke weer. Plotseling was het augustus, zat Londen midden in een hittegolf en zonder dat Jessica het wist zouden op een aantal andere fronten de dingen ook eindelijk in een stroomversnelling raken.

Op de eerste donderdag van augustus zocht Mike de studio af op zoek naar haar. Dianes onophoudelijke gezeur over Jessica was onlangs tot een volledige campagne uitgegroeid die eindelijk resultaat zou opleveren. Mike was gebroken en wist wanneer hij verslagen was, dus had hij besloten de situatie aan te pakken. Het duurde niet lang of hij had het object van zijn vrouws affectie gevonden. Jessica was in de studio bij de schraagtafel met de grote theeketel om thee in te schenken voor Davina McCall, een van de gasten van die dag. Kerry had zichzelf de taak van het verwelkomen van Will Smith en zijn entourage toebedeeld. De hele studio was in rep en roer over het feit dat hij in het pand zou zijn.

'Nogmaals ontzettend bedankt voor het babysitten van de week,' fluisterde Mike, om ervoor te zorgen dat niemand anders hun gesprek kon opvangen.

'Heel graag gedaan,' antwoordde Jessica terwijl ze zich afvroeg hoe ze het onderwerp kon aansnijden waar ze al de hele dag over piekerde. Hoe ze vrij moest krijgen om naar haar vaders verjaardag te kunnen. Ze maakte zich steeds grotere zorgen over het feit dat ze dat nog niet voor elkaar had en ineens doemde de Bondshow eng dichtbij op aan de horizon, net als Edwards verjaardagsfeest.

Gisteravond had ze hem voor het eerst sinds tijden gebeld. Het was fijn geweest hem te spreken, hoewel hij over niets anders kon praten dan hoe blij hij was dat hij haar op het feest weer zou zien. Niet gaan was geen optie, maar plotseling was het nog maar minder dan een maand weg. Als het erop aankwam, zou ze ontslag moeten nemen. Hij had ook gevraagd of ze haar moeder onlangs nog had gesproken en klonk bijna teleurgesteld toen ze zei van niet, wat een beetje gek was.

Mike keek behoedzaam om zich heen en zei: 'Oké, ik val maar meteen met de deur in huis. Hoe zou je het vinden om Diane ook een aantal middagen met de kinderen te helpen? Ik zou iets moeten verzinnen zodat Kerry niet achterdochtig wordt en het kan natuurlijk ook goed zijn dat je het helemaal niet ziet zitten om zo vaak bij mijn maffe kinderen en lichtelijk depressieve vrouw te zijn...'

Verbaasd trok Jessica een wenkbrauw op.

'Grapje,' zei Mike luchtigjes en hij vroeg zich af waarom hij toch altijd de verkeerde dingen zei. 'Hoe dan ook, je moet het zeggen als ik buiten mijn boekje ga, maar je bent zo'n natuurtalent en Grace is helemaal weg van je.'

'O ja?' vroeg Jessica verheugd.

'Absoluut. En Diane ook. Ze zeurt me zelfs al weken aan mijn kop om het je te vragen, maar ik maakte me een beetje zorgen dat ik je het gevoel zou geven dat je tot iets werd gedwongen wat je niet wilde. Jemig, je weet hoe Diane is: als het aan haar lag zou ik moeten verhuizen en zou ze jou laten intrekken...'

Jessica deed haar gebruikte theezakje in de grote zwarte prullenbak en glimlachte om hoe Mike zichzelf in de knoop praatte. Ze onderdrukte een lachje toen ze aan de foto van hem in de veel te strakke zwembroek dacht. Daar moest ze elke keer dat ze in het huis was om giechelen.

'Ik zou het heel graag willen...' antwoordde ze naar waarheid. Elk excuus om niet op kantoor te hoeven zijn was welkom. Om eerlijk te zijn was ze ook liever bij de kleintjes. Gisteravond had ze teruggedacht aan het gesprek dat ze met Pam had gehad toen ze weken geleden net was aangekomen, over dat ze iets wilde doen wat nuttig was. Het helpen van Mikes gezin was misschien niet wat andere mensen als bijzonder opwindend beschouwden, maar zij vond dat wel. En ze was er schijnbaar nog goed in ook. Dat leidde ze af aan hoe dolgraag Mike nu wilde dat ze ja zei. Dat was het moment waarop Jessica zich realiseerde dat ze misschien wat harder moest onderhandelen.

'Maar dan moet ik in september wel een week vrij hebben,' flapte ze eruit. 'Ik weet dat het slecht getimed is, maar ik moet na de special even terug naar de VS. Als je me laat gaan, zal ik je zeker helpen.' Jessica werd rood. Als het keihard spelen de enige manier was waarop ze naar huis kon voor haar vaders feest, dan moest het maar. 'Maar dan zul je wel iets moeten bedenken om tegen de rest van kantoor te zeggen.'

Eén leugentje erbij kon geen kwaad. Ze leefde toch al in een web van puur bedrog.

'Is goed,' zei Mike meteen.

'Echt?' vroeg Jessica, dolblij met deze goede uitkomst van haar allereerste poging tot chantage ooit. Als ze had geweten dat het zo effectief zou zijn was ze er veel eerder mee begonnen. 'Meen je dat?'

'Helemaal,' knikte Mike. 'Omdat je me zo goed helpt kan ik wel een uitzondering maken. Ga wanneer je wilt, je moet alleen wel beloven dat je terugkomt. En wat dat andere betreft –' hij ging zachter praten omdat hij Natasha op hen af zag komen – 'ik zeg denk ik tegen Kerry dat je, zeg, op woensdag- en vrijdagmiddag wat research voor me moet doen voor een nieuwe show.'

'Wat jij wil,' zei Jessica. 'Ik kan nu maar beter gaan. Davina's thee wordt koud.'

Het mooie aan het feit dat het draaidag was, was dat niemand tijd had om over James Bond-gerelateerde dingen te praten en dat was een welkome afwisseling. Dat een Hollywood-ster in het gebouw was bezorgde ook heel wat afleiding. Will Smith was gearriveerd en bleek zo aardig als zijn reputatie deed geloven. Terwijl Jessica een boodschap deed voor iemand van zijn entourage, kon ze een grijns niet onderdrukken. Haar vader had vaak gegolfd met Will en ze kon de gezichten van haar collega's al voor zich zien wanneer ze zichzelf zou voorstellen als Jessica Granger.

De dag vloog voorbij en Jessica ving slechts een paar kwellende glimpen op van Paul, één keer tijdens de pauze voor het avondeten en één keer toen ze hem tegen het lijf liep terwijl hij de set op stormde om iets met Bradley te bespreken. Maar zodra de cameramensen en de rest van het team klaar waren, verscheen hij meteen aan haar zijde.

'Hé.'

'Hai,' antwoordde Jessica. Nooit van haar leven had ze iemand gekend die fysiek zo'n gigantisch effect op haar had. Zodra ze bij hem in de buurt was, werd ze een warboel van wervelende emoties. 'Hoe gaat-ie? Hoe is het met je zusje? Ik heb het gevoel dat ik je amper heb gezien deze week.'

'Ik weet het,' zei Paul verontschuldigend. 'De hele situatie begint zijn tol te eisen bij mijn moeder dus ik ben deze week nog vaker daar geweest. Maar Lucy voelt zich eindelijk beter, godzijdank, dus hopelijk wordt het leven nu weer wat normaler.'

'En hoe is het met jou? Gaat het wel? Je zult wel moe zijn.'

'Het gaat wel,' zei hij en hij glimlachte op zo'n manier naar haar dat er kraaienpootjes om zijn ogen verschenen. Op dat ogenblik zag hij er zo verpletterend onweerstaanbaar uit dat Jessica overspoeld werd door verlangen. 'Ik vind het erg jammer dat ik nog geen tijd heb gehad je mee uit te nemen, of zelfs maar samen even iets te gaan drinken. Je zult me wel hebben opgegeven.'

'Nee, hoor,' antwoordde Jessica blozend.

'Echt niet? Nou gelukkig maar, want áls ik eens een keertje vrij was had jij altijd iets met Pam afgesproken en daardoor begon ik te denken dat je me niet meer zag zitten.'

'Oké,' zei ze, ze wilde niet te lang bij haar leugens blijven stilstaan, 'misschien ben je niet in de stemming, maar wat dacht je van nu? Ik bedoel, ik weet dat het laat is maar–'

'Is goed,' onderbrak Paul haar, verbaasd maar heel erg blij. 'Super. Natuurlijk. Wat wil je doen? Het is waarschijnlijk een beetje te laat om nog wat te gaan eten, tenzij je het graag wilt, natuurlijk?'

'Oh nee, dat hoeft niet, hoor. Het is al halfelf en ik heb net al pizza en zo gegeten, maar een glaasje wijn zou wel lekker zijn.'

'Leuk,' zei Paul. 'Zullen we... ergens in de buurt van mijn huis wat gaan drinken?'

'Ja,' mompelde Jessica en ze probeerde nonchalant te doen. Ergens in de buurt van zijn huis... Was het mogelijk, vroeg Jessica zich af, dat na al die tijd vanavond eindelijk dé avond zou worden?

Ze hielden op Wood Lane een taxi aan en zodra ze op de zwarte leren achterbank neerzeeg, besefte Jessica pas hoe moe ze eigenlijk was. Draaidagen bestonden vooral uit veel geren en haar voeten en benen deden zeer en schreeuwden om een warm bad.

'Paul?'

'Ja?'

'Kunnen we ook gewoon een fles wijn kopen en naar jouw huis gaan? Ik ben onwijs moe en heb even geen zin in een rumoerige kroeg, en ik heb je zo lang niet gesproken. Het zou fijn zijn om rustig te kunnen bijpraten op een plek waar we elkaar ook echt kunnen verstaan,' voegde ze eraan toe omdat ze besloten had dat vanavond een goede avond zou zijn om alles op te biechten. Dat had tenslotte al veel eerder moeten gebeuren, bovendien was ze de belofte niet vergeten die ze weken eerder had gemaakt om hem te vertellen wat er mis was.

Paul kuste haar licht op de neus. 'Bijpraten is niet het enige wat we moeten doen,' zei hij, en weer spoelde er een golf van verlangen over Jessica heen. 'En trouwens, sorry dat ik de laatste tijd zo met mezelf bezig ben geweest,' voegde hij eraan toe, terwijl hij een arm om haar heen sloeg. 'Het was onmogelijk je alleen te spreken te krijgen en ik realiseerde me dat je nooit meer de kans hebt gehad me te vertellen wat er die dag nou aan de hand was met je. Is alles nu weer goed?'

'Eh...' zei ze en ze genoot van het gevoel van zijn arm om haar heen. Het voelde fijn en geruststellend. Toen streelde hij haar gezicht, wat ook fijn voelde. Heel erg fijn. 'Er zijn wel wat dingetjes geweest... maar zo belangrijk was het niet...' Haar stem stierf weg. Zo lang hij haar zo aanraakte, was ze niet in staat iets samenhangends uit te brengen, maar ze wilde niet dat hij stopte.

Nu begon Pauls andere hand haar been te strelen, wat heerlijk voelde en zelfs nóg meer afleidde. Voordat Jessica de tijd had gehad te bedenken wat er gebeurde, had ze zich naar hem omgedraaid en een paar tellen later leunde hij naar haar toe om haar te kussen. Op dat moment verdwenen alle zorgen en leek praten ineens waanzinnig onbelangrijk en bijna belachelijk irrelevant. Nu kon de taxi ze niet snel genoeg naar zijn huis brengen. Toen ze daar aankwamen, stroomde alle spanning en het heimelijke geflirt dat de afgelopen maanden tussen hen was opgebouwd over. Zodra ze de taxichauffeur hadden betaald, begonnen ze elkaar zo verwoed te zoenen en te betasten dat Jessica zich maar vaag bewust was van een zwarte voordeur, het op de een of andere manier bestijgen van twee trappen en Paul die met sleutels morrelde om nog een deur open te maken. Wonderbaarlijk genoeg was ze ineens helemaal niet moe meer. In plaats daarvan voelde ze zich kwiek, alsof alle zeilen waren bijgezet. Toen ze naar binnen vielen, had Jessica niet eens de tijd om veel van de smalle gang in zich op te nemen voordat Paul haar hartstochtelijk in de richting van de woonkamer kuste.

'Luke en Kerry,' riep ze op een gegeven moment verschrikt uit.

'Wat is daarmee?' vroeg Paul buiten adem terwijl hij haar in haar hals kuste en zijn hand zich op de voorkant van haar shirt waagde.

'Komen die vanavond nog hierheen?'

'Nee,' antwoordde Paul. Dat had hij al nagevraagd. Luke en Kerry zouden in Kerry's huis slapen vannacht. Niet dat het hem op dit moment iets kon schelen wat ze deden. Hij zou zich er waarschijnlijk niet eens wat van hebben aangetrokken als ze op dat moment binnen waren gekomen.

Terwijl Paul haar gezicht, nek en mond kuste, hield Jessica eindelijk op met denken en gaf zich over aan de begeerte. Ze tuimelden op de bank en hij trok haar omhoog zodat ze boven op hem lag. Maar toen zijn hand bij haar beha-sluiting kwam, schoot ze rechtop.

'Wat?' vroeg Paul, bezorgd dat hij te snel ging. 'Wil je dat ik stop?'

Ze keek weg, boos op zichzelf dat ze het moest vragen maar wetend dat ze zou barsten van nieuwsgierigheid als ze het niet zou doen. Ze moest nog over één ding opheldering hebben voordat ze verder konden.

'Ik weet dat je me allang hebt verteld dat Natasha... je weet wel...niets meer voor je betekende, maar ik wil echt niemand voor het hoofd stoten dus ik móét het gewoon vragen. Zou zíj er moeite mee hebben als we, je weet wel... elkaar zagen?'

'Welk deel van elkaar?' vroeg Paul, expres traag van begrip.

Jessica bloosde en rolde met de ogen. Ze voelde zich stom.

'Sorry,' zei hij met een tedere glimlach. 'En om je vraag te beantwoorden: nee, ik denk van niet. En als dat wel zo zou zijn, heeft ze daar geen enkel recht op aangezien zij mij heeft gedumpt.'

'Echt waar?' vroeg Jessica, verbaasd dat iemand dat zou doen.

'Ja,' gaf Paul een beetje schaapachtig toe, 'wat je je vast doet afvragen wat er mis is met me, maar de waarheid is dat we gewoon niet bij elkaar pasten.'

'Oh, oké,' zei Jessica.

'Maar goed, vind je het erg als we daar nu over ophouden?'

Jessica knikte alleen maar, verlangen legde haar het zwijgen op. Daarna draaide ze zich langzaam om om zijn mond weer te zoeken, maar deze keer hield ze controle over de snelheid van de zoen. Paul gaf het tevergeefse gefriemel aan haar beha op, vernederd dat die missie mislukt was, en ging in plaats daarvan langzaam met zijn handen over de voorkant van haar lichaam. Haar adem stokte toen hij haar borsten streelde.

'Ik zou vanavond met je praten,' hijgde ze en ze maakte zich weer van hem los, doodsbang voor de gevoelens die hij in haar ontketende. Ze was in haar hele leven nog nooit zo opgewonden geweest.

Paul stopte. 'Oké,' zei hij en hij haalde zijn handen van haar shirt en ging rechtop zitten terwijl hij zijn T-shirt rechttrok. 'Als je wilt praten, ga je gang. Vertel me wat er gaande is. Ik wil het echt heel graag weten en het spijt me als ik me een beetje heb laten gaan. Maar hele dagen lang bij je in de buurt zijn op kantoor doet vreemde dingen met me. In de afgelopen weken heb ik zelfs een paar keer bijna een koude douche nodig gehad en...'

Maar Jessica luisterde maar half. Ze kon niet geloven dat ze dit weer een halt toe had geroepen en iets in haar schreeuwde dat ze de sprong moest wagen, moest ophouden met analyseren en gewoon moest gaan leven. Hem nu over haar stomme geheim vertellen zou alles kunnen verpesten en wilde ze die gok echt wagen?

'Laat maar,' zei ze stellig. Ze liet zich weer boven op hem glijden en maakte zijn riem los. Paul worstelde gewillig mee en een paar tellen later zat hij in zijn boxershort. Nu kon Jessica pas echt goed zien hoe graag hij haar wilde. Ze slikte.

Ondertussen nam Paul haar helemaal in zich op en probeerde elk detail in zijn hoofd te prenten van deze geweldige meid die erop gebrand leek zijn leven op z'n kop te zetten. Hij slikte en een paar seconden lang staarden ze elkaar aan alsof ze amper konden geloven dat de ander bestond.

'Jess,' zei hij. Zijn stem klonk een beetje hees.

'Niet doen,' zei ze en tot zijn schrik vulden haar ogen zich met tranen. 'Shit, sorry,' zei ze, om zichzelf lachend. 'Maar het is gewoon–'

'Geeft niet,' zei hij en hij leek te begrijpen dat ze, net als hij, overweldigd werd door wat ze voelde. Hij legde een vinger op haar mond en ging langs de contouren van haar gezicht voordat hij haar weer naar zich toe trok. Ze kusten en kusten en het voelde zo ongelooflijk goed dat ze allebei voor altijd zo konden blijven liggen, zoenend, elkaars mond verkennend met hun tong, voorzichtig en vervolgens hartstochtelijker. Zoenen had nog nooit zo aangevoeld. Hij streelde haar gezicht, dat nu nat was van de tranen die ze niet langer in kon houden.

'Gaat het?' fluisterde hij in haar oor.

'Ja,' snufte Jessica en ze lachten allebei omdat het er gesmoord van emotie uitkwam. Ze was gewoon zo ongelooflijk blij dat ze eindelijk hier bij hem was.

Paul wurmde zich onder haar vandaan en stond op van de bank, bukte om haar hand te pakken en aan te geven dat ze naar zijn slaapkamer moesten gaan. Toen ze achter hem aan liep vingen haar ogen een glimp op van planken met vele honderden boeken en dvd's.

Toen kuste hij haar weer en werden alle gedachten uitgebannen, want Paul raakte haar aan op een manier die haar liet trillen van verlangen. Stuntelig trok hij haar naar het bed. En toen, in een kluwen van ellebogen, gekus, gêne en botsende knieën, kregen ze het op de een of andere manier voor elkaar om tegelijkertijd te gaan zitten.

'Niet bepaald zoals in de film,' zei hij buiten adem en grijnsde naar haar terwijl haar favoriete verdwaalde haarlok voor zijn ogen viel. 'Ga liggen,' fluisterde hij.

Jessica liet zich op het bed zakken en voelde zich net een verlegen tiener. Maar al gauw lagen ze comfortabel en hervatten het gekus. Toen kleedde Paul haar uit en niet lang daarna waren ze allebei naakt. Voor het eerst in haar leven voelde Jessica zich mooi.

Nadien lagen ze nog uren in bed te praten, muziek te luisteren en naar hartenlust te zoenen. Vervolgens vreeën ze weer, deze keer langzamer en minder bezeten, maar net zo extatisch. Daarna, met Paul boven op haar, nog in haar, hijgend maar zonder van haar af te willen gaan, lachte ze.

'Je ziet er gelukkig uit,' zei hij terwijl hij naar haar keek.

'Dat ben ik ook.'

'Je zei dat je wilde praten. Was er iets bijzonders?'

Ze schudde het hoofd. Dit was niet het moment. Als typische man zou Paul toch niet protesteren tegen het mislopen van een pittig gesprek. Hij kuste haar neus. 'Ik ben zo blij dat je er bent. Ik heb je gemist. Je bent te gek.'

Jessica grijnsde. Paul had altijd precies de juiste woorden tot zijn beschikking, leek het, totdat hij ze echt nodig had. En toch betekende een simpel 'je bent te gek' zoveel meer voor haar dan alle overdreven gemeenplaatsen waar onoprechte vriendjes haar in het verleden mee hadden bestookt.

'Wat?' informeerde Paul wantrouwend.

'Niks,' antwoordde ze onschuldig.

Paul kneep zijn ogen tot spleetjes en ze giechelde. 'Muts,' zei hij, waar ze nog harder om moest lachen, precies op het moment dat een krachtig gitaarintro zich in de kamer manifesteerde. Paul bleek een playlist te hebben samengesteld van haar lievelingsnummers; een moderne versie van een zelf opgenomen cassettebandje, speciaal voor haar.

'Als het enige troost biedt, kan ik je vertellen dat ik jou ook te gek vind,' zei ze en ze begroef haar gezicht in zijn nek.

'Weet je dat zeker?' vroeg hij terwijl hij haar stevig vasthield.

'Echt wel,' antwoordde ze.

'Mooi, want ik vind je geweldig, Jess. Serieus, dat je zo naar Engeland bent gegaan, ver weg van een moeilijk leven om opnieuw te beginnen. Dat is echt inspirerend.'

'Oh, dat valt wel mee,' zei Jessica ontredderd. 'Ik bedoel, ik zou echt niet zeggen dat mijn leven moeilijk is.'

'Je bent ook nog eens bescheiden,' voegde Paul er met een glimlach aan toe. 'Je draagt het hart op de tong en bent goudeerlijk. Je bent intrigerend en toch weet ik dat je me niet zult bedriegen. Bescheiden, bloedmooi, eerlijk, grappig en je hebt een heerlijke kont. Wat wil een man nog meer?'

Jessica raakte een beetje in paniek en wist niet wat ze moest zeggen, dus was dankbaar toen Paul daar zelf antwoord op gaf...

'Behalve een voorliefde voor The Smiths.'

# 31

De rest van het kantoor deed er niet lang over om te concluderen dat Jessica en Paul elkaar eindelijk hadden gevonden. Ten eerste vond Luke een van Jessica's armbandjes tussen de kussens van de bank en ten tweede waren hun gevoelens gewoon opvallend zichtbaar. Daardoor besloten Paul en Jessica algauw dat het geen kwaad kon iedereen te laten weten dat ze een stel waren en op een of twee bitcherige opmerkingen van Natasha na, leek iedereen heel blij voor ze.

Jessica was zo gelukkig dat ze er bewust voor koos minder streng voor zichzelf te zijn en besloot dat het beter was haar identiteit nog wat langer voor zich te houden. Op die manier kon ze echt van die eerste tijd als Pauls vriendin genieten zonder het te ingewikkeld te maken. Bovendien hielden haar twee banen, het voeden van een nieuwe relatie en tijd vrijmaken voor haar tante, Jessica genoeg bezig zonder dat daar ook nog eens zo'n wereldschokkende bekentenis bijkwam.

Tot op zekere hoogte stak Jessica natuurlijk haar kop in het zand, want ze koos ervoor er niet te veel over na te denken, maar diep vanbinnen wist ze dat zodra ze haar relatie met Paul bekrachtigde, het web van leugens waar ze door was omgeven verraderlijker voelde dan ooit tevoren. Niet verbazingwekkend, gezien de vele nieuwe leugentjes die ze moest onthouden. Er was nog steeds 'wie ze was,' met daar bovenop nu de smoes die Mike had bedacht voor Kerry zodat ze voor zijn kinderen kon zorgen. En dan zou ze ook nog in september naar huis vliegen voor een feest waar ze niet eerlijk over kon zijn, en daarbij moest ze ook nog het hoofd bieden aan Bond-grapjes en opmerkingen over haar ouders. Jessica Bender zijn was een waar mijnenveld geworden en bleef dat de gehele maand augustus. Maar haar hardnekkige vastbeslotenheid de dingen op hun beloop te laten, gekoppeld aan haar hectische agenda, betekende dat met het voorbij suizen van de weken de leugens haar realiteit werden en zo normaal voelden dat ze er zelf in begon te geloven.

Mike had Kerry verteld dat hij Jessica een paar middagen per week van de show moest halen omdat de BBC marktonderzoek wilde over wat jonge Amerikanen van hun programmering vonden. Kerry was erin getrapt, maar waarschijnlijk alleen maar omdat ze zo in beslag werd genomen door Luke. Maar toch, deze smoes betekende wel dat boven op al het andere, Jessica nu ook nog te kampen had met jaloerse opmerkingen van haar collega's die haar beschuldigden van slapend rijk worden omdat ze betaald werd om tv te kijken.

Met Paul was alles één groot feest en tegen het begin van september had hun relatie zo'n vlucht genomen dat het al volkomen normaal voelde om hem haar vriendje te noemen. Tot op zekere hoogte probeerden ze het allebei nog vrij luchtig te houden, omdat ze wisten dat Jessica onvermijdelijk op een dag naar huis zou gaan. Maar daarmee hielden ze alleen zichzelf voor de gek. Ze konden niet van elkaar afblijven en dagen die ze niet samen doorbrachten voelden als tijdsverspilling. De waarheid was nu eenmaal dat ze gek op elkaar waren.

Maar de zeldzame keren dat Jessica stilstond bij de dingen die Paul niet over haar wist, begon haar hoofd te tollen. Omdat ze een scène als in *The Exorcist* wilde vermijden, besloot ze dat er iets aan gedaan moest worden. En zo kwam het dat op een dag begin september, toen de Bond-show en de reis naar huis met rasse schreden naderden, Jessica besloot Paul op z'n minst over haar andere baantje te vertellen. Als een soort voorgerechtje van waarheid voordat ze het substantiëlere hoofdgerecht zou serveren. Wegglippen om voor Diane te werken was het lievelingsgedeelte van haar werkweek geworden en Jessica wist zeker dat Diane haar, zolang ze het maar even overlegde, nu genoeg vertrouwde om haar aan Paul te laten vertellen wat er gaande was. Het Bond-gedoe zou nog even moeten wachten. Telkens wanneer het een goed moment leek het te vertellen, kon ze de juiste woorden niet vinden.

Dus terwijl weer een week bij *The Bradley Mackintosh Show* ten einde liep, was Jessica onderweg naar het huis van Diane en Mike. Het was zo'n heerlijke septemberavond die lekker warm was maar ook een eerste schakering najaarslicht over zich had waardoor de dag aanvoelde alsof het laatste stukje zomer uit de lucht werd geperst. Jessica zou de kinderen naar bed brengen en oppassen en had zichzelf voorgenomen het met Diane te hebben over Paul, met wie ze gelukkig niet een mogelijk avondje samen miste omdat hij al had afgesproken een paar avonden naar zijn moeder en zusje te gaan. Het ging inmiddels stukken beter met Lucy en ze was zelfs aan haar opleiding begonnen, maar hij had een script dat moest worden afgemaakt voor een volgende show en wist dat hij thuis beter kon schrijven, waar hij niet werd afgeleid door zijn vriendin. Ze hadden afgesproken elkaar op zondag te zien. Dat zou hun laatste mogelijkheid tot ontspanning zijn voor de Bond-special, waarna Jessica naar de VS zou vliegen. Als ze terugkwam zou hij haar meenemen naar Staines om haar aan zijn familie voor te stellen.

'Hallo,' riep Jessica terwijl ze zichzelf binnenliet.

'We zijn in de bijkeuken,' riep Diane. 'Ik zit al de hele dag tot aan mijn ellebogen in de poep en pies.'

'Lekker,' antwoordde Jessica en ze glimlachte bij zichzelf. Diane stak altijd een tirade af zodra Jessica binnen was. Het werkte blijkbaar bevrijdend om een andere volwassene te hebben om mee te praten.

'Ik heb een draak van een dag achter de rug die om halfzes begon, toen Grace vond dat het tijd was dat ik haar Buzz Lightyearstickers voor haar pakte. Maar goed, omdat Grace zo achterlijk vroeg wakker was, werd ze ontzettend zeurderig en kreeg uiteindelijk een woedeaanval omdat er geen muesli was en daardoor kwamen we veel te laat. Hoe ik te laat kan zijn haar om halftien op de peuterspeelzaal te brengen terwijl ik al vanaf halfzes op was, is me een groot raadsel. Toen was ik in de supermarkt en poepte Ava zoveel dat het door haar kleren lekte, wat ongelooflijk smerig was, en dat komt van haar moeder. Ik mocht het personeelstoilet gebruiken maar er was te weinig wc-papier. Ik kwam er net achter dat ik ook geen billendoekjes mee had, toen de peuterspeelzaal belde dat Grace in haar broek had geplast, ze geen schone kleren hadden kunnen vinden en ze nu in een paar rubberlaarzen en een schort met open rug rondliep.'

'Klinkt erg gezellig,' zei Jessica, die was beloond met een goddelijke, tandeloze glimlach van Ava zodra ze de keuken in was gelopen.

'Jessica!' gilde Grace en ze wierp zich op haar.

'Hoi meiske, ik hoorde dat je vandaag een schort met open rug aan had op school?' zei ze terwijl ze haar een stevige knuffel gaf.

'Toen ik daar aankwam zag ze eruit alsof ze op het punt stond naar de OK te gaan,' zei Diane. 'Maar het leek haar niet te deren.'

'Ik heb mijn billen laten zien,' vertelde Grace ernstig.

'Balen dat je zo'n stressvolle dag hebt gehad en niet te geloven dat mevrouw weer zo vroeg wakker was,' zei Jessica tegen Diane. 'Hé Grace, weet je wat ik zat te denken wat we wel kunnen doen na het avondeten?'

'Wat?'

'Schilderen.'

'Jaaaaaa!' schreeuwde Grace en ze stompte met haar vuistje in de lucht. 'Mag ik dan ook kleien?'

'Ze zouden haar naar het Midden-Oosten moeten sturen. Ze is een geweldige onderhandelaar,' zei Diane droog. Ze pakte wat appelpuree uit de koelkast om voor Ava op te warmen.

'Alleen als je moeder dat goedvindt,' zei Jessica.

'Ik denk het,' zei Diane. 'Zolang het maar in deze kamer blijft.'

'Jeuh,' juichte Grace.

'Komt goed,' beloofde Jessica. Ze rommelde in de keukenkastjes en begon met de bereiding van Grace' eten.

'Wat zou ik zonder jou moeten?' zei Diane ineens en ze keek sentimenteel en volslagen ontredderd, hoewel ze er in zijn totaliteit een stuk gezonder uitzag de laatste tijd. Laatst had ze zelfs gegrapt dat het fijn was er niet meer uit te zien als een crackjunkie en had Jessica bedacht dat zij en Mike goed klikten qua humor. Ze vond het enorm bevredigend om Diane door de weken heen langzaam terug te zien veranderen in iets wat op een mens leek. Ze was er alleen nog niet. Ze was nog steeds oververmoeid en zou dat waarschijnlijk blijven zolang Ava nog niet doorsliep, maar een beetje rust, een beetje hulp en af en toe een adempauze en niet te vergeten de antidepressiva, leken enorm te helpen.

'Ik moet je spreken, Jess,' zei ze terwijl ze puree in Ava's mond schoof hoewel het meeste langs haar kin naar beneden leek te lopen.

'O ja?' antwoordde Jessica. 'Grace, niet met de gitaar tegen dat kastje slaan, alsjeblieft.'

'Ja, ik heb besloten weer te gaan werken, parttime. Om eerlijk te zijn heb ik het gemist en vergeleken met thuis zitten lijkt het me een verademing.'

'Oké,' zei Jessica neutraal terwijl ze wortels sneed. 'Grace, laat die la dicht anders komen je vingers ertussen. Kom trouwens maar hier zitten,' zei ze en ze tilde het meisje op en zette haar op het aanrecht.

'Ik weet dat thuisblijfmoeder zijn een privilege is waar sommige vrouwen een moord voor zouden doen,' voegde Diane eraan toe omdat ze het gevoel had dat Jessica het niet helemaal goedkeurde en ze zichzelf wilde verdedigen. 'Maar die eerste jaren kunnen erg zwaar zijn en... eenzaam. Niemand zegt het tegen je als je goed werk aflevert en het betaalt bar slecht,' zei ze als grapje. 'Je weet dat ik meer van mijn kinderen hou dan wat ook ter wereld, toch? Ik hoop dat je me geen slecht mens vindt.'

Jessica schudde het hoofd en ging zwijgend verder met het klaarmaken van het avondeten van Grace. Ze wist dat ze iets bemoedigends moest zeggen maar gunde zichzelf wat extra tijd door Grace een wortel te geven om alvast op te kauwen. Ze had altijd nogal sterke ideeën gehad over het moederschap en het grootbrengen van kinderen, ongetwijfeld gebaseerd op haar opvoeding en het feit dat haar moeder haar in essentie had verlaten. Het was daarom niet verbazingwekkend dat ze altijd gezworen had dat als ze zelf ooit kinderen mocht krijgen, ze elke seconde met hen zou doorbrengen. Dat ze alles voor ze zou opofferen en dat haar eigen behoeften in vergelijking onbelangrijk waren. Maar door Diane was ze in gaan zien dat het onderwerp misschien niet zo zwartwit was als ze altijd had gedacht. Ze zag nu in dat kinderen geen martelaar als moeder nodig hadden maar eentje die van hen hield, eentje die ze regelmaat en veiligheid bood en die goed in haar eigen vel zat. Ze dacht aan Angelica en was verwarder en verdrietiger dan ooit over hoe ze al die jaren geleden weg had kunnen gaan, want hoe zwaar Diane het moederschap ook vond, er was geen enkele twijfel over dat ze altijd voor haar kinderen klaar zou staan ook al zou ze weer gaan werken. Maar Jessica besefte ook dat haar woede en wrok ervoor hadden gezorgd dat ze nooit stil had gestaan bij het waarom van haar moeders vertrek. Ze had haar altijd alleen maar verwijten gemaakt.

'Diane, je hoeft je niet tegenover mij te verantwoorden,' zei ze uiteindelijk. 'Ik zie echt wel hoeveel je van je kinderen houdt. Je bent een geweldige moeder.'

'Maar het zit zo, Jess,' zei Diane, nu gespannen. 'Ik zie het allemaal niet gebeuren zonder jou in het plaatje. Hoezeer ik er ook van overtuigd ben dat weer gaan werken het beste is, dat betekent nog niet dat ik niet in mijn broek schijt. Dus wat ik eigenlijk probeer te vragen is of je zou willen overwegen te stoppen met werken voor de show en vier hele dagen per week mijn nanny wilt zijn als ik weer ga werken?'

Jessica, die net Grace' eten naar de tafel bracht, zette het neer, tilde Grace in haar stoel en keek naar Diane met een gigantische grijns die haar gezicht leek te verzwelgen. 'Niets liever,' antwoordde ze en toen ze het zei, besefte ze dat het onomstotelijk waar was.

'Echt?' gilde Diane.

'Echt,' antwoordde Jessica en ze meende het. Vergeleken met oppassen leek Jessica's 'echte' baan totaal onbelangrijk. Ze genoot ervan om voor de kinderen te zorgen en op de dagen dat ze dat deed, voelde het als ontsnappen aan kantoor. De afgelopen weken had ze echt een idee van een soort van roeping gekregen.

Als Kerry's assistent had ze bewezen in staat te zijn zich geliefd te maken binnen een team, nuttig te zijn aan de telefoon en proactief wat betrof het helpen in de studio, maar wat had ze nu eigenlijk geleerd? Ze was niet creatief zoals Paul en was om logische redenen nooit geïnteresseerd geweest in het showbizzwereldje, dus de baan was niet echt een uitdaging, prikkelde haar niet. Wat anderen saai, alledaags werk vonden, gaf haar juist meer voldoening dan al het andere dat ze ooit had gedaan. Ze had een gevaarlijk zwakke plek ontwikkeld voor Grace, die soms een lastpak kon zijn maar supergoed reageerde op Jessica's strenge maar rechtvaardige houding. De kleine Ava was ook schattig; een rustige, gulzige baby met donzige, zachte kleine voetjes, en wangetjes die met de dag boller werden. En ze mocht Diane graag. Ze zou misschien niet dezelfde beslissingen hebben gemaakt als ze in haar schoenen stond, maar dat betekende niet dat ze ze niet respecteerde. Eén ding was duidelijk: welke keuze een moeder ook maakte, hij zou nooit makkelijk zijn en er zouden altijd haken en ogen aan zitten.

Die avond, toen Diane en Mike weg waren, stond Jessica te grijnzen naar Grace die ze in bed had gestopt. Ze hadden nogal een strijd gehad over wat ze wel en niet mee naar bed mocht nemen, maar Jessica had gewonnen. Zo ongeveer. Na veel onderhandelen had Grace er uiteindelijk mee ingestemd afstand te doen van de lege Evian-fles en haar stephelm, maar had niet meegegeven wat betrof de plastic boerderij. Ze had haar kleine armpje er nu bazig omheen geklemd hoewel Jessica van plan was hem uit haar greep te halen zodra ze in diepe slaap was.

Shit. Op dat moment bedacht ze pas weer dat ze met Diane had willen bespreken dat ze het Paul wilde vertellen. Wat was er toch met haar? Het probleem was, besloot ze, dat ze het hier altijd zo druk had. En als ze hier niet was, was ze op haar werk of was het te laat om te bellen omdat ze de kinderen niet wilde wekken. Ze was halverwege de kamer van Grace en vroeg zich af of het als ze straks terugkwamen te laat zou zijn om erover te beginnen, toen haar telefoon ging.

'Hallo?' fluisterde ze.

'Jessica,' klonk een zoete Franse stem. 'Ik ben het.'

'Mam, ben je weer in Londen?'

'Ja, en ik wil je zien. Wanneer heb je tijd?'

Terwijl ze nadacht over het antwoord besefte Jessica dat dit het zoveelste was waar ze tegen Paul over moest liegen, maar toch, na haar afschuwelijke telefoongesprek met Graydon zou ze de kans om de boel recht te zetten echt niet aan zich voorbij laten gaan. Bovendien zat ze met veel vragen waar ze graag antwoord op wilde.

De volgende avond was Jessica op weg naar het Claridge's waar Angelica logeerde. Toen ze Paul eerder die avond had gesproken, was hij zo in beslag genomen geweest door het schrijven dat hij er niet eens aan had gedacht te vragen wat zij zou gaan doen, dus voor één keer had ze niets hoeven verzinnen...

Toen Jessica de grote, prachtige receptie van het hotel binnenliep, bemerkte ze dat ze zich volkomen thuis voelde in die weelderige en stijlvolle omgeving. Hoewel ze de luxe niet per se gemist had, zou ze liegen als ze zou zeggen dat het niet fijn was er weer eens van te proeven. Of misschien merkte ze de luxe juist zo goed op omdat ze het een tijdje zonder had gesteld?

De receptionist belde naar Angelica's kamer en een paar tellen later was Jessica in de lift op weg naar boven. Een uitgelaten Angelica, gekleed in een elegant crèmekleurig mantelpak van Stella McCartney en schitterende Louboutin laarzen, stond haar op te wachten toen de liftdeuren opengingen.

'Jessica,' riep ze enthousiast uit en ze haastte zich naar haar toe om haar dochter hartelijk op beide wangen te kussen.

'Hoi mam,' zei Jessica, die opmerkte dat haar moeder er – zoals altijd – onberispelijk en beeldschoon uitzag. 'Alles goed?'

'Prima hoor, schat. Kom.' Angelica nam haar bij de arm en Jessica liet zich op die manier de gang door leiden en de open deur van haar suite in.

'Hai,' zei Jessica bedeesd tegen de assistent van haar moeder die aan de koffietafel druk op zijn Mac zat te typen.

'Daniel, kun je alsjeblieft de menukaart van de roomservice zoeken zodat Jessica en ik eten kunnen bestellen?' vroeg Angelica beleefd. 'En,' zei ze toen ze haar aandacht weer op Jessica vestigde, 'hoe gaat het met jou?'

'Prima,' antwoordde Jessica, 'en het spijt me van laatst. Het was echt heel stom van me om onze afspraak te vergeten. Ik hoop dat je niet boos was.'

'Het geeft niet,' zei Angelica dapper, 'wat mij betreft totaal vergeten en het is gewoon fijn om je nu te zien.'

'Echt? Want dat is niet wat Graydon zei.'

'Hoe bedoel je?' vroeg Angelica verward.

'Vóór jullie vertrek belde hij om te zeggen dat hij afkeurde hoe ik me tegenover jou had gedragen. Hij zei ook in wat voor "toestand" je verkeerde en dat je het allemaal niet kon hebben. Om eerlijk te zijn verbaast het me dat hij nu niet heeft geprobeerd te voorkomen dat je met me afsprak.'

Angelica kleurde rood en haar gezichtsuitdrukking werd meteen onleesbaar.

'Ah nee!' riep Jessica uit. 'Heeft hij dat wél geprobeerd? Echt waar, mam? Hoe kun je bij iemand blijven die niet wil dat je met je eigen dochter afspreekt?'

'Doe niet zo gek,' zei Angelica. 'Niemand kan, of wil, mij tegenhouden jou te zien.'

'Maar hij heeft het wel geprobeerd, dus?' hield Jessica vol. Het was zo frustrerend. Waarom zag ze niet in wat voor controlerende bullebak hij was?

'Graydon wil me alleen maar beschermen, Jessica, en volgens mij moeten jullie gewoon eens de tijd nemen elkaar te leren kennen. Ik kan je er ook van verzekeren dat hij begint in te zien dat ik niet zo broos ben als hij dacht. Maar goed, genoeg over hem, ik wil weten wat er bij jou speelt en vertel me alles over die nieuwe liefde van je.'

Jessica liet zich op een bespottelijk comfortabele sofa zakken terwijl Angelica water voor hen inschonk. Misschien was het inderdaad maar beter als ze het over iets anders zouden hebben. Ze wilde niet boos worden. Bovendien klonk het alsof Angelica hem eens flink de waarheid had gezegd. Mooi.

'Ik heb heel hard gewerkt de laatste tijd.'

'Ja, vertel eens wat je doet.'

'Ik werk voor *The Bradley Mackintosh Show* als assistent voor degene die de gasten boekt.'

'Nee!' riep Angelica uit met een hand op haar borst. 'Ah, merci, Daniel,' voegde ze eraan toe toen hij met twee menukaarten verscheen. Ze gaf er één aan Jessica. 'Niet te geloven. Wat grappig. Mijn agent vertelde me laatst over die show omdat ze me als gast wilden hebben. Was dat jouw idee?' vroeg ze en ze oogde gevleid. 'Want je weet dat ik dat soort dingen niet doe, maar als jij het wilt, kan ik misschien...?'

Jessica schudde het hoofd en antwoordde: 'Nee, niet mijn idee. Het zit zelfs zo: ik had het er erg naar mijn zin totdat ze besloten een Bond-special te doen. Nu hoor ik niks anders dan Bond-dit en Bond-dat en er wordt van alles over jou en papa gezegd, echt verschrikkelijk. Typisch, het enige waaraan ik probeerde te ontsnappen heeft me weer gevonden... Sorry,' voegde ze eraan toe toen ze zich realiseerde hoe gemeen dat klonk. Haar moeder kon er niets aan doen. 'Maar goed... leuk je te zien,' zei Jessica, en ze voelde zich nogal ontredderd. Het leek wel alsof onaardig tegen haar moeder doen er bij haar ingebakken zat, een moeilijke gewoonte om vanaf te komen.

Angelica keek haar aan met een blik die zei dat hoe graag ze ook in die verontschuldiging wilde geloven, ze dat niet deed. Jessica haalde haar schouders op. 'Zal ik over mijn vriend vertellen dan?'

'Hoe heet hij?'

'Paul,' antwoordde Jessica, en ze moest al glimlachen toen ze alleen maar aan hem dacht. 'Paul Fletcher en hij is helemaal geweldig. Hij is intelligent, erg lief en knap.'

'*Mon dieu*,' zei Angelica. 'Je klinkt verliefd.'

Ze ontkende het niet.

'Nou, gefeliciteerd. Ik ben blij voor je en ik hoop dat ik hem eens mag ontmoeten.'

Gek genoeg was dat niet eens zo'n weerzinwekkende gedachte, hoewel het jammer genoeg onmogelijk was tenzij er dingen veranderden.

'Ik ook,' antwoordde Jessica, in de hoop dat dit antwoord een beetje zou goedmaken wat er hiervoor gezegd was.

'Als je met hem gaat trouwen, heet je net als Angela Lansbury in *Murder, She Wrote*,' merkte Angelica op. 'Jessica Fletcher.'

Jessica fronste haar wenkbrauwen en toen ze besefte dat haar moeder helemaal gelijk had, barstte ze in lachen uit. 'O jee! Niet dat ik ooit van mijn leven zou trouwen. Maar grappig is het wel. Ik moet dit echt aan Pam vertellen, die vindt het vast hilarisch.'

'O ja,' zei Angelica en haar beeldschone gezicht verwrong van het lachen. 'Pamela Anderson, daar konden je vader en ik ook altijd zo verschrikkelijk om lachen.'

Jessica pakte haar waterglas. 'Weet je, het blijkt trouwens – en dit is echt heel gek – maar het blijkt dat Pauls moeder jou en papa heeft ontmoet bij één van zijn premières. Ze zei dat je op het punt stond om mij te krijgen, dus het was vast die avond dat de bevalling begon.'

'Jeetje,' zei Angelica, getroffen door de toevalligheid ervan. 'Wat bizar.'

'Ja, hè,' was Jessica het met haar eens. 'Kun je je nog herinneren dat je die avond iemand hebt ontmoet die Anita Fletcher heette?'

'Eh... *non*, volgens mij niet... het kan zijn... maar ja, we ontmoetten ook zoveel mensen.'

Jessica knikte maar toch voelde ze om de een of andere reden een lichte teleurstelling.

'Angstaanjagend, hè?' vroeg Angelica een paar tellen later.

'Wat?'

'Verliefd zijn,' zei ze alleen maar.

Jessica was verbaasd. Haar moeder sprak blijkbaar uit ervaring. Wat gek, dacht ze ineens. Het was altijd raar om je ouders te zien als mensen die fouten maakten, die zelf ook gevoelens en zwaktes bezaten. Meestal zag je ze niet anders dan als je vader en moeder.

'Wat wil je eten?' vroeg Angelica.

'Soep en een kipsandwich, alsjeblieft.'

'*Mais oui*. Daniel, wil je alsjeblieft soep, een kipsandwich en voor mij de ricotta-spinazietortellini bestellen? Een kleine portie.'

Angelica had altijd de Franse manier van slank blijven aangehangen: alles eten wat je wilt, zelfs als er room overheen zit, maar slechts kleine beetjes, weinig en vaak.

'Ik werk ook een beetje als oppas,' begon Jessica toen Daniel in de andere kamer de bestelling doorgaf. 'Voor Diane, de echtgenote van mijn baas. Een erg aardige vrouw die nogal depressief is sinds de geboorte van haar tweede kind.'

'Oh echt, hoe zijn de kinderen? Hoe oud zijn ze?'

'Vijf maanden en drieënhalf,' antwoordde Jessica en haar gezicht kon de genegenheid die ze voor hen voelde niet verbergen. 'Het zijn zulke schatjes. Grace kan soms nogal veeleisend zijn en erg brutaal, maar dat komt doordat ze zo slim is en bij mij gedraagt ze zich altijd vrij goed.'

'En de moeder?' vroeg Angelica zacht.

'Diane is een goed mens. Je kunt zien dat ze dol op haar kinderen is, maar ze is zichzelf niet sinds Ava's geboorte. Ze is oververmoeid en heeft er moeite mee thuisblijfmoeder te zijn en niet meer te werken. Maar goed, ze was depressief maar slikt nu pillen, die lijken te werken. En haar man helpt wat meer en ze beraadt zich over wat ze met werk wil...'

Jessica's stem stierf weg, omdat haar moeder haar aankeek met een blik die haar haren overeind lieten staan. 'Wat is er?' vroeg ze met een onheilspellend voorgevoel.

'Niets,' antwoordde Angelica met een vreemde, gespannen stem. 'Zo depressief kan ze niet zijn geweest als ze zich nu al beter voelt... maar ik vind het geweldig dat je haar helpt. Ik kan me helemaal voorstellen dat je erg lief en geduldig bent met die kinderen.'

Jessica slikte. Een verschrikkelijke, ondenkbare gedachte was zojuist bij haar opgekomen. Of tenminste, ze dácht dat hij net bij haar was opgekomen, maar bij nader inzien besefte ze dat die waarschijnlijk al in haar achterhoofd zat sinds ze voor Diane was begonnen te werken. Ineens wist ze dat haar relatie met haar moeder nooit een schijn van kans zou hebben tot ze een verklaring had over waarom ze was weggegaan. Die was ze haar toch zeker verschuldigd? Ze hadden de kwestie altijd omzeild omdat Jessica eerlijk gezegd tot nu toe niet had geweten of ze het antwoord wel aankon. Maar nu moest ze het weten.

'Mam, waarom ben je weggegaan? Was je depressief?'

De stilte die op deze onvermijdelijke, directe vraag volgde leek oneindig lang te duren. Toen, na de spannendste seconden van Jessica's leven, raapte een droevig kijkende Angelica eindelijk genoeg moed bij elkaar om onder ogen te zien wat ze zelf al weken ter sprake wilde brengen.

'Ja, ik was depressief. Ik was heel erg ziek, Jessica, alleen wist ik dat op dat moment niet. Ik dacht... Ik dacht dat het aan mij lag...'

Angelica zat stijf rechtop en wrong haar handen in haar schoot om haar gevoelens onder controle te houden. In tegenstelling tot Edward, was zij niet gauw geneigd haar emoties de vrije loop te laten, maar jaren en jaren van pijn en onbesproken verdriet borrelden gevaarlijk dicht onder de oppervlakte. Jessica had altijd gewild dat haar moeder berouw zou tonen voor wat ze had gedaan, gehoopt dat ze met een verklaring zou komen, maar nu het zover was haalde ze er geen enkele bevrediging uit.

'Waarom heb je me dat nooit verteld?' vroeg Jessica. Ze was zo verward door de onthulling dat haar moeder aan een depressie had geleden dat het tot nog veel meer vragen leek te leiden. Ze werd overspoeld door schuldgevoelens voor alle jaren dat ze haar moeder had gehaat, haar had gehaat om wat ze altijd als een daad van pure zelfzucht had gezien. Ze had zoveel verondersteld over alles, en toch, het was niet haar schuld dat ze onwetend was gehouden. 'Waarom kon je niet gewoon blijven en hulp zoeken? Waarom heb je me nooit verteld dat je ziek was? Waarom heeft papa het me nooit verteld?'

'Oh, Jessica,' zei Angelica en ze depte haar ogen. 'Ik weet niet waar ik moet beginnen.'

Jessica rolde uit frustratie met de ogen.

'Oké. Ik zal alles vertellen,' suste Angelica omdat ze wist dat het moment was aangebroken. Er was geen weg meer terug. Ze haalde diep adem en maakte zich klaar om te beginnen aan het verhaal waarvan ze zich altijd had afgevraagd of ze het ooit zou vertellen. 'Toen ik erachter kwam dat ik zwanger was van jou, Jessica, was ik in de wolken. In de wolken maar ook bang. Doodsbang zelfs. Want ik was zo jong, nog jonger dan jij nu bent en veel onvolwassener, denk ik. Tegelijkertijd werd ik aangeprezen als de nieuwste sensatie in Hollywood en ik heb nooit iets anders willen doen dan acteren dus ik maakte me zorgen om mijn carrière. Maar je moet wel weten, en dit is belangrijk–'

Jessica keek in haar moeders ogen en schrok van de hevigheid van haar blik.

'Ik heb er nooit een seconde over nagedacht je niet te krijgen. Ik was dolverliefd op je vader en dat ik zijn vrouw was betekende alles voor me. Ik hield al van het mensje in mijn buik dat wij gecreëerd hadden, maar was zo naïef,' herinnerde Angelica zich met bedrukt gezicht toen ze terugdacht aan de maalstroom van gevoelens uit die tijd. 'Ik was me er totaal niet van bewust wat het inhield om een baby te krijgen en dacht dat het allemaal vanzelf zou gaan. Ik geloofde er oprecht in dat hevig verliefd zijn genoeg was om alles goed te laten komen.'

Ze draaide haar hoofd weg, alsof het makkelijker was zich bepaalde onaangename waarheden te herinneren en het hoofd te bieden zonder naar haar dochter te kijken. En voor de duizendste keer vroeg Jessica zich af hoe haar moeder ooit zo mooi had kunnen worden. Ze was bijna bovennatuurlijk, hoewel Jessica kon zien dat de jaren haar gelaatstrekken hadden verzacht. Hoe lijntjes haar menselijker maakten en haar schoonheid minder bedreigend. Gek genoeg was ze ineens heel trots op haar.

'Je was een prachtige baby. Dat weet ik nog goed, Jessica. Ik weet nog dat ik naar je keek in het ziekenhuis en amper kon geloven dat ik een dochter had, een prachtige dochter die mij nodig had. Al moet ik toegeven dat ik me van daarna niet veel meer herinner.'

Jessica probeerde niet gekwetst over te komen.

'Trek je wat ik zeg alsjeblieft niet persoonlijk aan,' zei Angelica. 'Maar als ik ga vertellen hoe het was, moet het de complete waarheid zijn. *Oui?*'

Jessica knikte.

'Maar goed, achteraf weet ik nu dat ik ziek was vanaf het moment dat je werd geboren. De bevalling was traumatisch, maar ik weet niet eens of dat er iets mee te maken had. Ik weet alleen dat ineens alles zwart werd. Letterlijk. Er zijn honderden eufemismen voor een depressie; mensen hebben het over een zwart gat, donkere wolken, een zwarte deken van moedeloosheid, en ze zijn allemaal waar. Jessica, ik had nooit eerder zo'n droefheid gevoeld en hoop dat ook nooit meer mee te maken. Ik was verschrikkelijk ongelukkig en voelde me zo waardeloos. Ik had een paar nogal manische episodes. Ik had niet de soort depressie waarbij je je bed niet uit kan komen. *Au contraire*, ik was altijd in de weer en probeerde te doen alsof er niets was veranderd, maar de waarheid was natuurlijk dat alles was veranderd. Ik was doodsbang om Edward te verliezen en de studio oefende druk op me uit, maar ik kon niet accepteren dat ik niks meer onder controle had. Want als je een baby krijgt, wordt je hele leven ondersteboven gegooid. Dat zou natuurlijk een wonderlijke ervaring moeten zijn, maar ik had er grote moeite mee dat ik nooit wist waar ik aan toe was. Het voelde alsof er een bom was ontploft in mijn leven.'

Toen haar moeder pauzeerde om haar tweede sigaret van die avond op te steken, durfde Jessica amper adem te halen omdat ze bang was dat Angelica weer dicht zou klappen.

'Ik geloofde oprecht dat je beter af was zonder mij. We hadden natuurlijk kindermeisjes en omdat die er vanaf dag één waren, namen ze het gewoon over, wat denk ik het probleem alleen maar vergrootte. En vergeleken met mij was je vader zo geweldig met je. Vanaf het begin een natuurtalent, de bonding was er meteen,' voegde ze er berouwvol aan toe.

'Onbewuste woordspeling?' grapte Jessica bitter en ze haatte zichzelf om de harteloze gedachte dat het nu ook weer niet zó moeilijk kon zijn geweest gezien de hulp en de middelen die tot haar beschikking stonden. Angelica rookte in stilte verder, starend in het niets met glazige ogen.

'Luister mam, ik begrijp dat je ziek was,' zei Jessica uiteindelijk, 'maar je bent mijn moeder, hield je dan niet van me? Diane zou haar kinderen voor geen goud achterlaten.'

Angelica keek gekrenkt. 'Jessica, van wat ik hoor, was ik veel en veel zieker dan Diane,' zei ze gewoonweg. 'En ik wil je niet overstuur maken, maar ik ben op momenten suïcidaal geweest. Ik haatte mezelf en had totaal geen gevoel van eigenwaarde meer. Uiteindelijk denk ik dat ik juist ben weggegaan omdat ik zoveel van je hield. Want weet je,' voegde ze er vriendelijker aan toe omdat ze zag dat Jessica van streek raakte, 'in die tijd was er niet zoveel bekend over postnatale depressies. Men was er niet zoals nu voor op zijn hoede. Edward had echt geen idee hoe erg het was, want ik hield het voor hem verborgen. Hij was natuurlijk bezorgd. Ik viel af, ik was gespannen en mezelf niet, maar hij dacht dat ik het gewoon niet aankon, dus zijn oplossing was om vierentwintig uur per dag iemand voor je te laten zorgen en zelf ook meer te doen, wat alleen maar bijdroeg aan mijn gevoelens van zelfhaat. Alles verliep prima zonder mij en ik wist niet wat ik moest doen om de boel weer op orde te krijgen. Ik dacht niet ooit op de juiste manier van jou te kunnen houden of in staat te zijn de moeder te zijn die jij verdiende. Dus ging ik weg, en ik zal mezelf voor altijd blijven straffen voor die fout.'

Terwijl Angelica begon te huilen, stroomden de tranen over Jessica's gezicht. Tranen van verdriet voor zichzelf en voor haar moeder, tranen van spijt om zoveel verspilde jaren en bovenal tranen van opluchting.

'Ik dacht dat je was weggegaan omdat je niet genoeg van me hield,' snikte ze en Angelica haastte zich naar de sofa om haar dochter te omhelzen, verontrust en vol schuldgevoel om het verdriet dat ze had aangericht.

'Ik heb altijd zoveel van je gehouden dat het niet in woorden uit te drukken is. Misschien kon ik het eerst niet voelen maar het kwam wel, en op dat moment wist ik dat het er altijd was geweest. Het spijt me zo verschrikkelijk, Jessica. Er gaat werkelijk waar geen dag voorbij dat ik geen spijt heb van wat ik heb gedaan. Hoe kon ik mijn meisje achterlaten? Maar ik moet in gedachten houden dat ik niet mezelf was. Ik was heel erg ziek.'

'Wanneer werd je beter?' snikte Jessica. 'Waarom kwam je toen niet terug? Waarom heb je dit nooit aan papa verteld? Ik weet dat hij al die jaren naar je heeft gesmacht en hij heeft pas veel later weer iemand ontmoet, dus je had terug kunnen komen. Ik had een gewoon gezin kunnen hebben.'

Angelica staakte even het strelen van Jessica's haar en keek bedroefd naar de grond. 'Dat weet ik niet, hoor,' antwoordde ze diplomatiek omdat ze had besloten dat dit voor één dag wel even genoeg was. Haar dochter had zo al meer dan genoeg informatie te verwerken. 'En bovendien heeft het jaren geduurd voordat ik beter werd, Jessica. Depressiviteit werd uiteindelijk een deel van mijn leven. Zonder diagnose had ik geen behandeling, dus ik nam gewoon aan dat mijn ellendige gevoel een gepaste straf was omdat ik zo'n slechte moeder was. Dus ging ik werken. Ik stortte me op het acteren omdat het zoveel beter voelde om iemand anders te zijn. Pas toen de depressie begon te verdwijnen, misschien een jaar of tien later, ben ik over alles na gaan denken. Uiteindelijk heb ik hulp gezocht en leerde ik langzaam dat ik mezelf niet de schuld moest geven en accepteren dat ik ziek was geweest. Maar ik wil dat je weet,' zei ze, terwijl ze haar dochters met tranen bevlekte gezicht tussen haar handen hield, 'dat ik nooit ben opgehouden met van jou te houden.'

'En papa?' snikte Jessica. 'Ben je opgehouden van hem te houden?'

Angelica leek overrompeld. Toen, terwijl ze haar dochters haren nog streelde, wendde ze haar blik ietsjes af en haar ogen vulden zich met tranen voordat ze zacht antwoordde: 'Ja.'

En op dat moment wist Jessica met zekerheid dat haar moeder voor het eerst die dag niet de hele waarheid vertelde.

## 32

Op zondag zag Jessica Paul zoals afgesproken, maar ze wilde bijna dat ze dat niet had gedaan. Ze was in haar hoofd zo druk bezig met wat haar moeder haar verteld had dat ze maar half aanwezig was. Ook wilde ze Edward graag spreken. Ze wist dat ze voorzichtig te werk moest gaan. Ze wilde erachter proberen te komen in hoeverre hij zich van Angelica's ziekte bewust was geweest. Als hij er net zo weinig van wist als zij, zou hij het gebeurde dan niet in een heel ander licht zien wanneer hij achter de waarheid kwam?

Haar geheimen drukten nu zo zwaar op haar gemoed dat ze dolgraag alles aan Paul wilde opbiechten. Maar ze besloot dat het wijzer was om te wachten tot na de show. Nu die zo dichtbij kwam, had iedereen last van een hernieuwde dosis Bond-gekte, dus het hem nu vertellen zou zout in de wonden strooien zijn, met nog wat citroen, azijn en nagellakremover erbij. 'Nog vier nachtjes,' zou Grace zeggen, en dan zou het allemaal voorbij zijn. Het was nu zelfs zover dat het hem opbiechten bijna iets was waar ze naar uitkeek om achter de rug te hebben.

Maandag en dinsdag waren zware dagen op kantoor, dus toen het eindelijk woensdag was, was Jessica blij dat ze vroeg weg kon om zoals gewoonlijk naar Diane te gaan, tot Kerry's grote irritatie omdat die druk bezig was de laatste paar dingen voor de Bondspecial af te handelen.

Binnen vijf minuten na aankomst in Chiswick kwam Jessica er eindelijk aan toe een hoognodig, openhartig gesprek met Diane te voeren. Omdat ze een redelijk mens was, begreep Diane Jessica's zorgen over hun bedrog en was het met haar eens dat het zo niet door kon gaan, vooral gezien haar plan Jessica weg te kapen zodra de Bond-show was opgenomen.

'Als je het niet vindt, moet je het zeggen,' stelde Diane voor, 'maar ik zat te denken: als die stomme show achter de rug is en je terug bent uit de VS, waarom komen jij en Paul dan niet hier eten? Misschien nodig ik Kerry en Luke ook wel uit. En Natasha? Dan kun je iedereen over mij vertellen en als ze boos worden, kan ik helpen het uit te leggen en je wat steun geven.'

'Dat is erg lief,' zei Jessica, 'maar dat hoef je niet te doen.'

'Dat weet ik, maar ik wil het graag. Krijg ik ook eens de kans een aantal van Mikes collega's te leren kennen. Want even tussen ons, volgens mij denkt hij dat ze hem maar een lul vinden.'

Verbouwereerd deed Jessica haar best niet te laten doorschemeren dat Mike het bij het juiste eind had en vertrok die avond kalmer en opgelucht dat ze nu een soort van plan had.

De gasten voor de show stonden vast en het was een mooie lijst.

Die bestond uit Daniel Craig (zelfs Jessica was zenuwachtig); Christopher Walken, slechterik Max Zorin uit *A View to a Kill*; Dame Judi Dench (de legende); John Cleese; en het jonge Russische sterretje Nadia Vladinokova, de nieuwste Bondgirl die zich bij de lange rij femmes fatales mocht aansluiten. Het beloofde een schitterende show te worden. Maar toen donderdag eindelijk was aangebroken stond Kerry op het punt erachter te komen dat zelfs de beste voorbereiding ter wereld bepaalde fiasco's niet kan voorkomen.

Om halftwaalf briefte ze Robbie van de make-up: 'Daniel Craig heeft doorgegeven dat hij graag wil dat jij hem doet, en Dame Judi ook.'

'Oh mijn god!' gilde Robbie. 'Ik hoop maar dat mijn handen niet te veel zullen trillen.'

'Maar goed, Bradley kan hier niet de hele dag rondhangen zoals hij anders doet. Hij gaat maar naar zijn kleedkamer want we moeten ze de ruimte geven. Oh, en trouwens, wat maar weer bewijst dat de grootste sterren niet per se degenen zijn met het grootste ego: de enige die een entourage meebrengt is juffrouw Vladinokova. En ze staat erop dat we dokken voor haar eigen visagiste, kapster, styliste en masseuse, wat godbetert belachelijk is als je het mij vraagt.'

'Dom wicht,' was Robbie het met haar eens.

Op dat moment ging voor de honderdste keer die dag Kerry's telefoon. Toen ze opnam, leunde ze naar voren om de grote stapel informatiefolders die ze vasthad neer te leggen. Robbie keek bezorgd toe terwijl de kleur langzaam uit haar gezicht wegtrok.

'Je maakt toch zeker een geintje?' zei ze. 'Want met alle respect, het kan me niet schelen hoe ziek ze is, geef haar maar wat en zorg dat ze hierheen komt–'

Jessica was net binnen komen wandelen met flessen mineraalwater om klaar te zetten voor de gasten. Ze zag meteen hoe geteisterd de normaalgesproken onverstoorbare Kerry oogde en vormde zonder geluid te maken met haar mond de woorden 'wat is er?' naar Robbie, maar hij haalde alleen maar nietszeggend zijn schouders op.

'Luister, dit is uiterst onprofessioneel,' sputterde Kerry, 'en ik zal met mijn producer moeten praten want in het contract – die toon is nergens voor nodig. Dit is eeuwen geleden vastgelegd en – oh oké, nou, bel me maar terug.' Toen Kerry had opgehangen zonk ze verslagen in een stoel neer en legde haar hoofd in haar handen, waarna ze ellendig door haar vingers in de met lichtperen omlijnde spiegel keek. 'Fuck, fuck, fuck!' tierde ze.

'Wat is er? Toch niet Dame Judi?' informeerde Jessica.

'Zoek Mike,' zei Kerry, haar blik wild van de stress. 'Zeg hem dat ik hem moet spreken, nu.'

Omdat ze beter wist dan nog meer vragen te stellen, ging Jessica op pad.

Twee minuten later rende ze nog rond op zoek naar hun baas toen ze in de gang Paul tegenkwam, diep in gesprek met Bradley.

'Niet rennen in de gang,' zei Bradley. 'Straks val je nog op je bevallige achterwerk. Of was het je "fanny"?'

Achter Bradley's rug maakte Paul een gebaar om aan te geven dat hij het met de beschrijving van haar achterwerk eens was, maar Jessica was te zeer in beslag genomen met zoeken naar Mike om geamuseerd of gevlijd te zijn of hem van seksisme te beschuldigen.

'Waar is Mike?' vroeg ze dringend.

'In de galerij, in gesprek met Julian,' zei Paul. 'Ik zou ze alleen niet storen als ik jou–'

Maar Jessica spoedde zich alweer voort. Mike keek in eerste instantie geïrriteerd omdat zijn bespreking met Julian werd verstoord, totdat hij zich realiseerde dat er een mogelijk probleem was met een van de gasten. Hij sprong op en haastte zich naar de make-up met Jessica in zijn kielzog. Onderweg mompelde hij: 'Laat het alsjeblieft niet Daniel Craig zijn.'

Hoewel Jessica intens meevoelde met Kerry, kon ze het op hetzelfde moment niet laten zich weer eens te verwonderen over hoe film- en televisiemensen alles altijd zo levensbedreigend konden laten lijken. Showbizz-gerelateerde hysterie was iets wat ze haar hele leven al niet begreep. Natuurlijk, het was balen dat een gast uitviel, irritant en onprofessioneel, maar rechtvaardigde het over het grote geheel bezien dan echt zoveel drama? Het was maar goed dat ze voor Diane ging werken. Hoe leuk dit wereldje ook was, ze dacht niet dat ze zich er ooit zo om zou kunnen bekommeren. Maar toch, ze zorgde er wel voor dat terwijl ze achter Mike aan holde haar gezicht de vereiste ernst uitdrukte. Dit was niet het moment om de slappe lach te krijgen, zei ze tegen zichzelf, vooral omdat Kerry degene was die de volle laag zou krijgen van alle mensen die deze show wél als een zaak van leven of dood zagen.

Bij de make-up voerde Kerry nu een heftige discussie aan de telefoon. 'Dat is totaal onredelijk,' zei ze fel. 'Je weet hoe belangrijk deze show voor ons is...'

Jessica en Mike konden de persoon aan de andere kant van de lijn luider horen worden, net zoals in tekenfilms.

'Luister,' zei Kerry, die probeerde haar kalmte te bewaren, 'onze visagist, Robbie Baines, is een van de beste van het vak en ik weet dat hij er wel een oplossing–' Maar waar ze het ook over had, haar smeekbedes bleken aan dovemansoren gericht. Ze hing op. 'Shit,' zei ze en ze draaide zich om naar Mike.

'Nadia?' vroeg hij.

'Ja, klote-Nadia Vladinokova. Haar manager probeerde me wijs te maken dat ze ziek was maar ik heb gebluft tegen Cherrie, de assistent van haar agent in Londen, en zij vertelde me dat die stomme sufkut alleen maar koortsuitslag heeft. Ze is verdomme helemaal niet ziek, gewoon brak van al het feesten sinds ze in de stad is aangekomen.'

'Ik praat wel met ze,' zei Mike. 'Jessica, wil je alsjeblieft Nadia's contract voor me halen?'

'Natuurlijk,' antwoordde ze en ze draaide zich alweer om.

'Laat maar,' zei Kerry. 'Ik heb het hier.'

'Goed,' zei Mike. 'Waar is Bradley?' informeerde hij daarna ineens bedachtzaam.

'Zag hem met Paul, weet niet precies waar ze naartoe gingen,' zei Jessica.

Iedereen sprak nu als legerofficieren.

'Oké, nou, doe de deur dicht en zwaai naar me als hij deze kant op komt, goed?' instrueerde Mike.

Jessica was onder de indruk van zijn kalmte. Kerry keek ook dankbaar. Zo was het met producers; de helft van de tijd leek het of ze maar wat rondliepen en in hun neus peuterden, maar als de pleuris uitbrak, waren ze bereid het heft in handen te nemen. En dat was wat Mike nu deed.

Mike sprak twintig minuten lang met Nadia's mensen. Hij slijmde, smeekte, dreigde zelfs, maar ze weken niet. Wat hen betrof was gezien worden met korsterige, druipende gezichtsherpes carrièrezelfmoord voor een jonge actrice die op het punt stond haar debuut te maken als bondgirl. Iedereen in de ruimte wist dat ze gelijk hadden.

'Het spijt me ontzettend, Mike,' zei een radeloze Kerry. Ze was zo toegewijd dat ze zichzelf de afzegging aanrekende.

'Jij kunt er niks aan doen,' zei Mike, die wist dat hem een standje van zijn schoonvader te wachten stond en de blik van zure teleurstelling op zijn gezicht al voor zich zag.

'We hebben evengoed geweldige gasten,' opperde Jessica voorzichtig. 'Het zou erger zijn geweest als Daniel Craig had afgezegd.'

'Dat is zo, maar nu mist de show de vrouwelijke seksfactor,' legde Mike vermoeid uit. 'Oké Kerry, je zult alle mogelijkheden wel uitgeput hebben, maar denk na: welke andere bondgirl kan hier binnen een paar uur zijn en zouden we kunnen verleiden met een financieel lokkertje?'

Kerry schudde het hoofd. 'Geen enkele. Nou, eentje misschien, maar geen bekende en iemand die geen publiciteit wil. Oh god, dit is echt een ramp, Bradley gaat door het lint.'

'Ik praat wel met hem,' zei Mike somber. Ze klonken allebei zo kapot, zo verslagen, dat Jessica met ze te doen had.

Ze voelde of ze haar mobiele telefoon nog in haar zak had en glipte toen ongemerkt de kamer uit, liep rustig de gang door naar de liften en uiteindelijk het gebouw helemaal uit.

Voordat ze het telefoontje pleegde, ging ze bij zichzelf te rade of ze dit echt wilde doen. Haar handen waren klam van de zenuwen, maar diep vanbinnen wist ze van wel. Ze wilde helpen. Vooral Kerry, wie ze het verschuldigd was. Maar ook Mike, die ondanks de bedenkingen van anderen aardig voor haar was geweest. Bovendien had ze een idee, al was het er een dat ze nog niet goed had kunnen onderzoeken. Een belachelijk idee dat waarschijnlijk bewees dat ze een ontspoorde gek was met ernstige problemen, maar een dat ze evengoed niet kon weerstaan. Er was een kans dat haar geheim vroegtijdig uit zou komen, dat risico moest ze dan maar nemen. Er waren toch ook geen garanties dat ze ja zou zeggen. Ze toetste het nummer in.

'Mam, met mij. Ik wil je om een enorme gunst vragen.'

# 33

'Maar hoe heb je het 'm geflikt?' vroeg Kerry voor de derde keer achtereen aan Jessica.

'Eh... Ik denk dat je een heel goede indruk bij haar mensen hebt achtergelaten toen je in het verleden met ze hebt gesproken,' improviseerde Jessica en ze wilde dat Kerry gewoon maar zou accepteren dat Angelica had ingestemd in de show te komen, en er blij mee zou zijn.

'En ze wil er echt niets voor hebben?' herhaalde Mike. 'Want dat snap ik dus niet. Haar manager moet toch hebben geweten dat we wanhopig waren.'

'Ja hè, en het verbaast me ook dat je wist dat ze weer in Engeland was,' brabbelde Kerry. Angelica Dupree was de best mogelijke vervangende gast en hoe Jessica het voor elkaar had gekregen met slechts één telefoontje was een raadsel. Het zou een exclusief interview worden.

'Luister,' zei Jessica, die er spijt van begon te krijgen dat ze ze had geholpen, 'het was een gok, maar ze komt en het was geen enkele moeite. Zoals ik al zei: ik denk dat Kerry al een goeie basis had gelegd en ik toevallig op het juiste moment belde.'

De blikken die ze daarop kreeg waren allemaal nogal twijfelachtig.

'Maar goed, moeten we niet eens aan het werk? Het aan mensen vertellen en zo? Ze... haar manager wil dat we zo snel mogelijk een auto sturen om haar op te halen bij het Claridge's, als dat kan.'

'Of dat kán?' riep Mike uit. 'Dat lijkt me wel. Jezus, als ze zou willen zou ik er zelf nog heen gaan en haar op mijn rug hierheen dragen.'

Jessica staarde naar de grond en probeerde een grijns te onderdrukken. De gedachte aan haar elegante moeder met haar benen om Mikes rug was echt te veel.

'Paul en Natasha,' riep Kerry uit toen de schok wegtrok en haar professionaliteit het overnam. 'Ze moeten teksten en vragen gaan bedenken. Mike, wil je het aan Bradley vertellen en daarna aan Paul, en dat ik hem zal briefen zodra we zover zijn?'

Daarna was het volle kracht vooruit. Iedereen kwam in actie, inclusief Jessica wier gedachten op volle toeren werkten terwijl ze voor de andere gasten zorgde en probeerde te bedenken hoe ze deze situatie het beste in haar voordeel kon laten werken. Een halfuur later glipte ze met een half gevormd plan in haar achterhoofd weg naar Bradley's kleedkamer. Zo gespannen als een springveer klopte ze op de deur.

'Binnen.'

'Eh, hai,' zei Jessica nerveus toen ze haar hoofd om de hoek van de deur stak.

'Hallo,' zei Bradley, die boven de gordel onberispelijk gekleed was maar zijn broek nog niet had aangedaan om er geen kreukels in te krijgen. Hoewel hij godzijdank wel een onderbroek droeg. 'Wat kan ik voor je doen, jongedame?'

'Eh, ik eh, je hebt vast gehoord over de gastenwisseling?' vroeg ze schuchter.

'Ja, gek genoeg hebben ze het zich verwaardigd het me te laten weten.'

'Natuurlijk,' zei Jessica, nog steeds niet zo goed wetend wat ze deed. 'Ik vroeg me alleen af of ik een paar vragen zou mogen voorstellen voor–' Ze stopte midden in haar zin omdat ze Kerry en Paul door de gang zag lopen, duidelijk op weg naar Bradley.

'Voor de draad ermee,' zei Bradley met een vragende blik. 'Vragen voor wie? Goeie ouwe Hemelse Memmen?'

'Eh... nee, laat maar,' zei Jessica verbouwereerd. Ze staarde onnozel naar Bradley, die vagelijk zenuwachtig oogde, waarschijnlijk omdat hij zich afvroeg of ze een veiligheidsrisico vormde. 'Eh, ik laat je met rust,' zei Jessica en ze spurtte de gang door, de andere richting op dan die waar haar vriend en bazin uit kwamen.

Maar Paul had haar wel gezien en riep: 'Alles goed, Jess?'

'Super,' riep ze terug en ze probeerde niet te krankzinnig te klinken en maakte dat ze wegkwam, haar gezicht warm van schaamte. Shit. Ach, dat was dat en misschien was het ook maar beter zo. Ze was boos op zichzelf dat ze zich zo had laten meeslepen.

Sinds ze Angelica in Claridge's had gesproken, koesterde ze het gekke idee dat haar moeder nog gevoelens voor Edward had en vandaag had ze die gedachte met zich op de loop laten gaan. Voordat ze het wist, had ze zich afgevraagd wat er zou gebeuren als

Angelica op tv met het onderwerp Edward zou worden geconfronteerd. Zou ze onder druk onthullen wat Jessica vermoedde? En als ze echt zou toegeven dat ze nog gevoelens voor hem had, dan zou Edward toch niet kunnen negeren wat ze gezegd had? Dan zouden ze moeten praten. Of zat het hele idee dat haar ouders in het reine wilden komen met het verleden alleen maar in haar hoofd?

Haar moeder op zo'n publieke manier dwingen voor haar gevoelens uit te komen was een slecht idee en als ze er goed over nadacht, was Jessica's motivatie waarschijnlijk ook hoogst dubieus. Maar ze had er altijd naar verlangd een echt gezin te vormen, wat in haar hoofd bestond uit twee ouders die van elkaar hielden, of elkaar in elk geval mochten. Maar het was te laat. Ze was nota bene zesentwintig, veel te oud om nog naar een gelukkig gezin te verlangen. En Betsey was er ook nog. Haar stiefmoeder mocht dan misschien irritant zijn (en veel te jong voor haar vader), ze was redelijk onschuldig moest Jessica schuldbewust toegeven. In elk geval een stuk dragelijker dan Graydon.

Terwijl ze om de bedrijvige studio heen liep, zuchtte Jessica berustend. Het zag ernaar uit dat ze in de toekomst veel meer tijd met meneer Apenvingers zou moeten doorbrengen, dus ze zou ermee moeten leren leven en accepteren dat ze het verleden niet kon veranderen. Ze dwong zichzelf diep adem te halen en besloot alle dingen die ze eigenlijk zou moeten doen links te laten liggen en de relatieve rust van het productiekantoor op te zoeken.

De enige aanwezige daar was Natasha, die Bradley's vragen zat uit te typen.

'Goed gedaan, Jess. Hoe heb je dit voor elkaar gekregen? Kerry kan het niet geloven en volgens mij heb je ergens invloed uitgeoefend. Ik denk dat je meer dan één vriendin in die kringen hebt, als je begrijpt wat ik bedoel?'

Jessica speelde stommetje. Natasha's nabijheid maakte haar altijd lichtelijk nerveus, maar als ze er nu weer tussenuit zou knijpen zou dat alles alleen maar erger maken. Ze negeerde wat ze had gezegd en ging aan haar bureau zitten om haar e-mail te checken.

Natasha stopte met typen en rekte haar vingers. 'Ik hou er niet van dingen zo op het laatste moment te moeten doen. Wat vind je van deze vragen? Ik dacht dat Bradley eerst maar moest vragen waarom ze zo lang niet meer in praatprogramma's is geweest. Daarna over haar nieuwe film praten. En vervolgens vragen naar de verschillen tussen de Amerikaanse, Britse en Europese filmindustrie en naar welke haar voorkeur uitgaat. Wat haar favoriete Bond-film aller tijden is, natuurlijk, en wat ze zich nog herinnert uit haar tijd als bondgirl. Ik kan Kerry vragen bij haar te informeren of ze nog interessante anekdotes heeft.'

'Klinkt goed,' zei Jessica neutraal.

'Ik weet dat ze niet bijzonder sensationeel zijn, maar Kerry zei dat ze geen persoonlijke vragen wil. Stomme ouwe trut.'

'Dat ze niet over haar privéleven wil praten maakt haar niet automatisch stom of een trut,' merkte Jessica ijzig op.

'Oké oké, wind je niet zo op,' antwoordde Natasha onverstoord. 'Goed, dit moet hem zijn. Bradley kennende verzint hij het toch ter plekke of zaagt hij een halfuur door over haar tieten.'

'Hij zou moeten vragen wat ze tegenwoordig nog voor Edward Granger voelt. Of ze nog contact hebben en zo niet, waarom niet?' zei Jessica impulsief. Misschien had ze haar onbezonnen plan toch nog niet helemaal opgegeven.

'Ben je doof, Bender?' antwoordde Natasha en ze keek haar aan alsof ze een of andere halvegare was. 'Ik zei net dat ze niet over persoonlijke dingen wil praten.'

'Nou, dat is niet wat ze zei toen ik... met haar agent sprak,' daagde Jessica uit.

'Zeg me wat het is,' zei Natasha en ze kneep haar ogen tot spleetjes.

'Wat wát is?'

'Wat het dan ook is dat je ons niet vertelt,' zei ze wantrouwig.

'Je hebt constant onderonsjes met Mike en het lijkt ook wel alsof ik de enige hier ben die het vreemd vond toen je met die beroemde vriendin van je op de proppen kwam. En nu wil je je baan op het spel zetten door Bradley indringende vragen te laten stellen. Dus vertel op.'

'Er is helemaal niks,' beweerde Jessica stellig, hoewel haar geschrokken gezicht iets anders zei.

Natasha was niet overtuigd. 'Hm, misschien moest ik maar eens gaan graven. Of aan Paul vragen waarom het je zoveel kan schelen wat Bradley aan Angelica Dupree vraagt, die trouwens vast Vincent Malone kent, of niet? Ja natuurlijk,' zei ze bijna tegen zichzelf terwijl ze het gevoel kreeg dat ze dicht bij de oplossing van het raadsel kwam. 'Er zit daar ergens een link.'

Niet voor het eerst die dag kwamen Jessica's gedachten in beweging zonder eerst met haar te overleggen. Enkele ogenblikken later nam ze voor de tweede keer in haar leven toevlucht tot chantage. 'Luister Natasha, er is helemaal niets. Dat zweer ik je, maar als je belooft me met rust te laten, mag je deze hebben. Kijk,' zei ze en ze rommelde als een gek in haar tas en vond uiteindelijk de kaart die daar al weken lag te verkommeren. Het was de uitnodiging voor een shopervaring bij Jimmy Choo's.

Natasha graaide hem uit haar handen. 'Wauw,' zei ze en ze hield het vast alsof het de heilige graal was. 'Is deze echt?'

'Ja,' antwoordde Jessica ferm.

Natasha's ogen werden groot en wild. 'Als je me maar niet bedot, Bender,' zei ze en ze klonk lichtelijk dreigend. Jimmy Choo was duidelijk een zaak van leven of dood voor haar. 'En hoe kom je hier eigenlijk aan?'

Jessica slikte. 'Van... Dulcie,' improviseerde ze.

'Hm,' zei Natasha bedachtzaam. 'Nou bedankt, maar het zet me wel weer meer aan het denken over jou. Ik bedoel, waarom heeft Dulcie je dit gegeven? Als je het mij vraagt, houdt die meid zelf ook wel van goeie schoenen.'

Jessica haalde haar schouders op. 'Ze heeft zat geld om ze zelf te kopen.'

Eindelijk hield Natasha lang genoeg op met speculeren om even snel na te denken of haar loyaliteit aan de kant van de waarheid of bij haar garderobe lag. 'Nou, als je me dit geeft, kan het me eerlijk gezegd niet schelen of je een drugsdealende, omgebouwde illegaal bent die een bekende crimineel onderdak verleent terwijl je een affaire met de baas hebt en hier zonder paspoort woont.'

'O...ké...' zei Jessica onzeker. 'Nou, dat doe en ben ik niet en ik heb een paspoort, alsjeblieft dankjewel.'

'Fijn,' zei Natasha, die nog steeds een beetje onzeker klonk. Ze was gewoon te cynisch om klakkeloos te accepteren dat ze zomaar voor duizenden ponden aan schoenen in haar schoot geworpen kreeg. 'Ik moet even iets aan Kerry vragen over een van de andere gasten. Kan jij die vragen voor me uitprinten en op de kaartjes plakken?'

'Geen probleem, laat maar aan mij over,' riep Jessica tegen de zich verwijderende rug. De deur sloeg dicht en het kantoor bleef griezelig stil achter. Jessica zat te piekeren over wat ze zojuist had gedaan. Ze moest de pr-dame van Jimmy Choo bellen om door te geven dat Natasha de uitnodiging van haar had gehad, anders zou ze er geen gebruik van mogen maken. Maar Natasha's stilzwijgen afkopen met Jimmy Choo was waarschijnlijk het equivalent van een pleister op een wond plakken die eigenlijk gehecht diende te worden. Het was een kortetermijnoplossing, wist ze, maar ze had nu geen andere keus. Bovendien zou nu toch wel snel iedereen de waarheid over alles te weten moeten komen en zolang Paul de eerste was die het hoorde, maakte het niet zoveel meer uit. Zodra de show achter de rug was en ze terug was van haar vaders feest zou ze Paul alles vertellen.

Deze laatste gedachte keutelde langzaam door haar hoofd als een zondagsrijder, om vervolgens vervangen te worden door een dragracer van een idee dat slippend haar hoofd in scheurde. Jessica sprong op. De vragen! Dit moest voorbestemd zijn, maar toch aarzelde ze even. Als ze rekening wilde houden met haar moeders gevoelens, wist ze dat ze zich er waarschijnlijk maar beter niet mee kon bemoeien. Angelica was een uiterst teruggetrokken persoon, vandaar het gebrek aan publiciteit al die jaren, en ze wist niet of haar moeder het aankon om gebombardeerd te worden met ongevoelige vragen van niemand minder dan Bradley. Toen dacht ze aan haar vader en alle verspilde jaren waarin ze zich alle drie hadden afgevraagd hoe het had kunnen zijn. Ze hadden toch zeker niets te verliezen en juist alles te winnen door een paar dingen toe te geven?

Tien minuten later had Jessica een paar van haar eigen vragen aan die van Natasha toegevoegd voordat ze ze op de kaartjes had bevestigd. Daarna rende ze naar beneden naar studio één en gaf ze ze in eigen persoon aan Bradley in zijn kleedkamer. Op weg naar buiten liep ze Natasha tegen het lijf.

'Wat doe je?' wilde die weten. 'Ik heb je lopen zoeken. Ik had alleen maar gevraagd om de kaartjes uit te printen. Ik zou ze zelf aan Bradley geven, dat is mijn baan.'

'Sorry,' zei Jessica terwijl ze bad dat Natasha er niet op zou staan ze te controleren. 'Bradley was er trouwens erg blij mee,' zei ze, 'maar hij vroeg om vijf minuten met rust gelaten te worden voor hij de set op moet... Maareh, je weet toch dat Jimmy Choo naast schoenen ook schitterende tassen maakt?'

Natasha kneep haar ogen weer tot spleetjes. 'Als ik erachter kom dat dat ding nep is, zal ik iedereen vertellen dat er iets niet klopt aan jou.'

'Nou, dat zal niet nodig zijn,' riep Jessica die nu achteruit de gang in rende. 'Ga je op zaterdag naar de winkel?'

'Is goed,' riep Natasha, maar ze keek sceptisch. Jessica had verder geen tijd meer om zich zorgen over haar te maken. Ze haastte zich door de studio en naar de galerij, waar beeldtechnicus Ross alle clips en videotapes aan het inladen was die tijdens de show zouden worden afgespeeld.

'Ross,' vroeg Jessica, die tegen deze tijd lichtelijk krankzinnig oogde, 'is er misschien een klein kansje dat je een extra dvd'tje voor me kan branden van deze uitzending?'

'Dat mag ik eigenlijk niet,' antwoordde hij, 'maar omdat jij het bent, waarom ook niet? Waarom wil je dat hebben?'

'Oh, gewoon als herinnering aan jullie allemaal,' improviseerde Jessica luchtigjes. Maar Ross leek tevreden met dat antwoord en nadat hij een duim naar haar had opgestoken, ging hij weer verder met lezen in de *Sun* en aan zijn zaakje krabben. Nu haar geheime missie was volbracht, keerde Jessica op een beschaafder tempo terug naar de studio. Ze was al halverwege toen ze besefte dat ze waarschijnlijk maar beter weer kon gaan ademhalen.

Ondertussen werd op de set bekendgemaakt dat Angelica Dupree haar eerste echte interview sinds jaren zou geven en een groepje mensen had zich rond Kerry verzameld om haar te feliciteren met haar ongelooflijke reddingsactie. Maar ze weigerde de lof op zich te nemen.

'Ah, daar ben je,' zei ze toen ze Jessica zag. 'Ik probeer ze net duidelijk te maken dat het feit dat Heavenly Melons aan de show meedoet allemaal aan jou te danken is.'

Jessica begon zich nu vreselijk ongemakkelijk te voelen. Zoveel moeite was het bellen van haar moeder nu ook weer niet en toen Paul, die ze eerst niet bij de groep had zien staan, haar trots optilde en in het rond zwierde, was het feit dat hij zijn rug wel eens kon breken niet het enige waar ze zich zorgen om maakte.

Een halfuur later arriveerde Angelica Dupree in het gebouw. Jessica had tegen die tijd besloten zich helemaal te verstoppen. Ze wist dat ze op haar moeder kon rekenen niet te laten doorschemeren dat ze familie waren, maar ze wist niet of ze op haar eigen dubieuze acteertalent kon vertrouwen om de schijn op te houden. Ze kneep hem ook voor hoe Angelica met Bradley's vragen om zou gaan en hoe ze zelf zou reageren als mensen erachter kwamen dat er met de vragen was gerommeld.

Ondertussen had Kerry zichzelf de taak van de zorg voor Angelica toebedeeld. Daniel Craig was al veilig op de set, dus Jessica ging verder met het tevreden houden van de andere gasten. Maar toen de show een stukje op weg was en iedereen op Daniel Craigs interview was geconcentreerd, voelde Jessica zich eindelijk in staat Angelica's kleedkamer binnen te glippen.

'Pssst, mam!' fluisterde ze.

'Lieverd,' antwoordde Angelica. In haar eentje aan de grote kaptafel zag ze er tamelijk kwetsbaar uit, maar dolblij haar dochter te zien. 'Is alles goed?'

'Prima,' zei Jessica, 'maar ik kan niet blijven. Ik wil je alleen even bedanken. Je hebt Kerry's hachje gered en dat stel ik enorm op prijs.'

'*Pas de problème*,' antwoordde Angelica, oprecht verheugd dat ze kon helpen ook al zag ze er erg tegenop. 'Trouwens,' voegde ze eraan toe, 'ik heb Paul ontmoet.'

Vragend trok Jessica een wenkbrauw op omdat ze dolgraag wilde weten wat ze van hem vond.

'Hij leek me *très, très* aardig,' zei Angelica gemeend. 'Hij was uiterst professioneel en charmant en ik kreeg de indruk dat hij heel intelligent is. En hij is knap.'

Jessica knikte, dolblij met haar moeders goedkeuring. Toen dacht ze weer aan wat ze met Bradley's kaartjes had gedaan en haar grijns verdween als een vest dat van een rugleuning van een stoel glijdt. 'Maar goed. Succes, mam,' zei ze en ze liep nerveus achteruit naar de deur. 'Ik zal kijken, maar ik moet nu gaan voordat iemand me hier ziet.'

En daarmee wierp ze Angelica een dankbaar maar ietwat schuldbewust glimlachje toe en zwaaide, waarna ze de gang weer op sloop. Ze keek om zich heen of niemand haar had gezien en sloot de deur achter zich.

Het liep fantastisch. Daniel Craig was de perfecte gast; amusant, ad rem en hij zag er geweldig uit. Bradley hield zich voor één keer aan het script, deels omdat hij zelf zo onder de indruk was, en de show beleefde een vliegende start.

Na Daniel Craig was het Christopher Walkens beurt, gevolgd door Dame Judi en John Cleese. Als laatste zou Bradley met Angelica praten. Terwijl de show vorderde, de opnamen stopten en weer startten voor de camera's, de geluidsmensen en een paar keer voor Bradley, werd Jessica hoe langer hoe zenuwachtiger. Als ze eraan dacht hoe haar moeders goede daad zou worden beloond met een kruisverhoor van Bradley voelde ze zich vreselijk schuldig. Want als ze ooit een teken had gewild dat haar publiciteitsschuwe moeder echt van haar hield, was instemmen in de show te verschijnen het ultieme gebaar.

Over de walkietalkie hoorde Jessica door het gekraak heen dat Kerry werd opgedragen Angelica uit de make-up te gaan halen. Op dat moment stortten haar zenuwen helemaal in en besloot ze dat ze niet vanaf de zijkant waar ze nu stond toe kon kijken. Ze wilde ook niet met andere mensen erbij naar een monitor loeren. Toen kreeg ze een ingeving. Ze glipte de studio uit en liep door de gang naar Bradley's lege kleedkamer. Hier zou niemand haar vinden. Ze schoot naar binnen. Kerry zou zich er waarschijnlijk wel aan ergeren dat ze was verdwenen, maar dat risico was ze bereid te nemen.

Behoedzaam ging Jessica in Bradley's leunstoel zitten, legde eerst iets wat verdacht veel op een corrigerende slip leek weg op de tafel en vestigde daarna haar aandacht op wat er op de monitor gebeurde.

'En dan nu, dames en heren, hebben we iets exclusiefs voor u,' kondigde Bradley aan, vergezeld van veel 'ooohs' van het publiek. 'Want mijn volgende gast,' las hij van de haastig geschreven autocue, 'is er eentje waarvoor we enorm dankbaar en blij zijn dat ze in onze show wilde komen. De bondgirl waar ik persoonlijk uiterst fijne herinneringen aan heb... net als mijn rechterhand–'

'Cut!' riep Julian in alle oortelefoontjes. 'Godskolere, Bradley. Hou je een beetje in, wil je. Kun je je alsjeblieft aan de autocue houden? Oké. Iedereen klaar, geluid en... draaien maar.'

Jessica fronste. Bradley kon soms zo'n eikel zijn.

Op het scherm schraapte de presentator zijn keel, nog steeds vastberaden om wat hij een nogal afgezaagd intro vond te verfraaien. Hij trok zijn stropdas recht en begon opnieuw. 'Ze is de bondgirl die voor altijd verbonden zal zijn met de woorden "zwarte bikini". Dames en Heren, licht opgewonden stel ik aan u voor: mevrouw Angelica Dupree.'

Het publiek werd wild. Er ging een enorm gejuich op terwijl ze klapten en enthousiast gilden en eindelijk kwam een duidelijk zeer nerveuze maar oogverblindend mooie Angelica de set op. Jessica's hart ging tekeer. De warme reactie van het publiek raakte haar en ze werd overspoeld door een gevoel van trots.

Angelica was voor de gelegenheid van top tot teen in Armani gehuld. Ze droeg een zijden jurk met een paar bijpassende oesterwitte satijnen pumps en het stond haar meer dan adembenemend en ongelooflijk elegant.

'Welkom in de show,' zei Bradley, die zijn best deed niet te kwijlen.

'Fijn hier te zijn,' zei Angelica. Ze oogde doodsbang.

Pas toen drong de gruwelijkheid van wat ze had gedaan tot Jessica door. Hoe groot zou deze beproeving voor haar moeder worden? Wat had ze gedaan?

'Mag ik als eerste opmerken, mevrouw Dupree, dat u – net als goede wijn – prachtig oud bent geworden? Vinden jullie ook niet?'

Het publiek reageerde prompt met nog meer 'ooohs' en 'aaahs' en een daverend applaus. Angelica glimlachte beleefd hun kant uit.

'En klopt het dat dit je eerste verschijning in een talkshow is, zowel hier als in de VS, in meer dan twintig jaar?'

'Dat klopt inderdaad.'

'Dus wat heeft je doen besluiten nu hier te komen, na al die tijd?'

Angelica zweeg even terwijl ze nadacht over wat ze zou antwoorden. Gelukkig voor Jessica koos ze niet voor de waarheid. 'Nou Bradley, ik doe meestal niet zoveel aan promotie, maar onlangs heb ik een film gemaakt waar ik zeer trots op ben. Eentje die me hopelijk de kans heeft gegeven te laten zien dat ik echt kan acteren.'

'Fantastisch,' zei Bradley, 'en over je nieuwe film zullen we het dadelijk hebben maar eerst – en ik bied alvast mijn verontschuldigingen aan want je bent het waarschijnlijk beu om erover te praten – maar waar is de beruchte zwarte bikini tegenwoordig? Zeg me dat je hem nog af en toe aantrekt.'

Jessica voelde net plaatsvervangende schaamte om die vraag toen de deur van Bradley's kleedkamer piepend openging. Ze schrok zich te pletter. Het was Paul.

'Ik zocht je. Waarom zit je hier?' vroeg hij nieuwsgierig. 'Moet je Kerry niet helpen?'

'Ik- eh... keek of Bradley nog iets nodig had en toen raakte ik afgeleid door- eh...' Haar stem stierf weg, maar Paul gebaarde alleen maar dat ze op moest schuiven. Er was alleen niet genoeg ruimte voor hun beider achterwerken in de stoel, dus ging ze maar op zijn schoot zitten.

'Hoe gaat het tot nu toe?' informeerde hij.

'Wel goed,' mompelde Jessica vaag. Ze wilde geen woord missen maar voelde zich nu verplicht ervoor te zorgen dat háár benen, en niet die van Paul, haar volle gewicht droegen. Haar dijen begonnen al te trillen. Ze had er altijd een hekel aan om bij een man op schoot te zitten.

Op het scherm vertelde Angelica: 'Ik weet het niet helemaal zeker, maar ik geloof dat de bikini ergens in een Hard Rock Cafe hangt, al weet ik niet meer welk. Dus nee, ik draag hem nooit meer en hij zal ook vast niet meer passen. Ik was een jonge meid in *The World in Your Hand* en niet lang erna heb ik een baby gekregen. Bovendien loop ik nu richting vijftig.'

'Wauw,' zei Bradley, 'een actrice die het niet erg vindt om over haar leeftijd te praten! Dat is voor het eerst, maar ik denk dat we het er allemaal over eens zijn dat je figuur nog prima in orde is, Angelica. Je ziet er geweldig uit, vindt u niet, dames en heren?'

Angelica was zichtbaar geïrriteerd om de zoveelste verwijzing naar haar schoonheid, maar glimlachte beleefd. Ze vond het onmetelijk saai om het over haar uiterlijk te hebben.

'Wat is je geheim?' vroeg Bradley flirterig. 'Sport je veel? Ben je constant aan de lijn? Want ik las laatst een fascinerend artikel dat beweerde dat je in tegenstelling tot de meeste actrices van je leeftijd nooit naar botox hebt gegrepen. Is dat juist?'

'Jeetje,' antwoordde Angelica een beetje korzelig, 'dat zou ik nou niet bepaald fascinerend willen noemen. Wie kan dat wat schelen? Ik heb je niet aan Daniel Craig horen vragen hoe hij zo goed in vorm blijft, of opmerkingen horen maken tegen Christopher of John over hun uiterlijk.'

'Ja, maar met hén wilde in de jaren tachtig niet elke man van bil, toch?' wierp Bradley zelfvoldaan tegen, wat hem een kwade schreeuw in zijn oren opleverde van zowel Julian als Mike in de galerij, gevolgd door het bevel 'CUT!' aan de camera's.

'Oh god,' zei Jessica zwakjes omdat ze het niet meer aan kon zien. 'Als hij dat soort dingen blijft zeggen gaat ze flippen.'

Paul keek verbaasd en Jessica probeerde er meteen uit te zien als iemand die het niet zeker wist. Ondertussen was Julian in de galerij druk bezig Bradley de les te lezen en de studio in te lichten wat er nu zou gaan gebeuren. Terwijl dit aan de gang was, zag Jessica Kerry op de set verschijnen om een nu behoorlijk geagiteerde Angelica te kalmeren en gerust te stellen. Robbie wipte langs om beiden te poederen en de camera's gingen weer aan. Vanwege de montage werd Bradley gezegd kort terug te komen op zijn banale vraag over haar gezicht, met dien verstande dat hij daarna belangrijkere vragen zou gaan stellen. De vragen op zijn kaartjes. Na het woord 'actie' stelde hij de vraag nogmaals.

'Dat is inderdaad juist,' antwoordde Angelica verveeld. 'Ik heb me niet laten behandelen met botox en ben dat ook niet van plan. Hoe kan ik nog acteren als ik verstoken ben van een gezichtsuitdrukking?' vroeg ze wild gebarend. Bradley had het misschien nog niet door, maar hij begaf zich op zeer glad ijs.

'Goed punt,' zei hij opgewekt. 'Nou, je vertelde al dat je een baby had gekregen, dus je vindt het vast niet erg als ik hierover begin, maar er was nogal een schandaal toen jouw huwelijk met Edward Granger op de klippen liep, nietwaar? En als ik het me goed herinner, was hij het die, vrij ongebruikelijk, de voogdij over het kind hield?'

Angelica's handen grepen de zijkanten van haar stoel vast, de knokkels spierwit. In de galerij gingen ze door het lint.

'Waar is hij in godsnaam mee bezig?' riep Julian uit. 'Kan iemand Natasha halen en vragen of zij wist dat hij deze vraag ging stellen? Maar blijf draaien,' voegde hij eraan toe voor het geval iemand daaraan twijfelde.

'En waarom was dat?' informeerde Bradley, zich niet bewust van de commotie boven. Voor zover hij wist deed hij op dit moment precies wat hem gevraagd was.

Angelica verstijfde en een vreselijke seconde lang leek het erop dat ze in tranen zou uitbarsten. Maar net zo snel herstelde ze zich en terwijl ze zo veel mogelijk waardigheid verzamelde, maakte ze zich op om te antwoorden. De studio viel stil. Het publiek durfde niet eens op een snoepje te kauwen uit angst daarmee geluid te produceren. Achter de schermen was iedereen net zo gegrepen en Jessica kon alleen nog maar door haar vingers naar de monitor kijken, zo gespannen was ze. Een deel van haar wilde de set op zwiepen als Tarzan en Angelica oppikken en haar daar weghalen, het andere wilde haar bij de schouders pakken en flink door elkaar schudden terwijl ze hard in haar oor schreeuwde: 'Geef antwoord, vraag ik je!'

Paul, die net zo geboeid was door dit zeldzame inkijkje in het leven van zo'n mysterieuze ster, had echter een dringender probleem: hoe hij Jessica van zijn schoot af kon krijgen zonder haar te beledigen. Ze was al een tijdje geleden opgehouden met bang zijn dat ze hem zou pletten, dus hij droeg nu al best een poos haar volle gewicht. Daardoor waren zijn benen gaan slapen en voelde hij een vreselijk geprik in zijn rechtervoet. Hij kneep haar zachtjes, maar ze was zo in beslag genomen door de show dat het leek alsof ze het liefste ín het beeldscherm wilde kruipen. Uiteindelijk kieperde hij haar maar een beetje opzij en gleed zelf onder haar vandaan van de stoel af.

'Ssst,' zei Jessica, wat hij een beetje ongevoelig vond aangezien hij tijdelijk geen gevoel in zijn benen had.

'Als je het niet erg vindt,' zei Angelica, zo verbluft dat het niet eens in haar opkwam de diva uit te hangen en boos de opnamen te laten stoppen, 'praat ik daar liever niet over. Het was lang geleden en het is iets heel persoonlijks.'

In de galerij keek Julian naar Mike om te zien of hij moest stoppen met draaien, maar Mike schudde zijn hoofd. Bradley's behandeling van de gast was misschien niet ideaal en hij zou eens een goed gesprek met Natasha moeten hebben, maar dit was gouden televisie.

'Wat ik wel wil zeggen is dat ik ook maar een mens ben,' ging Angelica dapper verder. 'Ik heb fouten gemaakt in mijn leven, maar dit is iets tussen Edward, mijn dochter en mij.'

'Flauw hoor,' merkte Paul op terwijl hij hard met zijn been schudde om het laatste beetje gevoel terug te krijgen. Jessica staarde hem wezenloos aan zonder echt te registreren wat hij zei.

'Oh,' zei Bradley. 'Nou, het spijt me als ik je van streek heb gemaakt, ik nam alleen aan dat, omdat de scheiding zo lang geleden was, je er best over wilde praten. Maar ik zie dat ik een gevoelige snaar heb geraakt, dus laten we verder gaan en–'

Angelica schoot in de verdediging. 'Je hebt me niet van streek gemaakt,' zei ze. 'Helemaal niet. Mijn huwelijk is verleden tijd. Ik praat er gewoon liever niet over.'

'Dat begrijp ik,' zei Bradley.

Boven drukte Julian op een knop om iets in zijn oortje te zeggen. 'Volgende onderwerp, we hebben de clip van haar film klaarstaan. Vraag alsjeblieft naar haar film voordat ze gaat flippen.'

'Nog één laatste vraagje over dat onderwerp,' zei Bradley, die op zijn kaartjes had gekeken, 'en dan gaan we verder. Zijn Edward en jij tegenwoordig nog bevriend? Ik vraag het alleen omdat degenen van ons die oud genoeg zijn zich jullie als stel te herinneren, jullie als een echt droompaar zagen, het was het huwelijk van het decennium. Toen de relatie strandde, kwam dat nieuws als een grote schok voor jullie miljoenen fans, daarom zou het ook zo fijn zijn voor ons om te weten dat jullie elkaar nog in hoog aanzien hebben of veel om elkaar geven.'

Jessica voelde zich ongemakkelijk toen ze naar haar moeder in de schijnwerpers keek, gevangen als een insect onder een vergrootglas. Dit was vreselijk, vooral omdat het háár schuld was. Evengoed wilde ze dolgraag het antwoord horen.

'Bradley,' zei Angelica kalm. Te kalm. 'Ik heb zoveel dingen om over te vertellen. Ik heb in mijn tijd aan een aantal geweldige films meegewerkt, heb *incroyable* plaatsen bezocht en zeer getalenteerde en interessante mensen ontmoet. *Enfin*, ik kan hier over zoveel dingen met je spreken dus waarom zou ik over privézaken uit mijn verleden willen praten die ik zelf amper begrijp?'

'Oké,' zei Bradley. 'Dus het ligt ingewikkeld?'

'Ja, het ligt ingewikkeld,' riep Angelica uit. Haar zelfbeheersing verdween in volle vaart. 'Natuurlijk ligt het ingewikkeld. Edward is de liefde van mijn leven, maar dat was toen en dit is nu. Er is nu een andere man in mijn leven dus dit is niet echt gepast.'

'Is de liefde van je leven?'

'*Pardon?*'

'Is... je zei "is"...'

'Niet waar.'

'Jawel,' hield Bradley vol. 'Niet dat ik je wil tegenspreken, natuurlijk, maar je zei: "Edward is de liefde van mijn leven".'

'Als ik dat heb gezegd was dat een verspreking,' zei Angelica geërgerd. 'Goed, als je het zo graag wilt weten, zal ik het je vertellen. Edward en ik hebben geen contact gehouden nadat we uit elkaar gingen. Ik heb het geprobeerd maar... maar goed, ik zal altijd van de vader van mijn kind blijven houden omdat hij de vader van mijn kind is. Hij was een groot deel van mijn leven, dat kun je niet zomaar uitwissen. En toch, als iemand het niet wil weten, moet je verder met je leven.'

'Maar ik dacht dat jij bij hem was weggegaan?' vroeg Bradley, een primeur bespeurend.

'Ja, ik 'eb 'em verlaten,' zei Angelica. Haar Franse accent werd met de seconde geprononceerder.

'Ze klinkt als René van '*allo 'allo*,' merkte Paul op, wat hem een woeste blik van Jessica opleverde die bovendien nooit van de hitserie uit de jaren tachtig had gehoord.

'Sorry dat ik wat zei,' voegde Paul eraan toe. Hij begon zich een beetje te ergeren aan hoe zijn vriendin in beslag werd genomen door de show.

'Maar het was niet zo zwart-wit als het in die tijd leek,' zei Angelica nu. Ze begon er erg ontzet uit te zien. 'Ik heb hem geschreven,' zei ze zacht. 'Ik heb lange tijd elke week geschreven. Ik probeerde het op te lossen, maar ik denk dat hij gekwetst was en dus...' Angelica's grote zeegroene ogen werden nu gevaarlijk waterig. Toen leek het ineens in haar op te komen dat miljoenen mensen (inclusief Graydon) naar dit interview zouden kijken. 'Maar goed,' zei ze opgewekter en je kon zien dat ze zich herpakte, 'dat doet er nu niet toe en ik heb zelfs fantastisch nieuws.'

'O ja?' vroeg Bradley, die het zelf niet beter had kunnen schrijven.

'Ja, en ik had het eerst aan mijn dochter willen vertellen, maar omdat ik toch weet dat ze kijkt, wil ik nu graag bekendmaken dat ik verloofd ben en ga trouwen.'

'Wat fantastisch,' dweepte Bradley. Hij wist nu zeker dat dit het interview van het jaar was en zag de BAFTA al op zijn toilet op de begane grond staan. 'En wie is de gelukkige?'

'Graydon Matthews.'

Bij Jessica zonk de moed in haar schoenen.

'En wanneer is de grote dag?'

'Dat kan ik natuurlijk niet zeggen,' antwoordde Angelica, 'maar laten we het erop houden dat dat binnenkort is. Wanneer je je in mijn levensfase bevindt, heeft het geen zin meer om te wachten als je weet wat je wilt.'

Jessica hoorde erdoorheen dat dit Graydons woorden waren, die het dolgraag geregeld wilde hebben voordat Angelica de kans kreeg haar dwalingen in te zien.

'Oké,' zei Bradley. Hij voelde dat hij genoeg gepusht had. 'Laten we nu naar een clip kijken van je film, waarvan critici zeggen dat het een goeie kanshebber voor de Oscars is...'

'Zo,' zei Paul terwijl Bradley de clip inleidde. 'Wat een topgast. Delen van dit interview zullen de komende vijftig jaar nog uitgezonden worden. Ze was geweldig. Ongelooflijk gesloten en prikkelbaar aan de ene kant en tegelijkertijd... Jezus, wat is het juiste woord...? Opener dan beroemdheden normaalgesproken zijn.'

Jessica knikte zwijgend. Ze was van verbazing stilgevallen en totaal in de war van wat haar moeder zojuist had gezegd. Over welke brieven had ze het in godsnaam en hoe kon haar moeder er ook maar aan dénken met die harige aap te trouwen? En waarom had haar vader nooit iets over die brieven gezegd?

Ze sprong op, ten eerste omdat ze graag haar moeder wilde zoeken en vragen wat dit allemaal te betekenen had en ten tweede om bij Ross een kopie van de show te halen. Terwijl ze weg sprintte (tot Pauls verbazing), kwam het woord waar haar vriend waarschijnlijk naar op zoek was geweest ineens in haar op. Haar moeder was niet open geweest, maar eerlijk. Iets waarvan ze begon te denken dat ze dat zelf van het begin af aan had moeten zijn.

# 34

De volgende dag was Edward Granger met onder andere partyplanner Pierre in bespreking over zijn aanstaande feest.

'Dus,' zei Pierre, die zo verwijfd was als maar kon, 'ik zat te denken aan aronskelken in drie verschillende roodtinten, dooreengevlochten in enorme glazen koepels boven op gouden zuilen. Wat denk je?'

Edward dacht niets. Hij had er letterlijk geen mening over. Het enige wat hij dacht toen Pierre het woord 'zuilen' gebruikte, was dat het uit zijn mond vagelijk seksueel klonk. Maar misschien was dat een vreselijk homofobische reactie, een ouderwets complex uit zijn jeugd? Met zo veel mogelijk enthousiasme als hij bijeen kon rapen (niet veel dus), antwoordde hij vervolgens: 'Ik weet het niet, maar jij hebt er verstand van dus die an- die... kelken lijken me prima, klinkt goed.' Alleen maar om de lieve vrede te bewaren had hij Pierre niet gezegd waar hij voor zijn part die bloemen kon steken.

'Aronskelken, schat, aronskelken,' zei Pierre op een ongelooflijk belerende toon.

Edward zuchtte. Hij kon zich niet concentreren. Hij wilde alleen maar de dvd nogmaals bekijken die Jessica hem gestuurd had zodat hij Angelica's gezicht op aanwijzingen kon onderzoeken. Hij had hem pas drie uur geleden ontvangen maar had hem al tachtig keer gezien. Toen Jessica had gebeld en erop had gestaan dat hij dringend het interview met Angelica keek, had ze een hoop vreemde dingen gezegd en nu wist hij niet meer hoe hij het had. Zijn hoofd voelde aan alsof het spontaan zou ontbranden. Ze ging trouwen. Hij kon het niet uitstaan. Niet alleen dat, maar het leek erop dat Angelica ook echt met Jessica gesproken had over waarom ze was weggegaan. Zoals hij had gevraagd. En volgens Jessica was ze met degelijke redenen gekomen en nu had ze het over brieven. Hij kon er niets van maken. Zijn ogen voelden verdacht vochtig aan. Tranen bereidden zich voor op een invasie, wat niet verrassend was aangezien hij bijna een derde van zijn leven gerouwd had om het feit dat hij niet meer met Angelica samen was. Als hij er nu achter zou komen dat alles anders had kunnen zijn, wist hij niet of hij dat wel aankon.

Plotseling bemerkte Edward dat Betsey boos naar hem keek, wat hem terugbracht naar het hier en nu. 'Eh, waar waren we?' zei hij vlug. 'Oja, de bloemen.'

Het lag nogal gevoelig tussen hem en Betsey nu. Ze hadden eindelijk geaccepteerd dat hun huwelijk zijn beste tijd had gehad en hadden besloten er een eind aan te maken, waarna ze allebei waren overvallen door de triestheid die hen vervolgens had overspoeld. Toen Betsey erop had gestaan uit het huwelijk te stappen met slechts een minimaal bedrag aan alimentatie, voelde Edward zelfs een steek van tastbare spijt, ondanks dat hij diep vanbinnen wist dat het de juiste beslissing was. Om zichzelf de ruimte te geven waren ze overeengekomen de aankondiging uit te stellen tot na zijn feest.

Terwijl Pierre verder kakelde over kroonluchters en verlichting vroeg Edward zich af of er nog iemand op de wereld was, op zijn ex-vrouw en zijn zus na, die zich herinnerde of er iets om gaf dat, voordat hij een rijke, beroemde Hollywood-ster werd, hij gewoon Teddy Bender uit Pinner was geweest. Dat hij was opgegroeid in een bescheiden huisje en dat als jongeman zijn idee van stijlvol een scheut Brut-aftershave was, eten bij Bernie's Steakhouse en naar een feest gaan waar niemand met elkaar op de vuist ging. Angelica was de enige persoon die al die verschillende lagen en facetten van hem zowel blootgelegd als geaccepteerd had. Ze had gesnapt dat hij zich door zijn minder verfijnde wortels soms een vreemde voelde in zijn eigen huis, maar had er geen kwaad in gezien hoe makkelijk hij zich aan zijn luxe levensstijl aanpaste. Ze had niet veroordeeld dat hij een gedeelte van zijn vroegere identiteit had gewist, zoals zijn naam en zijn accent, en lachte met hem om de onbenullige en belachelijke aspecten van beroemd zijn. Jezus, wat miste hij dat. Het had hem zo bedroefd Jessica te horen smeken of hij naar Engeland kon komen en proberen Angelica over te halen niet te trouwen. Alsof ze naar hem zou luisteren! En zelfs al zou ze naar hem luisteren, volgens zijn paniekerige dochter was de trouwerij morgen al. Angelica had voor een kleine, besloten ceremonie gekozen en scheen het niet nodig te vinden te wachten, wat vast betekende dat ze dolgraag met die neef van Teenwolf wilde trouwen. En ze had hem toch ook niet teruggebeld nadat ze met Jessica had gepraat, zoals ze hadden afgesproken. Dat hadden ze toch afgesproken... ja toch?

'Edward, Pierre wil graag je mening horen over de verlichting,' onderbrak Clare zijn mijmerij.

'Ik zal het laten zien,' zei Pierre geaffecteerd en hij zwaaide opgewonden met zijn handen door de lucht. 'We gaan te rade bij mijn *moodboard.*'

'Moodboard?' fluisterde Edward narrig tegen Clare, terwijl Pierre instructies begon te brullen tegen zijn slaafjes. 'Wat zal dat zeggen? Overdadig? Irritant? Belachelijk?'

'Hier,' zei Pierre, toen zijn op de proef gestelde assistent een ezel neerzette. Hij trok een enorm A3-vel naar achteren. 'Wat vind je?' vroeg hij en hij wees met een zwaar gedecoreerde vinger naar een plaatje van een kamer die in rood- en goudkleurig licht baadde.

Omdat hij aanvoelde dat Edward weer met zijn mond vol tanden stond, wendde Pierre zich tot Betsey, die hem een gewilligere samenzweerder leek.

'Prachtig,' zei ze. 'Toch, Edward?'

'Wat? Ja, het zal wel,' antwoordde hij afgeleid. 'Maar om heel eerlijk te zijn, gaat het me er meer om dat de juiste personen aanwezig zijn om het met me te vieren.'

'Zoals wie?' vroeg Betsey, haar ogen tot spleetjes geknepen.

'Nou, mijn dochter,' antwoordde Edward alleen maar. 'Ik bedoel, als de mensen om wie je geeft er niet bij zijn, maakt het dan nog uit wat voor bloemen je hebt? Wat voor muziek, welke cateraar, of de uitnodigingen? Natuurlijk niet, want dat doet er allemaal niet toe,' zei hij, gevaarlijk dicht op het randje van zelfmedelijdende tranen. Snel stopte hij een vuist in zijn mond om dit mogelijk carrièrebedreigende debacle te voorkomen.

Pierre's hulpjes stonden als aan de grond genageld, hun gezichten vol verbijstering. Moest James Bond nou janken om een feestje?

Edward vermande zichzelf en herpakte zich. Op een wijze die je wél van een hoofdrolspeler zou verwachten, sprak hij vervolgens met zware, kalme stem: 'Betsey, neem jij het beslissingen nemen over? Jill, kan ik je even spreken?'

'Echt?' straalde Betsey, die een unieke kans zag zich eindelijk te laten gelden in dit huis voordat ze eruit vertrok. 'Oh Pierre, dit wordt leuk.' Betsey mocht dan misschien waardig hebben gereageerd op de scheiding, ze zag niet in waarom ze niet zou genieten van deze mogelijkheid om Edwards creditcard eens flink te laten werken. Pierre, snel concluderend dat deze bespreking voordelig voor hem uit zou gaan pakken, klapte in zijn handen.

Edward leidde Jill de werkkamer uit naar de keuken.

'Ik ga naar Londen,' kondigde hij aan.

'Wat? Niet weer dit, hè?' zuchtte Jill. 'Ik heb toch al gezegd dat Jessica over een paar dagen thuiskomt en het dus geen enkele zin heeft?'

'Ik ga niet voor haar. Ik moet Angelica zien, en wel nu,' zei hij.

Jills mond viel wagenwijd open. 'Ben je gek geworden, Edward? Waarom?'

'Omdat we nog niet met elkaar klaar zijn. Nooit geweest en het zal ook nooit zo zijn. En er zijn dingen die ik moet weten anders ga ik krankzinnig mijn graf in. Ze zegt dat ze me brieven heeft gestuurd, Jill. Elke week. Waarom zou ze zoiets zeggen?'

'Omdat ze ziek is,' antwoordde Jill meteen. 'Vergeet niet met wie je te maken hebt, Edward. Dit is wel de vrouw die je heeft laten zitten. De vrouw die je bijna je carrière heeft gekost.'

'Maar stel dat er een reden voor was? Stel dat ze kan uitleggen waarom ze is weggegaan en ik die brieven niet heb gekregen?'

'Waarom zou dat zo zijn? Ze is een leugenaarster, Edward, en als iemand die al dertig jaar je agent is, verzoek ik je dringend dit alsjeblieft niet te doen. Wat héb jij? Dit is waanzin.'

Maar Edward was vastbesloten. 'Het is te laat, ik ga. Waar is Clare? Ze moet een vlucht regelen.'

# 35

Jessica kon niet geloven dat haar onbesuisde plan echt werkte, al was het op een nogal hectische, lukrake en roekeloze manier.

Ze stond bij Terminal 1 van Heathrow haar vader op te wachten. *Special services* zorgde voor hem, wat betekende dat hij in een privéruimte door de paspoortcontrole ging, maar daarna zou hij door dezelfde deuren als ieder ander komen. Het wachten was ondraaglijk. Het was nu of nooit voor Edward en Angelica, en Jessica zou willen dat ze haar eigen gevoelens van de situatie kon scheiden, dat ze zeker kon weten dat haar motieven niet bezoedeld waren door een diepgeworteld verlangen haar ouders gewoon weer bij elkaar te zien. Maar toen Angelica haar had proberen wijs te maken dat ze niets meer om Edward gaf, stond het echte antwoord op haar gezicht geschreven, en haar vader was zelfs nog makkelijker te lezen. Haar hele leven lang had Jessica gevoeld wat het met hem deed om haar moeders naam te horen en had ze altijd vermoed dat hij nog gevoelens voor haar koesterde. Ondanks dat ze elkaar nooit meer hadden gezien, had Edward niet één vriendin gehad die niet op een bepaald moment jaloers was geworden op Angelica. Dus het was toch duidelijk? Wat Jessica betrof was Graydon slechts een probleem dat moest worden afgehandeld. Haar moeder kon nooit serieus haar leven willen delen met zo'n weerzinwekkend persoon. En als ze gelijk had en haar ouders echt van elkaar hielden, zouden ze dan niet voor zichzelf samen moeten zijn, en niet alleen voor haar? Op dat moment verscheen Edward en de vastberaden blik op zijn gezicht zei haar meteen dat ze zich de dingen niet had ingebeeld. Hier stond een man die nog niet over zijn vrouw heen was. Een man met een missie.

'Jessica!' schreeuwde hij.

Toen haar dolenthousiaste vader met een moe uitziende Clare achter zich aan op haar af kwam stuiteren als een blije labrador, werden Jessica's mogelijke twijfels even aan de kant gezet, over haar schouder gesmeten. Hem na al die tijd weer zien had hetzelfde effect als een driedubbele espresso.

'Papa!' riep Jessica, terwijl ze nergens meer aan dacht en zich in zijn uitgestrekte armen stortte. Daarna volgde chaos. Eerst één fotograaf en toen nog één en nog één, allemaal toevallig daar omdat Victoria Beckham aan zou komen, bemerkten tegelijkertijd dit cadeautje van een fotokans en op dat moment brak de hel los. Jessica ging door de grond. Ze wilde absoluut niet met haar gezicht in alle roddelbladen staan zodat haar kantoor (en Paul) het zou zien. Ze dacht snel na en trok haar jas over haar hoofd, greep Edwards hand vast en hoopte er het beste van.

Uiteindelijk kwam de luchthavenpolitie eraan te pas om de mensenmassa op te breken en Clare loodste Edward en Jessica snel naar een klaarstaande taxi. Toen ze eenmaal veilig binnen waren en de menigte uiteen gedreven was, moest Jessica lachen toen Clare's oogbollen bijna uit haar kassen sprongen, zo afkeurend rolde ze ermee vanwege Edwards gedrag. 'Ik zei toch dat je niet de aandacht moest trekken.'

'Hi hi,' lachte Edward vrolijk. 'Ach meid, een beetje chaos zo nu en dan heeft nog nooit iemand kwaad gedaan, toch? Kijk toch niet zo afkeurend, Clare,' zei hij smalend toen ze via de achteruitkijkspiegel naar hem fronste. En jij,' zei hij toen hij zijn aandacht weer op Jessica naast hem op de achterbank vestigde, 'geef je vader eens een dikke knuffel.' Hij omhelsde haar met zijn sterke, vertrouwde armen. 'Ik heb je zo gemist.'

'Ik jou ook, pap,' zei Jessica, zich nu pas realiserend hoeveel. 'Shit, ik hoop dat ik niet op die foto's sta.'

'Maak je geen zorgen,' stelde Clare haar gerust. 'Je was ze te snel af, hoewel je nu voor hen waarschijnlijk doorgaat voor zijn geheime vriendinnetje.'

'Iew,' lachte Jessica.

'Bah,' was Edward het met haar eens.

Eenmaal onderweg kwam Edward al snel met een spervuur aan vragen voor zijn dochter.

'Zo krengetje, vertel op. Wat heb jij uitgespookt? Waarom denk je dat je moeder met me wil praten? Heeft ze iets tegen je gezegd over die brieven? En wie is die Paul waar je het steeds over hebt? Zou ik hem goedkeuren en wanneer kom je voorgoed naar huis? Wat?' eindigde hij onschuldig toen Jessica gelaten het hoofd schudde. 'Oh, kijk niet zo naar me,' vermaande hij. 'Heb je enig idee wat je je ouwe vadertje de afgelopen maanden hebt aangedaan? Ik doe verdomme geen oog dicht. Ik vind het vreselijk dat je weg bent en ik vind het vreselijk om niet te weten wat er speelt.'

'Anders ik wel,' zei Jessica. 'Luister, alles wat ik weet is dat mama niet met Graydon moet trouwen. Ze houdt niet van hem, dat weet ik zeker. Maar we hebben maar weinig tijd. Wat ontzettend irritant dat je geen eerdere vlucht kon krijgen. De bruiloft is om drie uur en we moeten nog helemaal naar Chelsea. Mam heeft me vanmorgen al vier keer gebeld dus ik heb een verhaal moeten ophangen over waarom ik er niet eerder kon zijn.'

'Oké,' zei Edward meteen. Hij oogde vreselijk nerveus. 'Oh jezus, ik weet het nog steeds niet. Hóé weet je dat ze niet gelukkig is?'

'Pap, die man is een sukkel. Hij kan niet eens schijten zonder eerst al zijn kleren uit te trekken. En je hebt de show gezien, wat zegt je instinct?'

'Wat bedoel je met dat hij niet kan schijten zonder–'

'En mam zei dat hij haar niet aan het lachen maakt.'

'Echt?' vroeg Edward, zijn stem plotseling hoopvol.

Het verkeer reed tergend langzaam, maar met alle plezier van het bijkletsen duurde het even voordat ze merkten hoe weinig voortgang ze boekten. Uiteindelijk konden ze er niet meer omheen.

'Oh god, volgens mij gaan we het niet halen,' zei Jessica, die verschrikt naar de zoveelste wegwerkzaamheden keek. Het was tien over halfdrie en ze waren nog maar aan het begin van King's Road.

Edward werd ongedurig. Hij had niet dat hele eind voor niets gereisd. Hij móést Angelica spreken en haar naar die brieven vragen. Jessica had gelijk; ze kon niet met Graydon trouwen als er ook maar de kleinste kans was dat ze daar verkeerd aan deed. Subtiel trok hij aan zijn broek. De gedachte haar na al die jaren in levenden lijve te zien deed rare dingen met zijn ingewanden, en het bloed bleef maar richting zijn kruis stromen. Het was buitengewoon opmerkelijk; sinds hij Angelica aan de telefoon had gesproken was het alsof delen van hem hadden besloten uit hun winterslaap te komen. Toen het stoplicht weer op rood sprong, hield hij het niet langer uit.

'Ik denk dat ik beter uit kan stappen,' zei hij geagiteerd.

'En dan?' vroeg Jessica verbijsterd.

'Rennen, als het moet,' antwoordde Edward.

De taxichauffeur kon het niet laten zijn hoofd om te draaien. 'Jeetje meneer, ik had nooit gedacht dat ik James Bond nog eens zoiets zou horen zeggen in mijn wagen.'

'Weet je het wel zeker?' bemoeide Clare zich ermee. 'Je kunt worden gezien en omzwermd door fans, en je draagt instappers.'

Edward had een jetlag en zijn vliegtuigeten kwam naar boven, maar hij was ook een acteur met een ego dat nog vagelijk intact was. De chauffeur had gelijk. Hij was tenslotte James Bond en sinds wanneer zat 007 in een taxi en liet hij zich er door het verkeer van weerhouden de liefde van zijn leven terug te winnen? Graydon Matthews – geen gevoel voor humor, toiletprobleempjes – zou met Angelica trouwen alleen maar omdat hij het klaarspeelde te laat te komen. Ja, hij droeg instappers, maar liet James Bond door zijn schoeisel uitmaken of hij kon rennen of niet?

'Oké,' zei Edward terwijl hij zich ervan probeerde te overtuigen dat het trottoir op stuiven het juiste was. Hij moest toegeven dat het moeilijk zou worden te sprinten, met zoveel voetgangers op straat. Hij was uitgeput van zijn reis en had net zoveel zin om te rennen als zijn ogen uit te steken met een roestige spijker, maar wat moet dat moet. Jessica en Clare keken met angst en beven toe toen Edward, zijn besluit genomen, vastbesloten het portier opende en het tegemoetkomende verkeer ontweek om bij het trottoir te komen.

'Pap!' riep Jessica uit het raampje. Ze was niet zeker of hij hier nu wel goed aan deed.

'Betaal jij de chauffeur, Jess, of moet ik het doen?' zei hij terwijl hij al vaart maakte. Het stoplicht was op groen gesprongen waardoor hij nu naast de taxi rende, die nog steeds langzaam voortkroop. Nu verkeerde Edward echt in tweestrijd. Misschien kon hij beter weer instappen? Het zou helemaal mooi worden als de verkeersdrukte afnam en de taxi uiteindelijk sneller was dan hij. Terwijl hij zijn pas nog wat versnelde, liet hij een boertje en wilde dat hij had bedacht om een Rennie te nemen. Door de inspanning ontsnapte er ook een scheet. En nog één en nog één, als een met lucht geladen machinegeweer. 'Misschien moet ik weer instappen?' schreeuwde hij naar Jessica.

'Nee, ga nou maar gewoon,' schreeuwde ze terug omdat ze het verkeer verderop weer tot stilstand zag komen.

Oké, dacht Edward, en hij negeerde de blikken van mensen die hem overduidelijk hadden herkend. Tien voor drie. Nu werd het menens. Op dat moment zoefde er een bus langs over de lege busbaan en stopte bij de bushalte een meter of honderd verderop. Het was een nummer 14 en als Edwards geheugen hem niet in de steek liet, zou die helemaal rechtdoor rijden en uiteindelijk langs het stadhuis komen. 'Wacht op mij!' riep hij en hij trok een sprint. De laatste passagier stapte al in.

'Waaaaaaaacht!' schreeuwde hij, maar tevergeefs. Net toen hij hem bereikte, begon de bus op te trekken.

'Verdomme,' vloekte Edward. Zijn borstkas ging snel op en neer van de inspanning, maar hij gaf het niet op. In plaats daarvan verzamelde hij al zijn kracht en zette de achtervolging in. De bus was nog niet ver gekomen aangezien hij zich weer tussen het andere verkeer moest manoeuvreren. Met een gigantische inspanning naderde Edward op een haarbreedte na de witte paal achter op de ouderwetse Routemaster, maar die ging net weer vooruit. Als hij nou... maar... bij... Door zijn vingers helemaal uit te strekken, kon hij er bijna bij. Met een laatste opperste inspanning maakte Edward eindelijk contact met de paal en greep hem beet, maar net toen hij zijn vuist er stevig omheen klemde, versnelde de bus tot zijn schrik. In plaats van zich omhoog te trekken en op de bus te klimmen, werd hij erdoor voortgetrokken, zijn zijkant schuurde over de weg.

'Aaauuuiiieee!' riep hij uit van de pijn, tot schrik van de passagiers die de rit op een traditionelere manier maakten. Dat wil zeggen: in de bus in plaats van erachter te worden voortgesleept.

Ondertussen zag Jessica, maar een paar meter erachter in de taxi, alles gebeuren en was diep geschokt. Haar arme vader. Wat... gênant. En hun taxi zat vlak achter de bus en haalde hem zelfs bijna in, wat het allemaal ook nog eens onnodig maakte. Clare leek in shock dus het was aan Jessica om uit het raampje te schreeuwen: 'Stop die bus! Mijn vader, mijn vader!'

Niemand kon haar horen, maar gelukkig had een oud vrouwtje het benul eindelijk de chauffeur te wijzen op het feit dat hij een man over de busbaan sleepte. De geschrokken buschauffeur trapte op de rem, waardoor een bont en blauwe Edward pardoes onder de bus schoof. Jessica, Clare, hun taxichauffeur, de passagiers in de bus en honderden voorbijgangers hielden hun adem in, sommigen hadden verschrikt hun handen voor hun ogen gedaan terwijl ze afwachtten of de arme man weer tevoorschijn zou komen.

'Oh god, pap,' fluisterde Jessica. Haar taxichauffeur stopte op de busbaan en Jessica sprong eruit. Terwijl ze naar de bus rende met Clare in haar kielzog bad ze harder dan ooit. Gelukkig werden haar gebeden verhoord. Toen ze op zo'n tien meter van de bus was, zag ze ineens van onder de bus Edwards vertrouwde handen tevoorschijn komen, waarmee hij zich op de een of andere manier onder de bus vandaan wist te hijsen. Licht wankelend stond hij op en er ging een luid gejuich op. Professioneel acteur als hij was, knikte Edward naar de menigte en gebaarde met zijn open geschuurde handen dat er niets aan de hand was. Op dat moment begonnen mensen de persoon naar wie ze hadden staan staren te herkennen en onvermijdelijk schoot er iets wat nog het meest op een elektrische spanning leek door de menigte.

Ondertussen zat de hele rechterkant van Edwards lichaam onder het vuil, zijn overhemd was gescheurd en zijn bovenlijf vreselijk geschaafd. Hij had het gevoel alsof hij door een vleessnijmachine was gehaald, maar erger dan de pijn was het langzame besef dat hij misschien geen tijd meer had om de trouwerij tegen te houden.

'Gaat het, meneer?' vroeg de bezorgde buschauffeur. Hij was uitgestapt en om de bus heen gelopen om te kijken wat er aan de hand was, doodsbang dat hem een rechtszaak boven het hoofd zou hangen.

'Ja hoor,' loog Edward en hij stofte zichzelf af, maar vertrok van de pijn terwijl hij dat deed.

'Godskolere, het is Pierce Brosnan! Waarom wilde je eigenlijk met de bus mee? Leuk je te ontmoeten, kerel. Mag ik je handtekening?'

'Ik ben bang dat ik geen pen bij me heb en bovendien ben ik niet... ik bedoel, insgelijks,' corrigeerde Edward zichzelf. Pierce mocht deze voor hem incasseren. 'Maar als je het niet erg vindt, moet ik iets gaan regelen.'

'Oké, nou succes en weet dat we allemaal achter je staan.'

In de bus werd nu ook gejuicht. Mensen verdrongen zich voor de ruiten en filmden het gebeuren met hun telefoon. Toen Clare eindelijk ook bij hen aankwam, hoorde Jessica haar kreunen en ze wist waarom: in een mum van tijd zou het overal op YouTube te vinden zijn. Ondertussen had Edward dringender zaken aan zijn hoofd, dus raapte hij het beetje waardigheid dat hij bezat bijeen en hinkte over het trottoir en de trap van de stadhuis op. (Het enige pluspunt van dit hele debacle was dat zijn 'ritje' precies voor de deur van zijn bestemming was geëindigd.) Kon hij Angelica wel voor het eerst in twintig jaar in deze staat onder ogen komen? Maar er was geen tijd om daar nu over na te denken.

Jessica knoopte haar jas weer over haar hoofd dicht, liet Clare de chaos afhandelen en trok een sprintje.

'Je had dus misschien toch beter in de auto kunnen blijven. Gaat het?' hijgde ze met bezorgd gezicht (niet dat iemand dat kon zien).

'Wil je het echt weten?' vroeg Edward. 'Nee. Ik heb in mijn hele leven nog nooit zoveel pijn gehad en volgens mij heb ik gebroken ribben. Wat nog erger is, is dat ik denk dat al onze moeite voor niks is geweest. Kijk eens naar de tijd.'

Glurend over de kraag van haar jas volgde Jessica zijn blik naar zijn Rolex, waar een grote kras op zat.

Het was tien over drie. Er begon zich hier nu een grote, nieuwsgierige menigte te verzamelen, dus een ongelooflijk teleurgestelde Jessica duwde de deur van het gebouw open en stapte gauw naar binnen.

'En nu?' slikte Jessica terwijl ze haar jas weer naar beneden trok. Ze probeerde niet te huilen terwijl ze daar in de vestibule stonden, met achter de dichte deur de chaos die ze hadden achtergelaten.

'Nou, je moet maar naar binnen gaan en het gelukkige paar feliciteren en ik wacht hier totdat de boel buiten tot rust is gekomen, zoek Clare en dan gaan we naar de dichtstbijzijnde apotheek om een desinfectiemiddel te kopen,' antwoordde Edward dapper hoewel zijn diep ongelukkige gezicht het ware verhaal vertelde. Maar precies op dat moment kwam er een bruidegom uit een deur aan hun rechterkant. Het was Graydon, uitgedost in volledig trouwkostuum, compleet met harige knokkels. Er was geen teken van de bruid.

'Wat doe jij hier in godsnaam?' vroeg Graydon, die er bijna net zo ontevreden uitzag als Edward, alleen veel en veel netter gekleed.

'Ik... kwam toevallig langs?' probeerde Edward. Ondanks haar teleurstelling kon Jessica het niet laten te giechelen om dat belachelijke antwoord.

Edward fronste.

'Sorry, pap.'

'Waar is Angelica?' vroeg Edward. 'Ik wilde jullie... feliciteren.'

'Ja ja, ik geloof er geen hol van,' zei Graydon witheet. 'Ik laat me hier niet belachelijk maken.'

'Nee serieus, waar is mama?' onderbrak Jessica hem omdat ze zich ineens echt zorgen maakte om haar moeders welzijn. Graydons normaal gesproken gladde houding leek door zijn harige vingers te zijn geglipt en hij oogde lichtelijk uit evenwicht.

'Claridge's,' gromde hij en hij keek hen beiden hatelijk aan.

'Hoe bedoel je?'

'Ze heeft me laten zitten, en doe maar niet alsof je niet weet waarom,' spuugde hij kregelig uit.

'Ik doe niet alsof,' zei Edward. 'Dus vertel op, ik zou graag jouw mening horen...'

'Nou, dat Jessica het niet nodig achtte op te komen dagen hielp al niet echt, maar ik vermoed dat jouw dochter ook ideeën in haar hoofd heeft geplant en haar in de war heeft gebracht,' voegde hij eraan toe. Hij deed het klinken alsof Angelica lichtelijk seniel was.

Jessica onderbrak hem. 'Graydon, jij weet net zo goed als ik dat je mama deze trouwerij min of meer hebt opgedrongen, dus ik kan niet zeggen dat het me spijt dat het niet is doorgegaan.'

'Het kan me niet schelen wat jij vindt,' antwoordde hij ijzig.

'Ach, kop op,' zei Jessica. Ze had er genoeg van en realiseerde zich nu pas dat nu de bruiloft niet doorging, ze ook niet meer beleefd hoefde te doen. 'Het is toch niet zo dat de persoon van wie je het meeste houdt je heeft afgewezen. Jij bent toch hier? Trouw lekker met jezelf.'

'Jessica!' berispte Edward haar. Wat ze zei stond hem wel aan, maar ouderlijke gewoonten zijn moeilijk uit te roeien en hij kon zulke brutaliteit niet tolereren.

Het kon Jessica allemaal niets meer schelen, Graydon ook niet. 'Krijg de schijt,' raasde hij, waarmee zijn ware aard naar boven kwam.

'Ja, daar weet jij alles van hè, van schijt?' wierp Jessica terug. 'Al schijn jij er problemen mee te hebben en het niet te kunnen zonder eerst al je kleren uit te trekken.'

'Hoe durf je, vuile bitch!' schold Graydon, praktisch bevend van woede.

'Zo praat je niet tegen mijn dochter, klootzak,' zei Edward.

'Rot toch op,' was Graydons weerwoord.

'Nee, jij!' zei Edward en hij stompte hem recht op zijn neus.

# 36

Tien minuten later, na een haastige aftocht bij Graydon en zijn bloedende neus vandaan, zaten Jessica, Edward en Clare weer in de taxi en waren vol optimisme op weg naar het Claridge's.

'Mam, met mij,' hijgde Jessica in haar mobiele telefoon. 'Gaat het? Ojee, niet huilen,' suste ze. 'Ik weet het... Ja, ik heb hem gesproken. Oh, maak je geen zorgen, je hebt er absoluut goed aan gedaan...'

Edward zat stijf rechtop, niet in staat met de spanning om te gaan of ze er wel of niet mee in zou stemmen hem te zien. Aan de manier waarop Jessica sprak viel af te leiden dat Angelica intens verdrietig was en hij kon er niet tegen als ze ongelukkig was.

'Ik weet het,' zei Jessica weer, 'maar luister eens, ik kom nu naar je toe. Ja... maar luister even. Papa is bij me en ik denk dat jullie moeten praten...'

Het was even stil. Edwards gezicht vertrok, en niet alleen omdat hij pijn in zijn geschaafde zij had.

'Oké,' zei Jessica en ze hing op.

'En,' vroeg Edward, 'wat zei ze? Zeg het me alsjeblieft.'

'Ze zei dat het goed was,' antwoordde Jessica.

'Echt?'

'Echt.'

Een halfuur later stond Edward Granger in de gang voor de deur van Angelica's penthousesuite. Van dit moment had hij meer dan twee decennia gedroomd en hij kon nauwelijks geloven dat het nu echt zou gaan gebeuren. Hij vond het doodeng. Zijn mond voelde droog aan, zijn hart ging tekeer en, nog het ergste van alles, hij maakte zich verschrikkelijk zorgen over hoe hij eruitzag. De laatste keer dat hij Angelica had gezien was hij in de bloei van zijn leven geweest, een blonde vent met slechts hier en daar een grijze haar, tien kilo lichter en... vitaal. En hij had er ook niet uitgezien alsof hij door een bus over straat was gesleurd. Zijn hand hing klaar om te kloppen maar hij durfde toch weer niet en liet hem weer zakken. 'Ik weet het niet... stel dat...' zei hij tegen Jessica naast hem.

'Kom op zeg,' zei ze ongeduldig precies op het moment dat een kamermeisje door de gang kwam aanlopen. Ze stopte vlak voor Angelica's deur en keek onzeker naar het eigenaardige paar dat duidelijk met een bedoeling rondhing.

'Edward Granger,' zei Jessica, alsof dat alles verklaarde.

'Oh, natuurlijk,' zei het kamermeisje opgewonden. 'Ging u net naar binnen?'

'Dat klopt,' zei Jessica. 'Maar we willen Angelica eigenlijk verrassen. Mogen we je sleutel lenen?'

'Ehm, ik weet het niet hoor,' draaide ze eromheen, 'ach... het zal wel goed zijn.'

Edward wierp haar zijn beste filmsterrenglimlach toe en op dat moment leek de nerveuze vrouw te accepteren dat ondanks het feit dat hij eruitzag alsof hij had gevochten en onder het stof zat, de beroemde gast in de suite blij zou zijn hem te zien. Met roem kon je alles bereiken, dacht Edward toen hij de sleutelpas van haar aanpakte.

'Ga maar,' zei Jessica ongeduldig. 'Ik wacht hier wel.'

Eindelijk, terwijl hij nog eens diep ademhaalde, stak Edward de sleutel in het slot en ging snel naar binnen.

'Hallo,' zei hij.

Angelica, die met haar rug naar hem toe stond, draaide zich om van de manshoge spiegel.

Op dat moment besefte Edward dat ze haar eigen verschijning kritisch had staan bekijken en toen het hem begon te dagen dat ze net zo nerveus was als hij, verdwenen zijn zenuwen op slag.

'Edward, je laat me schrikken. Ik stond net...' Ze bloosde.

Edwards hart ging tekeer toen hij haar voor het eerst in meer dan twintig jaar weer volledig in zich op kon nemen. God, wat was ze mooi. Het was zo fijn haar te zien en ze zag er nog even voortreffelijk uit als altijd.

'Schaam je niet. Ik heb er zelf ook een eeuwigheid over gedaan om te bedenken welk overhemd ik vandaag aan zou trekken, en toen verpestte ik het door me door een bus te laten meesleuren,' zei hij treurig.

Angelica voelde zich over haar hele lichaam ontspannen. Bedeesd keek ze op en glimlachte naar haar ex-man op een manier die hem rillingen van nostalgie bezorgde. Ze had geen idee waar hij het over had, maar hij kon haar nog steeds op haar gemak stellen als de beste. Een geweldige eigenschap die ze altijd in hem had bewonderd.

'Hoe bizar,' zei ze verlegen in haar stem met accent. 'Ik heb je jaren niet gezien en toch voelt het als gisteren.'

'Ik weet wat je bedoelt,' zei Edward. 'Mag ik trouwens binnenkomen?'

'Je bent al... binnen,' zei ze nogal suffig.

Een ongemakkelijke stilte volgde. Zoals het vaak gaat als er zoveel te zeggen is. Maar uiteindelijk verbrak Angelica hem door te zeggen: 'Je bloedt.'

'O ja?' vroeg Edward geschrokken. 'Ja, ik bloed,' gaf hij haar gelijk toen hij de druppels zag die met redelijke vaart op het lichte tapijt vielen. 'Oh, dat is niets, gewoon een schaafwondje,' voegde hij eraan toe, hoewel het enige dat hem uit de eerste hulp hield de adrenaline was.

'Oké,' zei Angelica wat onzeker. 'Nou, misschien moet je in elk geval maar dat gescheurde overhemd uittrekken. Er zit grind op. Meende je dat over die bus?'

'Yep,' antwoordde Edward. Hij kreeg een kleur en was zich ineens enorm bewust van zijn lichaam. Voor geen goud zou hij zijn mannenborsten laten zien.

Angelica pakte de telefoon om de receptie te bellen. 'Hallo, kunt u alstublieft een herenoverhemd voor me boven komen brengen? Boordmaat achtendertig.'

'Ehm, tweeënveertig,' zei een Edward die zich doodschaamde hoeveel dikker zijn kin de afgelopen jaren was geworden.

'Oh, tweeënveertig. *Merci*.' Ze legde de telefoon neer. 'Wil je ondertussen een badjas uit de badkamer lenen?'

'Een badjas,' zei Edward. Dat klonk hem als muziek in de oren. 'Ja, er hangt er natuurlijk eentje in de badkamer. Die pak ik wel even,' zei hij en hij haastte zich naar de badkamer en kwam er een paar minuten later uit, gewikkeld in een donzig stuk badjashemel.

'Ik heb me dit moment heel vaak voorgesteld, maar zag mezelf dan gek genoeg nooit in een damesbadjas,' merkte hij droogjes op.

Angelica onderdrukte een giechel.

'Het is fijn je te zien, Ange,' zei Edward met een plotseling ernstig gezicht.

'Waarom heb je mijn brieven nooit beantwoord?' Ze viel maar meteen met de deur in huis met de vraag waar ze nu al een groot deel van haar leven mee worstelde.

Edward schudde het hoofd. 'Ik heb nooit een brief gehad.'

'Niet één?' vroeg Angelica, die nu trilde van emotie. 'Brieven, Edward. Ik heb je er honderden geschreven, hon-der-den. Daarin legde ik alles uit en smeekte je om vergeving.'

'Zweer op Jessica's leven dat je ze hebt geschreven.'

Angelica wierp hem een kwade blik toe. 'Hoe durf je me te beledigen? Is het niet genoeg dat ik al die jaren heb moeten leven met jouw zwijgen, in de wetenschap dat ik je zo gekwetst had dat je me niet kon vergeven? In de wetenschap dat ik het enige waar ik echt om gaf, had verknald? Natuurlijk zweer ik het op Jessica's leven en op dat van mezelf.'

'Hoorde je me niet? Ik heb ze niet gehad,' antwoordde Edward. 'En je bent toevallig niet de enige hier die verdriet heeft gehad, Ange. Je bent zomaar vertrokken. Het ene moment was je er nog, mijn hele wereld, en het volgende was je weg. Zonder er ook maar met mij over te hebben gesproken. Jessica zei dat je ziek was. Is dat waar, want als dat zo was dan begrijp ik niet waarom je het me niet hebt verteld.'

'Dat heb ik gedaan,' antwoordde Angelica, alle schijn van zelfbeheersing had haar verlaten. 'Of dat heb ik tenminste geprobeerd, maar je zei elke keer weer dat het wel goed zou komen, dat ik me geen zorgen moest maken en dat ik meer hulp nodig had en mezelf maar moest opvrolijken. Maar dat was niet de soort hulp die ik nodig had, Edward. Om je de waarheid te zeggen, ik was geestelijk ernstig ziek, dus "opvrolijken" was niet iets waar ik toe in staat was.'

'Oké,' zei Edward en er rolde een traan over zijn gezicht. 'Dat snap ik, maar hoe kon je ons kind achterlaten? Ze was drie, Ange, en jarenlang heb ik moeten uitvinden hoe ik in mijn eentje haar vader en moeder kon zijn terwijl de enige persoon waar ik me normaal toe zou wenden als ik het moeilijk had, de benen had genomen. Je was niet de enige die zich gedeprimeerd voelde, kan ik je vertellen. Ik miste je zo erg dat het pijn deed. Heel veel pijn.'

Angelica liet uit schaamte het hoofd hangen. Al haar strijdlust leek te zijn verdwenen en ze liet zich als een verslagen hoopje op het bed zakken. 'Het spijt me,' zei ze met een stem zo zacht dat Edward haar amper kon verstaan.

'En waarom heb je niet gebeld?' wilde hij weten.

'Omdat je het heel duidelijk maakte dat je alleen via Jill wilde communiceren, dus gaf ik dat maar op.'

'Nee, niet toen. Ik bedoel nu, recentelijk. Ik dacht dat je me zou bellen nadat je met Jessica had gesproken, maar dat heb je niet gedaan.'

'Ik heb me niet gerealiseerd dat je dat wilde,' zei Angelica. 'Daar was je nogal vaag over.'

Edward schudde uit frustratie zijn hoofd. Hoe hadden ze overal zo'n warboel van kunnen maken?

'Die brieven,' begon hij uiteindelijk en hij klonk ellendig, 'hoe denk je dat het kan dat die me nooit hebben bereikt?'

Angelica haalde haar schouders op, maar omdat ze dat raadsel jarenlang had overdacht was de verleiding haar theorie eindelijk te kunnen delen gewoon te groot. 'Ik denk dat Pam... misschien?'

'Pamela?' herhaalde Edward. 'Maar waarom zou ze–?'

'Ze heeft me nooit gemogen,' antwoordde Angelica, 'en toen ik ziek was kon ze er met haar hoofd niet bij dat ik het moeilijk had, terwijl ik toch alles had wat ik me maar kon wensen. En zij wilde zo graag kinderen...'

Edward schudde het hoofd, niet in staat ook maar te overwegen wat ze zei. 'Nee, ik denk niet dat Pam zoiets achterbaks zou doen.'

'Nou, kun jij iets beters verzinnen?' vroeg Angelica en ze hief haar gezicht op om Edward strak aan te kijken.

'Ik weet het niet, maar Pam was het niet. Ze zag hoe kapot ik ervan was en ze zou me nooit verdriet willen aandoen.'

Angelica haalde heel licht haar schouders op. Als hij niet eens bereid was ook maar in overweging te nemen wat ze zei, was het hopeloos.

Ondertussen staarde Edward alleen maar naar haar en nam elk detail in zich op. God, wat was ze verpletterend in elke zin van het woord.

'Wat?'

'Niets,' zei Edward. 'Het is gewoon zo raar je na al die tijd weer te zien. Het maakt bijna dat ik me weer jong voel.'

'Ga nou niet overdreven sentimenteel lopen doen over je leeftijd,' zei Angelica, die ondanks zichzelf moest lachen. 'Jij bent tenminste nog een man. Ouder worden moet voor mannen veel makkelijker zijn dan vrouwen.'

Maar Edward hield ze niet voor de gek. 'Onzin Ange, ik heb je laatste films gezien en je ziet eruit alsof je beter in je vel zit dan ooit, en je bent nog net zo mooi.'

Angelica huiverde. Het was zo opwindend als hij haar Ange noemde en het riep zoveel nostalgie op. Wat net zo'n kick gaf, was hem te horen toegeven dat hij naar haar films had gekeken. Ze had altijd het idee gehad dat hij haar op alle mogelijke manieren had afgezworen alsof ze nooit bestaan had, maar blijkbaar dus niet. Ze glimlachte voorzichtig naar hem.

'Ho, maar wacht even, want dat zeiden wij nooit, hè?' zei hij nu. 'Correctie: je bent nog steeds geweldig intelligent en een aangename gesprekspartner.'

Nu gooide Angelica haar hoofd achterover en liet een daverende schaterlach horen toen ze de verwijzing herkende naar wat jarenlang hun privégrapje was geweest.

Op een Hollywoodfeestje, niet lang nadat ze iets met elkaar hadden gekregen, besloot Edward te gaan tellen hoe vaak mensen zijn beeldschone vriendin met haar uiterlijk complimenteerden. Alleen al tijdens die avond bleek ze een onthutsende negenenvijftig keer te horen te krijgen dat ze er 'schitterend', 'adembenemend', 'beeldschoon' of 'verpletterend mooi' uitzag. Dus het was geen wonder dat zulke gemeenplaatsen nooit veel bij haar deden. Later die avond, toen ze lagen te praten in bed, had Angelica toegegeven dat ze in eerste instantie voor Edward was gevallen omdat hij haar op de set complimenteerde met hoe grappig ze was. Toen ze later alleen waren, had ze bijna gehuild van dankbaarheid. 'Snap je dat dan niet?' had ze gezegd terwijl ze Edwards arm dicht om zich heen trok. 'Als je mooi bent wil je alleen maar dat iemand zegt dat je slim bent of grappig, of iets anders positiefs over je persoonlijkheid horen. Er is zelfs een echt intelligente man nodig om te begrijpen dat als hij een mooie vrouw het bed in wil praten, hij haar het beste kan vertellen dat ze slim is. Terwijl een weinig aantrekkelijke meid, die zich door het leven heen slaat door zo slim, scherp of diepzinnig mogelijk over te komen, heel graag wil horen dat ze mooi en gewild is. Zo simpel is het.'

Sinds die dag had Edward erg zijn best gedaan niet door te zagen over hoe mooi hij Angelica vond en zich te concentreren op de andere dingen die geweldig waren aan haar en haar de vrouw maakten die ze was. De vrouw die hij aanbad. En hij wist het blijkbaar nog.

Lachend zei Angelica: 'Het zielige is dat ik weet dat mijn schoonheid aan het vervagen is omdat ik tegenwoordig elk compliment aanneem dat ik maar kan krijgen.'

Edward lachte nu ook. 'Ik ken het.'

Angelica keek naar hem en toen hun ogen elkaar vonden, werden hun gezichten serieus en er ging een hevige rilling door hen heen. Zonder na te denken stond Angelica op en pakte zijn hand. 'Je hoeft je nergens zorgen om te maken, Edward. Je bent nog steeds de mooiste man die ik ooit heb gezien.'

Haar aanraking was als een elektrische schok en Edwards zenuwuiteinden gingen overeind staan terwijl de impulsen door zijn lichaam schoten en hem het gevoel gaven dat hij over de wereld heerste. Ook al ging hij gekleed in een vrouwenbadjas...

Emoties die hij zichzelf in geen jaren had toegestaan te voelen, overspoelden zijn lijf en leden, hoewel met een ondertoon van verdriet om alles wat ze hadden gemist. Hij ervoer ook een plotselinge, al was het een niet geheel onverwachte, activiteit in zijn geslachtsorgaan. Kijkend in Angelica's amandelvormige ogen vocht hij tegen een bijna onbedwingbare neiging haar wang te strelen, de contouren van die ongelooflijke jukbeenderen met zijn vinger te volgen. Haar te zoenen.

Hij slikte en trok zijn hand terug voordat hij zich nog meer kon laten meeslepen. Angelica trok precies tegelijkertijd haar hand terug en verbrak het moment net zo snel als ze het gecreeerd had.

'Waarom ben je niet met hem getrouwd?' vroeg Edward.

'Ik hou niet van hem,' antwoordde Angelica alleen maar. Omdat ze met jaren van onbeantwoorde vragen had geleefd, ging ze nu geen tijd verspillen met iets anders dan de volledige waarheid. 'Ik heb na jou nooit echt meer van iemand gehouden,' gaf ze toe en Edward werd overweldigd door een verlangen haar in zijn armen te nemen. Er was niets wat hij liever zou willen.

'Terwijl jij daar duidelijk geen last van hebt gehad,' voegde ze er ietwat verbitterd aan toe.

'Mijn huwelijk is voorbij,' onderbrak Edward haar. 'Betsey en ik zijn uit elkaar. We hebben het alleen nog niet publiekelijk bekendgemaakt.'

'Oh,' zei Angelica, haar groene ogen groot van verbazing. 'Oké,' zei ze kortaf, kwaad op zichzelf om de dingen die ze voelde. 'Misschien was ze te jong voor je?' opperde ze omdat ze niets beters wist te verzinnen. 'Sorry, dat zijn mijn zaken niet.'

'Dat klopt,' zei Edward. Hij voelde een steek van loyaliteit voor Betsey. Angelica keek beschaamd en ontzettend gepijnigd, dus voegde hij er snel aan toe: 'Maar je hebt denk ik wel gelijk. Ze ís heel jong. Alleen lang niet zo jong als de vrouwen die men tegenwoordig als mijn tegenspeelster wil casten. Ik had laatst een verschrikkelijke bespreking met een volslagen eikel van een producent en je wilt echt niet weten wie hij als mijn liefje had gecast.'

'Wie?' vroeg Angelica nieuwsgierig.

'Juliana Sabatini,' antwoordde Edward.

'Nee!' riep Angelica uit. 'Dat is nog een kínd.'

'Vertel mij wat,' zei Edward, dolblij dat eindelijk iemand op zijn golflengte zat. 'En dat heb ik ook gezegd. De stomme lul zei dat het een perfecte casting was.' Edward rolde met de ogen om de herinnering. 'Ik zou er wel onderuit willen, maar Jill staat erop dat ik het doe.'

'Heb je je bezwaren geuit?'

'Absoluut,' zei Edward grimmig. 'Laatst spraken we hem weer en toen zei de producer: "Juliana is een beauty, je zou dankbaar moeten zijn." Nou, je begrijpt hoe dat bij me viel. Ik heb tegen hem geschreeuwd. "Dankbaar? Als een ouwe, geile bok op een kerstfeest, zeker? Als een moddervette sekstoerist die jonge prostituees oppikt en zichzelf wijsmaakt dat ze het leuk vinden om door iemand gepaald te worden die oud genoeg is om hun vader te zijn?"'

Geschokt deed Angelica haar hand voor haar mond.

'Maar goed, dat krijg je dus.'

'Dat krijg je,' erkende Angelica terwijl ze een giechel onderdrukte. Weer viel het stil.

'Maar goed,' zei Edward.

'Maar goed,' herhaalde Angelica.

Impulsief zei Edward: 'Kom op mijn feest.'

Angelica keek heel onzeker.

'Luister,' zei hij met een dodernstig gezicht, 'ik wil niet zeggen dat alles nu koek en ei is tussen ons, maar onze dochter heeft moeten aanzien hoe we jarenlang stommetje speelden en niet praatten, en ik heb me pas onlangs gerealiseerd dat dat veel met haar heeft gedaan. Denk je niet dat we voor haar moeten proberen minstens vriendschappelijk met elkaar om te gaan en op zijn ergst beschaafd? Dus kom op mijn feest. Het is donderdagavond, in het huis, en je bent meer dan welkom.'

Angelica aarzelde. Dit was een enorme beslissing. De gedachte al die mensen zoals Vincent en Jill na al die jaren weer te zien was angstaanjagend, maar hoe kon ze weigeren? Ze was het haar dochter verschuldigd.

'Ik zal er zijn,' zei ze alleen maar.

# 37

Jessica omhelsde Paul de volgende ochtend. 'Ik wil helemaal niet zonder jou weg,' zei ze, verdrietig van de gedachte alleen al. 'Ik zal je elke dag bellen.'

'Hoe fijn dat ook zou zijn, ik wil niet dat je zo'n hoge telefoonrekening krijgt dat je hem niet kunt betalen,' antwoordde Paul en hij gaf haar een tedere kus op haar wang.

Ze zou maandenlang met Australië aan de telefoon moeten hangen voordat ze de rekening niet meer kon betalen, maar ze kon er niets tegenin brengen. Waarom moest hij nou altijd zo verdomde praktisch zijn?

'Echt super dat Pam met me mee gaat. Mijn vader gaat vast uit zijn dak,' zei ze, opgewonden van de gedachte aan alles wat er onlangs was veranderd. Ze kon nog steeds niet geloven dat haar plannetje had gewerkt. Haar moeder zou daadwerkelijk op Edwards feest komen. Ze besefte nu dat haar idee dat ze misschien meer dan vrienden zouden kunnen zijn veel te vergezocht was, maar als ze tenminste in dezelfde ruimte konden zijn, was ze al blij. Het was een goed begin en zou het leven zoveel makkelijker, leuker en aangenamer maken.

'Hoe is Pam over haar vliegangst heen gekomen?' vroeg Paul.

'Eh,' antwoordde Jessica, ineens bescheiden, 'ze zei dat het allemaal te maken had gehad met de angst om iets zonder Bernard te ondernemen, maar dat ze zich sinds mijn komst om de een of andere reden een stuk sterker voelt en aan een nieuw leven is begonnen, echt super.'

'Dat is het zeker, en ik weet een beetje hoe ze zich voelt. Ik ga je missen,' zei Paul knorrig. Hij probeerde zich wanhopig aan zijn plan te houden zich niet te veel te hechten. Dit was tenslotte een generale repetitie voor de dag dat ze voorgoed afscheid zouden moeten nemen.

'Ik jou ook,' zei Jessica gemeend.

Pas toen Jessica plaatsnam in het vliegtuig realiseerde ze zich hoe uitgeput ze was. Het leek alsof alle spanning van de afgelopen weken er eindelijk uitkwam en zij en Pam sliepen allebei tijdens de gehele vlucht, hoewel Pams slaperigheid minder met moeheid te maken had dan met de dosis valium die ze had geslikt.

Lopend door de aankomsthal deden de twee nog steeds pogingen van de onvermijdelijke, verwarde sufheid af te komen na zo'n lange ruk, maar zodra ze in de wachtende limo stapten die Edward voor ze had gestuurd leefden ze helemaal op van de opwinding.

'Ooh,' zuchtte Pam toen ze de snelweg op reden en de zonneschijn hen praktisch verblindde en de blauwe lucht zich eindeloos uitstrekte tot de met smog gevulde horizon. 'Ik ben blij dat ik geen vest heb meegenomen.'

Jessica grijnsde. Het was goed om thuis te zijn.

Edward was zo uitzinnig verheugd zijn zus op zijn eigen grond te zien dat hij huilde van blijdschap toen ze arriveerde (niet dat iemand hiervan opkeek) en hij vond haar aanwezigheid het beste cadeau ooit. Maar zodra Pam de tijd had gehad zich te installeren, nam hij haar terzijde en vroeg haar zonder omwegen of ze iets met de verdwijning van de brieven van doen had gehad. Hij móést het gewoon weten.

Pam, die over veel dingen op de hoogte was gebracht door Jessica, was witheet dat hij ook maar kon dénken dat ze zoiets zou doen en zei hem dat ook. 'Wat ik ook vond van wat ze je heeft aangedaan, Teddy,' tierde ze, 'ik zou nooit zoiets persoonlijks als een brief voor iemand achterhouden en ik ben woedend dat je dat dacht. Bovendien, als je het echt wilt weten, heb ik een beetje te doen met Angelica nu ik weet dat ze zo ziek was.'

Edward trok vragend een wenkbrauw op.

'Jessica heeft het me verteld.'

Nog steeds voor een raadsel gesteld door de verdwenen brieven en niet geheel overtuigd dat ze daadwerkelijk bestaan hadden, besloot Edward ze te vergeten. Als Angelica tegen hem loog was dat waarschijnlijk omdat ze zich zo schaamde. Helaas maakte zo'n leugen het hem onmogelijk haar helemaal te vergeven, maar het was zo heerlijk geweest haar weer te zien dat hij wilde dat vriendschap een optie zou blijven. Sinds Claridge's hadden ze twee lange gesprekken over de telefoon gevoerd en opgerakeld wat er al die jaren geleden was gebeurd. Het was pijnlijk geweest en had soms voor spanningen gezorgd, maar dat hij eindelijk een verklaring had om zich aan vast te houden werkte als een helende balsem voor de emotionele wonden die hij zo lang met zich mee had gedragen.

De daaropvolgende dagen vlogen voorbij en Edward fladderde door het huis met meer energie dan hij in jaren had gehad, regelde wat laatste dingetjes en probeerde zich niet op stang te laten jagen door de meest verwijfde partyplanner die Jessica ooit had ontmoet (en dat zei heel wat). Het was moeilijk niet aangestoken te worden door Edwards uitbundigheid en na alles wat Jessica de laatste tijd had doorgemaakt werkte terug zijn in het zonnige Malibu als een soort medicijn. Ze voelde zich voor het eerst in lange tijd zorgeloos, ook al zeurde Edward constant aan haar hoofd over wanneer ze voorgoed thuis zou komen.

Tijdens een lunch antwoordde ze voor de negentiende keer: 'Ik weet het niet, pap.' Edward had Consuela een vrije dag gegeven en de barbecue aangestoken. 'Het hangt ervan af hoe het met Diane gaat en zo, en met Paul.'

'Ah,' zei Edward en hij prikte nogal woest in een stuk kip met zijn tang. 'De beroemde Paul die niet eens weet dat ik besta. Weet je wel hoe dat voelt?'

'Vat het niet persoonlijk op,' antwoordde Jessica. Ze moest haar best doen niet te lachen om Edwards nukkige gezicht. 'Ik vertel het hem binnenkort en als het mogelijk was, zou ik je dolgraag aan hem voorstellen. Al zullen we toch op een zeker moment uit elkaar gaan, denk ik. Langeafstandsrelaties zijn meestal gedoemd te mislukken.' Ze rilde toen ze dit zei, omdat ze weigerde aan de mogelijkheid toe te geven dat dit ook echt zo zou zijn. 'Maar als je hem wel ontmoet, hoop ik dat je hem net zo leuk vindt als ik.'

'Zelfs al was ik van de "herenliefde", dan nog denk ik dat dat onmogelijk is,' opperde Edward vermoeid. 'Ik dacht alleen dat je nu wel genoeg zou hebben van dat hele "doe maar gewoon"-gebeuren.'

'Wil je de waarheid horen?' vroeg Jessica. 'Met sommige dingen heb ik het wel gehad. Het klimaat is nogal onvoorspelbaar in Londen en ik ben helemaal klaar met het reizen met de metro elke dag, ik kan me zelfs al niet meer voorstellen dat ik het ooit leuk heb gevonden. Ik voel me ongezonder dan ik me in jaren heb gevoeld en ik ben nog nooit zo aan vakantie toe geweest als nu. Ik ben vier kilo aangekomen, ben volkomen uitgeput, maar weet je? Ik voel me ook voor het eerst in mijn leven voldaan, en dat je een vakantie nodig hebt is toch eigenlijk ook hoe het hóórt te zijn?'

'Het zal wel...' waagde Edward het te zeggen.

'Echt pap, deze reis is het beste wat ik ooit heb gedaan. Ik heb het gevoel dat ik een doel heb. Alleen al het hebben van een baan waar ik zijn moet geeft het leven betekenis. Ja, de wereld kan soms hard zijn en ik realiseer me dat ik nog steeds niet weet hoe het is om het moeilijk te hebben, maar ik heb nu tenminste bewezen dat ik meer ben dan alleen jouw dochter. Ik waardeer ook voor het eerst hoe hard jij moet hebben gewerkt om dit alles te bereiken.'

'Kipspies?' bood een geroerde Edward aan, hij was ineens zo trots.

De volgende dag bracht Jessica helemaal met Dulcie door. Omdat ze regelmatig met elkaar in contact hadden gestaan via de telefoon en mail waren ze al op de hoogte van elkaars belevenissen, maar het was heerlijk om elkaar weer te kunnen zien. En zoals dat met alle goede vriendinnen gaat, leek het alsof ze elkaar gisteren nog gezien hadden, vooral aangezien Jessica meteen weer aan het werk werd gezet als bruidsmeisje.

'Het voelt alsof ik niet ben weggeweest,' plaagde ze vrolijk, terwijl ze geduldig wachtte tot haar vriendin uit de paskamer van de trouwafdeling van Saks Fifth Avenue in Beverly Hills zou komen.

'Nou, dat weet ik zo net nog niet,' grapte Dulcie terug van achter het gordijn. 'Ik heb je nog nooit zoveel over een jongen horen praten. Paul dit, Paul dat. Je lijkt wel geobsedeerd.'

Jessica was verontwaardigd. Maar precies op dat moment stak Dulcie haar hoofd naar buiten, knipoogde en zei: 'Grapje, schat. Praat maar raak; ik ben het je verschuldigd.'

Gerustgesteld grijnsde Jessica naar haar, hoewel die grijns snel verdween toen de verkoopster het gordijn opentrok en Dulcie onthulde. Een plaatje in kant van Reem Acra. Met stokkende adem sloeg Jessica de handen voor haar mond en barstte in sentimentele tranen uit.

'O god, wat een cliché, maar Dulcie je ziet er zo prachtig uit,' huilde ze ontroerd.

'Echt?' vroeg haar vriendin verlegen.

'Absoluut. Ik bedoel, ik geloof niet eens in het huwelijk, maar als ik daarvoor zo'n jurk aan zou mogen, zou ik bijna in de verleiding komen. Je lijkt wel een prinses. Je moeder zou zo trots zijn geweest.'

Dat was precies wat Dulcie hoopte te horen.

Jessica had zoveel te doen dat ze er tot haar schaamte twee hele dagen voor nodig had om te beseffen dat ze niet de enige was die druk was geweest met een aantal levensveranderingen. Ze had Betsey's afwezigheid wel opgemerkt maar had aangenomen dat haar stiefmoeder naar een van haar yoga-retraites was of iets dergelijks.

'We zijn uit elkaar,' legde Edward uit nadat Consuela uit de school was geklapt en daardoor Jessica ertoe had bewogen de vraag eindelijk te stellen.

'Nee toch!' riep Jessica oprecht geschokt uit.

'Het geeft niet,' zei Edward kalm. Hij was in zijn werkkamer om even aan Pierre's aanstellerij te ontsnappen en zat *The Bridge on the River Kwai* te kijken. 'Om eerlijk te zijn zat het er al een tijdje aan te komen en nu we uit elkaar zijn, kunnen we het eigenlijk een stuk beter met elkaar vinden. Ik denk dat de scheiding voor ons allebei als een opluchting kwam. Maar je ziet haar wel op het feest. Ze komt evengoed, want we hebben afgesproken het daarna pas te vertellen.'

'Was er een ander in het spel?'

'Nee,' antwoordde Edward snel, maar hij werd vuurrood dus Jessica vroeg niet verder en hoopte maar dat haar vaders ego niet een al te grote deuk had opgelopen. Ze was altijd bang geweest dat Betsey haar vader op een dag zou dumpen voor een jonge kleerkast, maar genoot niet van haar gelijk.

Jessica was vergeten hoe makkelijk het leven in L.A. was. Dus hangend bij het zwembad in de zon, zonder te hoeven denken aan alledaagse dingen, was het een blijk van haar gevoelens voor Paul dat ze hem evengoed verschrikkelijk miste. Hij was het enige ontbrekende ingrediënt dat voorkwam dat deze reis perfect zou zijn en ze had sinds haar aankomst belachelijk veel sms'jes verstuurd. Ze had hem er dolgraag bij gewild zodat hij alles samen met haar kon beleven en haar hart deed pijn als ze eraan dacht hoe ze er in godsnaam mee om moest gaan als ze op een dag echt afscheid moesten nemen. Ze hield van hem en hoopte dat hij hetzelfde voelde, hoewel geen van beiden het nog gezegd had, allebei te onzeker over wat de toekomst voor hun relatie in petto had. Het was gewoon makkelijker en verstandiger je mee te laten drijven en ervan te genieten zolang het kon.

Op donderdag, toen Jessica zich in de nieuwe Philip Lim-jurk hees die ze eerder die dag op Rodeo Drive had gekocht, grijnsde ze naar haar spiegelbeeld omdat ze zich afvroeg wat Paul ervan zou hebben gevonden dat ze er zo 'opgedirkt' uitzag. Haar haar was naar buiten geföhnd, haar nagels roze gelakt en aan haar voeten had ze een ruig paar Manolo's. Ze was niet de enige die getransformeerd was. Een leger aan cateraars, bloemisten, musici, bedienend personeel, barmannen en beveiligers was het huis binnengevallen om hun werk te doen en het was vrij duidelijk dat dit feest er eentje zou worden dat men zich nog lang zou heugen.

Om acht uur zou het beginnen en Betsey kwam om halfacht zodat ze kon doen alsof ze er nog woonde. Jessica moest een geschokte grijns onderdrukken toen ze haar ongepaste outfit zag.

'Hé, Betsey. Wauw, wat een jurk!'

'Dank je,' antwoordde Betsey, die zich voor het eerst afvroeg of de jurk misschien wat té was. Te klein. Wat ze aanhad was eerder een lapje stof dan een jurk. Het was een wit, rugloos en zeer, zeer kort halterjurkje.

Als ze niet alweer iemand had, was ze duidelijk niet van plan lang vrijgezel te blijven, dacht Jessica. Maar wat voor soort man dacht ze zo aan te trekken? Wat voor soort man zou ze zo niet aantrekken? was eerder de vraag. Gelukkig hoefde ze haar voorlopig nog niet aan Paul voor te stellen.

Op dat moment maakte Edward zijn entree op de trap, gekleed in een lichtroze overhemd, linnen broek en Tods. Een trui van Ralph Lauren om zijn nek geknoopt.

'Hé opa, ik zie dat je je oude kledinggewoonten weer hebt opgepakt?' zei Betsey lijzig. Geschokt keek Jessica naar Edward om zijn reactie op deze belediging te peilen maar hij leek zich er totaal niet aan te storen.

'Ah, hallo Betsey. Ik wilde nog vragen of je straks wilde dansen, maar ik zie dat het enige waar jij mee zult gaan dansen een paal is,' zei hij goedgehumeurd en hij liep naar haar toe, kuste haar op beide wangen en woelde met zijn hand door haar haar. 'Hoe gaat het op Sunset? Bevalt het je er nog, want als dat niet zo is mag je best hier logeren tot mijn makelaar iets anders voor je heeft gevonden?'

‘Het bevalt prima,’ antwoordde Betsey. ‘Ik hoop eigenlijk stiekem dat de perfecte woning zich nog even niet aandient. Ik heb het ontzettend naar mijn zin en ontmoet heel veel geweldige mensen. Op het moment is elke avond een cocktailavond.’

Jessica kon haar oren niet geloven, maar omdat ze zag dat Edward er geen problemen mee had, kon ze Betsey moeilijk misgunnen dat ze plezier maakte. Terwijl ze toekeek hoe de twee amicaal roddelden, besefte ze dat hij echt niet had gelogen. Wat er ook tussen hen gebeurd was, het was vriendschappelijk geëindigd en toen Betsey een grapje maakte over dat ze die avond de volgende filmster aan de haak wilde slaan, maar dan een jongere versie, knipperde Edward niet eens met zijn ogen. Hij bulderde alleen maar van het lachen. Hoe modern, dacht Jessica. Ze stond lichtelijk perplex, een gevoel dat bleef toen Pierre, de partyplanner, neurotisch langs kwam rennen vanwege een of ander noodgeval, het schuim bijna om de mond.

Al gauw druppelden de eerste gasten binnen, waaronder Angelica die voor haar doen ongewoon punctueel arriveerde, adembenemend in perzikkleurig chiffon, diamanten en zilveren Jimmy Choos.

‘Hoi mam,’ zei Jessica en ze begroette haar met een warme omhelzing. ‘Niet te geloven dat je echt hier bent en nogmaals onwijs bedankt dat je vorige week in de show wilde komen.’

‘Ja,’ zei Angelica wrokkig, ‘Je hebt me er mooi ingeluisd. Maar het geeft niet, het is goed dat je vader en ik weer met elkaar praten.’

‘En mam, ik ben zo blij dat je niet met Graydon bent getrouwd.’

‘Ik ook, Jessica, maar lang niet zo blij als mijn schoonheidsspecialiste, die nu alleen mij nog maar hoeft te waxen,’ zei ze vergezeld van een ondeugende knipoog. ‘Waar is Edward? Dan kan ik even hallo zeggen.’

‘Die kant op,’ antwoordde Jessica lachend. Ze wees in de richting van de luidruchtigste ruimte van het huis waar ze Edward voor het laatst naar binnen had zien rennen met Vincent, als twee jochies die iets in hun schild voerden.

Het feest ging van een leien dakje. Het was geen standaard vijfenzestigste verjaardag en op een gegeven moment moesten Dulcie en Jessica lachen toen ze hun vaders zagen jiven alsof hun leven er vanaf hing, omklemd door borsten die jonger waren dan hun eigenaren. Later zongen Vincent en Will Smith een geweldig mooi duet samen. Na afloop, toen Edward trots Jessica aan Will voorstelde, schoot er een flikkering van herkenning over zijn knappe gezicht terwijl hij zich probeerde te herinneren waar hij haar eerder had gezien. In een lichte roes van de champagne, giechelde Jessica, maar hielp hem niet. In plaats daarvan ging ze naar de tuin op zoek naar frisse lucht en haar vrienden, maar alles wat ze vond waren Angelica en Pam die in een gigantische ruzie verwikkeld waren, en wilde dat ze binnen was gebleven.

'Waarom zou ik mijn tijd verdoen door jouw domme brieven achter te houden? Ja, je hebt gelijk, ik vond je een waardeloze moeder,' schreeuwde Pam net, 'maar dat betekent niet dat ik me tot zoiets zou verlagen.'

'Mam, Pam,' zei Jessica en ze ging snel tussen de twee vrouwen in staan. 'Hou hier onmiddellijk mee op!'

Angelica's ogen spuwden vuur en Jessica had haar nog nooit zo nijdig gezien. Ze werd zo in beslag genomen door wat ze tegen Pam zei dat ze Jessica's aanwezigheid amper opmerkte.

'Ik weet dat je een probleem met mij had. Je wilde je kleine broertje zo graag beschermen dat je het niet aankon dat hij voor één keer in zijn leven eens op een normale manier van een vrouw hield Je kon hem minder commanderen en ik weet dat je me dat kwalijk nam–'

'Klinkklare nonsens. Ik weet niet waar je het over hebt en dan nog wat...'

Jessica keek van de ene vrouw naar de andere. Ze leken wel twee beesten die op het punt stonden te gaan vechten en ze besefte dat ze hulp nodig had. Ze liet de twee schreeuwers achter en rende naar het huis om haar vader te halen.

Enkele minuten later had ze de troepen verzameld en probeerden Vincent, Jill en Jessica zich verstaanbaar te maken boven het lawaai van Angelica en Pams ruzie uit.

'Stil,' zei Edward tevergeefs. De beledigingen die de twee vrouwen elkaar toewierpen hadden nu het kookpunt bereikt.

'Je komt hier binnenwandelen na meer dan twintig jaar en denkt dat je kunt doen alsof er niets is gebeurd–' gilde Pam.

'Ophouden!' brulde Jessica.

'Als Bernard je nu kon horen, zou hij zich doodschamen,' schreeuwde Angelica, waarop Pam haar zelfbeheersing verloor en haar een klap in het gezicht gaf.

'Hoe durf je mijn Bernard erbij te halen?!' zei Pam, haar ogen hard, en haar hele lichaam trilde van woede.

'Pam, mam, ophouden. NU!' schreeuwde Jessica. 'Zo is het wel genoeg.'

Trillend hield Angelica haar hand tegen haar wang en begon stilletjes te huilen. Pam beefde nog steeds van woede.

'Luister naar me,' zei Jessica. 'Jullie allemaal. Ik wil dit niet meer hebben. Tot voor kort dacht ik dat mijn moeder me in de steek had gelaten omdat ze niet om me gaf, maar dat is niet waar. Mam was ziek, ernstig ziek, dus laat haar met rust, want het is ongelooflijk dapper van haar dat ze vandaag is gekomen.'

Iedereen stond er wat ongemakkelijk bij. Pam oogde lichtelijk beschaamd. 'Ik had je niet moeten slaan. Dat was onvergeeflijk,' mompelde ze.

'En mam, ik weet dat Pam jouw brieven niet kan hebben verstopt. Ze is een van de aardigste mensen die ik ooit heb ontmoet en veel te eerlijk, dus als ze het wel had gedaan, had ze het nu wel gezegd. Dus hou erover op.'

'Oké,' snikte Angelica, 'maar ik zou willen dat ik wist wie het wel heeft gedaan want het zou onze levens kunnen hebben veranderd.'

'Nou, ik denk niet dat we daar ooit achter zullen komen,' zei Jessica, 'dus we zullen ons op het hier en nu moeten concentreren.'

Op dat moment kwam Consuela, die de avond vrij had gekregen en ook te gast was, uit het huis. Toen ze het groepje zag, zwaaide ze en riep beleefd: 'Hoi, meneer G, wat een leuk feest!'

'Fijn om te horen dat je het naar je zin hebt. Je verdient het!' riep Edward terug.

Consuela zwaaide nog een keer naar hem en wankelde terug in de richting van het huis, er duidelijk niet op vooruitgegaan.

'Zij!' zei Pam en ze staarde met een verbaasd gezicht naar Consuela. 'Zo zit het. Wie heeft dagelijks toegang tot Edwards post? Ik niet, trouwens, wat jouw theorie een beetje ontkracht,' voegde ze eraan toe terwijl ze Angelica een vuile blik toewierp. 'Het antwoord ligt vlak onder onze neus. Het moet Consuela wel zijn geweest. Ik heb altijd al gedacht dat ze een oogje op je had, Teddy.'

'Sjongejonge, Pam,' zei Jill gefrustreerd. 'Kunnen jullie nu allemaal ophouden met die belachelijke theorieën?'

'Waarom?' vroeg Angelica. 'Ik denk dat ze best wel eens gelijk kan hebben.'

'Ze heeft absoluut een zwak voor je, Ed,' mengde een licht schommelende Vincent zich erin.

'Alsjeblieft zeg,' zei Edward. 'Zoiets vreselijks zou ze nooit doen. Toch...?' Hij dacht er een fractie van een seconde over na en riep toen in zijn beste bulderende bariton: 'Consuela? Kun je even hier komen?'

Jessica slikte. Ze was dol op Consuela. Het zou haar hart breken als ze erachter zou komen dat ze niet zo betrouwbaar bleek te zijn als ze altijd gedacht had. Dit voelde niet goed.

Bij het huis draaide Consuela zich om en slalomde terug naar de groep. 'Wat is er, meneer G?'

'We vroegen ons iets af. Toen Angelica al die jaren geleden vertrok, heb je toen ook brieven van haar zien arriveren? We snappen niet waar ze gebleven kunnen zijn.'

'Nee, meneer G, als dat zo was had ik ze wel apart gelegd, maar Jill handelt de post meestal af want maar een klein gedeelte ervan komt hier. De rest gaat naar het kantoor.'

'O ja,' zei Edward rustig. 'Natuurlijk.'

Even viel er een stilte terwijl iedereen het feit probeerde te accepteren dat ze waarschijnlijk nooit de waarheid achter de brieven te weten zouden komen. Maar enkele ogenblikken later leken hun in alcohol gedrenkte hersens bij te komen en raceten ze allemaal naar de volgende mogelijkheid.

'Wacht eens even,' zei Edward en hij draaide zich vliegensvlug om naar zijn manager en keek haar strak aan. 'Ik dacht dat alleen fanmail naar kantoor ging?'

'Dat klopt,' antwoordde Jill, met wild wapperende handen. 'Jullie maken elkaar allemaal gek. Laten we in vredesnaam nu weer naar binnen gaan en van dat feest van jou genieten, Edward. Kom op.'

'Wacht even,' zei Jessica. 'Nu ik erover nadenk, Jill, krijgen we hier nooit veel post. Meestal breng jij het mee. Waarom is dat?'

'Ja, waarom is dat?' herhaalde Angelica, verward en asgrauw.

'Waarom doe ik alle dingen die ik voor je vader doe?' zei Jill. 'Jezus, als ik ook maar de helft niet had gedaan, zou hij nu nog in een kroeg werken,' voegde ze eraan toe.

'Wat zeg je nou?' vroeg Edward.

'Jill,' zei Jessica kalm, 'als jij hier iets mee te maken hebt, wordt het tijd dat je het opbiecht en het ons vertelt. Als je ook maar íéts om deze familie geeft, móét je wel, want de onzekerheid verscheurt ons.'

'Ik heb helemaal niets gedaan met...' Jills stem stierf weg. Het spel was uit. 'Oké,' zei ze, voor een andere tactiek kiezend. 'Ik heb Edward inderdaad beschermd tegen de brieven,' gaf ze toe, 'maar vanwege zijn carrière en zijn eigen welbevinden. Ik ben erg lang bezig geweest hem uit het dal te trekken waarin jij hem had gestort,' siste ze tegen Angelica. 'Dus toen jij tig brieven per week begon te schrijven, wilde ik niet dat hij weer terug zou vallen. Hij was net opgekrabbeld, maar als hij iets van je had gehoord, had hij je zo weer teruggenomen en dat zou zijn reputatie hebben verwoest. Hoe kan een geloofwaardige ster teruggaan naar de vrouw die hem verliet? Snap je dat dan niet? Het zou het einde van zijn carrière hebben betekend.'

'Denk je niet dat ík me met dat dilemma had moeten bezighouden?' vroeg Edward ijzig.

'Nou nee,' trotseerde Jill, 'als manager is het mijn taak om op je te letten, je te beschermen en ervoor zorgen dat je doet wat goed is voor je imago.'

'Ik ga wat te drinken halen en me weer in het feestgedruis storten,' zei Vincent, geschokt door wat hij allemaal hoorde. 'Edward, ik denk dat jij hetzelfde moet doen. We hebben genoeg gehoord.'

'Ik kom zo,' zei hij ijzig. Zijn kwade blik liet Jill, die met de seconde onzekerder oogde, niet los.

'Hoe heb je dat kunnen doen?' zei Jessica en daarmee sprak ze uit wat de rest van het groepje zich ook afvroeg.

'Het was een fluitje van een cent,' antwoordde Jill. 'En ik geloof tot op de dag van vandaag dat ik juist heb gehandeld.'

'Dan ben je ontslagen,' zei Edward.

'Hierom?' vroeg Jill ongelovig.

'Jazeker. En je kunt die producer, Brendan, vertellen dat hij zijn film in zijn reet kan steken want ik ga het niet doen, of ze me nu aanklagen of niet. En daarna wil ik nooit meer iets met je te maken hebben.'

Jill wierp hem de vuilste blik toe die ze kon oproepen, maar omdat ze wist dat ze had verloren, beende ze naar het huis, stijf van verontwaardiging en woedend dat ze betrapt was.

'Het spijt me, Pam,' zei Angelica nu.

'Het geeft niet, schat,' suste Pam, die diepbedroefd keek maar wel of ze het meende. 'We hebben allemaal genoeg doorgemaakt.

Het wordt tijd dat we het verleden laten rusten.'

Nu wendde Edward zich tot Angelica. 'Het spijt me zo, Ange.'

'Wat?'

'Dat ik aan je getwijfeld heb, en al die jaren die we hebben gemist.'

Angelica kon daar niet veel op zeggen, dus Jessica liep naar haar toe, sloeg haar armen om haar moeder en gaf haar een knuffel, die ze nog nooit van haar leven zó nodig had gehad.

# 38

Later, toen het feest op zijn eind liep – vroeg voor Britse normen, laat voor die van L.A. –, zat Jessica op een traptrede in de enorme hal toe te kijken hoe Dulcie met haar aanstaande schuifelde. Nu ze eindelijk de tijd had genomen Kevin beter te leren kennen, moest Jessica toegeven dat het een schatje was. Hij was een wannabe, daar kon je niet omheen. Hij was ook een beetje naïef en diep onder de indruk van alle beroemdheden, maar hij was duidelijk om de juiste redenen dol op Dulcie. De twee waren dolverliefd.

'Hé daar.'

Jessica draaide zich om en zag Betsey aan komen lopen. Haar ex-stiefmoeder ging naast haar zitten. Terwijl ze dat deed, kroop haar jurk zo erg omhoog dat het leek alsof ze er geen aan had.

'Hé,' zei Jessica. Ze vroeg zich af wat Betsey wilde; het was niets voor haar om haar zo op te zoeken. Toch zaten ze daar in een volkomen aangename stilte totdat Jessica vroeg: 'Trek je het een beetje?'

'Ja hoor. Zelfs beter dan ik had gedacht.'

Jessica slikte. Misschien was het aanmatigend geweest om aan te nemen dat Betsey en haar vader helemaal onaangedaan waren door de scheiding.

'Ik neem aan dat je iemand anders hebt ontmoet?' vroeg Jessica.

Betsey draaide zich naar haar toe en keek Jessica recht in de ogen aan met een vreemde uitdrukking op haar gezicht. 'Je moet nooit zomaar iets aannemen, je kunt er beter met Edward over praten,' zei ze uiteindelijk. 'Jullie zijn tenslotte zo close. Ik dacht dat jullie alles deelden?'

Jessica vroeg zich net af hoe ze moest reageren op zo'n defensief, dubbelzinnig antwoord, toen Betsey verder sprak: 'Ik weet dat je me niet erg mag, Jessica, maar ik wil dat je weet dat ik om de juiste reden met je vader ben getrouwd en dat we elkaar uiteindelijk ook om de juiste reden hebben laten gaan. Weet je, iedereen verdient het om te worden aanbeden, ja toch?'

Jessica knikte. Haar vader helemaal. 'Ik denk het,' zei ze zacht en ze ervoer weer een steek voor de persoon die zíj aanbad. Het voelde als een eeuw geleden dat ze Paul voor het laatst had gezien. 'Betsey?' begon ze voorzichtig.

'Ja?'

'Ik vind je niet... niet aardig.'

'Fijn. Ik vind jou ook niet niet aardig, en hé, je weet maar nooit, misschien nu Edward en ik uit elkaar zijn dat wij makkelijker vriendinnen kunnen worden?'

Ze knikte maar zei niets. Als Betsey haar vader niet gedumpt had was het misschien makkelijker geweest, ja. Maar nu was Jessica loyaal aan hem.

'Maar goed, ik zie je wel weer, Jess,' zei Betsey en ze gaf haar een onhandige knuffel voordat ze zich weer in de overblijfselen van het feest mengde. Haar billen die deinden in haar belachelijk korte jurkje deden Jessica aan een renpaard denken.

Ze was ineens moe. Moe tot op het bot. Ze keek weer op haar telefoon om te zien of ze een berichtje van Paul had. Ze miste hem zo hevig dat het bijna pijn deed. Het was tijd zich naar een rustiger plekje terug te trekken. Misschien zelfs naar bed.

Haar schoenen knelden dus ze trok ze uit en liep op blote voeten naar de keuken waar personeel alle voedselresten en honderden gebruikte glazen aan het opruimen was. Ze pakte een glaasje water, wenste iedereen een goede nacht en liep naar de grote trap. Op de overloop aangekomen, hoorde ze een geluid in Edwards slaapkamer. Jakkes, dacht ze preuts en ze trok haar neus op toen tot haar doordrong dat er mensen lagen te vozen in de slaapkamer van haar vader. Getver.

Ze vroeg zich af wat ze moest doen en besloot op onderzoek uit te gaan en een omweg te maken door de gang. Het zou beter zijn als zij de daders vond in plaats van haar vader, die er niet blij mee zou zijn en ze misschien wel lens zou slaan. Terwijl ze richting de deur schuifelde, was ze verontwaardigd toen ze een vrouw hoorde gillen en daarna kreunen, duidelijk van opwinding. Hoe durfden ze zomaar naar boven te gaan? De bovenverdieping van het huis behoorde verboden terrein te zijn. Het was volslagen ongemanierd. Terwijl ze daar zo op de overloop stond, wilde ze het net alsnog negeren toen het kreunen en hijgen weer een standje werd opgekrikt. Op dat moment kwam ze snel tot een intolerante, door champagne ingegeven beslissing. Ze zou die onbeschoftelingen haar vaders kamer uit gooien. Ze kon toch ook niet slapen met dit lawaai op maar een paar meter afstand van haar eigen kamer.

Vastbesloten zwaaide ze de deur open, om te worden getroffen door de ongepaste aanblik van haar vader, in bed met iemand (vast die gluiperige nymfomane Betsey). Betrapt ging Edward schuldbewust rechtop zitten, maar de vrouw gaf alleen maar een gil en dook in de lakens om zich te verbergen.

'Jessica!' riep Edward uit met roodgloeiend gezicht.

'Sorry,' mompelde Jessica en ze draaide zich om om weg te gaan. Weg te rennen. Het liefste het huis uit en de zee in.

'Het is niet wat je denkt,' probeerde Edward.

'Oh, ik denk helemaal niet,' was Jessica's weerwoord. 'Geloof me, ik zal hier van mijn leven geen seconde meer aan denken.' Ze was een beetje misselijk. Een van je ouders 'bezig' te zien was weerzinwekkend. Hoe oud je ook was, je kon je maar beter voorstellen dat je door een ooievaar was gebracht en dat je eigen conceptie een onbevlekte was geweest. Ouders hoorden geen seks te hebben.

Toen maakten schaamte en walging ineens plaats voor enorme woede. Wat dachten ze wel niet? Als een stel tieners gaan liggen wippen terwijl het feest nog niet eens voorbij was en de gasten beneden op hen wachtten om afscheid te nemen. Wat ontzettend onbeleefd. En waarom had Betsey zo lopen zeveren over dat ze vriendinnen wilde zijn? Als ze dat echt wilde, was haar vader verleiden niet de beste manier om dat te bereiken. En wat was hij een sukkel, dat hij voor die zielige schreeuw om aandacht was gevallen die ze aan had gehad. Stelletje viezeriken.

'We hebben het hier morgen wel over, Jessica,' gebood Edward.

'Goed hoor. Ik ga naar bed, dus kun je alsjeblieft wat minder herrie maken, Betsey?' zei ze vol afschuw voordat ze zich omdraaide.

'In hemelsnaam Edward, hadden we niet besloten dat het nu afgelopen zou zijn met geheimen?' klonk een bekende stem van onder de lakens. Een bekende stem met een Frans accent...

'Mam?'

'Jessica,' zei Angelica en verlegen trok ze de lakens van haar hoofd. Ze ging rechtop zitten en trok ze strak om zich heen. Haar haar zat wild en alle kanten op maar ze had tenminste nog het fatsoen om beschaamd te kijken.

'Het spijt me zo dat je er op deze manier achter moet komen. We hebben duidelijk te veel champagne gedronken, maar als je je ouders dan toch moet betrappen, is het maar beter met elkaar, *non?*'

Jessica, die dolgraag naar haar kamer wilde ontsnappen om

haar hoofd in een kussen te begraven, wist niet zo zeker of ze het daar wel mee eens was. Toen begon ze de grappige kant ervan in te zien.

'Nou,' zei ze schoorvoetend omdat ze zich vergevensgezinder voelde nu ze wist met wie haar vader bezig was, 'nu kan ik tenminste wel iets zeggen wat ik al jaren heb willen zeggen.'

'En dat is?' vroeg Edward.

'Truste mam, truste pap.'

'Welterusten, Jessica,' zeiden haar ouders in koor.

Ze deed de deur dicht.

# 39

Jessica vloog vrijdagnacht terug naar Engeland en vroeg zich onderweg af hoe de daaropvolgende dagen zich zouden ontvouwen. Ze was blij dat ze een heel weekend had om bij Paul te zijn en bij te komen van haar jetlag, maar ze wist dat het onderbroken zou worden door bekentenissen aan haar collega's, het indienen van haar ontslag en een etentje bij Mike en Diane, allemaal dingen die ze kon missen als kiespijn. In het vliegtuig dacht ze ook na over alles wat er gebeurd was en vroeg zich af waar ze moest beginnen om Paul over haar reis te vertellen. Haar ouders waren officieel weer bij elkaar en hoewel ze verwoed probeerde te vergeten hoe ze daar achter was gekomen (lalalalala) was ze er wel blij mee. Ze vond het natuurlijk ook eng, wat er zou gebeuren als het niets werd, wat dat voor hen alle drie voor gevolgen zou hebben, maar ook opgetogen dat ze het wilden proberen.

Ze vond het aan de ene kant wel jammer dat ze alweer wegging. Ze had niet iedereen kunnen zien die ze had willen zien en had nog wel een paar dagen bij haar ouders willen vertoeven. Haar ouders; dat woord in de betekenis van een stel gebruiken was zo apart. Aan de andere kant was ze trots dat ze, na slechts enkele maanden in een ander land te hebben gewoond, zoveel had om naar terug te gaan. Haar tijd in Engeland was nog niet ten einde, maar ze wist nu heel zeker dat ze op een dag terug naar huis zou gaan. Alleen nog niet wanneer. Zo af en toe fantaseerde ze erover dat Paul met haar mee zou gaan, maar ze wist dat hij zijn familie waarschijnlijk nooit achter zou willen laten, dus wat die kwestie betrof stak ze liever haar kop in het zand.

Het was vreemd, mijmerde Jessica met een half oog op de film, nu ze wist dat het Edward was die voor iemand anders was gevallen was Betsey degene met wie ze medelijden had. Haar hele huwelijk met Edward moet ze hebben geweten dat ze het tegen iets onovertrefbaars opnam, wat waarschijnlijk een groot deel van haar veeleisende gedrag verklaarde, misschien zelfs haar veldtocht voor een baby. Jessica's gedachten zweefden terug naar Paul. Met de kleine kans die ze hadden dat ze over een aantal jaar nog bij elkaar waren, zouden ze dan sterk genoeg zijn om alle vreemde, verschrikkelijke en prachtige dingen te doorstaan die het leven hun ongetwijfeld voor zou schotelen? Haar ouders waren tenslotte het perfecte voorbeeld dat liefde alleen niet altijd genoeg was om mensen bij elkaar te houden als het leven eenmaal een spaak in het wiel stak.

Zodra ze in de vroege uurtjes van zaterdagochtend op Heathrow was geland, wilde Jessica alleen nog maar bij Paul zijn en daarom was ze een lange metrorit later toen ze eindelijk bij zijn flat aankwam, verbaasd en teleurgesteld over zijn lauwe begroeting.

'Hé,' zei ze terwijl ze zich in zijn armen wierp zodra hij de deur opendeed.

'Hai,' zei hij en hij ving haar op. Ze kusten en ze was intens gelukkig tot een zesde zintuig maakte dat ze hem losliet.

'Wat is er? Is alles wel goed?' vroeg ze omdat ze de zorgelijke blik in zijn ogen zag.

'Ja, hoor. Kom binnen, jij en die grote tas.'

Maar Jessica had te ver gereisd en te veel meegemaakt om iets te negeren, al was het maar even.

'Wacht even,' zei ze paniekerig en ze bleef als aan de grond genageld in de gang staan. 'Serieus, wat is er aan de hand? Ik kan zien dat er iets is en ik wil me niet de hele dag hoeven afvragen wat dat kan zijn, dus zeg het me alsjeblieft.'

Paul keek vreselijk onzeker en toen wist Jessica helemaal dat hem iets dwars zat. Een van de dingen die ze altijd zo aantrekkelijk aan hem vond was zijn onderliggende kwetsbaarheid, die op dit moment zorgelijk dicht bij het oppervlak dobberde.

'Zeg het me alsjeblieft,' herhaalde Jessica zwakjes.

Paul zuchtte. 'Het is niks, Jess. Alleen... toen je weg was, maakte Natasha een paar vreemde opmerkingen over jou. Stomme dingen, en ze kletst waarschijnlijk toch uit haar nek.'

'Zoals wat?' wilde ze weten, een koude angst kronkelde zich een weg door haar buik.

'Gewoon, suffe dingen,' wuifde Paul het weg. Hij keek Jessica een ogenblik bedachtzaam aan en gaf zich toen gewonnen. Achter de waarheid komen moest wel verkieslijk zijn boven opgevreten worden door vermoedens. 'Oké, Natasha zei dat je haar iets hebt gegeven waarmee ze gratis merkschoenen kon krijgen of zoiets. Maar goed, ze is naar die winkel gegaan en mocht niets meenemen omdat het op naam van iemand anders stond. Ze was daar erg ontstemd over en vertelde me toen dat voor je vertrek jij en Mike steeds maar onderonsjes hadden in zijn kantoor.'

Jessica deed haar mond open om het uit te leggen, maar Paul was nog niet klaar.

'Ze heeft in zijn agenda gekeken en daar stond "Jessica vragen of ze 14 oktober kan"... of zoiets,' zei hij en hij probeerde te kijken alsof hij het niet woord voor woord had onthouden, wat natuurlijk wel zo was. 'Er is vast een verklaring voor. Misschien kent hij gewoon nog een andere Jessica?' opperde hij hoopvol. 'Want er is natuurlijk niks tussen jou en Mike, toch?'

'Wat moest Natasha in godsnaam in zijn agenda?' riep Jessica uit. Ze was woedend dat ze in deze positie werd gedrukt en haatte het feit dat Paul hierdoor reden tot wantrouwen had gekregen, iets waarvan ze wist dat het hem vreselijk gekweld moest hebben. Hoe kon ze zo stom zijn te vergeten Jimmy Choo te bellen dat Natasha in haar plaats zou komen? Ze moest Natasha spreken voordat die nog meer schade aanrichtte.

'Dat is niet echt waar ik me nu het meeste zorgen over maak,' snauwde Paul, gefrustreerd en plotseling geïrriteerd. Hij had nu al meer dan een week moeten wachten op uitleg en zijn geduld was zojuist opgeraakt.

'Oké,' zei Jessica, die wilde dat ze dit niet nu hoefde te doen. Ze voelde zich groezelig en smerig van het reizen, maar wist dat het niet kon wachten. 'Ten eerste is er inderdaad een verklaring en ten tweede, als ik je vertel wat die is, zul je begrijpen waarom ik er niets over kon zeggen.'

'Ga verder,' zei Paul. Nu ze had toegegeven dat er 'iets' uit te leggen viel, had zijn stem een kille bijklank gekregen.

'Ik ben oppas voor de kinderen van Mike,' zei ze vlug.

Paul had niet verbaasder kunnen kijken dan wanneer ze hem had verteld dat ze in haar vrije tijd Elvis-imitator was.

'Hij en Diane, zijn vrouw, zaten erg omhoog dus een tijdje terug heb ik aangeboden te helpen. Maar goed, nu blijkt – en als je dit aan iemand doorvertelt, word ik heel boos. Beloof je me dat je dat niet doet?'

'Beloofd,' zei Paul versuft.

'Nu blijkt dat Diane niet goed in orde was. Sinds de komst van haar tweede, Ava, is ze nogal depressief, dus ik help haar regelmatig, hier en daar een middag en af en toe een avondje, je weet wel. Maar goed, het zijn enige kinderen en ik geniet er immens van,' zei ze uit verdediging. 'Het spijt me dat ik het je niet eerder heb gezegd, maar ik had Diane en Mike beloofd het aan niemand te vertellen. Ze wilden niet dat het hele kantoor over ze zou roddelen.'

'Aha,' zei Paul verbijsterd en een beetje geërgerd dat er zoveel voor hem verborgen was gehouden. 'En je vond echt dat je me dit niet kon vertellen? Ik bedoel, ik snap het wel als Diane ziek was. Ik begrijp dat ze niet wil dat iedereen dat weet, maar waarom zei je niet gewoon dat je voor ze oppaste?'

Jessica slikte.

'Oh, nu snap ik het. Dus al dat marktonderzoekgebeuren was gelul?' vroeg hij, hardop de puzzel oplossend. 'En je moet ook een paar avonden tegen me hebben gelogen...'

Jessica kon zien dat Paul het maar niets vond en ze worstelde om met een fatsoenlijke verdediging op de proppen te komen. Misschien was ze er zo aan gewend geraakt geheimzinnig te doen in Engeland dat al haar leugens één grote brij waren geworden. Ze was het perspectief een beetje kwijtgeraakt. Had het zoveel kwaad gekund om Paul íéts te vertellen? Ze wist dat ze onvoorwaardelijk op hem kon vertrouwen.

'Mike wilde niet dat iemand het wist, maar ik gíng het je vertellen. Ik wilde het alleen eerst aan Diane vragen,' antwoordde ze naar waarheid. 'Wat laatst eindelijk gelukt is, vlak voor mijn vertrek. Ik wilde het al een eeuwigheid, maar altijd als ik daar aankom is het zo druk met de kleintjes dat ik word afgeleid.'

Paul haalde zijn schouders op, bijna als om het onbehaaglijke gevoel dat om hem heen had gehangen van zich af te schudden. Jessica had gelijk. Ze had niets verkeerd gedaan. Ze had zelfs mensen geholpen en het was gewoon niet het goede moment geweest om het hem te vertellen. Hij liep naar haar toe.

'Zullen we dit maar vergeten?' zei hij vastberaden. 'Ik wil niet nog langer bij Mike blijven stilstaan. Niet nu we nog een etentje bij hem thuis moeten doorstaan vanavond en niet nu we serieus tijd hebben in te halen.'

'Ik ook niet,' giechelde Jessica. Ze werd overspoeld door opluchting omdat ze wist dat ze door het oog van de naald was gekropen. Ze liet zich met plezier in zijn armen trekken en gezoend worden, eerst zacht en daarna gretiger toen hun gevoelens het overnamen.

'Zolang je maar niet nog meer grote, duistere geheimen achterhoudt,' lachte Paul terwijl hij haar naar zijn slaapkamer leidde.

Jessica gaf geen antwoord. Want hoe kon ze?

Toch was Paul vertellen over haar bijbaan in de kinderopvang een enorme opluchting geweest en het werd ook tijd dat ze Kerry op de hoogte stelde. Nu de Bond-show achter de rug was, zou ze haar ontslag indienen en officieel Dianes nanny worden.

## 40

'Alles rustig aan het front?' vroeg Mike toen Diane de keuken in sloop nadat ze de meisjes in bed had gestopt.

'Ik denk het. Ik heb Grace wel moeten beloven dat we wat van het toetje zouden bewaren.'

'Dat komt wel goed,' grijnsde Mike. Hij had zich nogal uitgeleefd op het eten, zo enthousiast was hij dat hij vanavond zijn jongere collega's te eten zou krijgen. Hij wilde dat ze het heel erg naar hun zin zouden hebben. Hij wilde ze ook laten zien dat hij lang niet zo'n slechte vent was en eigenlijk nauwelijks van hen verschilde. Maar hij bleef natuurlijk Mike, dus hij had er niet bij stilgestaan dat een simpele spaghetti bolognese en een paar biertjes in dat geval gepaster zouden zijn. Nu zouden zijn gasten worden getrakteerd op een driegangenmenu dat onder andere bestond uit gevulde runderlende, zelfgemaakte chocolademousse en heel dure wijnen. Hij zou ze bij aankomst champagne aanbieden en had olijven, chips en kaasstengels neergezet zodat ze alvast wat te knabbelen hadden.

Dit was het eerste etentje dat Mike en Diane gaven sinds ze Ava hadden gekregen, en het opruimen van het huis, dekken van de tafel, klaarmaken van het eten, voeden, wassen en naar bed brengen van twee kinderen was een gigantische uitdaging geweest, maar eentje die ze als stel maar mooi hadden klaargespeeld, dacht hij. Hij was immens trots op zijn vrouw. Ze had de hele dag net zo zeer de benen uit haar lijf gerend als hij en zolang niemand in een keukenkastje keek (waarin ze de meeste plastic troep van de kinderen hadden gepropt), zou niemand weten wat een prestatie het was geweest alles op tijd klaar te krijgen.

'Nou, als jij hier alles onder controle hebt, kan ik dan even snel wat lipgloss opdoen?' vroeg Diane.

'Ja, ga maar schat, ik red me wel. Hoewel ik me net afvraag welke wijnglazen we moeten gebruiken. De gewone of de kristallen van onze bruiloft?'

'Oh, ik denk absoluut de gewone,' antwoordde Diane. 'Het is geen kerst. En je wilt natuurlijk ook niet dat het lijkt alsof je je te veel uitslooft.'

Mike dacht hier even over na. Het kristal was waarschijnlijk een beetje over de top dacht hij terwijl hij een versgebakken ciabatta uit de oven pakte. 'Je hebt zoals altijd gelijk,' gaf hij toe. En daarna: 'Kom eens hier. Je ziet er prachtig uit in dat shirtje. Je borsten komen er fantastisch in uit.'

'Dank je,' zei Diane en ze gaf haar man een knuffel. Hij hoefde niet te weten dat ze ze op had gehesen met een Wonderbra. Na twee kinderen leek wat ooit haar grote trots was geweest nu meer op leeggelopen ballonnen. De oren van een spaniël.

'Ik moet zeggen dat ik me ook goed voel,' zei ze. 'Ik heb zelfs zin in deze avond, terwijl ik er een paar maanden geleden echt niet aan had moeten denken.'

'Mmm,' zei Mike, die ineens een beetje gevoelig werd. Diane

was gestopt met de borstvoeding en hoewel hij wist dat het niet erg 'nieuwe man-achtig' van hem was het toe te geven, was hij blij terug te kunnen eisen wat wettelijk van hem was. 'Nou, als je lief bent,' zei hij suggestief, 'kunnen we misschien straks nog iets anders doen, iets wat we in geen maanden hebben gedaan?'

Diane giechelde. 'Misschien,' antwoordde ze en op dat moment ging de deurbel. 'Ze zijn er,' riep ze uit, meer dan verheugd om Jessica weer te zien. Ze had een heerlijk geheimpje met haar te bespreken, daar verkneukelde ze zich al de hele dag al op.

Veertig minuten later zaten Kerry, Luke, Natasha, Paul en Jessica allemaal aan de eettafel van de familie Connor. Het gesprek, dat eerst wat stijfjes was geweest terwijl ze allemaal de omgeving in zich opnamen en moesten wennen aan het feit dat Mike een schort droeg, was nu goed op gang. Ze hadden gesmuld van Mikes voorgerecht van smakelijke avocado-krabsalade en hij serveerde nu heerlijk geurend rundvlees, aardappelen dauphinoise en groenten. Ondertussen had Diane besloten dat nu maar het juiste moment moest zijn om het heikele onderwerp te berde te brengen. Omdat ze Jessica eerder aan de telefoon had gesproken, wist ze dat iedereen al op de hoogte was van wat er gaande was; dat Jessica op de kinderen had gepast. Ze wist ook dat Kerry het nieuws niet al te best had opgenomen.

'Kerry, ik zou echt niet weten wat ik de afgelopen maanden zonder Jessica had gemoeten,' begon Diane, 'maar ik wil dat je weet dat ik haar nooit met opzet heb willen inpikken. Toch, Mike?'

'Eh, nee,' antwoordde haar echtgenoot twijfelachtig.

'En Jessica hield het alleen maar geheim omdat ik haar dat had gevraagd,' voegde Diane er dapper aan toe. 'Want weet je, het ging niet helemaal goed met me. Ik had een postnatale depressie, om heel eerlijk te zijn. Niet een heel extreme vorm, maar erg genoeg. Dus ze heeft me op meerdere manieren geholpen...

Jessica wierp een nerveuze blik op Kerry om haar reactie te peilen. Ze was niet bepaald een feestje aan het bouwen, maar ze wierp

Jessica wel een glimlachje toe. Wat lief van Diane dat ze dat durfde te vertellen.

Omdat ze iedereen had gebeld om over haar bijbaantje te vertellen en Kerry mee te delen dat ze weg zou gaan nadat ze haar had geholpen een nieuwe assistent te vinden, had Jessica besloten dat één geheim wel even genoeg was. De onthulling dat ze voor Mike had gewerkt in plaats van iets verdachters leek Natasha ook het zwijgen op te leggen, voorlopig dan. Dus in plaats van Paul nu haar ware levensverhaal te vertellen vond ze dat één dagje langer geen verschil zou maken. Daardoor hadden ze samen een heerlijke dag gehad, lekker lui in bed gelegen, dvd's gekeken, gevreeën en geslapen. Ze was van plan het andere gesprek zondag met hem te voeren. Morgen dus...

'Kerry,' zei Jessica, 'je bent een geweldige baas en ik heb er ontzettend van genoten om voor je te werken, maar ik durf te wedden dat je veel meer zult hebben aan je volgende assistent. Ik weet niet of ik wel in de wieg ben gelegd voor de showbizz, terwijl ik het enig vind om met kinderen om te gaan. Ik begin er zelfs voor het eerst van mijn leven achter te komen wat ik met mijn leven wil. En ik ben er nog twee weken, dus ik help natuurlijk met het opzetten van de sollicitatiegesprekken.'

Kerry haalde niet-overtuigd haar schouders op. 'Nou, ik vond je zelf erg goed in het werk. Ik betwijfel of een nieuwe net als jij een ramp als vorige week zal kunnen voorkomen toen Nadia Vladinokova ons liet stikken.'

Jessica bloosde en wilde net antwoorden toen tot haar verbazing Diane naar haar knipoogde.

'Wat heb je nou eigenlijk besloten dat je wilt doen?' vroeg Paul, inhakend op wat ze eerder had gezegd. 'Dat heb je me nog niet verteld.'

'Ik zeg het ook liever nog niet,' zei Jessica schuchter. 'Niet tot ik me er wat meer in verdiept heb.'

'Hé, wacht eens even,' zei Diane. 'Je kunt ons niet in spanning houden. Geef op z'n minst een aanwijzing.'

'Ja, toe nou,' moedigde Luke aan.

'Oké,' zei Jessica aarzelend. 'Nou, ik zat eraan te denken dat ik terwijl ik voor Diane werk misschien ook wel een studie kinderpsychologie kon gaan doen. Ik denk dat ik later graag kindertherapeut wil worden.'

'Daar zou je echt geweldig goed in zijn,' reageerde Diane enthousiast. 'Je bent zo goed met kinderen, dus ik denk dat je ook super zou zijn in begrijpen hoe hun hersenen werken.'

'Dat denk ik ook. Ik bedoel, ik heb je niet met de kinderen bezig gezien, maar je zei zelf dat je niet zoveel om tv-werk gaf dus ik vind het super dat je er nu achter komt wat je echt wilt doen,' zei Paul bemoedigend.

Natasha rolde met haar ogen. Ze kreeg schoon genoeg van dit Jessicawaardeeravondje. 'Nou, ik ben alleen maar blij dat er geen intriges meer zullen zijn op kantoor,' mengde ze zich erin. 'Ik bedoel, op een gegeven moment dacht ik dat jij en Mike een affaire hadden.'

Met haar gezicht op onweer, draaide Diane zich naar Natasha.

'Ik bedoel... natuurlijk geen affaire... dat was een grapje... gewoon iets verdachts... Maar goed, waar hebben jullie elkaar leren kennen?' improviseerde Natasha vlug om uit het gat te krabbelen dat ze zelf gegraven had.

'Vertel jij het maar,' grijnsde Mike en hij kneep teder in Dianes hand.

'Op een rave,' zei Diane, die nog steeds boos naar Natasha keek.

Paul kon het niet laten. 'Wát zeg je? Je hebt Mike op een rave ontmoet? Als in een houseparty in een club?'

'Ja,' antwoordde Mike. 'Nou, het was meer een soort pakhuis dan een club, toch lieverd?'

'Ja,' zei Diane, een weemoedige glimlach speelde om haar lippen. 'Ik zal nooit vergeten dat je je telefoonnummer op mijn buik schreef.'

Paul keek zo verbaasd dat Jessica moest giechelen. Luke was net zo verbijsterd. Kerry en Natasha waren allebei gestopt met kauwen ook al hadden ze een mond vol eten.

'Ik had je altijd meer als een James Blunt-man ingeschat,' zei Luke uiteindelijk.

'Oh, dat ben ik ook,' zei Mike. 'Ik ben dol op James Blunt. Jij niet?'

Luke gaf geen antwoord. Hij had het te druk met het beeld van Mike in zijn hoofd, Mike die golfde en het altijd over onroerend goed had, witte handschoenen droeg en dan danste op dancemuziek. Het werd nog een dol avondje, hoewel hij zich nog rot schaamde voor zijn blunder van eerder. Mike had hem 'bubbels' aangeboden zodra hij binnen was en omdat hij niet meteen begreep dat hij daar champagne mee bedoelde, had hij aangenomen dat Mike van plan was met z'n allen in een bubbelbad te stappen. Daardoor had hij tot Mikes verbijstering geantwoord: 'Nee dank je, ik heb mijn zwembroek niet bij me.'

Mike had hem stomverbaasd aangestaard totdat een uiterst geamuseerde Kerry hem op de fout wees. En nu stonden al zijn aannames over Mike op losse schroeven. Misschien was zijn baas toch niet rechtstreeks van schooluniform overgegaan naar kaki's en etentjes buiten de deur.

'Tjonge,' zei Paul, onder de indruk dat de wereld van de familie Connor een heel andere bleek dan hij had gedacht.

'Ach, iedereen heeft een verleden,' zei Mike en hij keek Paul daarbij aan. 'En niet altijd wat je denkt.'

Jessica grinnikte in zichzelf, ze genoot van de ontboezemingen en was trots op Mike en Diane dat ze een aantal van de meest spraakzame mensen die ze kende stil hadden weten te krijgen.

'Hé,' zei Mike terwijl hij opstond, 'zal ik nu even een paar lekkere housenummers opzetten?'

Enthousiast liep hij naar zijn iPod, zette de behoedzaam voor het etentje samengestelde playlist af en scrolde door zijn muziek totdat hij een nummer van Utah Saints vond.

'Dat is heel waar,' schreeuwde Diane, ze kwam met moeite boven de basdreunen uit die plotseling door de keuken schalden. 'Niemand is ooit hoe je in eerste instantie denkt.'

Het viel Jessica tot haar schrik weer op dat Diane haar terwijl ze die woorden uitsprak, aankeek met een verontrustend veelbetekenende uitdrukking op haar gezicht.

De avond vloog voorbij. Wel moest iedereen de hele tijd boven de hardcore uit proberen te schreeuwen die Mike per se aan wilde laten staan. Voor het eerst had hij wat schoorvoetend respect bij zijn collega's aangevoeld en daardoor was hij vastberaden aan dit imago van raver vast te houden. Een imago dat vernield werd toen Diane terwijl hij het toetje uitdeelde plotseling naar hem begon te wapperen met haar handen dat hij de muziek uit moest zetten. Toen hij dat had gedaan, was door de babyfoon het geluid van Grace die om haar moeder riep te horen.

'Zet die herrie toch af,' snauwde Diane. 'Grace is er wakker van geworden.'

'Shit,' zei Mike schaapachtig.

'Ik zou haar zo graag weer willen zien,' zei Jessica vol verlangen. 'Ik heb haar echt gemist.'

'Dan gaan we toch samen?' stelde Diane voor. 'Kom op.'

Grace was door het dolle toen zowel haar moeder als Jessica in haar kamer verscheen, maar was zo slaperig dat het niet lang duurde voordat ze weer rustig lag.

'Doe mijn licht aan,' instrueerde ze, haar ogen alweer dichtvallend. 'Aai mijn haar.'

'Ja, mevrouw,' fluisterde Diane teder en ze knikte naar Jessica dat ze kon gaan. Jessica begon de kamer uit te sluipen maar Grace deed meteen een oog open en zeurde: 'Jessica moet ook blijven, mama.'

'Oké lieverd, Jess blijft. We blijven allebei,' zei Diane terwijl ze het haar van haar dochtertje streelde om haar weer in slaap te krijgen. Jessica sloop naar de stoel in de hoek van de kamer en ging erop zitten. Een paar minuten later, toen het ernaar uitzag dat Grace eindelijk naar dromenland was, wendde Diane zich tot Jessica en vroeg: 'Gaat het?'

'Ja, ik heb een leuke avond, dank je,' fluisterde Jessica terug. 'Het eten is heerlijk. Mike kan goed koken.'

'Voordat we naar beneden gaan wil ik graag iets tegen je zeggen,' zei Diane met een grote grijns.

'Oké...'

'Ik denk dat ik het weet.'

'Wat?' vroeg Jessica, die haar niet begreep.

'Dat je de dochter van Edward Granger en Angelica Dupree bent. Of heb ik het mis?'

Jessica gaapte Diane aan. Die laatste keek verwachtingsvol terug. Het was een schok dat hardop te horen zeggen. Haar geheim was zo goed verborgen geweest in Engeland dat ze niet kon geloven dat iemand erachter was gekomen.

'Dat is toch zo? Je kunt het me wel vertellen, hoor.'

'Hoe weet je het?' kreeg Jessica uiteindelijk voor elkaar uit te brengen nadat ze zich gerealiseerd had dat er met ontkennen niets te winnen viel. Het was duidelijk niet zomaar een gok geweest.

'Nou, ik bladerde toevallig even door de *Hello*,' zei Diane, ze oogde erg tevreden met zichzelf. 'En daar stond een enorme foto in van Edward Granger op een vliegveld met een vrouw die duidelijk niet op de foto wilde want ze had haar jas om haar hoofd geknoopt. Maar om de een of andere vreemde reden viel mijn blik op de benen van die vrouw en je zult dit vast heel gek vinden, maar ik herkende ze zo'n beetje. Hoe langer ik ernaar staarde, hoe meer de persoon me aan jou deed denken, want ik had kunnen zweren dat je ook dezelfde jas had. Maar goed, eerst dacht ik nog dat het toeval moest zijn, dus ik zat maar te kijken en te denken, nou ja, als dat Jess is, wat doet ze dan in godsnaam met Edward Granger? Dus ben ik het internet op gegaan, heb Edward Granger opgezocht en uiteindelijk vond ik een foto van jou, van een tijdje terug denk ik, met je vriendin Dulcie bij een of ander benefiet.'

Jessica knikte sprakeloos en Diane sloeg haar handen tegen elkaar, verrukt om de roddel. 'Niet te geloven dat je me dat niet hebt verteld.'

'Ik heb het niemand verteld,' zei Jessica vlug. Ze was ineens gaan staan, haar lichaam in vlucht- of vechtmodus. 'Zelfs Paul niet.'

Dianes hand schoot naar haar mond. 'Dat meen je niet! Waarom niet?'

'Het is een lang verhaal,' was het vage antwoord van een nerveuze Jessica. Ze vond het maar niets dat ze de situatie niet meer in de hand had. Het was het einde van een tijdperk, bedacht ze bedroefd. Het einde van stille anonimiteit.

'Nou, je had er vast je redenen voor, maar ik wil dat je weet dat ik een enorme fan van je vader ben. Hij is absoluut mijn lievelings Bond – nou ja, na de appetijtelijke Pierce Brosnan dan – en dat verklaart natuurlijk hoe je het voor elkaar hebt gekregen om Angelica Dupree in de show te krijgen. Je lijkt veel op je vader, hè? Zodra ik het wist, zag ik meteen de gelijkenis.'

Dit was dus precies waarom Jessica het aan niemand had verteld...

'Diane, wil je het alsjeblieft tegen niemand zeggen?' smeekte Jessica. 'Ik moet het Paul nu echt vertellen en ik wil niet dat hij het van iemand anders hoort.'

'Ik hou mijn mond,' zei Diane en ze glimlachte naar Jessica en gebaarde dat ze maar moesten gaan. Grace was in diepe slaap en het werd tijd dat ze zich weer bij de anderen voegden.

Boven aan de trap fluisterde Diane: 'En als ik nog wat mag zeggen: hoewel het een verrukkelijk nieuwtje is, kan het me echt geen sikkepit schelen wie je ouders zijn. Wat mij betreft ben jij de ster.'

Dat had Jessica even nodig. Ze was zo geroerd door dit oprechte compliment dat ze de neiging had Diane te omhelzen. Dus gerustgesteld, deed ze dat voordat Diane de trap af kon lopen.

'Slaapt Grace weer?' informeerde Mike op een overdreven opgewekte toon.

'Als een roos,' antwoordde Diane. 'Hoe is de mousse? Wil er iemand nog meer?'

'Nee, dank je,' zei Mike, en pas toen besefte Jessica dat er iets vreselijk mis was. Iedereen staarde naar haar, het was doodstil en Paul keek haar aan met een blik vol verachting en nog iets anders wat moeilijker te lezen viel. Hij was ook wat bleekjes geworden.

'Is alles goed met je?' vroeg ze zacht toen ze weer op haar plek ging zitten.

'Prima,' antwoordde hij met een stem die van het tegendeel getuigde. 'Ongelooflijk waar je dankzij moderne techniek tegenwoordig allemaal achter kunt komen,' voegde hij er sarcastisch aan toe, zijn stem onherkenbaar hard en druipend van minachting.

Jessica had geen idee waar hij het over had, maar Diane zag eruit alsof zij het wel wist. De angst sloeg haar om het hart terwijl ze Dianes blik volgde naar de babyfoon die onschuldig in een hoek stond.

SHIT!

'Ik kan het uitleggen,' begon Jessica.

'Laat maar,' was Pauls ijzige weerwoord. 'Ik wil dat je oprot en me met rust laat. Of ik rot wel op, eigenlijk. Mike, Diane, bedankt voor het eten maar ik ga. Ik heb mijn buik wel vol van deze avond.'

En daarmee schoof hij zijn stoel naar achteren en ging op zoek naar zijn jas.

Jessica staarde hulpeloos naar de anderen, op zoek naar steun, maar niemand kon haar recht in de ogen kijken. Natasha zag eruit alsof ze probeerde haar lachen in te houden, maar op een manier zoals bij een begrafenis of iets dergelijks. Nerveus. 'Dat ik dat zelf niet heb gezien,' zei ze nu. 'Dus toch. Edward Grangers dochter... Ik wist wel dat je iets speciaals had, Jess.'

Jéss? Dat was zelfs voor Natasha doorzichtig.

'Je had vast je redenen om er niets over te zeggen,' opperde Kerry, die er niet van genoot Jessica zo van streek te zien. Ze wist hoeveel ze van Paul hield. Aan de andere kant vond ze het ook niet leuk dat Paul gekwetst was en dit was echt iets voor hem om een probleem van te maken. Het was zo frustrerend; waarom had Jessica het hem niet gewoon verteld? En waarom had ze haar moeder zo graag in de show gewild?

'Ehm,' probeerde Luke, 'kende je Mike soms al? Hoorde het er soms bij om de Bond-show te mogen doen?'

'Nee,' antwoordde Jessica zwak.

Mike schudde zijn hoofd en wilde net wat zeggen toen Paul weer verscheen met zijn jas aan en een nog altijd woedende blik in zijn ogen. 'Nou, bedankt voor een geweldige avond,' zei hij tegen Mike.

'Eh, graag gedaan,' antwoordde Mike verdwaasd. Hij stond versteld over wat ze te weten waren gekomen via de babyfoon maar was eerder onder de indruk dan boos. Niemand minder dan een Bond-dochter was in hun midden geweest. Heel bijzonder, en niet, voor zover hij kon zien, een reden voor Paul om zich zo op te winden.

'Doe dit alsjeblieft niet,' smeekte Jessica, maar haar stem was amper luider dan gefluister en Paul weigerde zelfs maar naar haar te kijken.

'Ik zal niet vragen of iemand van Jessica's bedrog op de hoogte was,' zei hij vanuit de deuropening terwijl hij Mike strak aankeek. 'Dat lijkt me duidelijk, aangezien sommigen onder jullie geen probleem met nepotisme schijnen te hebben.'

Mike werd vuurrood en zuchtte toen, zijn boventanden op zijn onderlip. 'Weet je, Paul? Ik ben blij dat je dat nu eindelijk hebt uitgesproken, want het bevestigt hoe ik altijd al vermoedde dat jij over me denkt. Maar misschien zou je je mening bijstellen als je wist wat het echt inhoudt om voor mijn schoonvader te werken?'

'Ik wil het niet weten,' mompelde Paul en hij draaide zich om om te gaan. 'Ik zou het niet erg hebben gevonden te weten wat er in het onbetrouwbare hoofd van mijn vriendin omging, maar in tegenstelling tot haar ben jij me geen verklaring verschuldigd.'

'Hé, wacht eens even,' antwoordde een nogal aangeschoten Mike. 'Ten eerste wist ik er niets van dat Jessica familie van Edward Granger was, al heb ik geen idee waarom jij er zo'n probleem van maakt. Ten tweede ben ik niet gek. Ik weet dat je vindt dat ik een marionet ben die slaafs gehoorzaamt aan David en een helpende hand krijg aangereikt wanneer het maar nodig is, maar in werkelijkheid zit het heel anders. Nou, niet helemaal. Maar goed, om eerlijk te zijn vind ik het helemaal niks. Het geeft enorm veel druk en als ik het ooit waag het niet met hem eens te zijn, is dat een strop want er is altijd een kans dat we zondag weer samen aan de lunch zitten.'

Paul was ineens beschaamd. Hij had alleen maar een toespeling gemaakt op het hele David-gebeuren om Jessica te raken, maar het was wel onbeschoft van hem. Het was niet Mikes schuld dat Jessica tegen hem had gelogen.

'Er zitten vast ook nadelen aan,' gaf hij schoorvoetend toe. 'Maar goed, het gaat me niets aan en het spijt me als ik buiten mijn boekje ging. Nogmaals bedankt voor het eten, Diane. Luke, Kerry, ik zie jullie zo wel.'

'Doe dit nou niet,' verzocht Jessica weer en ze begon te huilen. Ze duwde haar stoel naar achteren, niet langer de moeite nemend nog enige waardigheid van de situatie te redden. Ze liep Paul achterna de gang in. 'Alsjeblieft, Paul,' smeekte ze. 'Ik geef zoveel om je en ik ging het je echt vertellen.'

'O ja?' zei Paul, zijn ogen glanzend van wat verdacht veel op traanvocht leek, zijn gezichtsuitdrukking een van afschuw en teleurstelling. Jessica wist dat ze met een goede, acceptabele verklaring moest komen maar kon het niet. Ze was doodmoe, uitgeput van de jetlag, een beetje dronken en erg van streek. Een combinatie die van de juiste woorden vinden op z'n zachtst gezegd een uitdaging maakte.

'Ik ging het... je echt... vertellen... morgen,' kon ze nog net uitbrengen.

'Dat kun je nu makkelijk zeggen, hè?'

'Echt waar en ik had het al eerder willen doen, maar het was nooit het juiste moment,' jammerde Jessica. De tranen biggelden nu over haar wangen en haar neus vulde zich met snot. 'Als ik had geweten dat ik jou zou ontmoeten had ik nooit–'

'Bespaar me je gelul, Jessica,' antwoordde Paul boos. 'Je weet hoeveel eerlijkheid voor me betekent en nu weet ik niet of íéts tussen ons wel echt was. Ik bedoel, als ik denk aan de onzin die je me hebt voorgeschoteld...' hij haalde gefrustreerd zijn handen door zijn haar, 'als ik eraan denk dat we godsamme samen naar je moeder op tv hebben zitten kijken. En je dacht er geen moment over na om iets te zeggen. Geen moment. En dan *Cheaper by the Dozen*!' schreeuwde hij ineens.

Jessica schrok zich lam.

'Je hebt me zelfs wijsgemaakt dat jouw vader bij *Cheaper by the Dozen* moet huilen. Wat voor zieke grap haalde je toen met me uit? Alsof Edward Granger, een van Hollywoods ruigste acteurs aller tijden, dat ooit zou doen. Jezus, wat moet jij gelachen hebben.'

'Nee,' zei Jessica en de tranen stroomden over haar gezicht. 'Dat was echt waar.' Ze kon er niet tegen om Paul zo te zien. Kon niet geloven dat zij degene was die hem zoveel pijn deed terwijl hij de laatste persoon op aarde was die ze ongelukkig wilde zien. Hoe kon ze dit hebben laten gebeuren?

Pauls mond ging open en even leek het erop dat hij tegen wat ze net had gezegd in zou gaan, maar toen bedacht hij zich en kwam er zo'n verschrikkelijk pijnlijke blik in zijn ogen dat Jessica huiverde. Omdat hij haar duidelijk niet meer kon luchten of zien, ritste Paul zijn jas dicht en vertrok. Hij gooide de deur voor haar neus dicht en liep zo snel mogelijk de straat op. Hij was niet van plan Jessica het genoegen te schenken te zien hoe van streek hij was. Zo open als hij tegen haar was geweest had hij nooit eerder bij vriendinnen kunnen zijn en nu bleek dat ze niets anders was dan een leugenaar en oplichter.

Jessica had er echter geen enkel probleem mee dat anderen haar tranen zagen. Ze stond vijf volle minuten snikkend in de gang voordat ze zich realiseerde dat ze maar beter terug naar de keuken kon gaan om iedereen en hun vragen het hoofd te bieden. Tegen die tijd was ze een zielig hoopje ellende en hoewel het moeilijk te zien was door haar waas van tranen, waren de gezichten die haar aankeken over het algemeen meelevend.

'Ah, daar ben je weer,' zei Mike, die probeerde te klinken alsof hij niet net had gehoord dat haar relatie werd uitgemaakt. 'Ik wilde net water opzetten. Wie wil er pepermunt?'

# 41

Na Jessica en Pauls ruzie, sputterde het etentje onsamenhangend tot stilstand.

Terwijl ze somber naar elkaar zaten te kijken, was Mike weer de eerste die de stilte verbrak. 'Trouwens,' zei hij met een overdreven blik op de babyfoon en daarna op Diane, "de appetijtelijke Pierce Brosnan?" Ik wist niet dat je op hem viel.'

'Oh, hou op,' snauwde zijn vrouw, waarmee ze hem de mond snoerde.

Beschaamd en niet wetend wat hij nu moest doen, richtte Mike zich van de ene bezigheidstherapie – thee zetten – op de andere: afwassen. Diep vanbinnen wilde hij het liefste Jessica honderden vragen stellen over haar vader, maar hij vermoedde dat dit niet helemaal het juiste moment was.

In tegenstelling tot hem, voelde Diane zich te ellendig om te kunnen helpen of ook maar iets te doen. Ze vond het verschrikkelijk dat ze zonder het te weten alles voor Jessica had verpest, en wilde dat ze de tijd kon terugdraaien. Ze wilde ook dat ze iets kon doen om Jessica te troosten, maar betwijfelde of het arme schaap haar wel in haar buurt wilde hebben. Toch kon ze niet toe blijven kijken hoe haar vriendin de ogen uithuilde, dus besloot ze uiteindelijk het risico te nemen te worden weggeduwd en liep naar haar toe om haar een te knuffel geven.

'Het spijt me,' bleef Diane maar zeggen toen haar knuffel eenmaal geaccepteerd was en ze Jessica's haar op dezelfde manier streelde als ze bij Grace had gedaan.

'Nee, het spijt míj,' snufte Jessica. 'Ik heb iedereens avond verknald en ik had het jullie allemaal eerder moeten vertellen, maar ik...' haar stem stierf weg, ze was te zeer van streek om door te gaan.

'Ja... ik denk dat ik maar een paar taxi's ga bellen,' zei Natasha, die zich afvroeg waarom iedereen in hemelsnaam zoveel medelijden met Jessica had. Ze waren er net achter gekomen dat ze schathemeltjerijk was. Waren ze niet helemaal goed? Haar vader was Edward Granger, dus wat was nu eigenlijk het probleem? Ze was ook nogal verguld met zichzelf; ze had altijd geweten dat er íéts met haar was. Ze had alleen wel spijt dat ze niet wat aardiger tegen haar was geweest...

Een pijnlijk lange drie kwartier later arriveerde eindelijk Luke en Kerry's taxi. Typisch dat die van Natasha er in een mum van tijd was geweest en Luke en Kerry een beleefd gesprek gaande hadden moeten houden met de Connors, wat een nogal stressvolle taak was gezien het feit dat ze allemaal een beetje teut en moe waren en Jessica in een hoekje stilletjes zat te snikken.

'Bedankt voor een... fijne avond,' zei Kerry, die was opgesprongen zodra ze de klop op de deur hoorden.

'Ja bedankt, het was heel gezellig en maak je geen zorgen om haar,' riep Luke overdreven opgewekt in een poging te compenseren voor Jessica's ellende. 'Morgenochtend voelt ze zich vast beter,' zei hij in de hoop Diane wat te gerust te stellen. Die werd nog steeds gekweld door schuldgevoel over de hele situatie.

'Jezus, jij houdt niet van half werk wat huilen betreft, zeg,' zei Kerry terwijl ze de straat op strompelden, Kerry en Luke met Jessica tussen zich in. Kerry was nog nooit zo blij geweest een taxi te zien.

'Mijn hoofd doet zeer,' mompelde Jessica.

'Dat verbaast me niets,' zei Kerry terwijl ze haar de auto in duwde. 'Ik denk dat ik nog wel wat Nurofen in mijn tas heb. Wil je er eentje?'

'Nee,' antwoordde Jessica met bevende stem van ellende. De knallende koppijn die ze zichzelf had bezorgd was verdiend, dacht ze zwakjes, dus ze zou het ondergaan als een monnik in een haren boetekleed. Zelfs al was er een kans dat het zonder de pillen tot een migraine zou transformeren die met braken gepaard ging.

Kerry en Luke stapten ook in en toen de chauffeur informeerde waar ze heen moesten, hadden ze bijna hun eerste echte ruzie terwijl ze probeerden te bepalen wat ze aan moesten met het wrak Jessica Bender, geboren Granger, dat in een verse huilbui was uitgebarsten.

'We kunnen haar niet meenemen naar jouw huis,' siste Kerry, die nu wel genoeg had van Jessica's hysterie en van de hele verpeste avond. 'Dat kunnen we Paul niet aandoen. Ze is de laatste die hij nu wil zien.'

'Ze kan op de bank slapen,' pleitte Luke. 'Veel keus hebben we niet. Ik ga niet betalen om haar eerst naar Hampstead te brengen en we kunnen haar niet hier achterlaten.'

'Nou, dan neemt zij toch deze taxi, nemen wij wel een andere,' zei Kerry geërgerd.

'O ja, want weer terug Mikes huis in voor nog een sprankelend uur vol bezopen, afschuwelijk ongemakkelijk gezwets is echt waar ik nu zin in heb.'

'Gaan jullie maar,' snoof Jessica plotseling en ze zocht verwoed naar de greep van het portier. Ze zag er niet uit. Haar huid was vlekkerig en besmeurd met snot. Haar ogen waren omringd door zwart waar ze de mascara over haar gezicht had gewreven. 'Het maakt mij niet uit waar ik heen ga. Ik wil gewoon alleen zijn.'

'Zie je nou wel?' zei Luke met zijn armen over elkaar gevouwen en een blik die zei: het bewijs, ze is een suïcidale gek.

'Oké,' zei Kerry geïrriteerd. 'We gaan wel naar jou.'

'Godzijdank,' zei de chauffeur. 'Tufnell Park dus? En weten jullie zeker dat zij niet gaat kotsen?' voegde hij eraan toe en hij wees naar Jessica die probeerde zichzelf in iets wat op de foetushouding leek te krijgen. Niet makkelijk, met z'n drieën op de achterbank.

Bij aankomst in de flat bleek dat Kerry zich geen zorgen had hoeven maken. Paul was er niet. Hoewel Jessica dat feit alleen maar wilde aannemen nadat ze eerst onder zijn bed en in zijn kledingkast had gekeken. Opluchting dat hij haar niet in deze toestand zag vermengde zich met teleurstelling en regelrechte angst dat ze hem nooit meer zou zien. In zijn kamer, waar ze al hun intiemste momenten hadden beleefd, werd het haar te veel en ze liet zich op zijn bed vallen, snuivend aan zijn dekbed naar tekenen van zijn geur omdat ze op de een of andere manier dichtbij hem wilde zijn.

'Jezus,' zei Luke en hij klonk geschrokken terwijl hij met Kerry vanuit de deuropening toekeek. 'Ze geeft wel echt om hem. Dat had ze in elk geval niet verzonnen, hè?'

'Nee,' zei Kerry en ze deed de deur dicht zodat Jessica in alle rust gestoord en hysterisch kon doen. 'Het is wel gigantisch gek, hè? Ik blijf maar denken aan de dingen die we misschien over haar vader hebben gezegd op het werk. Ik snap niet hoe ze zo lang heeft kunnen zwijgen.'

'Ja hè,' zei Luke, die zich uitgeput op de bank in de woonkamer liet zakken en Kerry naast zich trok. Hij pakte haar vast voor een knuffel.

'Sorry van daarnet. Ik wilde geen ruzie met je maken.'

'Het geeft niet.'

'Kerry?'

'Ja?'

'De dochter van James Bond is in mijn huis.'

'Ik weet het,' lachte Kerry ineens toen de absurditeit van de hele situatie eindelijk de overhand nam. 'En dat niet alleen. De dochter van James Bond snuift in je huis aan Paul Fletchers beddengoed.'

'Nou, hij heeft dan ook een *licence to thrill*,' grapte Luke.

'Hoewel hij vanavond eerder *shaken* dan *stirred* was,' voegde Kerry er giechelend aan toe.'

'Aan zijn gezicht te zien toen hij wegging moeten we hem voortaan maar *Thunderballs* noemen.'

'Dat was echt een slechte,' lachte Kerry hardop. 'Maar misschien wil hij wel *The Living Daylights* uit haar slaan?'

'Ah, Miss Moneypenny, dat was een goeie, behalve dan dat je nu mijn beste vriend als vrouwenmepper afspiegelt.'

'Eigenlijk,' zei Kerry, 'begrijp ik wel een beetje waarom ze niet wilde dat wij het wisten.' Lichtelijk ontnuchterd door deze gedachte, kroop ze dicht tegen Luke aan en zei: 'Maar goed, waar zou Paul in godsnaam uithangen?'

'Bij zijn moeder, denk ik,' was het antwoord.

## 42

Tegen de ochtend was Jessica tot min of meer dezelfde conclusie gekomen. Paul zou wel bij zijn moeder zijn. Nu hij er op zo'n afschuwelijke manier achter was gekomen wie ze was, moest ze hem heel snel vinden en proberen uit te leggen hoe het allemaal zo had kunnen lopen, ook al wist ze dat zelf amper.

Toen ze voor het eerst haar ogen open had gedaan na een onrustige nacht had het een paar heerlijke ogenblikken geleken alsof er niets was gebeurd, waarschijnlijk vanwege het feit dat ze in Pauls bed lag. Maar toen herinnerde ze het zich weer. Het was allemaal echt gebeurd en het was rampzalig.

Ze had pijn in haar hoofd, pijn in haar lijf, maar vooral pijn in haar hart van verdriet. Maar met blijven liggen in Pauls slaapkamer zou ze in elk geval nergens komen, dus na een douche ging ze zwaarmoedig terug naar Pams huis omdat ze had besloten dat Paul waarschijnlijk een dag of wat nodig zou hebben om af te koelen. Zijn telefoon nam hij in elk geval niet op. Ze zou hem morgen op het werk zien.

Maar toen ze de volgende dag op haar werk kwam, was hij er tot haar ontzetting niet. Hij had zich ziek gemeld en Mike was zo verstandig geweest die smoes te accepteren. Omdat ze zich psychologisch had voorbereid op de confrontatie voelde Jessica zich weer terugvallen in haar eerdere beklagenswaardige toestand. De dag leek eindeloos, ze kon zich nergens op concentreren en was ervan overtuigd dat het hele kantoor over haar kletste (dat was ook zo), dus het duurde niet lang of ze was online op zoek naar een vliegticket naar huis. Maar ze kwam er niet toe er een te boeken. Behalve het feit dat ze Diane toezeggingen had gedaan, wist ze ook diep vanbinnen dat ze nergens heen kon zonder het bij te hebben gelegd met Paul.

Om even aan de nieuwsgierige blikken te ontkomen verliet ze op een gegeven moment met een smoesje het kantoor en ging naar de kantine, waar ze Dulcie belde die minder meevoelend was dan ze had gehoopt.

'Luister eens Jess, toen je iets met hem begon wist je al wat voor jongen Paul was. Hij heeft principes en heeft bepaald geen hoge pet op van beroemdheden, om de een of andere vage reden. Je had kunnen weten dat hij hierover zou gaan flippen. Maar je vindt hem blijkbaar leuk, dus ga nu niet medelijden met jezelf zitten hebben. Ga naar hem toe en praat het uit.'

'Echt?'

'Echt,' zei haar vriendin.

De volgende dag verscheen Paul wél op het werk, omdat hij wist dat Mike maar één spijbeldag zou tolereren voordat hij er een probleem van zou maken. Hij zag er vreselijk uit. Moe, bleek en erg somber.

'Hoi,' zei Jessica nadat ze nerveus op zijn bureau was afgestapt. Het was al een gigantische opluchting hem alleen maar te zien, al keek hij amper op.

'Ik heb het druk,' mompelde hij. 'Moet gisteren inhalen.'

'Oké,' zei ze en ze ging ervandoor terwijl ze zich vreselijk klein voelde en zich afvroeg wat ze in hemelsnaam kon doen om het weer goed te maken.

De dag kroop voorbij, onderbroken door de gebruikelijke productievergadering en mensen die schuchter bij haar bureau kwamen staan om haar dingen over haar ouders te vragen. Ze wilde niet onbeschoft zijn maar zag ook niet in wat het hen aanging, en kon de voortdurende veroordelende, boze blikken van Paul niet verdragen. Toen het eindelijk tijd was om naar huis te gaan, liep Jessica hem achterna de gang in. 'Paul!' riep ze, maar hij draaide zich niet eens om.

Volkomen verstoken en verslagen, schuifelde Jessica moedeloos terug naar het kantoor waar nog een handjevol mensen waren en zakte neer op haar bureau.

'Praat hij nog steeds niet tegen je?' vroeg Kerry, die net samen met Luke wilde vertrekken.

Jessica schudde het hoofd. 'Hij is zó boos.'

'Ja, wat had je dan verwacht?' vroeg Luke, redelijk genoeg. 'Je weet hoe hij is. Iedere andere man streeft ernaar zoals Paul te zijn.

Hij is betrouwbaar, een echt goeie jongen en hij heeft het nooit kunnen begrijpen als iemand iets anders dan oprecht is.'

'Maar ik wilde hem niet kwetsen,' jammerde Jessica. 'Ik heb er gewoon een zooitje van gemaakt, maar niet omdat ik een slecht mens ben. Gewoon dom. Erg dom en egoïstisch, denk ik, want ik wilde gewoon mezelf kunnen zijn, zonder al het gedoe dat om mijn familie heen hangt.'

'Nou, ik begrijp niet waarom je ons dit allemaal vertelt. Dat moet je hém vertellen,' zei Kerry ronduit.

Jessica keek op. 'Je hebt gelijk,' zei ze met een vastberaden blik in haar ogen. 'Waar ging Paul nu heen?'

'Naar zijn moeder,' zei Luke, wat hem een harde por van Kerry opleverde omdat ze er niet van overtuigd was dat Paul wilde dat Jessica dat wist.

Tien minuten later was Jessica Bender, geboren Granger, op weg naar het beruchte gehucht Staines, al was het na een ruzie met Luke en Kerry omdat ze haar in eerste instantie het adres niet wilden verschaffen. (Paul had Kerry met klem verzocht dat niet aan Jessica te geven.)

Eropuit gaan om iets te doen aan het rechtzetten van de rotzooi die ze had gecreëerd voelde als de eerste verstandige stap die ze in tijden had gezet, hoewel de wijsheid van haar plan wel een beetje broos begon te voelen toen die reis, letterlijk, uren duurde. Eerst moest ze een eeuwigheid op de metro wachten en daarna bleef de trein waar ze op Waterloo in was overgestapt eeuwen lang zonder duidelijke reden op het spoor tussen twee stations stilstaan. Toch voelde het voor Jessica allemaal als boetedoening en stelde het ook het moment van de waarheid uit. Het moment waarop ze erachter zou komen of Paul haar kon vergeven.

Wat aanvoelde als jaren later, kwam ze eindelijk aan in het nogal onbeduidende plaatsje Staines. Op zoek naar het adres vroeg ze een hele reeks voorbijgangers om hulp. Sommige waren best hulpvaardig, andere waren of dom of probeerden met opzet haar zoektocht naar Paul te saboteren. Ze was uitgeput tegen de tijd dat ze er eindelijk arriveerde, maar niet zo uitgeput dat het feit haar ontging dat het huis van Pauls moeder wel drie keer in dat van Pam paste. Het zag er prima uit; het was een klein, halfvrijstaand huis van rode stenen maar zonder onderscheidende eigenschappen. Gewoon een rode doos met een goed verzorgde voortuin. Geen wonder dat hij haar haatte. Ze haatte zichzelf ook, dacht ze treurig.

Ze belde aan.

Een zestienjarig meisje van wie Jessica wist dat het wel Lucy moest zijn deed open.

'Hai,' zei Jessica zacht, nerveus als de pest met een flauw glimlachje op haar gezicht.

'Hai,' zei Lucy.

'Leuk je te ontmoeten,' zei Jessica. 'Ik ben Jessica.'

'Dat dacht ik al,' zei Lucy. 'Je oogt van slag,' voegde ze eraan toe toen Jessica haar vragend aankeek. 'En Paul is in een pesthumeur dus...' Haar stem stierf weg, ze wist niet zo goed wat ze moest zeggen. Ze was gek op haar broer en haar loyaliteit lag bij hem. Maar net als Mike had ze toen Paul haar vertelde wat er was gebeurd niet ingezien wat voor misdaad Jessica begaan had alleen maar door de dochter van een beroemdheid te zijn. Bovendien wilde Lucy dolgraag dat ze het weer goedmaakten zodat ze allerlei roddels te weten zou kunnen komen en mogelijk zelfs op een dag James Bond ontmoeten.

'Is Paul er?'

'Eh... nee?' antwoordde Lucy terwijl ze tegelijkertijd ja knikte.

'Oh... oké,' zei Jessica, niet wetend wat ze nu moest doen.

'Ach wat,' zei Lucy nadat ze het een moment had overdacht. Ze stapte naar achteren om Jessica door te laten. 'Het leven is al zo kort...' zei ze en ze wees naar waar de zitkamer moest zijn.

Jessica ademde diep in om al haar kracht te verzamelen. 'Dank je wel,' mompelde ze en ze liep langs Lucy de kleine gang in. Oké, daar gaan we. Doodsbang duwde ze de deur aan de rechterkant open, waar ze een heel terneergeslagen Paul onderuitgezakt voetbal zag zitten kijken.

'Hoi,' zei ze voorzichtig.

'Wat doe je hier?' vroeg hij emotieloos zonder zijn blik van het scherm te halen. 'Ik dacht dat ik mezelf vrij duidelijk had gemaakt.'

'Dat heb je ook,' mompelde Jessica, 'maar ik wil het echt uitleggen. Want weet je–'

'Nee,' zei Paul. 'Ik weet het niet en ik wil het ook niet weten. Ik ben niet geïnteresseerd in wat je te zeggen hebt.'

'Maar–'

'Hoe kon je?' onderbrak hij haar, tegenstrijdig met wat hij net had gezegd. 'Was er echt geen enkel moment waarop je dacht dat het misschien een goed idee zou zijn me de waarheid te vertellen?' vroeg hij ongelovig.

'Zo was het niet,' begon Jessica, maar Paul was duidelijk niet in de stemming om te luisteren.

'En nu kom je naar mijn huis, wat je vast een smerig krot vindt. Ik bedoel, zelfs het huis van je tante is maar klein en "*kinda cute*" voor jouw maatstaven, is het niet?' zei hij, gemeen spottend met haar accent.

'Wacht eens even–' probeerde Jessica, van wie het geduld snel op begon te raken.

'Nee,' zei Paul en hij keek haar voor het eerst sinds haar komst aan. 'Ik hoef helemaal niets meer van je te horen. Want je mag dan misschien gewend zijn maar met je vingers te knippen en je zin te krijgen, bij mij werkt dat niet zo.'

Op dat moment knapte er iets in Jessica, en het waren niet haar vingers. Verslagen, teleurgesteld en ongelooflijk kwaad om zijn reactie, vooral nu ze deze pelgrimstocht door Londen had gemaakt alleen maar zodat ze de dingen kon uitleggen, gaf ze het op. Ze was er klaar mee, dus draaide ze zich vliegensvlug om en verliet de kamer, langs Lucy die op de trap zat en niet eens deed alsof ze ze niet afluisterde.

'Geef hem niet op,' riep Lucy haar na.

'Waarom niet?' vroeg Jessica, die er tot haar schrik achter kwam dat ze weer op het punt stond in tranen uit te barsten.

'Ik weet dat hij zich als een lul gedraagt, maar hij houdt echt van je. Hij is zo gelukkig sinds hij jou heeft ontmoet.'

'Nou, ik weet het niet hoor Lucy. Hij heeft het zo druk met zijn zelfmedelijden dat hij er geen seconde over na heeft gedacht hoe raar dit alles voor mij moet zijn geweest, van begin tot eind.'

'Het is wat veel voor hem om te verwerken,' opperde Lucy, 'en ik weet zeker dat hij alleen maar heel erg bang is dat je hem niet wil. Dat je terug zult gaan naar Hollywood als de nieuwigheid van een gewoon iemand eenmaal is weggesleten.'

In de zitkamer waar hij alles kon verstaan wat er gezegd werd, zuchtte Paul om de innerlijke discussie in zijn hoofd. Zijn trots schreeuwde dat hij het volume van de televisie harder moest zetten en vergeten dat Jessica Be– of hoe ze dan ook heette ooit had bestaan. Maar zijn hart, en interessant genoeg ook zijn hoofd, zeiden het tegenovergestelde. Ze zeiden dat hij in elk geval moest luisteren naar wat ze te zeggen had. Dat haar vergeten een onmogelijke opdracht zou zijn en dat hij alleen maar wilde dat alles weer goed was tussen hen.

Het was twee tegen één. Resoluut stond hij op en kwam de gang in, net op tijd om Jessica de deur uit te zien lopen.

'Goed,' riep hij haar achterna, 'als je het wilt uitleggen, ga je gang. Hoewel ik betwijfel of er veel te zeggen valt.'

Al halverwege het tuinpad draaide Jessica zich om, haar ogen vol verontwaardiging.

'Alsjeblieft?' zei Paul, terwijl hij uit het huis kwam en voor het eerst niet agressief meer klonk.

'Goed,' zei ze met zachte, kwade stem. 'Ik zal het doen.'

'Oké.'

'Oké,' herhaalde ze. 'Dus... ten eerste, nu ik eraan denk, heb je waarschijnlijk gelijk.'

'Waarover?'

'Nou, dat je op bepaalde manieren een nieuwigheidje bent.'

Paul keek woest en wilde net protesteren maar Jessica was hem voor.

'Je bent een nieuwigheidje omdat je, als je het echt wilt weten, het eerste vriendje bent dat ik ooit heb gehad dat me leuk vindt om wie ik ben en niet omdat je iemand wilt die rijk is, of bij de film wilt werken of mijn vader of moeder wil ontmoeten.'

Paul keek weg, niet wetend wat te zeggen, dus Jessica maakte gebruik van de stilte en ging verder.

'Je bent een nieuwigheidje omdat ik nog nooit zoveel heb gevoeld, voor niemand. En hoewel ik weet dat er bepaalde dingen zijn die ik je niet heb verteld,' zei ze met trillende stem, 'heb ik nooit tegen je gelogen.'

'Onzin,' mompelde Paul wanhopig, zijn ogen naar de hemel gericht.

'Laat me nou uitspreken,' snauwde Jessica boos. Daar overviel ze hem mee. Paul knikte dat ze verder moest gaan.

'Ik ben naar Engeland gekomen om mezelf te vinden,' begon ze. 'Ik weet dat het cliché klinkt, maar het is waar. Ondanks het feit dat ik op veel manieren een ongelooflijk verwend leventje heb gehad, is het niet altijd makkelijk geweest de dochter van twee levende legenden te zijn. Voordat ik hierheen kwam, was ik het helemaal zat. Mijn vader heeft zich altijd bemoeid met alles wat ik deed en ik begon me écht verstikt te voelen door hem en door hoe mensen op mijn naam reageerden. Ik wilde hier met een schone lei beginnen en ik vind het erg jammer dat je niet eens ook maar een beetje schijnt te kunnen begrijpen waarom ik het heb gedaan.'

Paul zei niets, maar hij luisterde tenminste.

'Het is al mijn hele leven hetzelfde liedje. Zodra mensen erachter komen wie ik ben, verandert hun houding tegenover mij. Soms hebben ze medelijden met me omdat ik lang niet zo mooi ben als mijn moeder. En als ze eenmaal over dat feit heen zijn, nemen ze altijd een van twee dingen aan. Of, dat ik een bijzonder persoon ben die uitzonderlijke dingen met haar leven zal willen doen. Of, dat ik geen hersens heb, en dat is volgens mij de meest voorkomende aanname. Bestempeld worden als leeghoofd alleen maar omdat mijn ouders rijk en beroemd zijn, is om je de waarheid te zeggen nogal saai. Het is ook frustrerend en ironisch want ik heb met eigen ogen gezien hoe ongelukkig mijn moeder is geweest, terwijl zij de mooiste vrouw ter wereld is. Daardoor ga ik me afvragen waarom mensen zouden denken dat ik opgezadeld zou willen zijn met dat kruis. Ten tweede, wil ik niet – en heb het ook nooit gewild – beroemd worden. Ik zie eigenlijk niet in wat er mis is met middelmatig zijn, want voor zover ik weet, betekent middelmatigheid dat je bestaan veel minder druk en meer geluk kent. Dat gezegd hebbende,' ging Jessica verder terwijl ze een hand ophield om Paul te waarschuwen haar niet te onderbreken toen het ernaar uitzag dat hij dat wilde doen, 'ben ik geen leeghoofd. Ik wil graag werken en ik wil ook graag iets doen wat me voldoening schenkt, en zonder deze reis zou ik nog steeds geen idee hebben wat dat zou kunnen zijn. Dus als je me zou vragen of ik er spijt van heb dat ik hierheen ben gekomen, of ik er spijt van heb even vrij te zijn geweest van vooroordelen, dan is het antwoord nee. Heb ik er spijt van dat jij gekwetst bent en dat ik het je niet eerder heb verteld? Dan is het antwoord natuurlijk ja. Maar Paul, ik was dit helemaal niet van plan. Ik wist niet dat ik jou zou ontmoeten. Hoewel ik eigenlijk ergens wel blij ben dat ik je als Jessica Bender heb ontmoet en niet als de dochter van twee filmsterren, want dan had je me nooit de moeite waard gevonden.'

'Dat is niet waar,' bracht Paul daartegenin, verbaasd dat hij nu degene was die ergens van beschuldigd werd.

'Jawel,' antwoordde Jessica gewoonweg.

Ze stonden elkaar een ogenblik op te nemen, beiden worstelend met hun gevoelens.

'Nou, dat denk ik niet,' zei Paul zwakjes.

'Paul, ik ben naar Engeland gekomen om mezelf te zijn,' zei Jessica uiteindelijk. 'Ik wilde ergens heen waar ik voor een keer vóór mijn identiteit uit een kamer in kon lopen. Maakt dat me nou echt zo'n slecht mens?'

Paul wist het niet meer. Nu hij alles had aangehoord wat ze te zeggen had kon hij haar motief voor het verzwijgen van haar identiteit wel een beetje begrijpen, maar het kwetste hem dat ze hem zo bevooroordeeld vond. Hij was echter ook intelligent genoeg om te beseffen dat als er in wat ze zei geen kern van waarheid schuilde, het hem waarschijnlijk niet zo vreselijk zou raken en hij alleen maar boos zou zijn. Toch voelde het nog steeds alsof hij voor de gek was gehouden en dat zei hij haar ook.

'Ik stel het niet op prijs als iemand me achter mijn rug om uitlacht,' zei hij uit verdediging en hij knikte beleefd naar de vrouw met buggy voor wie ze allebei een stap opzij zetten.

'Wie doet dat dan?' vroeg Jessica verbijsterd.

'Dat heb jij vast gedaan,' zei Paul. 'Tegen mij doen alsof je geen geld had. Dat je vader sentimenteel was en overal om moest huilen. En dan nota bene de naam Bender kiezen. Waarom zou je dat doen tenzij het allemaal één grote grap is?'

'Misschien was ik niet op de hoogte van de Britse connotatie?' opperde Jessica hooghartig.

Paul haalde zijn schouders op.

'Mijn vaders echte naam is Teddy Bender,' zei ze zacht, 'en als je dat doorvertelt, vermoordt hij me. Hij komt oorspronkelijk uit Pinner, waar hij op de plaatselijke scholengemeenschap heeft gezeten. Hij heeft spraaklessen gevolgd om zo te klinken als hij nu doet.'

Paul fronste van ongeloof maar de frons verdween al snel toen tot hem doordrong dat Jessica echt de waarheid sprak. Dat kon niet anders. Ze keek zo serieus en bovendien: waarom zou ze zoiets verzinnen? Teddy Bender! Kostelijk.

'En,' ging Jessica verder, schoorvoetend tot het besluit gekomen dat als ze Pauls vertrouwen wilde herwinnen, ze hem heel erg zou moeten vertrouwen, 'ik heb ook niet gelogen over dat andere... van dat janken...'

Paul dacht erover na wat dat betekende. Toen hij eenmaal zover was, moest hij de grijns wegduwen die vocht om op zijn gezicht te verschijnen. Hij moest niet lachen. Als hij dat deed, zou hij laten zien dat hij Jessica vergaf en dat kon hij nog niet, niet totdat hij wist dat ze hem niet zou dumpen om te vertrekken naar haar echte, veel stijlvollere wereld.

'Oké,' zei hij, 'maar ik kan natuurlijk niet wedijveren met de jongens die je ongetwijfeld achter je aan hebt lopen in Hollywood. Het kunnen niet allemaal klootzakken en geldwolven zijn, dus hoewel ik je het liegen vergeef, maak ik het liever nu uit voordat ik te veel aan je gehecht raak. Aangezien het toch onvermijdelijk is, zie ik er het nut niet van in het uit te stellen. Ik ben niet gek. Ik weet dat je beter kunt krijgen dan iemand met een gemiddeld leven en een minder dan gemiddelde bankrekening.'

Hij zweeg, hopend dat er nu geruststellende en troostende woorden zouden volgen die al zijn onzekerheden zouden wegnemen. Dat liep uit op een teleurstelling.

'Hoor je zelf wel wat je zegt? Jezus, wat kun je toch een eikel zijn,' riep Jessica tot zijn verbazing. 'Ik kan er soms gewoon met mijn hoofd niet bij. Paul, je bent een geweldig mens, maar na alles wat ik net tegen je heb gezegd, dat dít dan je reactie is, dan heb je echt een probleem, hoor. Mijn relatie met jou is een van de mooiste dingen die me ooit is overkomen, als je het echt wilt weten, dus waarom zou ik bereid zijn dat allemaal weg te gooien? Ik vind het echt vreselijk om te denken dat dit maar een vakantieliefde zou zijn en als je de sukkels zou ontmoeten met wie ik eerder een relatie heb gehad, zul je misschien snappen waarom. En hoe kun je nog steeds denken dat ik zo oppervlakkig ben?' vroeg ze ongelooflijk gefrustreerd. 'Of liever: hoe kun jíj zo oppervlakkig zijn? Waarom kun je me niet beoordelen op wat je van me hebt gezien, op hoe ik voor je was? Wie mijn ouders zijn heb ik niet voor het zeggen gehad. Dat heeft niemand.'

'Ja, dat weet ik wel, Einstein,' gaf Paul lichtelijk beschaamd toe.

'Nou, dan zou je misschien eens moeten proberen dat ook echt te laten zien,' zei Jessica verbolgen. 'Weet je, we krijgen allemaal een ander setje kaarten uitgedeeld waar we het mee moeten doen in dit leven, maar het enige dat ertoe doet is wát we verkiezen ermee te doen. Het beste maken van onze "kaarten" is het enige wat we kúnnen doen. Jezus,' voegde ze er ineens aan toe, mateloos gefrustreerd.

'Ja, maar het is niet...' probeerde Paul, maar Jessica luisterde niet; ze was op dreef.

'Is het leven eerlijk? Natuurlijk niet. Is het eerlijk dat ik me geen zorgen hoef te maken over geld? Nee. Is het eerlijk dat mijn huis een *mansion* in Malibu is? Nee. Maar het is ook niet mijn schuld en ik heb er zo–' ze slikte maar het had geen zin, de tranen maakten een comeback – 'ik heb er zo... genoeg van om me te moeten verontschuldigen voor wie ik ben.'

'Nou... dat zou ook niet nodig moeten zijn,' opperde Paul.

'Precies,' zei Jessica. 'Dat is zo, maar ik weet niet of ik er ooit mee kan ophouden, want ik ben me zo bewust van wat mensen als jij denken over mensen als ik.'

'Ik denk niet–'

'Je loopt met zoveel wrok rond, Paul,' ging Jessica verder, 'en daar moet je echt vanaf. Ik bedoel, ik weet dat mijn leven vrij perfect is, maar als ik zou willen zou ik vast wel wat rottigheden kunnen bedenken om in te zwelgen. Ik kan mijn onzekerheden wijten aan het feit dat mijn moeder me heeft verlaten toen ik nog heel klein was. Of mijn gebrek aan richtingsgevoel aan het feit dat ik toen ik vier was zoveel tijd met mijn au pair doorbracht dat

Spaans mijn eerste taal werd. Het was heel gek om in één huis te wonen met mijn vader en een stiefmoeder die niet veel ouder is dan ikzelf. En heb ik het nou echt gewild om mijn vader met mijn moeder in bed te betrappen op zijn verjaardag? Nee dus,' zei ze met gevoel.

Pauls mond viel wagenwijd open en een vrouw die langs wilde lopen, stak de straat over.

'Shit,' zei Jessica. Ze had zich iets te veel laten meeslepen. Zichzelf verlossen van zoveel waarheden was een beetje als ontgiften. 'Vergeet dat laatste maar. Hoe dan ook, wat ik wil zeggen is dat je in het leven in negen van de tien van de gevallen zelf de schuldige bent.'

'Wat probeer je nou precies over mij te beweren?' vroeg Paul, defensief maar ontroerd.

Jessica zuchtte. 'Je zult dit wel niet geloven, maar ik ben op een bepaalde manier jaloers op je. Ik ken ze nog niet eens, maar als ik je alleen maar hoor praten over Lucy en je moeder klinken jullie als zo'n hecht stel. Een hecht gezin is alles wat ik ooit gewild heb en alleen maar omdat jij uit Staines komt en ik uit L.A., alleen maar omdat jouw vader een slechte vader was en de mijne toevallig de jackpot heeft gewonnen, dat staat toch verdomme los van óns?'

Paul knipperde en slikte even. Hij wist dat ze gelijk had. Voordat hij het zelf ook maar wist, had ze op griezelige wijze weten te benoemen met welke demonen hij worstelde. Hij had inderdaad de gewoonte zijn vader overal de schuld van te geven en naar omstandigheden van mensen te kijken voordat hij ze ook maar de kans had gegeven hem te laten zien wie ze waren.

'Het spijt me,' zei hij bedroefd. 'Je hebt gelijk. Ik heb me als een lul gedragen en ik weet dat ik soms... mezelf een beetje af kan kraken.'

'Nou, dat is beter dan arrogant zijn, denk ik,' zei Jessica zacht.

Aarzelend deed Paul een stap naar haar toe. 'Ik denk dat ik gewoon een beetje, je weet wel, bang ben om je te verliezen,' gaf hij uiteindelijk toe.

Jessica snoof en wierp hem een waterig glimlachje toe. 'Nou, dat gaat niet gebeuren.'

Paul keek weg, zijn handen stevig in zijn zakken. 'Ik weet dat je me een oen vindt...'

Jessica lachte. 'Dat vind ik niet, hoewel... als dat het fraaiste is wat een van Londens beste komedieschrijvers kan verzinnen, dan...'

Daar moest Paul om grijnzen. 'Ik heb tenminste geen verkering meer met een homo, Bender' zei hij.

Jessica gaf hem een stomp.

'Au,' zei hij en hij wreef over zijn arm, waarna hij haar eindelijk een verwelkomende grijns schonk. Hij pakte haar handen en terwijl hij haar aankeek trok hij een ernstiger gezicht.

'Ik hou van je, Jessica.'

Jessica's adem stokte en ze sloeg haar ogen op naar de hemel terwijl ze zich vulden met tranen. Ze had heel lang op die woorden gewacht en was even bang geweest haar kans te hebben verpest ze ooit uit zijn mond te horen.

'Ik ook van jou,' antwoordde ze, 'heel, heel veel.'

'Bedankt dat je me bent komen opzoeken,' zei Paul en hij trok haar naar zich toe voor een knuffel.

'Graag gedaan,' zei Jessica en ze begroef haar gezicht even in zijn schouder voordat ze hem weer losliet en hem in de ogen keek. 'Hé... huil je nou?'

'Nee,' zei Paul meteen, hoewel het in werkelijkheid niets scheelde. 'Fuck,' zei hij. 'Ik doe helemaal niet aan huilen! Wat heb je met me gedaan?'

'Oh, het geeft niet, hou je vooral niet in,' lachte Jessica, zo blij dat ze dacht dat ze zou ontploffen. Ze kneep hem fijn. 'Geef er maar aan toe, laat het eruit, want wat huilende mannen betreft: geloof me, daar ben ik aan gewend.'

# Epiloog

*Zeven maanden later*

'Gaat het?' vroeg Jessica.

'Nee,' antwoordde Paul naar waarheid. 'Ik schijt bagger.'

'Ja, ik snap ook niet waarom je nou naar *Meet the Parents* moest kijken in het vliegtuig. Dat zal niet hebben geholpen,' vermaande Jessica hem. Haar eigen zenuwen was ze ook niet meer de baas.

'Het is een van mijn lievelingsfilms,' protesteerde Paul. 'Een van de best geschreven komedies aller tijden. Bovendien denk je toch niet echt dat het zo gaat worden?'

Maar Jessica had geen tijd om te antwoorden want op dat moment opende Consuela de deur en onthulde de vorstelijkste hal die Paul ooit had gezien.

'Jessica!' gilde Consuela. 'Wat goed om je te zien, lieverd.'

'Jou ook, ik heb je gemist,' antwoordde Jessica en ze omhelsde haar hartelijk en deed daarna weer een stap naar achteren om haar vriend erbij te betrekken. 'En dit is nou Paul.'

'Ah Paul, ik heb zoveel over je gehoord. Kom binnen, kom binnen en welkom.'

'Bedankt,' zei Paul verlegen en hij betrad het huis op precies het juiste moment om de man die vele tweede kerstdagen draaglijk had gemaakt door een dubbele deur te zien komen. Hij slikte. Ondanks alle peptalks die hij zichzelf in de afgelopen weken had gegeven vlogen alle goede bedoelingen die hij had om Edward Granger gewoon als Jessica's vader te zien pardoes de twee meter hoge ramen uit. Het was James Bond, en hoewel hij wel verwacht had dat hij knap en elegant zou zijn en blij zijn dochter te zien, had hij niet verwacht dat de wereldberoemde acteur een sprintje zou trekken, Jessica op zou tillen en rond zou zwieren alsof ze een twaalfjarig meisje was.

'Fijn om je te zien, prinsesje,' zei hij gloedvol, zijn ogen verdacht wazig. 'Ik heb je zo gemist, snoesje.'

'Ik jou ook, pap, ik jou ook,' antwoordde Jessica opgewekt terwijl ze zich uit zijn ijzeren greep wrong. 'En dan wil ik je nu graag voorstellen aan Paul Fletcher, pap.'

'Aha, dus jij bent de beroemde Paul waar we al maanden over horen,' zei hij gladjes en hij klonk zoveel meer als Bond dan toen hij met woorden als snoesje en prinsesje smeet. 'Enig om je eindelijk te ontmoeten.' Hij stak zijn hand uit.

'Insgelijks,' zei Paul, die hem stijfjes de hand schudde. Door de zenuwen zweette hij overdadig en hij was ineens erg bang dat er vlekken op zijn T-shirt zouden verschijnen. Jessica grijnsde verkikkerd naar beide mannen, haar hart bonzend in haar borstkas in een mengeling van trots en gezonde spanning.

Een halfuur later zaten ze gedrieën met koude drankjes in de hand in de schaduw op de enorme patio. Paul nam zijn omgeving in zich op terwijl hij probeerde te doen alsof hij het doodnormaal vond dat hij met een superster in de tuin van een mansion in Malibu zat.

'Dus je opleiding gaat goed?' informeerde Edward, die bij kletste met zijn dochter.

'Erg goed,' antwoordde Jessica blij. 'Ik vind het geweldig en ik kan je niet zeggen hoe super het voelt eindelijk iets te hebben gevonden waar ik echt goed in ben. Het gaat nog jaren duren voordat ik therapeut ben, maar ik leer zoveel, dus ik weet dat het de moeite waard is. En ondertussen werk ik nog met veel plezier voor Diane. Hoewel ze zich nu veel beter voelt, dus ik weet dat ze zich wel redt als ik ook weer verder ga.'

'Het is wel apart dat je helemaal naar Engeland moest gaan om deze roeping te vinden,' plaagde Edward. 'Vind je niet, Paul? Want hier in L.A. zijn natuurlijk helemaal geen therapeuten...'

Paul en Jessica lachten. Daar zat wat in.

'Ah, daar is Ange,' zei Edward ineens en hij hield zijn hand boven zijn ogen tegen de zon. 'We zitten hier, schat,' riep hij door de tuin. 'Ging het goed?'

'Ja, hoor,' antwoordde Angelica, die zo snel het ging op haar hoge hakken over het gazon liep. Ze was naar een belangrijke bespreking bij Universal Studios geweest maar had zich de hele tijd op zitten vreten over het feit dat ze haar dochters aankomst miste.

Ze was zelfs zo ongeduldig om bij haar te komen dat ze haar schoenen maar helemaal uittrok en begon te rennen. Net zo opgewonden vloog Jessica haar halverwege tegemoet. 'Zo blij dat je er bent, *ma chérie*,' riep Angelica uit terwijl ze elkaar omhelsden. 'En Paul, wat fantastisch je te zien,' voegde ze eraan toe toen hij ietwat zenuwachtig naderbij kwam. Ze was vastbesloten hem zo veel mogelijk op zijn gemak te stellen. 'Ik vind het zo erg dat ik er niet kon zijn om jullie te verwelkomen.'

Paul wilde haar de hand schudden, maar Angelica wuifde die weg en kuste hem in plaats daarvan hartelijk op beide wangen. 'Zo fijn om je nu fatsoenlijk te ontmoeten. En vanavond gaan we gezellig samen eten, tenzij jullie al plannen met Dulcie hebben?'

'Nee,' antwoordde Jessica, 'we blijven een beetje uit haar buurt, hè Paul? Met nog maar twee dagen te gaan voor de bruiloft is ze een kip zonder kop, dus we wachten wel tot we haar bij het oefendiner zien.'

Nu ze de anderen had begroet, wandelde Angelica naar Edward en plantte een zoen op zijn lippen. Loom strekte hij een arm uit, sloeg die om haar middel en trok haar omlaag zodat ze bij hem op schoot zat.

'Hallo lieveling,' zei hij teder.

'Hallo liefste,' spon ze.

'O ja, pap,' zei Jessica terwijl ze met haar ogen rolde. Die twee waren nog erger dan zij en Paul. 'Paul en ik pikken morgen onze vrienden op van het vliegveld en ik vroeg me af of het goed was dat ze 's middags hier zijn? Ik weet dat ze jullie heel graag willen ontmoeten en dan kunnen we lekker bij het zwembad zitten.'

'Natuurlijk is dat goed,' antwoordde Edward. 'Ik zou beledigd zijn als ze niet hier kwamen. Wie komen er ook weer?'

'Nou Isy, of zoals Dulcie haar graag noemt: "de kleine veelvraat". Echt waar, die twee zijn allebei zo gek als een deur. Maar goed, Isy is bruidsmeisje samen met mij. Dulcie heeft ook Kerry, haar vriend Luke en Vanessa uitgenodigd. Natasha is eigenlijk de enige die niet is gevraagd. Die baalt als een stekker.'

'Nou, gelukkig maar,' zei Angelica terwijl ze opstond van Edwards schoot om haar dochter nog een knuffel te geven. 'De verhalen over haar stonden me helemaal niet aan.'

Paul wierp een stiekeme blik op Edward. Hij zat hevig te knipperen om het gelukkige tafereel, duidelijk ontroerd moeder en dochter zo vrij in elkaars gezelschap te zien verkeren. Dat was wel begrijpelijk; gezien hun historie wás het ook ontroerend. Toch moest Paul respectvol een grijns onderdrukken toen hij zich realiseerde dat Jessica echt niet had overdreven over Edwards sentimentaliteit.

'Nou,' zei Edward en hij schraapte zijn keel terwijl de vrouwen begonnen aan wat overduidelijk een lang gesprek over bruiloften zou worden, 'ik denk dat jouw moeder en mijn zus het wel naar de zin zullen hebben samen.'

'Ja, Vegas mag wel oppassen,' zei Paul.

'En of,' was Edward het met hem eens. 'Volgens mij doet deze nieuwe vriendschap tussen Pam en je moeder mijn zus ontzettend goed.'

Paul knikte. Dat gold voor beide vrouwen. De afgelopen maanden waren zijn moeder en Pam onafscheidelijk geworden en toen

Edward erop had gestaan Pam een welverdiende vakantie cadeau te doen, had ze Anita onmiddellijk uitgenodigd met haar mee te gaan.

'Toen ze op het vliegveld hun auto ophaalden om mee naar Vegas te rijden was het net de sagaversie van *Thelma & Louise*,' grapte Paul.

Edward bulderde van het lachen. 'Dat is erg grappig,' grinnikte hij, 'ik snap wel dat je een goede komedieschrijver bent.'

Verguld met dit compliment probeerde Paul bescheiden te kijken.

'Wat zijn je plannen terwijl je hier bent?' vroeg Edward.

'Nou, ik ben hier vooral voor de bruiloft en om Jessica's familie te ontmoeten natuurlijk, maar ik heb ook een paar werkafspraken staan, je weet maar nooit. Ik weet dat Jessica zo snel mogelijk weer hierheen wil verhuizen, dus het leek me wel een goed idee om een paar balletjes op te gooien.'

'Goed,' zei Edward terwijl hij vocht tegen de neiging om met zijn vuist in de lucht te stompen. Dat klonk hem als muziek in de oren. Hij kon Paul wel aardig leren vinden, maar niet als hij het enige was dat de terugkomst van zijn kleine meid in de weg stond. 'Bij wie ga je langs?' vroeg hij terloops.

'Een paar mensen bij verschillende zenders,' antwoordde Paul. 'Maar waar ik echt naar uitkijk is Bob Chambers.'

'Dat kan ik me voorstellen,' riep Edward onder de indruk uit. Bob Chambers was verantwoordelijk voor een aantal van de populairste shows ooit, op een van Amerika's grootste en meest prestigieuze zenders. Edwards gedachten gingen met hem op de loop. 'Ik ken Bob niet persoonlijk...' zei hij uiteindelijk, 'maar ik ken wel iemand die hem kent. Ik zou mijn goede vriend Steve kunnen bellen om alvast een goed woordje voor je te doen vóór je bespreking.'

'Eh, oh, eh...'

'Wat zeg je, pap?' mengde Jessica zich er plotseling alert in toen ze het laatste stukje van hun gesprek opving.

'Niets,' zei Edward.

'Edward?' zei Angelica streng. 'Wat voer jij in je schild?'

'Niets,' herhaalde Edward vaagjes.

'Paul?' vroeg Jessica, die haar vader voor geen meter geloofde. Het schuldgevoel stond op zijn gezicht geschreven.

Paul vroeg zich af wat hij moest doen. Hij wilde niet onbeleefd zijn en Edward verklikken, maar tegelijkertijd wilde hij ook niet tegen Jessica liegen. Uiteindelijk was het Angelica die hem uit de brand hielp.

'Edward, wat ben je van plan? We weten hoe je bent, dus als je Paul in een ongemakkelijke positie brengt, kun je het ons maar beter nu vertellen.'

'Allemachtig,' sputterde Edward, 'sinds wanneer wordt een man in zijn eigen huis ondervraagd?'

Paul probeerde niet te lachen. Edward had van nature iets grappigs over zich.

'Sinds die man nooit heeft gesnapt wanneer hij zich ergens niet mee moet bemoeien,' antwoordde Jessica ferm.

'Ik bemoei me helemaal nergens mee,' antwoordde Edward, maar het spel was uit. 'Oh, oké. Paul heeft een afspraak met Bob Chambers en ik dacht gewoon dat ik hem wel kon helpen om in een goed blaadje bij hem te komen.'

Jessica aarzelde. Aan de ene kant zou ze het geweldig vinden als Paul hier een baan vond. Het zou hen heel wat kwellende problemen besparen, maar als hij het ging doen, wilde ze dat dat op eigen kracht was. Hij was getalenteerd genoeg om haar vaders hulp niet nodig te hebben, maar het was zíjn beslissing. Misschien zou hij, na zijn hele leven zo hard te hebben gewerkt, een helpende hand voor een keer niet afslaan?

'Jezus,' zei Edward, lachend om alle geschrokken gezichten. 'Je zou bijna denken dat ik hem dwong om drugskoerier te worden of zo.'

'Hou op, pap. Het is belangrijk voor me dat Paul niet het gevoel heeft dat jij je ermee bemoeit. Ik weet tenslotte hoe dat voelt.'

Ineens waren alle ogen op Paul gericht, die aanvoelde dat het tijd werd om te vertellen hoe het zat. Tijd om eerlijk te zijn, ook al zou dat betekenen dat hij misschien onbeleefd zou zijn.

'Oké,' zei Paul. 'In alle eerlijkheid voelt het wel een beetje als bemoeien. Hoewel ik zeker weet dat je het waarschijnlijk alleen maar doet in de hoop dat Jessica eerder naar huis komt als ik hier een baan krijg.'

Edward probeerde te kijken alsof dat niet het geval was, maar faalde daar finaal in.

'Maar – en ik hoop dat ik je niet beledig als ik dit zeg – ik heb liever dat je niet belt. Want als ik de baan krijg nadat jij een goed woordje voor me hebt gedaan, zal ik het gevoel hebben dat dat de enige reden is dat ik hem heb gekregen, en ik doe het liever op eigen kracht. Maar ik stel het aanbod zeer op prijs, hoor,' voegde hij er snel aan toe.

Jessica was zo trots dat ze dacht dat ze uit elkaar zou barsten. Maar Angelica en zij hielden ook de adem in in afwachting van Edwards reactie.

Even keek hij zo ernstig dat het erop leek dat hij behoorlijk beledigd was. Toen brak er langzaam een brede grijns door op zijn gezicht en stond hij op om Paul de hand te schudden.

'Goed gedaan,' zei hij terwijl hij die heftig op en neer pompte. 'Je bent een goeie gozer en hoewel ik het niet graag toegeef, je hebt de juiste keuze gemaakt.'

Jessica slaakte een gil van verrukking. Toen rende ze naar Paul, sprong in zijn armen, sloeg haar benen om hem heen en overstelpte hem met kussen.

'Rustig aan, dametje,' zei Edward. 'Vergeet niet dat je vader en moeder erbij staan.'

Lachend liet Jessica Paul even los. 'Ja, nou ja, zoals Pam zou zeggen: pot, ketel, zwart.'

'O ja,' gaf hij zijn nederlaag toe en Angelica en hij kregen gelijktijdig een rode kleur.

'Bedankt voor je begrip,' zei Paul.

'Eindelijk!' grapte Jessica bijdehand, en vroeg daarna: 'Hé, huil je nou, pap?'

'Nee,' snauwde Edward terwijl hij in zijn zak naar een zakdoek zocht.

'Mijn sentimentele sul is nog steeds zo soft als altijd, hè?' lachte Angelica.

'Oh, hou je mond,' zei Edward en hij veegde bruusk zijn tranen weg en schraapte zijn keel. 'Ik huil helemaal niet. Het is dat stomme gras, daar krijg ik waterige ogen van.'

'Of misschien is er een herhaling van *Cheaper by the Dozen* op?' grapte Paul, die even vergat met wie hij solde.

Jessica en Angelica keken stomverbaasd en al snel besefte Paul dat hij misschien te ver was gegaan. 'Sorry,' mompelde hij.

Edward kneep zijn ogen tot spleetjes en zweeg, om het moment net lang genoeg uit te melken zodat Paul ging denken dat deze trip wel eens korter zou kunnen worden dan gepland. Toen gooide hij zijn hoofd in zijn nek en bulderde oprecht van het lachen. 'Brutale vlegel,' zei hij blijmoedig. 'Maar waag het niet mijn niet-zo-macho geheimen aan anderen te vertellen,' adviseerde hij.

'Oh, dat zal ik niet doen, meneer Granger, dat beloof ik,' zei Paul ongelooflijk opgelucht.

'En geen gemeneer,' vermaande Edward. 'Noem me maar–' Hij veranderde van gedachten. Hij wilde Pauls gezicht wel eens zien.

'Noem me maar Bond,' zei hij, 'James Bond.'

Het was het waard. Pauls gezicht was het toonbeeld van verbazing, zo verbluft was hij door dit briljant surrealistische moment. Angelica giechelde en Jessica grijnsde. Haar vader was kostelijk, en voor één keer voelde ze bij zijn opschepperij niets dan liefde en trots. Nu ze hier zo stond in de zonneschijn met de mensen van wie ze hield, werd ze vervuld met een overweldigend gevoel van geluk, hoop en pure vreugde alleen maar om het feit dat ze leefde. Ze liep naar Paul om hem een zoen op zijn wang te geven. Haar optimisme moest besmettelijk zijn geweest, want Paul voelde zich naar haar toe getrokken worden en boog zich licht om haar iets in het oor te fluisteren.

'En je weet maar nooit,' zei hij, 'misschien word jij op een dag Fletcher, Jessica Fletcher?'

'Je weet maar nooit,' erkende ze.

# Dankwoord

Mijn enorme dank gaat natuurlijk uit naar iedereen bij Penguin die genoeg in dit boek geloofde om het uit te geven en dat vervolgens ook heeft gedaan. Vooral Kate Burke, Mari Evans, Anthea Townsend, Karen Whitlock, Debbie Hatfield en Beatrix McIntyre.

Veel dank aan mijn geweldige agent Eugenie Furniss. Ik ben je oprecht dankbaar voor al je harde werk, wijze woorden en eindeloze enthousiasme. Ook dank aan de überefficiënte en lieftallige Claudia Webb.

Een innig en speciaal bedankje voor Debi Allen, iemand waar je niet zomaar omheen kan en die me door dik en dun gesteund heeft. (En dat bedoel ik letterlijk; nadat ik Lily had gekregen moest ik Bridget Jones-achtig steunondergoed dragen tijdens mijn eerste klus.) Je bent super, de meest hardwerkende mens die ik ken. Ik heb extreem veel mazzel dat ik jou in mijn leven heb.

Zoals altijd dank aan mijn fantastische familie. Vooral mijn moeder en Mauro die er na een hel van een jaar evengoed lachend uit zijn gekomen. Ook aan mijn vader, Sally, Imogen, Isabel en Jessica, allemaal bedankt voor jullie onbetaalbare advies, tijd en steun. Vergeet 'de ridders van de ronde tafel', want 'de lezers van de rechthoekige tafel van Madrid Road' zijn waar het allemaal gebeurt. Harry, jij mag natuurlijk niet onvermeld blijven, (ondanks het feit dat je het eerste nog niet eens hebt gelezen) net als mijn schatten Lily en Freddie. Zij hebben het ook niet gelezen, maar in alle eerlijkheid hebben zij waarschijnlijk een beter excuus.

Dank aan mijn briljante, grappige en grootmoedige vriendinnen die me altijd hebben gesteund. Ik weet eerlijk waar niet wat ik zonder jullie zou moeten. Een speciaal bedankje voor degenen die zoveel hebben geholpen tijdens de erg leuke geen keuken/wasmachine-fase van mijn leven. Er zullen tot op de dag van vandaag waarschijnlijk nog wel ergens wat verdwaalde onderbroeken in jullie wasmachines zwerven...

En als laatste, dank aan mijn man Charlie. Zelfs na al die jaren ben je nog steeds mijn James Bond (hoewel misschien meer op een Austin Powers-achtige manier). Ik hou ontzettend veel van je en weet echt niet waar ik zonder je zou zijn.